GROUPES DE MOTS

Proposition	Groupe dont le noyau est un **verbe conjugué**.	Laure **traverse** la forêt et **rentre** chez elle. 　　proposition 1　　　　proposition 2
Groupe nominal	Groupe dont le noyau est un **nom**.	Laure s'enfonce dans la **forêt** profonde. 　　　　　　　　GN
Groupe infinitif	Groupe dont le noyau est un **verbe à l'infinitif**.	Laure aime **se promener** en forêt. 　　　　　　groupe infinitif
Groupe adjectival	Groupe dont le noyau est un **adjectif**.	La plaine est **blanche de neige**. 　　　　　groupe adjectival

Les principales fonctions

	Définitions	*Exemples*

LES FONCTIONS DANS LA PHRASE : autour du VERBE

Sujet	Il commande l'accord du verbe et exprime généralement **qui fait** l'action.	**Laurie** mange à la cantine.　**Je** copie ma leçon. 　S　　V　　　　　　　S　　V
Complément d'objet (COD, COI)	Complément essentiel du verbe, il exprime **qui subit** l'action. – Le complément d'objet direct (**COD**) se construit directement. – Le complément d'objet indirect (**COI**) se construit avec une préposition.	Romain prend **son cahier.** 　　V　　　COD Kévin parle **à Romain.** 　　V　　COI Romain donne **son cahier à Kévin.** 　　V　　COD　　COI
Complément d'agent	Dans la phrase passive, il exprime **qui fait** l'action (= agent). Il est introduit par les prépositions *par* ou *de*.	La leçon est dictée **par le professeur.** 　　　V　　　　compl. d'agent
Attribut du sujet	Constituant essentiel, il donne une **précision** sur le sujet par l'intermédiaire d'un verbe d'état (*être, sembler...*).	Laurie est **brune.** 　　V　　attr. du sujet Laurie
Complément circonstanciel	Complément non essentiel de la phrase, il exprime les **circonstances** de l'action (temps, lieu, cause...).	**Ce midi**, Laurie mange **à la cantine.** CC de temps　　　　　CC de lieu

LES FONCTIONS DANS LE GROUPE NOMINAL : autour du NOM

Déterminant	Il introduit le nom et le détermine. Il indique son **genre** et son **nombre**	**le** cahier , **des** cahiers , **son** cahier , **ce** cahier , **certains** cahiers , **quels** cahiers ...
Épithète	**Accolé au nom**, il apporte une précision sur celui-ci.	un crayon **rouge** – un **petit** cahier 　　　　épithète　　　épithète
Complément du nom	Il apporte une précision sur le nom et parfois le détermine. Il est souvent **introduit par une préposition.**	un crayon **à papier** – un stylo **qui fuit** 　　compl. du nom　　　　compl. du nom
Apposition	**Détachée** du groupe nominal par une **virgule** (elle n'en fait pas partie), elle se rapporte au nom.	**Perdue dans ses pensées,** Marine ne m'entend plus. 　　apposition

Ouvrage réalisé sous la direction de **Béatrice** Beltrando

L'atelier du langage

Grammaire
Vocabulaire
Orthographe
Conjugaison

Béatrice Beltrando,
agrégée de Lettres modernes,
Lycée René Cassin, Arpajon.

Fabienne Avoledo,
certifiée de Lettres modernes,
Collège Jean Macé, Sainte-Geneviève-des-Bois.

Jeanne Beltrando,
certifiée de Lettres modernes,
Collège Paul Éluard, Brétigny-sur-Orge.

Sabine Le Guével,
certifiée de Lettres modernes,
Lycée Albert Einstein, Sainte-Geneviève-des-Bois.

Maria Lourenço,
certifiée de Lettres modernes,
Collège Albert Camus, La Ferté-Alais.

HATIER

Conception maquette: **Frédéric Jély – Graphismes**
Réalisation / mise en page: **Catherine de Trégomain**
Iconographie: **Hatier Illustrations**
Illustrations: **Jaouen Salaün** (p. 26, 28, 31, 32, 35, 38, 41, 44, 50, 52, 58, 64, 77, 81, 84, 89, 95, 96, 100, 103, 111, 114, 116, 122, 127, 131, 134, 137, 140, 142, 145, 148, 154, 160, 162, 164, 172, 174, 176, 179, 180, 187, 191, 192, 194, 198, 202, 205, 210, 213, 217, 219, 221, 223, 225, 227, 231, 232, 235, 237, 239, 241, 245, 247, 249, 251, 253, 254, 256, 259, 260, 263, 264, 269, 271, 273, 274). **Laurent Blondel / Corédoc** (p. 43)
Relecture, corrections: **Colette Malandain**

© HATIER – Paris, avril 2007   ISBN: 978-2-218-92576-1

Avant-propos

L'atelier du langage 4ᵉ est un manuel d'outils de la langue simple et complet.

Le programme de 4ᵉ est décomposé en **45 chapitres courts**, construits autour d'objectifs clairs et réalistes.

Pour chaque notion, le manuel propose une **leçon** et de nombreuses **activités** permettant aux élèves d'appliquer progressivement leurs nouvelles compétences à des **exercices de lecture et d'écriture**.

L'apprentissage de l'**orthographe** est un souci constant dans le manuel : des chapitres spécifiques lui sont consacrés, avec des exercices de **réécriture** et des **dictées préparées**, mais aussi de nombreux exercices au sein des chapitres de grammaire.

L'atelier du langage, c'est...

▪ Un manuel d'outils de la langue

Les **outils de la langue** regroupent les activités de :
- grammaire
- vocabulaire
- orthographe
- conjugaison

... tout ce qui permet à l'élève de maîtriser la langue pour **lire**, **comprendre** et **s'exprimer**, à l'écrit comme à l'oral.

▪ 45 chapitres

- pour couvrir **tout le programme de 4ᵉ** en grammaire, vocabulaire, orthographe et conjugaison ;
- pour pratiquer des **activités de lecture et d'écriture** variées sur des **textes au programme**.

▪ 700 activités et exercices

Des **supports** attrayants et des **démarches** variées : repérages, phrases à compléter, textes à reconstituer, copies d'élèves à corriger, transformations, réécritures, dictées préparées...

- pour s'entraîner de manière **progressive** ;
- pour apprendre à **mieux lire** et **mieux écrire**.

▪ Des outils méthodologiques

Des « **fiches méthode** », des **tableaux** (classes grammaticales et fonctions, relecture orthographique, conjugaison...), des « **aides** » pour les exercices, des « **astuces** »...

- pour **comprendre** ses difficultés et savoir y remédier ;
- pour **progresser** tout au long de l'année.

Mode d'emploi

ACTIVITÉ

L'activité prépare la leçon.

Un **texte** en rapport avec le programme, court et facile à comprendre.

Des **questions** simples qui font appel à une connaissance intuitive de la langue et des **manipulations** faciles pour découvrir la notion traitée.

LEÇON

La leçon présente la notion étape par étape.

Une structure allégée pour aller à l'essentiel.

Des **tableaux**, des **schémas**, des « astuces » et « remarques » pour mieux comprendre.

Une rubrique « **Utiliser le dictionnaire** » pour les chapitres de vocabulaire.

Des outils méthodologiques pour progresser.

Des **fiches méthode** pour s'approprier les méthodes du français au collège.

Le tableau des **classes** et des **fonctions** grammaticales.

EXERCICES

Les exercices mettent en jeu la notion à partir de textes attrayants et de démarches variées.

Des exercices variés et progressifs :

– *À vos marques !* : un premier exercice pour vérifier que la leçon est bien comprise.

– Des consignes claires : le verbe est en gras et la notion est en couleur.

– Des **aides** sur certains exercices.

– *À vos plumes !* : des exercices pour s'entraîner à écrire de petits textes.

Des exercices interdisciplinaires qui font le lien entre la GRAMMAIRE, le VOCABULAIRE, l'ORTHOGRAPHE, la CONJUGAISON et même d'autres matières : HISTOIRE, ÉDUCATION CIVIQUE, MATHS, SVT...

ÉVALUATION

L'évaluation permet de faire le bilan des notions acquises dans les chapitres.

Une présentation préparant à celle des **exercices de brevet**.

Des **textes longs** en lien avec le programme de lecture.

Des **questions** classées par thèmes comme pour le brevet ou pour une lecture. Un exercice de **réécriture** et un sujet d'**écriture**.

Le guide de relecture orthographique pour se corriger.

La conjugaison des verbes les plus courants.

Le glossaire pour retrouver toutes les notions.

Instructions officielles

Les outils de la langue pour la lecture, l'écriture et la pratique de l'oral

Objectifs du cycle

L'étude de la langue est liée aux formes de discours qui organisent l'enseignement du français au collège : la narration, la description, l'explication, l'argumentation. Toujours associée à la lecture, l'écriture et l'expression orale, l'étude de la langue est menée à partir des productions des élèves et des lectures.

Ces outils sont présentés ici, pour les classes de 5e et de 4e, de façon à donner une vue synthétique de l'ensemble du cycle.

Les contenus qui correspondent plus particulièrement à la classe de 4e y sont indiqués *en italiques*.

1. Grammaire

Discours

■ Énoncé, énonciation :
– la situation d'énonciation et ses indices ;
– l'énoncé ancré dans la situation d'énonciation : adverbes (ici, maintenant, demain…) ; temps verbaux (présent, passé composé, futur) ; pronoms personnels (1re et 2e personne) ; déterminants ;
– l'énoncé coupé de la situation d'énonciation : adverbes (le lendemain…) ; temps verbaux (passé simple, imparfait) ; pronoms personnels (3e personne) ; déterminants.

■ Fonctions des discours : raconter, décrire, expliquer, argumenter.

■ *Point de vue de l'énonciateur.*

■ Paroles rapportées :
– le dialogue et sa ponctuation ;
– paroles rapportées directement et *indirectement*.

■ Niveaux de langage.

Texte

■ Organisation des textes narratifs, descriptifs, *explicatifs*.

■ Substituts du nom :
– les reprises pronominales (pronoms personnels et *indéfinis*) ;

– les reprises nominales (reprises fidèles, par synonymie, *périphrastiques*).

■ Thème et propos.

■ *Formes simples de thématisation (mise en relief, voix passive).*

■ Formes de progression dans le texte (à thème constant, linéaire, éclaté).

■ Connecteurs spatio-temporels et *logiques*.

■ Ponctuation dans le texte.

Phrase

■ Types et formes de phrases.

■ Phrase simple et phrase complexe :
– les principales classes de mots ;
– les principales fonctions par rapport au nom (expansions du nom, *apposition*) ; par rapport au verbe (sujet et attribut du sujet, compléments essentiels, en particulier d'objet et d'agent) ; par rapport à la phrase (compléments circonstanciels).

■ Ponctuation dans la phrase.

■ Verbe : temps simples et temps composés. Conjugaison (indicatif, subjonctif, impératif, « conditionnel ») des verbes du 1er et du 2e groupe, puis des verbes usuels du 3e groupe.

2. Orthographe

Orthographe lexicale

Étude, en liaison avec les textes lus :
– des familles de mots et de leurs particularités graphiques ;
– des différentes formes de dérivation ;
– des homophones et des paronymes.

Orthographe grammaticale

– marques du genre et du nombre ;
– accords dans la phrase et dans le texte ;
– marques de l'énonciation
(je suis venu / je suis venue) ;
– segmentation et homophonie
(sait / s'est / ses / ces / c'est) ;
– désinences verbales.

On propose aux élèves des exercices brefs, nombreux et variés, distinguant l'apprentissage (dictées guidées ou préparées, exercices à trous, réécritures diverses) et l'évaluation (dictées de contrôle). Les réalisations écrites des élèves (qu'il s'agisse de leurs propres textes ou de textes d'autrui) donnent lieu à observation, interrogation sur les causes d'erreur, et mise en place de remédiation. Dans tous les cas, l'évaluation cherche à valoriser les graphies correctes plutôt qu'à sanctionner les erreurs.

3. Lexique

Le lexique constitue un enjeu majeur.
On a soin de l'enrichir en toutes occasions et en tous domaines. Chaque fois que possible, on recourt à l'étymologie (de façon simple) et à l'histoire du mot (en relation avec la lecture des textes).
Plutôt que de disperser l'approche lexicale en ensembles thématiques successifs, on s'attache à organiser l'enseignement du lexique selon différents niveaux d'analyse :

■ la structuration lexicale (préfixe, suffixe, radical, modes de dérivation, néologismes, emprunts) ;

■ les relations lexicales (antonymie, synonymie et quasi-synonymie, hyperonymie) ;

■ les champs lexicaux (éventuellement rapportés aux différents contenus disciplinaires) ;

■ les champs sémantiques (à travers la lecture et l'étude des textes) ;

■ le lexique et l'énonciation (verbes introducteurs de la parole rapportée, lexique de l'évaluation péjorative et méliorative, niveaux de langage) ;

■ le lexique et les figures de rhétorique (comparaison, métaphore, métonymie, périphrase, antithèse ; leur rôle dans la signification des textes).

Programme de 4e

Sommaire

Fiches méthode

Partie 1 Grammaire du discours et du texte

Partie 2 Grammaire de la phrase

Vocabulaire

Orthographe

Conjugaison

Quelques conseils pour réussir

● Sers-toi des rubriques **Aide** du manuel : elles te permettent de faire face à une difficulté de l'exercice. Elles lèvent la difficulté ou renvoient à un chapitre du manuel qui l'explique.

● De nombreux (→ renvois) aux chapitres te permettent de revoir des points que tu as oubliés ou mal compris et qui sont nécessaires pour continuer.

● Cherche dans les **index**, les **tableaux de conjugaison**, les tableaux des **pages de garde**, le **dictionnaire**, ce qui te pose problème.

● Lis attentivement les consignes. Pour t'aider, la tâche à effectuer est signalée par des **caractères** plus gros et la notion travaillée est indiquée en **violet**.

● **Relis tes copies !** Sans bonne relecture, pas de copie sans fautes ! C'est le secret de tous les « bons » en orthographe, et même ton professeur de français relit les documents qu'il te propose au cas où une faute se serait glissée !

● **Lis régulièrement** (des romans, des revues, des documentaires…) : cela permet d'améliorer l'orthographe, le vocabulaire et la construction des phrases.

Fiches méthode

*Se relire efficacement, savoir consulter un index,
des tableaux de conjugaison, comprendre une question…
ces compétences relèvent de la **méthode de travail**.
Les maîtriser, c'est s'assurer de **travailler efficacement**
et apprendre à être **autonome**.
Ces quatre chapitres vous aident à acquérir les bonnes
méthodes de travail.*

Les classes grammaticales

Qu'est-ce qu'une classe grammaticale ?

> **Observe ces phrases.**
> *Clara passe une épreuve très dure demain. Cette épreuve dure plus de quatre heures.*
>
> **classe** : nom commun   **classe** : nom commun
> fonction : COD du verbe *passe*   fonction : sujet du verbe *dure*

➡ La classe grammaticale indique la **nature** d'un mot. Elle est précisée dans le dictionnaire.
La classe grammaticale d'un mot reste toujours **la même**.

Ex. *une épreuve* est un nom commun, quelle que soit sa fonction dans la phrase.
Attention aux homonymes qui peuvent avoir la même orthographe mais appartiennent
parfois à des classes grammaticales différentes.

Ex. *une épreuve très <u>dure</u>* / *Cette épreuve <u>dure</u> longtemps.*
                    adj. qual.   verbe

1 Vérifie les réponses de Yanis. **Corrige** ses erreurs.

Donne la classe grammaticale des mots soulignés.

<u>Pendant</u> son examen, <u>Clara</u> doit créer la <u>maquette</u> d'un instrument de musique <u>nouveau</u>.
préposition   sujet   COD   adj. qual.

<u>Elle</u> <u>est</u> obligée d'utiliser des matériaux <u>très</u> rares, ce qui rend <u>son</u> travail difficile.
sujet verbe   adverbe   déterminant

2 Pour chaque mot, **indique** à quelles **classes grammaticales** il peut appartenir.

cours – court – vers – conte – serre – colle – sous.

> **Conseil** **Au début** de ton manuel, un tableau récapitule toutes les **classes grammaticales**.

Comment identifier la classe grammaticale d'un mot ?

> **Quels mots ont été modifiés lors de la transformation de la phrase 1 à la phrase 2 ?**
> 1. *Il admire la réalisation de son amie : « Oh ! Cet instrument est vraiment beau ! »*
> 2. *Ils admirent les réalisations de leurs amies : « Oh ! Ces instruments sont vraiment beaux ! »*

➡ Il faut se poser les questions suivantes : le mot est-il variable, invariable ? À quel(s) autre(s) mot(s)
est-il associé ? À quoi sert-il ?

	Il se **conjugue**.	verbe	**Ex.** *il **admire** / ils **admirent**.*
	Il varie en **personne**, en **genre** et en **nombre**. Il remplace un **nom**.	pronom	**Ex.** *il / ils.*
Le mot est **variable**	Il varie en **genre** et en **nombre**. Il précède un **nom**.	déterminant	**Ex.** *cet instrument / ces instruments.*
	Il varie en **genre** et en **nombre**. Il précise un **nom**.	adjectif qualificatif	**Ex.** *Cet instrument est vraiment **beau**.*
	Il varie en **genre** et en **nombre**. Il est associé à un **déterminant**.	nom	**Ex.** *la **réalisation** / les **réalisations**.*

	Il **modifie le sens** d'un mot ou d'un groupe de mots.	adverbe	*Ex.* Il est **vraiment** beau.
Le mot est invariable	Il **introduit** un groupe de mots.	préposition	*Ex.* La réalisation **de** son amie.
	Il **relie** des mots ou des groupes de mots.	conjonction	*Ex.* Marc **et** Jean admirent ce travail.
	Il exprime une **exclamation**.	interjection	*Ex.* Oh!

3 **Relève** uniquement les **mots variables**. **Donne** leur classe grammaticale.
  a. Le jury doit décider de la valeur du travail de Clara.
  b. Elle espère que le résultat lui sera favorable.
  c. Grâce à ce diplôme, elle pourra entrer dans une prestigieuse école.
  d. La formation lui permettra de créer les objets dont elle rêve.
  e. Mais le chemin est encore long.

4 **Classe** les **mots invariables** soulignés en quatre catégories :
  les adverbes, les prépositions et les conjonctions, les interjections.
  a. Clara a enfin eu les résultats qu'elle attendait tant.
  b. Le jury a beaucoup apprécié sa créativité et son ouverture d'esprit.
  c. Comme ses amis consultent leurs résultats, elle prévient ses parents.
  d. « Youpi! J'ai mon examen! » crie-t-elle gaiement dans le combiné.
  e. « Oh, que nous sommes fiers! » répondent ses parents.
  f. Mais la joie de Clara est de courte durée car son ami a échoué.

Comment identifier la classe grammaticale d'un groupe de mots ?

→ Il faut d'abord identifier **le mot qui sert de noyau** à ce groupe. En supprimant tous les éléments qui ne sont pas essentiels, on retrouve **un groupe minimal**. Il peut se réduire à :
– un **groupe verbal** et son **sujet**, c'est une **proposition** ;
– un **nom** et son **déterminant**, c'est un **groupe nominal**.

5 **Indique** quel mot sert de **noyau** pour chaque groupe souligné.
  Déduis-en la **classe grammaticale** de chaque groupe.
  a. Aujourd'hui, Clara se présente à sa nouvelle école.
  b. Elle est intimidée car elle ne connaît personne.
  c. Le directeur de l'école l'accueille chaleureusement.
  d. La jeune fille est rassurée par son hospitalité.
  e. Désormais, elle se sent à l'aise.

6 **Précise** si les mots soulignés servent de **noyaux** pour des propositions ou des groupes nominaux. **Délimite** le groupe de mots concerné.
  Ex. [À la fin de l'année], les élèves montrent leurs créations.
        nom noyau
  a. Pour sa première année, Clara a imaginé un nouveau fauteuil.
  b. Il est en cuir vert.
  c. Il offre de la place pour deux personnes.
  d. Le public est enthousiaste devant son originalité.
  e. Les autres élèves l'admirent car elle remporte un vif succès.

Les fonctions grammaticales

Qu'est-ce qu'une fonction grammaticale ?

> **Observe ces phrases.**
>
> *Le bateau* naviguait en haute mer.
> **fonction** : sujet du verbe *naviguer*
> **classe grammaticale** : groupe nominal
>
> Sur le quai, je regardais *les bateaux*.
> **fonction** : COD du verbe *regarder*
> **classe grammaticale** : groupe nominal

➡ La **fonction grammaticale**, c'est le **rôle** que joue un mot ou un groupe de mots dans une phrase. Pour un même mot ou groupe de mots, la fonction varie selon le rôle ou la place dans la phrase.

1 **Classe** les termes suivants selon qu'ils indiquent **une fonction** ou une **classe grammaticale** (Aide-toi des gardes du manuel).

pronom personnel – attribut du sujet – épithète – proposition subordonnée – adverbe – complément circonstanciel de temps – complément d'agent – nom commun.

2 **Vérifie** que Sarah a donné les bonnes réponses à son exercice. **Corrige** ses erreurs.

Donne la fonction grammaticale des groupes de mots soulignés.

a. <u>Le chalutier</u> quitta <u>le port</u> <u>à l'aube</u>.
  sujet   groupe nominal

b. À bord, les marins préparaient <u>déjà</u> leurs filets.
                                   adverbe

c. Le vent <u>du nord</u> soufflait et la mer était <u>grosse</u>.
  complément du nom   attribut du sujet

d. La houle soulevait le bateau <u>comme une coquille de noix</u>.
                    complément circonstanciel de comparaison

Conseil Au début de ton manuel, un tableau récapitule les **fonctions grammaticales**.

Comment identifier la fonction grammaticale d'un mot ou d'un groupe de mots ?

• **1re étape : de quel autre mot dépend-il ?**

> **Observe la phrase. Quel groupe souligné dépend d'un verbe ? d'un nom ?**
> *Le navire largua <u>les amarres</u> et hissa la grand-voile <u>qui se gonfla</u>.*

➡ Un mot ou un groupe de mots a une fonction par rapport à un autre mot de la phrase.

Certaines fonctions s'organisent par rapport au **verbe** : <u>sujet</u>, <u>attribut du sujet</u>, <u>complément d'objet</u>, <u>attribut du COD</u>.

Certaines fonctions s'organisent par rapport au **nom** : <u>épithète</u>, <u>apposition</u>, <u>complément du nom</u> et <u>déterminant</u>.

La fonction <u>complément circonstanciel</u> complète une **proposition** ou une **phrase**.

3 **Indique** de quel mot dépend le mot ou groupe de mots souligné.

Or, bientôt le vent s'éleva, et une bourrasque survenant força le chalutier à fuir. Il gagna les côtes d'Angleterre ; mais la mer démontée battait les falaises, se ruait contre la terre, rendait impossible l'entrée des ports. Le petit bateau reprit le large et revint sur les côtes de France. La tempête continuait à faire infranchissables les jetées, enveloppant d'écume, de bruit et de danger tous les abords des refuges.

Guy de Maupassant, En mer, 1885.

• 2e étape : la fonction est-elle essentielle ?

> **Observe la phrase.**
> **Quel groupe encadré peut-on supprimer sans que la phrase soit incorrecte ?**
> *Le navire largua* │les amarres│ *et hissa la grand-voile* │qui se gonfla│.

➡ Certaines fonctions sont essentielles et ne peuvent être supprimées (sujet, CO, attribut, déterminant du nom). D'autres peuvent être supprimées (compléments circonstanciels, épithète,

> **Conseil** Certaines questions peuvent aider à déterminer la fonction grammaticale :
> – le **sujet** répond généralement à la question : *Qui est-ce qui* │verbe│ *?*
> – le **COD** répond à la question : │verbe│ *quoi ?* ou │verbe│ *qui ?*
> – les **compléments circonstanciels** répondent au questions :
> *Quand ? Depuis quand ?* (CCT) – *Où ? D'où ?* (CCL) – *Pour quelle raison ?* (CC de cause) –
> *Dans quel but ?* (CC de but) – *De quelle manière ?* (CC de manière)…

4 **Supprime** les **éléments non essentiels** des phrases suivantes.
a. Au loin, on apercevait la côte, déchiquetée par l'érosion.
b. Un village de pêcheurs se devinait au creux de la falaise de craie.
c. Les maisons de granit des pêcheurs paraissaient minuscules.
d. Les chalutiers, qui revenaient de la pêche, rentraient à vive allure, cahotant parmi les vagues.
e. La mer, d'un gris de plomb, menaçait de se déchaîner.

5 **Lis** le texte suivant, puis **relie** les questions aux réponses qui leur correspondent.
Maud Fontenoy vient de réaliser un exploit. Elle a bouclé le tour du monde en solitaire à la voile contre le vent. La jeune navigatrice a dominé le Cap Horn. Mais au large de l'Australie, alors qu'elle approchait du but, son mat s'est brisé. Fabriquant avec sa baume un mat de fortune, elle est parvenue à gagner les côtes réunionnaises, au terme de cinq mois de navigation.

Questions	**a.** Relève trois COD.
	b. Relève deux COI.
	c. Relève tous les sujets désignant la jeune navigatrice.
	d. Relève un nom complété par quatre compléments du nom.
	e. Trouve toutes les épithètes du texte.
Réponses	**1.** *du but – à gagner les côtes réunionnaises.*
	2. *jeune – réunionnaises.*
	3. *un exploit – le Cap Horn – un mat de fortune.*
	4. *tour.*
	5. *Maud Fontenoy – elle – la jeune navigatrice – elle – elle.*

6 **Crée** des phrases en respectant les schémas proposés.
a. CCT – sujet – verbe – COD.
b. CCL – sujet – verbe – COD – COI.
c. sujet – verbe – attribut du sujet.

Se relire efficacement

Comment corriger mes fautes d'orthographe dans les dictées et les autres textes ?

Les élève…? de 4e fur…? prié…? de se mettre en ran…? dans la cour.
Quelles questions dois-tu te poser pour trouver la solution ?

➡ Pour corriger ses fautes d'orthographe, il faut se poser les bonnes questions.
– Le mot est-il **variable** ou **invariable** ?
– Avec quoi **s'accorde** ce mot variable ?
– À quel **temps** est ce verbe ?
– Est-ce que je connais un **mot de la même famille** ?…

1 **Les mots soulignés sont-ils variables ou invariables ?**

La chevelure, relevée sur le front, <u>paraissait</u> avoir été dorée autrefois. La tête, petite comme <u>celle</u> de presque toutes les statues grecques, était <u>légèrement</u> inclinée en avant. Quant à la <u>figure</u>, jamais je ne parviendrai à <u>exprimer</u> son caractère étrange, et dont le type ne se rapprochait de celui d'aucune statue antique dont il <u>me</u> souvienne. Ce n'était point <u>cette</u> beauté calme <u>et</u> sévère des sculpteurs grecs, qui, <u>par</u> système, donnaient à tous les traits une <u>majestueuse</u> immobilité. Ici, au contraire, j'observais avec surprise l'intention <u>marquée</u> de l'artiste de rendre la malice <u>arrivant</u> jusqu'à la <u>méchanceté</u>.

Prosper Mérimée, La Vénus d'Ille, 1837.

2 **Pose la question qui permet de trouver l'accord des mots soulignés.**

Tous les traits étaient <u>contractés</u> légèrement : les yeux un peu <u>obliques</u>, la bouche <u>relevée</u> des coins, les narines quelque peu <u>gonflées</u>. Dédain, ironie, cruauté, <u>se lisaient</u> sur ce visage d'une incroyable beauté cependant. En vérité, plus on <u>regardait</u> cette admirable statue, et plus on éprouvait le sentiment pénible qu'une si <u>merveilleuse</u> beauté pût s'allier à l'absence de toute sensibilité.

Prosper Mérimée, La Vénus d'Ille, 1837.

3 **Retrouve le mot simple qui te permet de connaître l'orthographe des mots suivants.**

– **dé**ter**r**er → ....
– **dés**habiller → ....
– infla**mm**able → ....
– perso**nn**ification → ....
– **pié**destal → ....

4 **Trouve un mot de la même famille où tu entends la consonne finale soulignée.**

– ri**z** → ....
– dra**p** → ....
– artisa**n** → ....
– doi**gt** → ....
– san**g** → ....
– cro**c** → ....

Le dictionnaire peut-il m'aider à relire ?

> Cherche le mot *igloo* dans le dictionnaire. Qu'apprends-tu sur son orthographe ?

➡ Le dictionnaire indique l'**orthographe** (ou les orthographes) d'un mot, sa **classe grammaticale** et son **genre**.

5 Quel est le genre des mots suivants ?
glaïeul – écritoire – pleur – anémone – hémisphère.

6 Après avoir vérifié dans le dictionnaire, choisis la graphie correcte.
a. J'ai rencontré un (*gentelman / gentleman*) (*dégingandé / déglingendé*) qui avait l'air (*hipper / hyper*) (*simpathique / sympathique*).
b. C'est un type (*attipique / atypique*) qui collectionne les (*hypocampes / hippocampes*).
c. C'est un (*fiéfé / fieffé*) (*hypocrite / hippocrite*), ce qui a (*ipotéqué / hypothéqué*) nos relations.
d. Ce grand (*escogriffe / escrogriffe*) m'a offert des (*crisentaimes / chrysanthèmes*).

Mon manuel peut-il m'aider à relire ?

> **1.** Observe le tableau imprimé à la fin du manuel, à l'intérieur de la couverture : il t'indique les fautes les plus courantes et des astuces pour les corriger.
> **2.** Observe le tableau de conjugaison p. 276. Combien de modes sont indiqués ? Quel codage signale les difficultés ?

➡ Pour corriger l'orthographe d'un texte, il faut vérifier :
– les **accords** (sujet-verbe / nom-adjectif / participe passé) ;
– les **confusions verbales** (*-ais, -ai / -er, -ê*) ;
– les **homophones grammaticaux** (*a, à / et, est / ou, où / se, ce…*).

7 **Indique** la page du manuel qui t'aidera à résoudre les difficultés suivantes.
a. Comment se conjugue le verbe *devoir* au subjonctif présent ?
b. Comment accorder un participe passé avec l'auxiliaire *avoir* ?
c. Comment accorder un adjectif ?
d. Les adverbes sont-ils des mots variables ou invariables ?

8 Lesquelles de ces formes appartiennent au verbe *faire* ? **Donne** leur **temps**, leur **personne** et leur **mode**. Regarde le tableau de conjugaison pour t'aider.
fais – fesons – face – ferrez – faisons – fûtes – fis – fites – ont fais – ferai – auriez fait.

9 Aide Grégoire à relire et à corriger sa **dictée** en te servant de la grille de relecture.

Boulogne-sur-Mer, 22 janvier. – On nous écris : « Un affreux malheur vient de jeté la consternation parmi notre population maritimes déjà si éprouver depuis deux années. Le bateau de pèche commandée par le patron Javel, entrant dans le porc, as été jeté à l'Ouest et ai venu ce briser sur les roche du brise-lames de la jetée. »

D'après Guy de Maupassant, *En mer*, 1885.

Conseil Regroupe tes copies de français (dictées, rédactions…), d'Histoire, de SVT…
Note tes fautes les plus courantes sur une feuille. Ce relevé de fautes te permettra de te faire un programme personnel de révision et d'être plus attentif pour les prochains devoirs.
Tu trouveras, pour réviser, une partie « orthographe » dans ton manuel.

Exercices d'évaluation

Comment lire les questions ?

Observe cette question.

Quelle image le poète donne-t-il du lion ? Relevez dans les deux dernières strophes les adjectifs qui qualifient le lion. Isolez un couple d'adjectifs antonymes.

1. **Sur quoi porte la question ?**
2. **Porte-t-elle sur une partie ou sur la totalité du texte ?**
3. **Quelles notions de grammaire et de vocabulaire permettent de répondre ?**

→ Les questions des évaluations portent sur la compréhension du texte mêlant **analyse de texte**, **grammaire** ou **vocabulaire**. Il faut analyser un lieu, un temps, un personnage, une situation, un thème. Il faut relever des termes, expliquer ou interpréter des idées à partir d'une phrase, d'une partie ou de l'ensemble du texte.

> **Ex.** *Précisez quel est le lieu que découvre le personnage principal dans le premier paragraphe.*
>   verbe   analyse   partie
>   de consigne   du texte   du texte

1 **Repère** les verbes de consignes, la partie du texte à étudier et le point de grammaire ou de vocabulaire sur lequel porte la question.
a. Relevez les indications temporelles indiquant le moment de la journée dans le premier paragraphe.
b. Quelle figure de style évoque la solitude dans la totalité du poème ? Expliquez-la.
c. Quelle est la valeur du présent dans ce passage ? Relevez les autres verbes au présent.
d. Que demande Julien à son père ?
Relevez une subordonnée conjonctive COD pour justifier votre réponse.

2 **Précise** sur quel élément précis d'analyse de texte porte les questions (le lieu, le temps, les personnages, leurs caractères, leurs relations, leurs sentiments, leurs réactions…).
a. Expliquez quelle est la réaction du personnage après les dures paroles prononcées par son père.
b. Comment peut-on expliquer le sentiment de rejet qu'éprouve le personnage ?
c. Quelle impression l'auteur cherche-t-il à dégager en faisant la description des lieux ?
d. Relevez des indices (costume, monnaie…) qui permettent de situer l'époque du récit.

Comment répondre aux questions ?

Observe la réponse suivante.

Le début du texte de Maupassant correspond à un début de conte car il campe un décor,
                              réponse à la question   explication du texte

précise le moment, « un tiède soleil d'automne tombait dans la cour de la ferme »,
  explication du texte   citation du texte

et présente les personnages : « un homme entra, âgé de quarante ans, peut être, mais qui
  explication du texte   citation du texte

semblait vieux de soixante ». (Maupassant, *Le Vieux*, 1884)

➡️ Pour les questions d'analyse de texte, qui ne demandent pas une réponse unique, il faut utiliser les passages du texte, interpréter les idées, faire une **réponse développée puis citer le texte pour justifier la réponse**. Il ne faut pas paraphraser (répéter le texte en changeant quelques mots).

Ex. À une question telle que → *Quelle atmosphère se dégage de ce décor ?*
Ne pas répondre → *C'est lugubre.*
Mais → *Le décor contribue à créer une atmosphère inquiétante car la pièce est sombre et lugubre :* « *ils pénétrèrent dans la chambre, basse, noire, à peine éclairée par un carreau* ».

(Maupassant, *Le Vieux*, 1884)

3 **Parmi les réponses à la question suivante, laquelle semble la plus appropriée ? Commente les deux autres réponses qui te paraissent fausses ou insuffisantes.**

Question : *Quelle attitude les personnages adoptent-ils vis-à-vis du vieillard ?*

a. Les personnages réagissent de façon « placide » et « résignée ».
b. Les personnages adoptent une attitude indifférente vis-à-vis du vieillard qui s'apprête à mourir. Les adjectifs « placide » et « résigné » montrent ce détachement.
c. De l'indifférence.

4 **Complète les réponses en utilisant un des verbes issus du vocabulaire de l'explication de texte :** *consister en, caractériser, prêter, révéler, suggérer, montrer que, désigner, définir, amplifier.*

a. Bien que ce soit un monstre, Frankenstein est un personnage attachant car l'auteur lui p.... des qualités humaines.
b. La répétition de la métaphore de la machine pour s.... la fréquentation du magasin r.... l'idée de piège duquel la femme ne peut se soustraire.
c. L'utilisation des adjectifs « malheureux », « languissant, triste et morne » dans la fable de La Fontaine *Le Lion devenu vieux* a.... le déclin du lion.

Comment travailler la réécriture ?

Quel travail de réécriture était demandé lors de la transformation des phrases 1 et 2 ?

1. Elle l'appela « monsieur », fut très bonne. Elle le regardait paisiblement, de la tête aux pieds, sans montrer aucune surprise malhonnête.

2. Elles l'appellent « monsieur », sont très bonnes. Elles le regardent paisiblement, de la tête aux pieds, sans montrer aucune surprise malhonnête.

(Zola, *Le Ventre de Paris*, 1873)

➡️ Le travail d'écriture porte sur une ou des **modifications du texte**. Il faut changer la personne ou le temps du verbe, le genre d'un mot… Il faut faire les modifications d'orthographe qui s'imposent et veiller à bien recopier le reste du texte.

Ex. *Récrivez le passage indiqué en utilisant le passé simple.* Il faut bien connaître la conjugaison du passé simple et faire attention à la concordance des temps (→ CHAPITRES **3** et **42**).

5 **Relève le point d'orthographe sur lequel il faut travailler.**

a. Récrivez ce passage en remplaçant *la jeune fille* par *les jeunes filles*.
b. Récrivez ce passage au système du présent. Respectez la concordance des temps.
c. Récrivez la réplique du personnage d'Angélique en remplaçant « je » par « nous » et faites toutes les modifications nécessaires.

6 Pour le sujet de réécriture suivant, repère les mots qu'il faudra modifier.

Récris l'extrait en remplaçant « je » par « elle ».

J'étais un employé sans le sou ; maintenant, je suis un homme arrivé qui peut jeter des grosses sommes pour un caprice d'une seconde. J'avais au cœur mille désirs modestes et irréalisables qui me doraient l'existence de toutes les attentes imaginaires. Aujourd'hui, je ne sais pas vraiment quelle fantaisie me pourrait faire lever du fauteuil où je somnole.

Guy de Maupassant, Mouche, 1890.

7 Voici l'exercice de réécriture de Margaux : retrouve la consigne qui était proposée.

À nous cinq, nous possédions un seul bateau, acheté à grand-peine et sur lequel nous avons ri comme nous ne rirons plus jamais. C'était une large yole un peu lourde, mais solide, spacieuse et confortable.

Guy de Maupassant, Mouche, 1890.

À nous cinq, nous possédons deux bateaux, achetés à grand-peine et sur lesquels nous rions comme nous ne rirons plus jamais. C'étaient deux larges yoles un peu lourdes, mais solides, spacieuses et confortables.

8 Corrige la réécriture de Fabien.

Récris le texte en faisant des camarades du narrateur des jeunes filles. Invente-leur des surnoms.

Je ne vous ferai point le portrait de mes camarades. Il y en avait un petit, très malin, surnommé Petit Bleu ; un grand, à l'air sauvage, avec des yeux gris et des cheveux noirs, surnommé Tomahawk ; un autre, spirituel et paresseux, surnommé La Tôque, le seul qui ne touchât jamais une rame sous prétexte qu'il ferait chavirer le bateau ; un mince, élégant, très soigné, surnommé « N'a-qu'un-œil » en souvenir d'un roman.

Guy de Maupassant, Mouche, 1890.

Je ne vous ferai point le portrait de mes camarades. Il y en avait une petite, très malin, surnommé Petite Bleue ; une grande, à l'air sauvage, avec des yeux gris et des cheuveux noires, surnommée Corneille ; une autre, spirituel et paresseuse, surnomée La Drôle, la seul qui ne touchât jamais une rame sous prétexte qu'il ferait chavirer le bateau ; une mince, élégante, très soignée, surnommé Jolie Môme en souvenir d'un roman.

Comment travailler les rédactions ?

Observe la consigne de rédaction.

Un jour, comme le personnage principal, **vous (qui)** avez vécu un **moment exceptionnel (quoi)** lors d'une **activité sportive ou artistique (quand)**.
Vous raconterez **à votre meilleur(e) ami(e) (à qui)** cette expérience en décrivant les **sensations** et les **émotions** qui vous ont envahis et en essayant de lui **faire comprendre qu'une activité artistique ou sportive permet**, comme pour vous, **de s'exprimer (dans quelle intention)** sans paroles.

➡ Le sujet de rédaction est en relation étroite avec le texte étudié, il faut donc s'inspirer du texte : sa structure, son style, les procédés employés par l'auteur.

➡ **L'analyse du sujet** est nécessaire pour réussir le devoir. Il faut déterminer :
– **la situation d'énonciation** : qui parle ? à qui ? où ? quand ? dans quelle intention ?
– **le genre de texte demandé** (récit, répliques de théâtre, dialogue, mode d'emploi, affiche publicitaire, discours …) ;
– **les différentes formes de discours** (raconter, décrire, expliquer et argumenter) sollicitées. Très souvent, il est demandé d'en combiner deux (raconter et décrire ou raconter et argumenter…).

Ex. *Imaginez l'émerveillement d'un passant devant la majesté de la lionne qu'il voit dans sa cage. Vous utiliserez le champ lexical de l'animal sauvage ainsi que deux figures de style différentes.*
→ Il s'agit ici de faire parler le passant en employant la **première personne**. L'action se passera **dans un zoo, devant la cage de la lionne**. **L'époque** n'est pas précisée. Le passant exprimera dans un **discours** proche du monologue son émerveillement. Le texte aura une dominante **descriptive**.

9 **Repère dans ces consignes les éléments liés à la situation d'énonciation** (qui ? à qui ? quand ? où ? dans quelle intention ?).

a. Vous avez été marqué(e) dans votre enfance par un personnage de votre entourage (réel ou fictif). Faites son portrait en vous inspirant du personnage de texte étudié.
b. Vous rédigerez un article, destiné au journal du collège, en faveur de l'écologie. Comme le personnage du texte, vous tenterez de convaincre vos lecteurs qu'il est indispensable de sauver la planète.
c. Chimène écrit une lettre adressée à sa confidente suite à l'annonce de la mort de son père. Elle exposera les raisons de son chagrin et les difficultés à choisir entre un père et un mari en faisant balancer les arguments en faveur de l'un ou de l'autre.

10 **Quelles sont les formes de discours demandées dans ces sujets de rédaction ?**

a. Vous ferez la description d'une illustration, d'un tableau, d'une affiche ou d'une photographie qui vous a particulièrement marqué(e) (dans la rue, dans un magazine, dans un manuel scolaire, dans un musée…). En parallèle à votre texte descriptif, vous expliquerez les raisons de votre choix, et ce qui vous a marqué.
b. Imaginez la suite et la fin de l'histoire de *Colomba* de Mérimée. Votre texte tiendra compte du texte étudié (temps, respect des personnages et des lieux, déroulement des événements…). Dans un passage argumenté, vous donnerez les raisons qui poussent Colomba à se venger et les raisons de son frère de s'y opposer.
c. Imaginez la nouvelle machine infernale inventée par le Professeur, puis rédigez la scène où il en fera la démonstration devant l'Académie des Sciences : il expliquera son fonctionnement et son utilité, la mettra en route devant les savants médusés.
d. La sœur du narrateur débarque un beau matin, de retour de voyage. Évoquez la scène en insérant un portrait de ce nouveau personnage.

11 **Quel genre est imposé dans les sujets de rédaction suivants ?**

a. Le narrateur répond à son camarade pour lui proposer son plan. Imaginez sa missive.
b. À la manière de Molière, écrivez un dialogue où deux pères opposeront leurs opinions : l'un soutiendra qu'il faut laisser à l'enfant le choix de son orientation ; l'autre, au contraire, soutiendra que c'est aux parents de décider de l'orientation des enfants.
c. Écrivez la suite de la nouvelle. Le narrateur rencontrera enfin la jeune femme qu'il recherche. Évoquez cette rencontre et les sentiments du narrateur.

Jean-Paul Agosti (né en 1948), *Jardin d'Orphée*, pan n° 2 du polyptyque (1993),
aquarelle sur arche et feuilles d'or, 152 x 103 cm (collection Sanofi-Aventis).

Partie 1

Grammaire du discours et du texte

Pour obtenir un **texte** ou un **discours**, il ne suffit pas d'assembler des phrases au hasard ! L'assemblage des phrases qui constituent un texte obéit à certaines **règles** qui permettent que ce texte soit lisible, compréhensible, cohérent… un peu comme un puzzle où chaque pièce trouve sa place. Ce sont ces règles que nous vous proposons d'étudier.

1 La situation d'énonciation

J'observe...

Lieu-dit La Vergne,
près d'Alloue (Charente)

Ceci est mon journal. Si par hasard, je le
perdais, je te prie, toi qui le trouveras, de bien
5   vouloir le faire porter à ma cousine,
Fiordilice Beretti, au village de Lumio, dans
l'île de Corse. Marque ton nom au bas de cette
page et souviens-toi que tu envoies ainsi des
nouvelles de Léonetta et Bonaventure à leur
10 seule famille. Moi, Léonetta, aujourd'hui,
26 floréal an XII (16 mai 1804), âgée de
quatorze ans, je te remercie de tout mon
cœur. Mets donc, dès que tu le pourras (vite!),
ce carnet à la malle-poste qui va jusqu'en
15 Corse.

Ma chère cousine
Fiordilice,

Si tu as entre les mains ce carnet, c'est
qu'une bonne personne te l'aura adressé.
5 Remercie-la pour moi, je t'en prie instam-
ment. Cela signifie que j'aurai été empê-
chée de continuer la recherche que tu vas
lire. Promets-moi de la poursuivre à ma
place. Je te donne tous les détails au jour
10 le jour : l'un d'eux pourra te servir.

Si tu demandes de l'aide, choisis bien
tes amis, car je ne sais pas encore où cette
histoire me mènera. Les premiers indices
me font croire qu'il sera question de
15 grands personnages, peut-être de secrets
d'État. Ce qui est sûr, et ma gorge se serre
quand j'écris ces mots, c'est qu'il y va de
la vie, de celle de Bonaventure, mon frère
chéri.

Claude Helft, *Le Sourire de Joséphine,*
*Journal de Léonetta,*1804, © Gallimard Jeunesse, 2005.

1 **a.** À quels genres appartiennent les deux énoncés constituant le texte ?
b. Qui parle dans ces deux énoncés ? À qui ? Quand ? Où ?
c. De quel journal et de quel carnet parle Léonetta quand elle dit :
ceci est mon journal, ce carnet ?
d. Recopiez et complétez le tableau suivant :

	Énoncé 1	Énoncé 2
Personnage désigné par *je*		
Ses intentions		
Personnage désigné par *tu*		
Sa mission		
Temps principaux des verbes		

2 Observez l'énoncé suivant :
Le roman Le Sourire de Joséphine *évoque l'aventure de Léonetta, une jeune fille intrépide*
qui, un jour de mai 1804, se mit en quête de son frère Bonaventure mystérieusement
disparu, découvrit Paris et côtoya l'impératrice Joséphine.
a. Certains mots dans l'énoncé indiquent-ils qui parle, à qui et quand ?
b. À quel temps les verbes sont-ils majoritairement conjugués ?

La situation d'énonciation

On détermine la **situation d'énonciation** en se posant des questions sur :

- l'**énonciateur** (= celui qui parle)   → *Qui parle ?*
- le **destinataire** (= celui à qui l'on parle)   → *À qui s'adresse-t-il ?*
- le **moment** et le **lieu** de l'énonciation   → *Où et quand parle-t-il ?*
- la **visée** de l'énoncé (raconter, distraire, persuader, ordonner...) → *Quel est le but de cet énoncé ?*

Ex. *Léonetta* (énonciateur) *écrit à Fiordilice* (destinataire) *pour lui demander de poursuivre ses recherches* (visée).
Elle se trouve en Charente (lieu de l'énonciation)*, en 1804* (moment de l'énonciation)*.*

RAPPEL L'énonciateur adapte son **niveau de langage** (familier, courant ou soutenu) à son destinataire, au lieu et au moment de l'énonciation.

② Les indices de l'énonciation et les deux types d'énoncés

On distingue **deux types d'énoncés** selon qu'ils contiennent ou non des **indices de l'énonciation** (des mots qui renvoient à la situation d'énonciation).

PRÉSENCE D'INDICES	ABSENCE D'INDICES
● **marques de la 1re et de la 2e personne** (énonciateur et destinataire) : – pronoms : *je, moi, tu, nous, vous, le mien...* – déterminants : *mon, ma, mes, ton, notre, vos...*	● **marques de la 3e personne** : – pronoms : *il(s), elle(s), le, la, les, lui, leur, le sien, le leur...* – déterminants : *son, sa, leur(s)...*
● **déterminants et pronoms démonstratifs** renvoyant à la situation d'énonciation : *ce, ceci...*	
● **temps verbaux renvoyant au moment de l'énonciation** (→ CHAPITRE 3) : présent (d'énonciation) ; passé composé ; futur...	● **temps verbaux non liés au moment de l'énonciation** (→ CHAPITRE 2) : – présent (de vérité générale, de narration) ; – passé simple, imparfait, plus-que-parfait...
● **indicateurs de temps et de lieu** (→ CHAPITRE 6) : temps : *maintenant, aujourd'hui, hier, demain, l'année prochaine...* ; lieu : *ici...*	● **indicateurs de temps et de lieu** (→ CHAPITRE 6) : temps : *à ce moment, ce jour, la veille, le lendemain, l'année suivante...* ; lieu : *là...*
Ex. *Je te <u>supplie</u> d'envoyer dès **aujourd'hui** ce carnet à **ma** cousine.*	**Ex.** *Elle la <u>supplia</u> d'envoyer **le jour même** le carnet à **sa** cousine.*
▼	▼
= énoncé ancré (discours) dans la situation d'énonciation	**= énoncé coupé (récit) de la situation d'énonciation**

textes souvent concernés : lettres, discours, dialogues, théâtre, journaux intimes...

textes souvent concernés : récits (romans, contes, nouvelles), modes d'emploi...

ATTENTION Certains indicateurs de temps et de lieu ne peuvent figurer dans un récit au passé simple.

Ex. **~~Aujourd'hui~~, je lui ~~donnai~~ rendez-vous ~~ici~~.* (phrase incorrecte)
Ce jour-là, je lui donnai rendez-vous là-bas. (énoncé coupé de la situation d'énonciation)
Aujourd'hui, je lui ai donné rendez-vous ici. (énoncé ancré dans la situation d'énonciation)

À vos marques !

1 **Vérifiez** que vous savez repérer les éléments de la **situation d'énonciation** (énonciateur, destinataire, moment, lieu et visée de l'énoncé).

a. Salut, je m'appelle Alistaire, j'ai treize ans et j'habite au Canada. Cette année, j'aimerais correspondre avec des garçons ou des filles de France. J'aime le skate, le cinéma. Aussi passionné de musique, j'écoute du rock et du métal, et j'aime discuter sur MSN. Si tu as les mêmes goûts que moi, écris-moi vite !

b. Et maintenant, ouvrez bien vos oreilles et retenez ce que je vais vous dire : le participe passé s'accorde avec le COD du verbe lorsque celui-ci est placé avant l'auxiliaire. Vous suivez ?

c. Chers concitoyens, nous commémorons aujourd'hui le centenaire de la disparition de Maxime Lisbonne, héros de la Commune, mort en 1905 et qui vécut un temps dans notre ville de La Ferté-Alais.

2 **Vérifiez** que vous savez repérer :
– un **énoncé** présentant des **indices de la situation d'énonciation** ;
– un **énoncé** ne présentant **aucun indice de la situation d'énonciation**.
Justifiez vos réponses (temps des verbes, marques de la personne, indicateurs de temps et de lieu).

a. Figure-toi, ma chérie, qu'hier nous avons touché les pyramides. Notre guide nous a expliqué comment Thalès a mesuré la pyramide de Khéops en se servant de son ombre portée sur le sol : son fameux théorème n'a plus de secret pour moi ! Notre felouque remonte maintenant le Nil. Ici, il fait évidemment très chaud mais le bateau est confortable et la croisière des plus agréables. Je pense à toi. Ton père se joint à moi pour t'embrasser. Maman.

b. La légende raconte qu'au VIe siècle avant Jésus-Christ, le mathématicien grec Thalès réussit à mesurer la pyramide de Khéops lors d'un voyage en Égypte. Il se servit de la mesure de l'ombre de la pyramide pour déterminer sa hauteur : le théorème de Thalès était né !

3 **1. Relevez** tous les éléments précisant la **situation d'énonciation** dans ces extraits de journaux intimes.
2. Dressez un portrait de l'**énonciateur** (sexe, âge, niveau de langue, lieu et moment de l'énonciation).

Texte 1

12 juillet. – Paris. J'avais donc perdu la tête les jours derniers ! J'ai dû être le jouet de mon imagination énervée, à moins que je ne sois vraiment somnambule, ou que j'aie subi une de
5 ces influences constatées, mais inexplicables jusqu'ici, qu'on appelle suggestions. En tout cas, mon affolement touchait à la démence, et vingt-quatre heures de Paris ont suffi pour me remettre d'aplomb.
10 Hier, après des courses et des visites, qui m'ont fait passer dans l'âme de l'air nouveau et vivifiant, j'ai fini ma soirée au Théâtre-Français. [...]
Je suis rentré à l'hôtel très gai, par les boulevards.

Guy de Maupassant, *Le Horla*, 1887.

Texte 2

9 h 35

Après le rassemblement du matin, je me suis précipitée aux toilettes pour vérifier les dégâts. Mes pires craintes se sont confirmées. Pas de
5 doute, je suis Mme Hideuse. Petits yeux bouffis, cheveux collés au crâne et ÉNORME nez rouge. J'ai l'air d'une tomate en uniforme scolaire. Il faut se rendre à l'évidence, c'est ce que je suis.

Louise Rennison, *Mon nez, mon chat, l'amour et moi...,*
Le journal intime de Georgia Nicolson,
trad. C. Gibert, © Gallimard Jeunesse, 2000.

4 1. **Relevez** tous les **indices de la situation d'énonciation**.
2. **Répondez** aux questions en justifiant vos réponses.

Je sais que tu es maintenant de nouveau toute seule ; j'ai peur que tu n'aies un peu froid près du cœur, que tu ne sois très triste ; et je veux t'écrire aujourd'hui rien que pour te dire com-
5 bien je t'aime tendrement. Il me semble que mon affection me fait si bien comprendre toutes les pensées grises qui doivent tourner autour de toi, certains jours, et te chagriner… : j'aimerais que cette lettre les chasse.

André Gide, *Correspondance avec sa mère, 1880-1895*,
© Gallimard, 1988.

a. Ce texte est-il un extrait de journal intime, une lettre, un récit d'enfance ?
b. Quelle est la proposition correcte pour compléter le texte ?

Début	Fin
Mon enfant chéri	*Au revoir. Je suis ta maman chérie.*
Ma maman chérie	*Au revoir. Je suis ton fils chéri.*

5 **Imaginez** une **situation d'énonciation** pour les énoncés suivants.
a. Tous les élèves de 4ᵉ sont invités à se ranger sous le préau pour l'appel des classes.
b. Avez-vous entendu le coup de feu dans la nuit du 12 au 13 avril ?
c. Pourriez-vous m'aider, s'il vous plaît ? Je cherche *Les Misérables*, de Victor Hugo.
d. Le Conseil général de l'Ariège a décidé de célébrer de façon exceptionnelle le centenaire de l'authentification des peintures et des gravures des grottes de Niaux et de Bedeilhac. Tout au long de l'été se succéderont des manifestations culturelles, scientifiques et artistiques.
e. En cette veille de Noël, nous faisons appel à votre générosité. Venez déposer, dans notre local, les jouets que vous souhaitez donner.

6 **Imaginez** deux **situations d'énonciation** pour chacun des énoncés. Ils devront avoir un sens différent selon la situation.
a. Prenez la porte !
b. Trois pieds seulement !
c. Distribuons les cartes.
d. Cours vite !

7 **Analysez** la **visée** de chacun des énoncés proposés.
a. Ce milieu naturel extrêmement fragile est menacé par l'affluence des promeneurs en été.
b. Durant votre promenade, buvez fréquemment et portez un chapeau.
c. Si les choses ne changent pas, dans vingt ans de nombreuses espèces auront disparu.
d. Il est strictement interdit de faire du feu.
e. Que certains promeneurs jettent leurs détritus dans la nature me révolte !

8 **Dites** si les **énoncés** suivants présentent ou non des **indices de la situation d'énonciation**. **Justifiez** votre réponse en relevant des éléments caractéristiques.
a. Je te promets maintenant que je ne recommencerai plus !
b. Je lui promis alors que je ne recommencerais plus.
c. Le lendemain, ils se levèrent à l'aurore et se sauvèrent avant le réveil de la maisonnée.
d. Demain, vous vous lèverez tôt et vous filerez d'ici avant que les autres se réveillent.
e. Les passagers du vol 1725 en partance pour Singapour sont priés de rejoindre immédiatement la salle d'embarquement.
f. À l'annonce du départ, les passagers se dirigèrent vers la salle d'embarquement.

Aide La présence de la 1ʳᵉ personne n'est pas à elle seule un critère suffisant pour conclure que l'énoncé est ancré dans la situation d'énonciation. Beaucoup de récits à la 1ʳᵉ personne (romans, nouvelles…) sont des **énoncés coupés** de la situation d'énonciation.

9 **Relevez** dans cet extrait les **passages** où les **indices de la situation d'énonciation** sont présents et les passages où ils sont absents. **Justifiez** votre réponse en relevant les marques de la personne.

Le casse-tête chinois

« T'y comprends quelque chose à cet exercice de math ? Pour moi, c'est un vrai casse-tête chinois ! »

Le fameux casse-tête, appelé aussi Tangram, est un jeu traditionnel chinois introduit en Europe
5 au XIXᵉ siècle. Cette sorte de puzzle met les neurones à rude épreuve… Du coup, par extension, il désigne toute forme de problème très compliqué.

Géo Ado, n° 44, juillet-août 2006.

10 **Relevez** dans cet extrait les passages où le **narrateur** fait entendre sa voix. **Justifiez** votre réponse en relevant les **temps** des verbes et les **marques de sa présence**.

Il y a sept ou huit ans, un homme nommé Claude Gueux, pauvre ouvrier, vivait à Paris. Il avait avec lui une fille qui était sa maîtresse, et un enfant de cette fille. Je dis les choses comme
5 elles sont, laissant le lecteur ramasser les moralités à mesure que les faits les sèment sur leur chemin. L'ouvrier était capable, habile, intelligent, fort mal traité par l'éducation, fort bien traité par la nature, ne sachant pas lire et sachant
10 penser. Un hiver, l'ouvrage manqua. Pas de feu ni de pain dans le galetas. L'homme, la fille et l'enfant eurent froid et faim. L'homme vola. Je ne sais ce qu'il vola, je ne sais où il vola. Ce que je sais, c'est que de ce vol il résulta trois jours
15 de pain et de feu pour la femme et pour l'enfant, et cinq ans de prison pour l'homme.

L'homme fut envoyé faire son temps à la maison centrale de Clairvaux. Clairvaux, abbaye dont on a fait une bastille, cellule dont on a fait
20 un cabanon, autel dont on a fait un pilori. Quand nous parlons de progrès, c'est ainsi que certaines gens le comprennent et l'exécutent. Voilà la chose qu'ils mettent sous notre mot.

Poursuivons.

Victor Hugo, Claude Gueux, 1834.

> **Aide** Le **narrateur** peut interrompre son récit pour faire un **commentaire** qui prend la forme d'un énoncé comportant des indices de la situation d'énonciation (1ʳᵉ personne, emploi du présent, adresse au lecteur…).

ORTHOGRAPHE

11 **Récrivez** ce billet selon la **situation d'énonciation** proposée.

Cher Paul,

Je suis ravi d'apprendre que tu es bien arrivé.

Je passerai te saluer à ton hôtel demain matin.

Sois assuré de mon affection.

Ton ami, Alphonse.

a. Pauline écrit à son amie Julie.
b. M. et Mme de La Houssaie reçoivent ce billet de leur cousine, la marquise Pélagie de Trailles.
c. Amélie et Séraphine Dubouchon écrivent à leur petit frère Alfred.
d. Victor envoie ce billet à sa mère, qu'il vouvoie depuis sa tendre enfance.

ORTHOGRAPHE

12 **Donnez**, pour chacune de ces phrases, le genre et le nombre de l'**énonciateur** et du **destinataire**. (*Attention*: il y a parfois plusieurs possibilités.)

a. Je serais ravie de vous accueillir, mon cher ami.
b. Quel étourdi je fais! J'ai oublié que vous étiez végétariens!
c. Tu ne m'as pas oubliée, ma fidèle amie.
d. Nous sommes désolés de ce contretemps et nous vous demandons d'être patiente.
e. Maladroit que tu es! Je suis exaspéré par tes continuelles bêtises!

13 **Conjuguez** les verbes de ce texte. Pour le récit, vous utiliserez le **passé simple** comme temps de base et le **présent** pour les dialogues.

Le soleil (*baisser*) quand j'(*atteindre*) sa demeure. Elle (*se dresser*) en effet au bout d'un cap au milieu des orangers. C'(*être*) une large maison carrée toute simple et dominant la mer.
5 Comme j'(*approcher*), un homme à grande barbe (*paraître*) sur la porte. L'ayant salué, je lui (*demander*) un asile pour la nuit. Il me (*tendre*) la main en souriant.

– (*Entrer*), Monsieur, vous (*être*) chez vous.
10 Il me (*conduire*) dans une chambre, (*mettre*) à mes ordres un serviteur, avec une aisance parfaite et une bonne grâce familière d'homme du monde; puis il me (*quitter*) en disant:

– Nous (*dîner*) lorsque vous (*vouloir*) bien des-
15 cendre.

Nous (*dîner*), en effet, en tête à tête, sur une terrasse en face de la mer. Je lui (*parler*) d'abord de ce pays si riche, si lointain, si inconnu! Il (*sourire*), répondant avec distraction:
20 – Oui, cette terre (*être*) belle. Mais aucune terre ne (*plaire*) loin de celle qu'on (*aimer*).

– Vous (*regretter*) la France?

– Je (*regretter*) Paris.

– Pourquoi n'y (*retourner*)-vous pas?
25 – Oh! j'y (*revenir*).

Et, tout doucement, nous (*se mettre*) à parler du monde français, des boulevards et des choses de Paris.

D'après Guy de Maupassant, Monsieur Parent et autres histoires courtes, « L'épingle », 1885.

> **Aide** Pour l'emploi des temps (➔ CHAPITRE 2).

14 **Corrigez** la **rédaction** de Jessica en tenant compte des remarques du professeur.

Le niveau de langage et les indicateurs de temps et de lieu ne conviennent pas pour la situation d'énonciation choisie !

Ne mélange pas le passé composé et le passé simple !

Mardi 10 septembre 1878.

Ma très chère amie,

Comment avez-vous pu vous enticher de ce pauvre petit baron de Sigeac ? Il est si moche qu'il me donne la nausée ! Et puis, franchement, il est trop bête !

Tout est de ma faute : je n'étais pas là-bas pour vous conseiller. Le jour du bal du marquis, vous fîtes une belle ânerie quand vous lui avez accordé toutes les danses !

Si vous êtes mon amie comme vous le prétendez, alors rompez dès le lendemain !

Votre dévouée Blanche de Merteuil.

Aide On distingue **trois niveaux de langage** que l'on doit adapter au destinataire. Ces niveaux de langage concernent le vocabulaire et la construction des phrases :

Langage familier	Langage courant	Langage soutenu
une caisse	*une voiture*	*une automobile*
Ça va ?	*Est-ce que cela va ?*	*Cela va-t-il ?*

---

15 **Récrivez** les **énoncés** suivants en adaptant le **niveau de langage** à la **situation d'énonciation** proposée.

a. « Tu es complètement vanné. Ça ira mieux après avoir piqué un bon petit roupillon ! »

→ (*Un médecin à son patient.*) ....

b. BJR ! KOA 2 9 ?

→ (*Une petite fille à sa grand-mère.*) ....

c. « Je vous retrouverai après m'être sustenté au restaurant scolaire. »

→ (*Un élève à ses camarades.*) ....

d. « J'ai pas fait mon exo parce que j'y pige rien ! »

→ (*Un élève au professeur de mathématiques.*) ....

e. « C'est quoi que t'as dit, là ? »

→ (*Le professeur de mathématiques à un élève.*) ....

f. Je vous prie de mettre un peu d'ordre dans votre chambre à coucher.

→ (*Une mère à son petit garçon.*) ....

16 **Récrivez** ce texte en faisant disparaître les **indices de l'énonciation**. Vous utiliserez le **passé simple** comme temps de base et la **3e personne du singulier** pour mener votre récit. Vous donnerez un prénom au personnage.

Ce matin, je me suis levée à l'aube. J'ai entassé quelques affaires dans ma valise d'osier et j'ai quitté la maison sans faire aucun bruit. Je suis bien décidée à ne plus remettre les pieds ici. Ce 5 soir, je dormirai à la belle-étoile ; et demain, je prendrai le bateau pour l'Amérique.

17 **Récrivez** ce début de récit en imaginant qu'il est fait par un **énonciateur** s'exprimant à la **1re personne du singulier** (par exemple, un gendarme faisant son rapport). **Vous utiliserez** le **présent** comme temps de base.

Le jeudi 6 mars, le surlendemain du mardi gras, cinq femmes du village de La Jonchère se présentaient au bureau de police de Bougival.

Elles racontaient que depuis deux jours per-5 sonne n'avait aperçu une de leurs voisines, la veuve Lerouge, qui habitait seule une maison-nette isolée. À plusieurs reprises, elles avaient frappé en vain. Les fenêtres comme la porte étant exactement fermées, il avait été impossible de 10 jeter un coup d'œil à l'intérieur. Ce silence, cette disparition les inquiétaient. Redoutant un crime ou tout du moins un accident, elles demandaient que « la justice » voulût bien, pour les rassurer, forcer la porte et pénétrer dans la maison.

Émile Gaboriau, *L'Affaire Lerouge*, 1866.

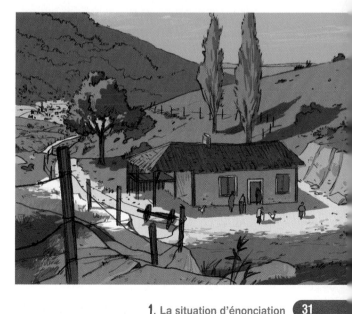

2 Écrire au passé

ACTIVITÉ *J'observe...*

Voici le début d'un roman ayant pour cadre la France de Louis XIV.

La petite fille se réveilla en sursaut. À l'étage au-dessus, les deux hommes se disputaient. Elle regarda autour d'elle, hébétée. La pâle lueur du petit matin qui filtrait au travers du soupirail n'éclairait qu'un bout de mur lépreux.

Engourdie de froid, elle se souleva de sa paillasse et posa un pied à terre, bous-
5 culant au passage les restes de son repas de la veille.

À la tombée du jour, elle avait entendu l'homme en noir dire à son compère qu'ils devaient se débarrasser d'elle rapidement. Il lui répugnait de tuer des enfants, cela portait malheur, affirmait-il. Ainsi, malgré les ordres, avaient-ils décidé de l'épargner. À son âge, disait l'homme en noir, on oubliait vite... [...]
10 Elle était robuste, ils en tireraient un bon prix.

Annie Jay, *Complot à Versailles*, © Hachette Livre 1993, 2001.

1 Repérez les phrases au passé simple. Lisez-les en omettant le reste du texte : le texte obtenu est-il cohérent ?

2 Dans le premier paragraphe, relevez une phrase qui décrit le décor, et une phrase qui évoque une action secondaire. À quel temps sont conjugués les verbes de ces phrases ?

3 L'action racontée dans la phrase surlignée en violet a-t-elle lieu avant, pendant ou après le réveil de la jeune héroïne ? À quels temps sont conjugués les verbes de cette phrase ?

4 Dans la dernière phrase du texte, à quel temps est conjugué le verbe qui évoque le terrible projet des ravisseurs ? L'action est-elle accomplie ?

1 Le système du passé

Le système du passé est surtout utilisé dans les **textes narratifs**. Les textes littéraires écrits au passé utilisent généralement comme temps de référence le **passé simple** :

SYSTÈME TEMPS PASSÉ		
Actions antérieures	**Temps de référence**	**Actions postérieures**
plus-que-parfait (passé antérieur)	passé simple + imparfait	présent du conditionnel

Ex. *Ce matin, la petite fille **se réveilla** prisonnière. Hier, l'homme en noir avait décidé de l'épargner. Demain, il la **vendrait** à bon prix.*

Actions antérieures	Temps de référence	Actions postérieures	
			(axe du temps)
plus-que-parfait (*avait décidé*)	passé simple (*se réveilla*)	présent du conditionnel (*vendrait*)	

ATTENTION Certains énoncés utilisent le **passé composé** comme temps de référence. Ils sont alors plus proches de l'oral, de la langue de tous les jours. Le narrateur y semble plus présent.

Ex. *Ce matin-là, je me **levai** à l'aube, **m'habillai** et **sortis**.*
→ *Ce matin-là, je me **suis levé** à l'aube, je me **suis habillé** et je **suis sorti**.*

2 Les valeurs des temps dans le système du passé

● Le **passé simple** (→ CHAPITRE 42) exprime l'**action de premier plan du récit**.
● L'**imparfait** (→ CHAPITRE 41) permet de dresser l'**arrière-plan du récit** en exprimant :

une **action secondaire**	L'**action est secondaire** et se passe en même temps que l'action principale exprimée par le passé simple.	**Ex.** *À l'étage au-dessus, les deux hommes se **disputaient**.*
une **description**	L'imparfait permet de planter le **décor** de l'action. (→ CHAPITRE 5)	**Ex.** *La pâle lueur du petit matin qui **filtrait** au travers du soupirail n'**éclairait** qu'un bout de mur lépreux.*
une **action inscrite dans la durée**	L'imparfait évoque ici un **état durable** qui sert de cadre au récit.	**Ex.** *Il lui **répugnait** de tuer des enfants, cela **portait** malheur.*
une **action habituelle ou répétée**	L'imparfait exprime une **habitude**, un fait qui se répète.	**Ex.** *Quand j'**étais** adolescent, je **lisais** des romans historiques.*

● Le **présent** intervient parfois dans le récit au passé :

Le **présent d'énonciation**	Il est le signe d'une **intervention du narrateur** dans son récit.	**Ex.** *La petite fille comprit que les hommes lui réservaient un sort funeste. Malgré leur jeune âge, les enfants **savent** souvent analyser les situations dangereuses.*
Le **présent de vérité générale**	Il exprime un **fait considéré vrai** dans le présent, le passé et le futur.	**Ex.** *Les romans historiques **plaisent** au public.*
Le **présent de narration**	Il **se substitue au passé simple** pour donner de la **vivacité** au récit.	**Ex.** *La petite fille se réveilla en sursaut. À l'étage au-dessus, les deux hommes se disputaient. Elle **regarde** autour d'elle, hébétée, elle se **lève**, **pose** un pied à terre.*

À vos marques !

1 **Vérifiez** que vous savez :
– donner le **temps** des verbes soulignés ;
– analyser leur **valeur**.

a. Victor Hugo <u>naquit</u> en 1802.

b. En 1851, banni par Napoléon III qu'il <u>avait</u> violemment <u>critiqué</u>, il <u>quitta</u> la France. Il ne <u>reviendrait</u> qu'une fois la République proclamée.

c. C'<u>était</u> un homme imposant. Sur la fin de sa vie, il <u>portait</u> une grande barbe blanche qui lui <u>donnait</u> des airs de patriarche.

d. Il <u>écrivait</u> tous les jours. Ainsi <u>composa</u>-t-il, durant sa longue vie, une œuvre colossale.

e. Beaucoup de poètes, comme Hugo, <u>s'enga-gent</u> et <u>luttent</u> grâce à leur plume.

---

2 **Analysez** la **valeur de l'imparfait** dans les phrases suivantes.

a. Le Roi, la Cour et le gouvernement résidaient au Louvre et à Saint-Germain-en-Laye avant de s'installer au château de Versailles.

b. Le chantier du château de Versailles était immense.

c. Petit à petit s'élevait ce grand bâtiment de style classique.

d. Tous les jours, des milliers d'ouvriers s'affairaient à bâtir le gigantesque château qui célébrait la gloire du Roi Soleil.

e. Tandis que les travaux progressaient et que les ouvriers travaillaient, le roi et sa cour prirent leurs quartiers dans les ailes achevées du château.

f. Le parc du château de Versailles, dessiné par Le Nôtre, offrait des perspectives étonnantes, se parait de fontaines à jets d'eau et dessinait de magnifiques dentelles de buis.

g. Aux cuisines, une armada confectionnait chaque jour les milliers de repas qui nourrissaient le roi, sa cour et son personnel.

h. Pendant le règne de Louis XIV, l'étiquette réglementait des cérémonies quotidiennes telles le lever ou le coucher du roi.

i. Passées les grilles, le château apparaissait splendide et fastueux.

j. Il témoignait aux yeux de toute l'Europe de la splendeur de la cour française.

3 **Repérez** les verbes au **présent** dans ce récit au passé et **donnez** leur valeur.

Aussitôt qu'une femme parle mal notre langue, elle est charmante ; si elle fait une faute de français par mot, elle est exquise, et si elle baragouine d'une façon tout à fait inintelligible, elle devient
5 irrésistible.

Tu ne te figures pas comme c'est gentil d'entendre dire à une mignonne bouche rose : « J'aimé bôcoup la gigotte. »

Ma petite Anglaise, Kate, parlait une langue
10 invraisemblable. Je n'y comprenais rien dans les premiers jours, tant elle inventait de mots inattendus ; puis, je devins absolument amoureux de cet argot comique et gai.

Tous les termes estropiés, bizarres, ridicules,
15 prenaient sur ses lèvres un charme délicieux ; et nous avions, le soir, sur la terrasse du Casino, de longues conversations qui ressemblaient à des énigmes parlées.

Je l'épousai ! Je l'aimais follement comme on peut
20 aimer un Rêve. Car les vrais amants n'adorent jamais qu'un rêve qui a pris une forme de femme.

Guy de Maupassant, *Monsieur Parent*,
« Découverte », 1884.

4 **Choisissez** le **temps** qui convient pour exprimer l'**antériorité** dans ces phrases.

a. Dès que nous (*finir*) de manger, nous sortions dans la cour.

b. C'était une petite cour pavée égayée de grands marronniers qui (*être planté*) autrefois.

d. M. Maliflore était notre principal, mais pendant plusieurs années il (*être*) professeur de SVT.

f. Ce jour-là, il semblait d'une humeur exécrable et nous nous empressâmes de nous ranger dès qu'il (*siffler*) les trois coups du rassemblement.

g. Quand nous (*faire*) le silence, il annonça qu'une énorme bêtise (*être commis*) au réfectoire et que les coupables devaient se dénoncer.

h. Une minute passa. M. Maliflore ne sut jamais qui (*consteller*) le plafond d'épinards hachés.

> **Aide** L'antériorité de l'action s'exprime :
> – au **passé composé** (→ CHAPITRE 40) dans le récit au présent.
> – au **plus que parfait** (→ CHAPITRE 41) ou au **passé antérieur** (→ CHAPITRE 42) dans le récit au passé.

5 **Choisissez** le **temps** qui convient pour exprimer la **postériorité** dans les phrases suivantes.

a. Je lui avais donné rendez-vous le lendemain matin à la gare. Nous nous (*retrouver*) près du kiosque à journaux.

b. Le plan était simple : nous (*s'assurer*) que nous n'étions pas suivis, puis nous (*prendre*) le premier train pour Bordeaux.

c. Nous étions assurés de trouver un refuge où nous (*être*) en sécurité.

d. Une fois là-bas, nous (*pouvoir*) réfléchir tranquillement à ce que nous (*faire*).

e. Quand nous arrivâmes à la gare, le quai était vide. Nous scrutâmes le bout de la voie dans l'espoir d'apercevoir le train qui nous (*sauver*).

> **Aide** Le futur ne peut pas être utilisé pour exprimer une **action postérieure** dans le **système du passé** : il faut utiliser le **conditionnel présent** (→ CHAPITRE 45) pour respecter la concordance des temps.
> *Ex.* **Elle décida qu'elle ~~arrivera~~ à l'heure la prochaine fois.* (phrase incorrecte)
> *Elle décida qu'elle arriverait à l'heure la prochaine fois.*

6 **1. Repérez** quel **système des temps** est utilisé dans ce texte. **Justifiez** votre réponse en relevant les **temps** utilisés.
2. Donnez la **valeur** des temps pour les verbes soulignés.
3. Relevez une **action antérieure** et une **action postérieure** au temps de référence du récit. À quels temps sont-elles exprimées ?

Jeanne, la jeune héroïne du roman, rentre d'une promenade avec le Vicomte de Lamare…

Quand elle fut rentrée le soir, dans sa chambre, elle se sentit étrangement remuée et tellement attendrie que tout lui <u>donnait</u> envie de pleurer. Elle <u>regarda</u> sa pendule, pensa que la petite abeille <u>battait</u> à la façon d'un cœur, d'un cœur ami ; qu'elle serait le témoin de toute sa vie, qu'elle accompagnerait ses joies et ses chagrins de ce tic-tac vif et régulier ; et elle arrêta la mouche dorée pour mettre un baiser sur ses ailes. Elle aurait embrassé n'importe quoi. Elle se souvint d'avoir caché dans le fond d'un tiroir une vieille poupée d'autrefois ; elle la rechercha, la revit avec la joie qu'on a en retrouvant des amies adorées ; et, la serrant contre sa poitrine, elle cribla de baisers ardents les joues peintes et la filasse frisée du joujou.

Guy de Maupassant, *Une vie*, 1883.

7 **Conjuguez** les verbes de ce **récit au passé** en choisissant le **passé simple** comme temps de référence.

Le narrateur et le professeur Van Helsing visitent le cimetière où est enterrée leur ami Lucy, victime de Dracula.

Soudain, alors que je (*se retourner*), je (*croire*) discerner comme une traînée blanche entre deux ifs sombres, dans la zone du cimetière la plus éloignée de la tombe. En même temps, une masse
5 sombre (*bouger*), où le professeur (*disparaître*), et (*se précipiter*) vers la traînée blanche. Je (*bouger*), moi aussi, mais je (*devoir*) contourner des tombes et des stèles funéraires. Je (*trébucher*) à plus d'une reprise. Le ciel (*être*) menaçant et, quelque part au-
10 dehors, un coq insomniaque (*chanter*). À quelques mètres à peine, au-delà de la ligne de genévriers qui (*border*) le sentier conduisant à l'église, une silhouette blanche, presque diaphane[1], (*glisser*) en direction de la tombe. Celle-ci étant cachée
15 par une rangée d'arbres, je ne (*pouvoir*) distinguer où (*disparaître*) au juste la silhouette. J'(*entendre*) par contre, à l'endroit même où j'(*distinguer*) l'étrange forme, un bruit de pas précipité et, en arrivant, (*trouver*) le professeur qui (*tenir*) dans
20 ses bras un tout jeune enfant.

D'après Bram Stoker, *Dracula*, trad. J. Finné,
© Flammarion, 2004.

1. *diaphane* : presque transparente.

> **Aide** Il faut bien distinguer les terminaisons de l'**imparfait** et du **passé simple** à la 1re personne du singulier (→ CHAPITRE 38).
> *Ex. je marchai* (passé simple) ≠ *je marchais* (imparfait).

8 **Conjuguez** les verbes de ce **récit au passé** en choisissant le **passé composé** comme temps de référence.

Le narrateur, un jeune prince africain, relate comment il fut enlevé pour être vendu comme esclave.

Deux hommes et une femme (*escalader*) le mur de notre cour, (*s'emparer*) de nous en nous bâillonnant pour nous empêcher de crier, et nous (*emmener*) dans les bois où ils nous (*attacher*) les
5 mains. Puis ils (*poursuivre*) leur chemin en nous portant. À la tombée de la nuit, nous (*faire*) halte dans une petite maison. Les voleurs nous (*détacher*), (*offrir*) de la nourriture, mais le chagrin et la fatigue nous (*couper*) l'appétit. Heureusement,
10 le sommeil nous (*gagner*). Pour un court moment, nous (*oublier*) notre malheur.

D'après Olaudah Equiano, *Le Prince esclave*,
adapt. A. Cameron, trad. A. Bataille,
© Ann Cameron, 1995, © Rageot, 2002.

> **Aide** Pour la conjugaison du **passé composé**
> (→ CHAPITRE 40).

9 **Transposez** ce récit au passé. Vous **utiliserez** d'abord le **passé simple**, puis le **passé composé** comme temps de référence. **Comparez** l'effet des trois versions.

La nuit est tombée depuis longtemps lorsque je sors du restaurant du port. J'y ai dîné avec des motards rencontrés sur le bateau, mais, plutôt que de planter ma tente près d'eux, je vais rejoindre
5 la plage entrevue ce matin pour dormir à la belle étoile dans les dunes. Il fait frais après la chaleur écrasante de cet après-midi de juillet, et la rosée marine du soir a couvert ma moto d'humidité. Contact, moteur, je démarre tout en douceur,
10 presque sans bruit.

La lune déjà basse éclaire les collines. [...] Au fil des virages dans lesquels se coule la machine qui semble anticiper mes intentions, je sens la chaleur rayonnant encore d'une paroi rocheuse
15 qu'a chauffée toute la journée le terrible soleil de Sardaigne, ou au contraire la poche d'air frais, presque froid, qui emplit un ravin ouvert à la brise du large. Voici le pont, puis le chemin cailloux-teux qui descend vers la mer.

Bertrand Jordan, *Le Chant d'amour
des concombres de mer*, © Éditions du Seuil, 2002.

> **Aide** Pour la **concordance des temps** (→ CHAPITRE 3).

10 **1. Analysez** la **valeur** des verbes soulignés : s'agit-il du **présent de narration** ou du **présent d'énonciation** ?
2. Récrivez le texte en remplaçant le présent de narration par le **passé simple**.

Rousseau évoque le souvenir d'une bêtise enfantine.

Un souvenir qui me <u>fait</u> frémir encore et rire tout à la fois, <u>est</u> celui d'une chasse aux pommes qui me coûta cher. Ces pommes étaient au fond d'une dépense[1] qui, par une jalousie élevée rece-
5 vait du jour de la cuisine. [...] J'allai chercher la broche pour voir si elle pourrait y atteindre : elle était trop courte. [...]

Je ne perdis point courage ; mais j'avais perdu beaucoup de temps. Je craignais d'être surpris ;
10 je <u>renvoie</u> au lendemain une tentative plus heureuse, et je me <u>remets</u> à l'ouvrage tout aussi tranquillement que si je n'avais rien fait [...].

Le lendemain, retrouvant l'occasion belle, je <u>tente</u> un nouvel essai. Je <u>monte</u> sur mes tréteaux,
15 j'<u>allonge</u> la broche, je l'<u>ajuste</u> ; j'étais prêt à piquer... Malheureusement le dragon ne dormait pas[2] ; tout à coup la porte de la dépense s'<u>ouvre</u> : mon maître en <u>sort</u>, <u>croise</u> les bras, me <u>regarde</u> et me <u>dit</u> : Courage !... La plume me <u>tombe</u> des
20 mains.

Jean-Jacques Rousseau, *Confessions*, 1794.

1. *dépense* : remise.
2. *le dragon ne dormait pas* : le maître veillait.

11 Aidez Théo à **corriger** sa rédaction en tenant compte de la remarque du correcteur.

Tu commets des fautes dans l'emploi des temps. La consigne t'imposait un récit au passé avec le passé simple comme temps de référence.

Ce jour-là nous sommes allées nous promener dans les bois. C'était au début de l'hiver et les jours raccourcissent. Nous étions surprises par la nuit qui tombait rapidement. C'est comme ça que nous nous sommes perdues. Ma sœur cria mais personne ne peut nous entendre. Alors elle fondit en larmes en prédisant que nous ne retrouverons jamais la maison. Nous décidons alors de faire le chemin à l'envers ; nous tentions de reconnaître le sentier que nous avons pris à l'aller. Au bout d'une longue heure de marche, nous apercevons les fenêtres éclairées des maisons du village. Nous fûmes sauvées ! C'était la plus belle frayeur de ma jeune vie !

12 **Récrivez** ce récit au **passé** en utilisant le **passé simple** comme temps de référence, pour retrouver le récit d'origine.

Et deux femmes, la mère et la fille, vont, d'une allure balancée l'une devant l'autre, par un étroit sentier creusé dans les récoltes, vers ce régiment de bêtes.

5 Elles portent chacune deux seaux de zinc maintenus loin du corps par un cerceau de barrique ; et le métal, à chaque pas qu'elles font, jette une flamme éblouissante et blanche sous le soleil qui le frappe.

10 Elles ne parlent point. Elles vont traire les vaches. Elles arrivent, posent à terre un seau, et s'approchent des deux premières bêtes, qu'elles font lever d'un coup de sabot dans les côtes. L'animal se dresse, lentement, d'abord sur ses

15 jambes de devant, puis soulève avec plus de peine sa large croupe, qui semble alourdie par l'énorme mamelle de chair blonde et pendante.

Et les deux Malivoire, mère et fille, à genoux sous le ventre de la vache, tirent par un vif mou-
20 vement des mains sur le pis gonflé, qui jette, à chaque pression, un mince fil de lait dans le seau. La mousse un peu jaune monte aux bords et les femmes vont de bête en bête jusqu'au bout de la longue file.

25 Dès qu'elles ont fini d'en traire une, elles la déplacent, lui donnant à pâturer un bout de verdure intacte.

Puis elles repartent, plus lentement, alourdies par la charge du lait, la mère devant, la fille der-
30 rière.

Mais celle-ci brusquement s'arrête, pose son fardeau, s'assied et se met à pleurer.

D'après Guy de Maupassant, *L'Aveu*, 1884.

À vos plumes !

13 **Écrivez** un court paragraphe de récit à partir de cette planche de bande dessinée. Vous rédigerez :
– une version au **passé** en utilisant le **passé simple** comme temps de référence ;
– une version au **passé** intégrant un passage au **présent de narration**.

Clarke-Gilson, *Mélusine*,
« Le bal des vampires »,
© Dupuis, 1995.

ACTIVITÉ *J'observe...*

L'auteur, biologiste moléculaire, nous invite à une randonnée aussi sportive que scientifique dans un paysage de bord de mer.

La montée est raide, plus encore que je ne l'imaginais, et il faut s'accrocher ferme pour franchir les amas de pierres qui obstruent ce lit de torrent à sec. Je grimpe les yeux rivés au sol pour repérer mon chemin, et arrive en haut essoufflé en nage. [...]

5 [...] Le vent frais dans ma chemise humide me faisait frissonner, mais maintenant, calé contre la roche encore tiède que vient de quitter le soleil, je suis parfaitement bien. Mon souffle est redevenu lent et régulier, et à chaque inspiration je sens un tiraillement agréable, signe que mes poumons viennent de travailler fort. Dans les cuisses, les mollets, une tension légèrement douloureuse,
10 comme un avant-goût de courbature : tous ces muscles, sollicités de manière inhabituelle, ont déjà commencé à se remettre en état.

Merveilleuse et fragile mécanique : à chaque effort un peu soutenu, quelques fibres mus-
15 culaires cèdent, quelques-unes de ces longues cellules qui les constituent sont endommagées. Alors, mystérieusement avertis, des gènes se mettent
20 en action et dirigent la synthèse de protéines qui vont réparer les dégâts.

Bertrand Jordan, *Le Chant d'amour des concombres de mer*, © Éditions du Seuil, 2002.

1 Repérez dans le texte deux des quatre formes de discours : narratif, descriptif, explicatif, argumentatif.

2 Quel est le temps dominant de l'extrait ?

3 – *Je sens un tiraillement agréable, signe que mes poumons viennent de travailler fort.*
– *Des gènes se mettent en action et dirigent la synthèse de protéines qui vont réparer les dégâts.*
Récrivez ces deux phrases en conjuguant le verbe souligné :
quels temps avez-vous utilisés ?

4 Récrivez les passages des lignes 1 à 4 et 12 à 22 en utilisant le passé simple comme temps de base : pour quel passage l'utilisation de ce temps de référence paraît-elle la plus naturelle ? Quel passage devrait être conservé au présent ? Pour quelle raison ?

① Le système du présent

Le système du présent est surtout utilisé dans les **textes explicatifs** ou **argumentatifs**.
Les textes **narratifs** au présent sont peu nombreux et particuliers : le lecteur a l'impression de vivre les péripéties évoquées en même temps que les personnages.

SYSTÈME TEMPS PRÉSENT		
Actions antérieures	**Temps de référence**	**Actions postérieures**
passé composé (+ imparfait)	présent	futur

Ex. *Je sens un tiraillement agréable, signe que mes poumons ont travaillé fort. Des gènes se mettent en action et dirigent la synthèse de protéines qui répareront les dégâts.*

Actions antérieures | Temps de référence | Actions postérieures   → (axe du temps)

passé composé	présent	futur
(ont travaillé)	(sens, se mettent, dirigent)	(répareront)

ATTENTION Dans les récits au passé, les **paroles rapportées au style direct** (→ CHAPITRE 4) présentent des verbes conjugués au **système du présent**.

② Les valeurs du présent dans le système au présent

Le présent de l'indicatif a de **nombreuses valeurs** dans le système du présent :

Présent d'énonciation	Il exprime un fait qui se passe ici et maintenant. (→CHAPITRE 1)	**Ex.** *Aujourd'hui nous étudions un texte explicatif.*
Présent d'habitude	Il exprime une habitude, un fait répété.	**Ex.** *Cet auteur écrit des ouvrages scientifiques.*
Présent de description	Il permet de planter le décor de l'action ou de décrire un personnage.	**Ex.** *Le chemin est escarpé et serpente dans le maquis.*
Présent de vérité générale	Il exprime un fait considéré vrai dans le présent, le passé et le futur.	**Ex.** *Les gènes dirigent la synthèse des protéines.*
Passé proche ou futur proche	Il situe une action dans le passé ou dans le futur immédiat. Il peut être renforcé par l'emploi des périphrases verbales *venir de* + infinitif ou *aller* + infinitif.	**Ex.** *– Mes poumons viennent de travailler. J'arrive à l'instant.* (passé proche) *– Les protéines vont réparer les dégâts. Je sors dans une minute.* (futur proche)
Présent historique ou de narration	Il présente des faits passés de manière vivante.	**Ex.** *Galilée naît en 1554 et meurt en 1642.*

③ La concordance des temps

Quand on transpose un texte du présent au passé, il faut respecter la **concordance des temps** :

	Action antérieure	Temps de référence	Action postérieure
Récit au présent	passé composé (+ imparfait)	présent	futur simple
	Ex. *Je quitte le sentier que j'ai emprunté. J'espère que je ne me perdrai pas !*		
Récit au passé	plus-que-parfait passé antérieur	passé simple (+ imparfait)	présent du conditionnel
	Ex. *Je quittai le sentier que j'avais emprunté. J'espérais que je ne me perdrais pas !*		

À vos marques !

1 **Vérifiez** que vous savez :
– donner le **temps** des verbes soulignés ;
– analyser leur **valeur**.

a. Isaac Newton est né le 25 décembre 1642 à Woolsthorpe, dans le Lincolnshire.

b. Élève peu attentif, il préfère construire de petites machines et observer la nature.

c. Sait-il alors qu'il deviendra un des savants les plus célèbres de tous les temps ?

d. Newton a développé la théorie de l'attraction universelle : les corps s'attirent avec une force inversement proportionnelle au carré de la distance qui les sépare.

e. Il meurt en 1705 alors qu'il vient d'être élu président de la _Royal Society_.

f. Je pense que Newton fut un des plus grands scientifiques du XVIIIe siècle.

g. C'est Émilie du Châtelet, compagne de Voltaire, qui traduit ses ouvrages en français.

h. Un dessinateur célèbre, Gotlib, en a fait un personnage récurrent de ses BD : en habit et perruque, il reçoit systématiquement une pomme sur la tête et énonce la théorie de l'attraction universelle.

2 **Analysez** la **valeur** des verbes au **présent** dans les phrases suivantes.

a. Je prépare un exposé sur Napoléon Bonaparte : je passe demain matin devant toute la classe.

b. Napoléon est un homme de taille modeste, mais il n'est pas fluet ; il possède une chevelure noire et des yeux sombres et perçants.

c. Il tient souvent sa main sur son estomac pour soulager une souffrance aiguë due à un ulcère.

d. Napoléon est d'abord consul de France, puis il devient empereur en 1804.

e. Le peintre David compose un célèbre tableau de son sacre.

f. Il entreprend des conquêtes ; il va devenir le monarque le plus puissant d'Europe.

g. Napoléon rentre en France en 1815 : il vient de s'échapper de sa prison de l'île d'Elbe.

h. Les grands hommes connaissent des destins passionnants.

3 **Replacez** les **formes verbales** proposées, dans le texte, en vous aidant du sens, des **temps** utilisés mais aussi des **accords**.

Cet article présente les hypothèses scientifiques pour expliquer le départ d'Afrique des premiers hominidés.

Liste : _abandonne – dépendaient – empêchent – ont quitté – se demandent – a tué – ont suivi_ (2 fois) – _chasse._

    Des paléontologues espagnols, comme Bienvenido Martinez-Navarro, **1** .... si ces premiers migrants n'**2** .... pas tout simplement .... des animaux dont ils **3** .... pour leur survie. Comme les
5 tigres à dents de sabre, par exemple, qui **4** .... l'Afrique pour se répandre en Europe, entre 1 et 1.5 million d'années : lorsque le tigre **5** ...., ses immenses canines l'**6** .... de manger toute la carcasse de l'animal qu'il **7** .... . Il l'**8** .... donc aux
10 hyènes, mais aussi aux hommes. Nos ancêtres **9** .... donc peut-être .... leur nourriture.

D'après _Science et Vie Junior_, Hors série n° 235, juin 2006.

4 **Donnez** le **temps** et la **valeur** des formes verbales soulignées.

Monsieur Jourdain, un bourgeois, prend des cours de chant et de danse pour égaler la noblesse. Ses professeurs l'attendent…

MONSIEUR JOURDAIN. – Je vous ai fait un peu attendre, mais c'est que je me fais habiller aujourd'hui comme les gens de qualité ; et mon tailleur m'a envoyé des bas de soie que j'ai pensé ne mettre
5 jamais.

MAÎTRE DE MUSIQUE. – Nous ne sommes ici que pour attendre votre loisir.

MONSIEUR JOURDAIN. – Je vous prie tous deux de ne vous point en aller, qu'on ne m'ait apporté[1]
10 mon habit, afin que vous me puissiez voir.

MAÎTRE À DANSER. – Tout ce qu'il vous plaira.

MONSIEUR JOURDAIN. – Vous me verrez équipé comme il faut, depuis les pieds jusqu'à la tête.

MAÎTRE DE MUSIQUE. – Nous n'en doutons point.

15 MONSIEUR JOURDAIN. – Je me suis fait faire cette indienne-ci.

MAÎTRE À DANSER. – Elle est fort belle.

MONSIEUR JOURDAIN. – Mon tailleur m'a dit que les gens de qualité étaient comme cela le matin.

Molière, _Le Bourgeois gentilhomme_, I, 1, 1670.

1. _qu'on ne m'ait apporté_ : avant qu'on ne m'ait apporté.

5 **1. Conjuguez** les **verbes** du texte aux temps demandés.
2. Lisez le texte obtenu : quel est l'effet de l'emploi du **système du présent** pour raconter cet épisode ?

L'ouvrier (*être*, présent) dehors, dans la rue, sur le pavé. Il (*battre*, passé composé) les trottoirs pendant huit jours, sans pouvoir trouver du travail. Il (*aller*, passé composé) de porte en porte, offrant
5 ses bras, offrant ses mains, s'offrant tout entier à n'importe quelle besogne, à la plus rebutante, à la plus dure, à la plus mortelle. Toutes les portes (*se refermer*, passé composé).

Alors l'ouvrier (*offrir*, passé composé) de travail-
10 ler à moitié prix. Les portes ne pas (*se rouvrir*, passé composé). [...] C'(*être*, présent) le chômage, le terrible chômage qui (*sonner*, présent) le glas des mansardes. La panique (*arrêter*, passé composé) toutes les industries, et l'argent, l'argent lâche, (*se cacher*,
15 passé composé).

Au bout de huit jours, c'(*être*, présent) bien fini. L'ouvrier (*faire*, passé composé) une suprême tentative, et il (*revenir*, présent) lentement, les mains vides, éreinté de misère. La pluie (*tomber*, présent) ;
20 ce soir-là, Paris (*être*, présent) funèbre dans la boue. Il (*marcher*, présent) sous l'averse, sans la sentir, n'entendant que sa faim, s'arrêtant pour arriver moins vite. Il (*se pencher*, passé composé) sur un parapet de la Seine ; les eaux grossies (*couler*, présent)
25 avec un long bruit ; des rejaillissements d'écume blanche (*se déchirer*, présent) à une pile du pont. Il (*se pencher*, présent) davantage, la coulée colossale (*passer*, présent) sous lui, en lui jetant un appel furieux. Puis, il (*se dire*, présent) que ce (*être*, présent
30 du conditionnel) lâche, et il (*s'en aller*, présent).

D'après Émile Zola, « Le chômage »,
in *La Fête à Coqueville et autres nouvelles*.

Aide Pour l'accord du **participe passé** des verbes pronominaux (→ CHAPITRE 37).
Pour la conjugaison du **conditionnel présent** (→ CHAPITRE 45).

6 **Rédigez** des phrases en reprenant les éléments proposés et en plaçant les actions dans un **futur proche**. Vous **utiliserez** pour cela les moyens suivants : emploi du **futur simple** ; emploi du **présent à valeur de futur proche** ; emploi de la périphrase verbale *aller* + **infinitif**.

a. Jeanne / se promener / la pluie / cesser.
b. Elle / dépasser les grands arbres / essayer / un nouveau chemin.
c. La jeune fille / marcher un bon quart d'heure / se retrouver en pleine nature.
d. Elle / rentrer revigorée / prendre / un bon bol d'air frais.
e. se réchauffer / s'accorder une heure de lecture devant le feu.

7 **Rédigez** des phrases en reprenant les éléments proposés dans l'EXERCICE 6 et en plaçant les actions dans un **passé proche**. Vous **utiliserez** pour cela les moyens suivants : emploi du **passé composé** ou de l'**imparfait** ; emploi du **présent à valeur de passé proche** ; emploi de la périphrase verbale *venir de* + **infinitif**.

8 **Conjuguez** les verbes au **système du présent** pour retrouver le texte d'origine.

Le narrateur parle, à la deuxième personne du singulier, d'une jeune paysanne qui emmène ses sœurs en pique-nique.

La beauté de ce jour. La lumière de ce dimanche de juin où vous (*partir*) toutes quatre en piquenique. Tu (*être*) encore dans l'étonnement d'avoir pu fléchir le père, la joie de savoir que tu (*être*)
5 libre de toute tâche, que ces heures à venir t'(*appartenir*). Et cette excitation à vous sentir seules, à échapper aux parents, à faire ce que vous n'(*faire*) encore jamais. Vous tenant par la main, vous (*quitter*) le village en marchant d'un bon
10 pas, impatientes de vous en éloigner. Vous (*rire*), (*chanter*), (*avoir*) tant à vous dire que vous (*parler*) toutes quatre en même temps. Après deux heures de marche, sur un chemin qui (*s'élever*) en pente douce au flanc de la montagne, vous
15 (*arriver*) dans ce pré d'où tu (*aimer*) à contempler le village et ce mince ruban blanc qui (*couper*) le vert des prés et des bois.

D'après Charles Juliet, *Lambeaux*,
© P.O.L. éditeur, 1995.

Aide Pour la conjugaison du **présent** et du **passé composé** (→ CHAPITRE 40).

9 **Récrivez** le récit suivant au **système du présent**.

Ce jour-là le facteur Boniface, en sortant de la maison de poste, constata que sa tournée serait moins longue que de coutume, et il en ressentit une joie vive. Il était chargé de la campagne
5 autour du bourg de Vireville, et, quand il revenait, le soir, de son long pas fatigué, il avait parfois plus de quarante kilomètres dans les jambes. Donc la distribution serait vite faite ; il pourrait même flâner un peu en route et rentrer chez
10 lui vers trois heures de relevée. Quelle chance !

Il sortit du bourg par le chemin de Sennemare et commença sa besogne. On était en juin, dans le mois vert et fleuri, le vrai mois des plaines. L'homme, vêtu de sa blouse bleue et coiffé d'un
15 képi noir à galon rouge, traversait, par des sentiers étroits, les champs de colza, d'avoine ou de blé, enseveli jusqu'aux épaules dans les récoltes ; et sa tête, passant au-dessus des épis, semblait flotter sur une mer calme et verdoyante qu'une
20 brise légère faisait mollement onduler.

Guy de Maupassant, *Le Crime au père Boniface*, 1884.

10 **Transposez** ce récit au **système du présent**. (Attention aux dialogues !)

Le narrateur, après avoir fait naufrage, est attaqué par des requins.

Le requin s'était une fois de plus écarté, mais pour dessiner de nouveaux cercles et préparer visiblement une troisième attaque.

À bout de forces, j'avais perdu tout espoir.

5 À ce moment, un corps sombre passa entre nous. C'était celui d'Otoo.

– Maître, me dit-il gaiement, bon courage ! Continue à nager vers la goélette. Je m'y connais en requins. Les requins, pour moi, sont presque
10 des frères. Il ne t'aura pas.

Je fis comme il me disait, Otoo se maintenant toujours entre moi et la bête, dont il esquivait habilement les élans.

– Les portemanteaux[1] du canot de la goélette,
15 m'expliqua-t-il, ont leurs manœuvres[2] embrouillées. C'est pourquoi, comme le temps pressait, je suis venu te chercher.

Jack London, *Contes de mers du sud*, « Le païen »,
trad. P. Gruyer et L. Postif, © Hachette, 1982.

1. *portemanteaux* : dispositifs servant à porter les canots
de sauvetages. 2. *manœuvres* : cordes.

11 **1. Repérez**, dans ce texte, les passages narratifs et les paroles rapportées au style direct.

2. Conjuguez ensuite les verbes au **système du passé** pour le récit et au **système du présent** pour les dialogues.

Lors d'un entretien tendu, en présence d'Alicia, le Comte Altavilla cueille machinalement les fleurs d'une jardinière.

« Qu'(*avoir*)-vous donc à fourrager ainsi ma jardinière ? (*s'écrier*) miss Alicia Ward, qui (*s'apercevoir*) de ce manège. Que vous (*faire*) mes fleurs pour les décapiter ?

5 – Oh ! rien, miss ; c'(*être*) un tic involontaire, (*répondre*) Altavilla en coupant de l'ongle une rose superbe qu'il (*envoyer*) rejoindre les autres.

– Vous m'(*agacer*) horriblement, (*dire*) Alicia ; et sans le savoir vous (*choquer*) une de mes
10 manies. Je n'(*cueillir*) jamais une fleur. Un bouquet m'(*inspirer*) une sorte d'épouvante : ce (*être*) des fleurs mortes, des cadavres de roses, de verveines ou de pervenches, dont le parfum (*avoir*) pour moi quelque chose de sépulcral[1].

15 – Pour expier[2] les meurtres que je (*venir*) de commettre, (*dire*) le comte Altavilla en s'inclinant, je vous (*envoyer*) cent corbeilles de fleurs vivantes. »

D'après Théophile Gautier, *Jettatura*, 1856.

1. *sépulcral* : qui évoque le tombeau, la mort.
2. *expier* : réparer en acceptant une peine.

Aide Pour les **paroles rapportées** (→ CHAPITRE 4).

---

12 **Repérez** les **deux systèmes de temps** présent et passé dans ce texte : expliquez le passage de l'un à l'autre.

Henri Huet fut peut-être le meilleur photo-reporter de la guerre du Vietnam. Six ans durant, et presque quotidiennement, il pataugea dans la boue et les marais pour photographier les
5 marines et les Vietnamiens. Tous les moments et les visages de la guerre défilent dans ses images : les villages en feu, les prisonniers viêt-congs, les soldats blessés, les cadavres, le regard des enfants, les instants où tout bascule sous les obus,
10 le désespoir… Pourtant, malgré leur violence effroyable, ces clichés sont empreints d'une rare compassion.

Géo, n° 331, septembre 2006.

FRANÇAIS → SVT

13 **Transformez** ce document en **texte explicatif** rédigé. Vous **utiliserez** le système du présent.

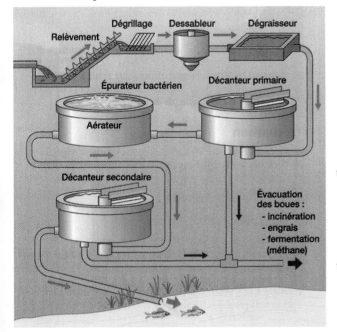

Le fonctionnement d'une station d'épuration,
SVT 4ᵉ, © Hatier, 1998.

14 **Écrivez**, à partir des amorces proposées, un court paragraphe. Vous respecterez le thème, la **forme de discours** (→ CHAPITRE 5) et le **système des temps** proposé.

a. Pour réussir la mousse au chocolat, il suffit ....

b. Quand je ferme les yeux, je vois ....

c. Marie-Antoinette naît le 2 novembre 1755 au château de Schönbrunn, à Vienne ....

15 **Analysez** la valeur des temps des verbes soulignés dans ce début de récit.
Proposez une suite de quelques paragraphes en conservant le **système des temps**.

Vingt ans ! Dans un mois j'<u>aurai</u> le plus bel âge de la vie. Vingt ans... Mon nom, c'<u>est</u> Francis, mais dans la tour on ne m'<u>appelle</u> que « Ci-Fran le çais-fran »... La vie <u>est</u> à l'envers alors, forcément, les mots, ça suit... Au début j'<u>avais</u> besoin de traduire dans ma tête, pour comprendre. Maintenant c'est quand on me <u>parle</u> normalement que ça me pose problème.

Didier Daeninckx, *Main courante et autres lieux*,
« Ce sont nos ennemis qui marchent à notre tête »,
© Éd. Verdier, Lagrasse, 1993.

16 **Récrivez** ce récit sous la forme d'un **journal**. Vous **indiquerez** des dates (en tenant compte de l'enchaînement des événements) **et utiliserez** le système du présent.

Ayant soif un soir, je bus un demi-verre d'eau et je remarquai que ma carafe, posée sur la commode en face de mon lit, était pleine jusqu'au bouchon de cristal.

5 J'eus, pendant la nuit, un de ces réveils affreux dont je viens de vous parler. J'allumai ma bougie, en proie à une épouvantable angoisse, et, comme je voulus boire de nouveau, je m'aperçus avec stupeur que ma carafe était vide. Je n'en 10 pouvais croire mes yeux. Ou bien on était entré dans ma chambre, ou bien j'étais somnambule.

Le soir suivant, je voulus faire la même épreuve. Je fermai donc ma porte à clef pour être certain que personne ne pourrait pénétrer chez moi. Je 15 m'endormis et je me réveillai comme chaque nuit. On avait bu toute l'eau que j'avais vue deux heures plus tôt. [...]

Alors j'eus recours à des ruses pour me convaincre que je n'accomplissais point ces actes incons-20 cients. Je plaçai un soir, à côté de la carafe, une bouteille de vieux bordeaux, une tasse de lait dont j'ai horreur, et des gâteaux au chocolat que j'adore.

Le vin et les gâteaux demeurèrent intacts. Le 25 lait et l'eau disparurent.

Guy de Maupassant, *Le Horla* (1ʳᵉ version), 1886.

17 1. **Repérez** les indicateurs temporels, les temps des verbes et analysez leur **valeur**.
2. **Rédigez**, pour un livre de votre choix, un bref paragraphe de présentation sur ce modèle.

Le magazine Géo présente le livre L'Enfant dans la jungle *de Sabine Kuegler.*

Fillette chez les Papous

Sabine Kuegler arrive en Papouasie-Occidentale à l'âge de 5 ans, avec ses parents missionnaires allemands. Elle passe toute sa jeunesse dans la jungle avec la tribu guerrière des Fayous, avant 5 de partir, à 17 ans, dans un pensionnat suisse. Mais elle ne cesse de rêver aujourd'hui encore à sa jungle, à cette vie qu'elle aimait. Un beau récit sur le mal du pays.

Géo, n° 331, septembre 2006.

ACTIVITÉ — J'observe...

1. *Jardin des Plantes*: grand jardin zoologique parisien.

Un matin, un Lion et une Hyène du Jardin des Plantes[1] réussirent à ouvrir la porte de leur cage, fermée avec négligence.

[...] Ils se rencontrèrent au fond d'une allée, et, après les politesses d'usage, ils se mirent à marcher de compagnie, causant en toute bonne amitié. Le Jardin
5 ne tarda pas à les ennuyer et à leur paraître bien petit. Alors ils se demandèrent à quels amusements ils pourraient consacrer leur journée.

« Ma foi, dit le Lion, j'ai bien envie de contenter un caprice qui me tient depuis longtemps. Voici des années que les hommes viennent, comme des imbéciles, me regarder dans ma cage, et je me suis toujours promis de saisir la première
10 occasion qui se présenterait, pour aller les regarder dans la leur, quitte à paraître aussi bête qu'eux... Je vous propose un bout de promenade dans la cage des hommes. »

Émile Zola, *Une cage de bêtes féroces*, 1867.

1 a. Quelle partie du texte fait le récit des actions des deux animaux ?
  b. Quel temps y est majoritairement employé ?

2 a. Quelle partie du texte rapporte directement les paroles de l'un d'eux ?
  b. Quels sont les indices qui vous ont permis de les identifier ?

3 La phrase de récit surlignée en violet évoque aussi des paroles.
  Récrivez-la de manière à retrouver les paroles telles qu'elles ont été prononcées
  par les deux animaux. Commencez par : *Alors ils se demandèrent :* « ...

4 Imaginez la réponse de la hyène au lion. (Attention à la présentation de cette réplique !)

❶ Les paroles rapportées au style direct et indirect

Dans un récit, les **paroles** ou les **pensées** des personnages peuvent être rapportées au **style direct** ou au **style indirect** :

LE STYLE DIRECT	LE STYLE INDIRECT
Étienne cria : « Eh! je t'ai vu hier! »	*Étienne cria qu'il l'avait vu la veille.*
● Les paroles sont rapportées exactement **telles qu'elles ont été prononcées**.	● Les paroles sont transformées et intégrées au récit (pronoms, temps des verbes, indicateurs de temps ou de lieu…).
● Les **marques de l'oral** (interjections, ponctuation expressive…), le **niveau de langage** sont conservés : le dialogue est vivant.	● Les marques de l'oral disparaissent, le niveau de langage doit être adapté à l'écrit.
● Le récit est **interrompu** : l'interruption est marquée par les deux-points et les guillemets (ou des tirets).	● Le récit n'est pas interrompu par les paroles rapportées.

❷ La transposition du style direct au style indirect

Le passage du style direct au style indirect entraîne certaines **modifications** :

Verbe de parole	Lien entre les propositions	Ponctuation	Pronoms personnels	Temps des verbes	Indicateurs de temps ou de lieu	Ponctuation
STYLE DIRECT						
Il cria	**:**	**« Eh!**	*je t'*	*ai vu*	*hier*	**! »**
	juxtaposition (→ CHAPITRE 14)	**guillemets,** marques de l'oral	= marques de l'énoncé **ancré (discours)** dans la situation d'énonciation (→ CHAPITRE 1)			**guillemets,** ponctuation expressive
STYLE INDIRECT						
Il cria	**qu'**		*il l'*	*avait vu*	*la veille*	**.**
	subordination (→ CHAPITRE 14)	pas de guillemets, ni de marques de l'oral	marques de l'énoncé **coupé (récit)** de la situation d'énonciation (→ CHAPITRE 1)			pas de guillemets, ni de ponctuation expressive

ATTENTION Il ne faut pas mélanger les deux styles de paroles rapportées, notamment pour les phrases interrogatives (→ CHAPITRE 13) :

Il m'a demandé : « Quelle heure est-il ? »
(= style direct)

*Il m'a demandé ~~quelle heure est-il ?~~
(la phrase est incorrecte)

Il m'a demandé quelle heure il était.
OU *Il m'a demandé l'heure qu'il était.*
(= style indirect)

À vos marques !

1 **Vérifiez** que vous savez :
– repérer les paroles rapportées au **style direct** et au **style indirect** ;
– justifier votre repérage.

Texte 1

Candide et son compagnon rencontrent un esclave noir en piteux état.

En approchant de la ville, ils rencontrèrent un nègre¹ étendu par terre, n'ayant plus que la moitié de son habit, c'est-à-dire d'un caleçon de toile bleue ; il manquait à ce pauvre homme la jambe
5 gauche et la main droite.

« Eh ! mon Dieu ! lui dit Candide en hollandais, que fais-tu là, mon ami, dans l'état horrible où je te vois ?

– J'attends mon maître, M. Vanderdendur, le
10 fameux négociant, répondit le nègre.

– Est-ce M. Vanderdendur, dit Candide, qui t'a traité ainsi ?

– Oui, monsieur, dit le nègre, c'est l'usage. [...] »

Voltaire, Candide, XIX, 1759.

1. *nègre* : le mot n'est pas péjoratif au XVIIIᵉ siècle.

Texte 2

Le seigneur, Julien, est parti chasser ; sa femme est seule au château.

Peu de temps après, un page vint annoncer que deux inconnus, à défaut du seigneur absent, réclamaient tout de suite la seigneuresse.

Et bientôt entrèrent dans la chambre un vieil
5 homme et une vieille femme, courbés, poudreux, en habits de toile, et s'appuyant chacun sur un bâton.

Ils s'enhardirent et déclarèrent qu'ils apportaient à Julien des nouvelles de ses parents.

10 Elle se pencha pour les entendre.

Mais, s'étant concertés du regard, ils lui demandèrent s'il les aimait toujours, s'il parlait d'eux quelquefois.

– Oh ! oui ! dit-elle.

15 Alors, ils s'écrièrent :

– Eh bien ! c'est nous !

Gustave Flaubert, Trois Contes,
« La Légende de saint Julien l'Hospitalier », 1877.

2 **Repérez**, dans l'extrait suivant, un passage au **style indirect** et un passage au **style direct**.

Pippo rentre chez lui après avoir perdu une grosse somme d'argent au jeu.

Il commença, en rentrant chez lui, par soulever le tapis qui couvrait sa table et compter l'argent qui restait dans son tiroir ; puis comme il était de caractère naturellement gai et insouciant,
5 après qu'on l'eut déshabillé, il se mit à sa fenêtre en robe de chambre. Voyant qu'il faisait grand jour, il se demanda s'il fermerait ses volets pour se mettre au lit, ou s'il se réveillerait comme tout le monde [...]. Avant de se décider à veiller ou à
10 dormir, tout en luttant contre le sommeil, il prit son chocolat sur son balcon. Dès que ses yeux se fermaient, il croyait voir une table, des mains agitées, des figures pâles, il entendait résonner les cornets. « Quelle fatale chance ! murmurait-
15 il ; est-ce croyable qu'on perde avec quinze ! » Et il voyait son adversaire habituel, le vieux Vespasiano Memmo, amenant dix-huit et s'emparant de l'or entassé sur le tapis.

Alfred de Musset, Le Fils du Titien, 1838.

3 **Classez** ces verbes de parole selon qu'ils indiquent la visée de l'énonciateur (l'intention de celui qui parle) ou bien son ton.
murmurer – conclure – chuchoter – marmonner – regretter – balbutier – bredouiller – accuser – bégayer – geindre – expliquer – gémir – soupirer – s'esclaffer – juger – pouffer – proposer – s'écrier – répondre – crier – hurler – vociférer – affirmer – s'exclamer.

Visée (intention)	Ton
conclure…	*murmurer…*

4 **Classez** les verbes de parole suivants selon leur sens.
rétorquer – déclarer – réfuter – ironiser – protester – renchérir – héler – opposer – riposter – plaisanter – reprendre – interpeller – opiner – déclarer – ricaner – continuer.

répondre	se moquer	nier

affirmer	appeler	ajouter

5 **Lisez** le texte puis **complétez** le tableau suivant: relevez les **paroles rapportées** et les **verbes de parole** dans l'extrait.

Verbes de parole	Paroles rapportées

1. Le dialogue est-il rapporté au **style direct** ou **indirect**?

2. Quels **temps** sont utilisés dans les paroles rapportées? Quels sont ceux utilisés dans les propositions contenant les verbes de parole?

Zadig est un jeune homme brillant, héros d'un conte oriental de Voltaire.

Un jour, se promenant auprès d'un petit bois, il vit accourir à lui un eunuque[1] de la reine, suivi de plusieurs officiers qui paraissaient dans la plus grande inquiétude, et qui couraient çà et là
5 comme des hommes égarés, qui cherchent ce qu'ils ont perdu de plus précieux. « Jeune homme, lui dit le premier eunuque, n'avez-vous point vu le chien de la reine? » Zadig répondit modestement: « C'est une chienne, et non pas
10 un chien. – Vous avez raison, reprit le premier eunuque. – C'est une épagneule très petite, ajouta Zadig. Elle a fait depuis peu des chiens; elle boite du pied gauche de devant, et elle a les oreilles très longues. – Vous l'avez donc vue? dit le pre-
15 mier eunuque tout essoufflé. – Non, répondit Zadig, je ne l'ai jamais vue, et je n'ai jamais su si la reine avait une chienne. »

Voltaire, *Zadig*, III, 1748.

1. *eunuque*: homme châtré servant de garde.

6 **Complétez** ces phrases au style direct avec des **verbes de parole** variés. Vous pourrez utiliser des **propositions incises**.

a. « Tu te décides enfin à repeindre ta chambre! »

b. « Pourras-tu me donner un coup de main demain après-midi? »

c. « Il n'en est pas question! »

d. « Merci bien! »

e. « Ne te vexe pas: je suis allergique aux produits dégagés par la peinture! »

> **Aide** Le **verbe de parole** peut être inséré dans les paroles rapportées, dans une **proposition incise**: le **sujet** est alors inversé (→ CHAPITRE 15).
> *Ex. – Tu ne parles pas sérieusement,* s'écria-t-il .

Paul Delaroche (1797-1856), *Édouard V, roi mineur d'Angleterre et Richard, duc d'York, son frère* dit *Les enfants d'Édouard* (détail), 1831 (musée du Louvre, Paris).

7 **Relevez** les **paroles rapportées** dans l'extrait suivant.
Quel style (direct ou **indirect)** est utilisé?

Enfant, le narrateur se retrouva un jour coiffé, selon sa mère, « aux enfants d'Édouard »…

Et ma mère, qui avait la divine patience et la simplicité joyeuse des âmes dont la seule affaire en ce monde est d'aimer, me conta, dans un babil[1] enfantin et poétique, comment les deux
5 enfants du roi Édouard[2], qui étaient beaux et bons, furent arrachés à leur mère et étouffés dans un cachot de la tour de Londres par leur méchant oncle Richard[3].

Elle ajouta, s'inspirant selon toute apparence
10 d'une peinture à la mode, que le petit chien des enfants aboya pour les avertir de l'approche des meurtriers.

Elle finit en disant que cette histoire était très ancienne, mais si touchante et si belle, qu'on ne
15 cessait d'en faire des peintures et de la représenter sur les théâtres, et que tous les spectateurs pleuraient, et qu'elle avait pleuré comme eux.

Je dis à maman qu'il fallait être bien méchant pour la faire pleurer ainsi, elle et tout le monde.
20 Elle me répondit qu'il y fallait, au contraire, une grande âme et un beau talent, mais je ne la compris pas. Je n'entendais rien alors à la volupté des larmes.

Anatole France, *Le Livre de mon ami*, 1898.

1. *babil*: bavardage amusant.
2. *Édouard*: roi d'Angleterre (XVe siècle).
3. *Richard*: Richard III, frère d'Édouard, accusé d'avoir fait assassiner ses neveux pour régner.

8 **Relevez** les **paroles** ou les **pensées rapportées** dans cet extrait. S'agit-il de **style direct** ou **indirect** ?

Marius espère revoir une jeune fille au jardin du Luxembourg ; or la voilà qui s'approche, accompagnée de son père.

Marius ferma son livre, puis il le rouvrit, puis il s'efforça de lire. Il tremblait. L'auréole venait droit à lui. – Ah ! mon Dieu ! pensait-il, je n'aurai jamais le temps de prendre une attitude. –
5 Cependant l'homme à cheveux blancs et la jeune fille s'avançaient. Il lui paraissait que cela durait un siècle et que cela n'était qu'une seconde. – Qu'est-ce qu'ils viennent faire par ici ? se demandait-il. Comment ! elle va passer là ! Ses
10 pieds vont marcher sur ce sable, dans cette allée, à deux pas de moi !

Victor Hugo, Les Misérables, III, VI, 6, 1862.

9 **Transformez** ces paroles au **style indirect**. (Attention aux temps verbaux, aux pronoms, aux indicateurs de temps et de lieu…)

a. Il affirma : « Je me porte à merveille ! »

b. Juliette confia à Roméo : « Mes parents n'autoriseront jamais ce mariage. »

c. Je lui demandai : « Tu comptes rester longtemps, ici ? »

d. Elle lui confirma : « Je te rejoindrai demain à l'aube. »

e. Il avoua : « J'ai encore failli ne pas me réveiller ce matin… »

> **Aide** Attention à l'emploi des temps dans le récit au passé (→ CHAPITRE 2).

10 **Transformez** les phrases suivantes au **style indirect**. (Attention aux marques de l'oral et au niveau de langage !)

a. Elle demanda : « Eh ? toi ? Connais-tu le chemin du château ? »

b. Il reconnut avec regret : « Hélas, je crois que je me suis trompé, désolé… »

c. Je m'écriai : « Quoi ! Jamais je ne permettrai cela, tu m'entends, jamais ! »

d. Il marmonna : « J'chuis en r'tard à cause que l'train l'est pas passé. »

e. Elle lui répondit : « Soit, jeune homme, allez vous asseoir et tâchez de vous faire oublier ! »

f. Il s'écria d'un air triomphant : « Hein que j'avais raison, tu vois ! »

11 **Transformez** les phrases suivantes au **style direct** de manière à obtenir un dialogue vivant.

a. Je lui racontai que j'avais passé ma journée à courir après les informations, mais que je rentrais malheureusement bredouille.

b. Il me répondit que, de son côté, il avait établi la liste des témoins que je devrais interroger le lendemain.

c. Je lui demandai s'il comptait rester tranquillement assis dans son bureau tandis que je sillonnerais toute la ville.

d. Il rétorqua brusquement que si cela ne me convenait pas, je pouvais toujours chercher une place d'assistante chez un autre détective.

e. Je soupirai, en me laissant choir sur un fauteuil, que je n'avais pas mérité un patron pareil.

f. Il dut m'entendre car il ajouta d'un ton sec qu'il ne tolérait aucun commentaire de ma part.

12 **Récrivez** ces paroles au **style indirect**. Vous commencerez par : *Son père lui expliqua que…* (*Attention* : vous devrez modifier le niveau de langage.)

Père a dit : « Je t'aime beaucoup, Christopher. N'oublie jamais ça. Il m'arrive de me mettre en rogne, je sais bien. Et de me fâcher. Et même de crier. Je sais que je ne devrais pas faire ça. Mais c'est
5 seulement parce que je me fais du souci pour toi. Je ne veux pas que tu t'attires d'ennuis, et je ne veux pas qu'on te fasse mal. Tu comprends ? »

Mark Haddon, Le Bizarre Incident du chien pendant la nuit, trad. O. Demange,
© Nil Editions, 2003.

13 **Récrivez** ce dialogue au **style indirect**. Quelle version préférez-vous ? Pourquoi ?

Ruth, une jeune fille de la haute société, rencontre Martin Eden, un simple marin :

– Quelle cicatrice vous avez au cou, monsieur Eden ! dit la jeune fille. Comment ça vous est-il arrivé ? Dans une aventure, j'en suis sûre !

– Un Mexicain, avec son couteau, mademoi-
5 selle ! répondit-il. (Il passa sa langue sur ses lèvres sèches et toussa pour s'éclaircir la voix.) Dans une bagarre. Quand je lui ai enlevé son couteau, il a essayé de m'arracher le nez avec ses dents.

Jack London, Martin Eden, 1908,
trad. C. Cendrée, © Hachette.

Michel Bouquet (Harpagon) et Bruno Debrandt (La Flèche),
dans *L'Avare* de Molière, mise en scène de Georges Werler,
au Théâtre de Cachan (2006).

14 **1. Récrivez** ce **dialogue**, en variant les **verbes de parole** et les **manières** de les **intégrer** (verbes, phrases introductrices, propositions incises).
2. Récrivez-le ensuite au **style indirect**.
3. Comparez l'effet produit dans ces trois versions.

Christopher vient de trouver le chien de la voisine, mort, dans le jardin. La voisine pense que c'est Christopher qui l'a tué et a appelé la police.

Le policier s'est accroupi à côté de moi. Il a dit : « Et si tu me racontais un peu ce qui se passe ici, jeune homme ? »

Je me suis assis et j'ai dit : « Le chien est mort. »

5 Il a dit : « C'est ce que j'ai cru comprendre. »

J'ai dit : « Je pense que quelqu'un l'a tué. »

Il a demandé : « Quel âge as-tu ? »

J'ai répondu : « J'ai 15 ans, 3 mois et 2 jours. »

Il a demandé : « Tu pourrais me dire ce que tu
10 faisais dans ce jardin ? »

J'ai répondu : « Je tenais le chien. »

Il a demandé : « Et pourquoi ? »

C'était une question difficile. J'avais envie de le faire. J'aime bien les chiens. J'étais triste que
15 le chien soit mort.

Mark Haddon, *Le Bizarre Incident du chien pendant la nuit*,
trad. O. Demange, © Nil Éditions, 2003.

15 **Transformez** ce **dialogue de théâtre** en **dialogue de roman**.
Vous commencerez par : *Pointant un doigt autoritaire sur le valet La Flèche, Harpagon ordonna : …*
Vous varierez les **verbes introducteurs de parole** dans les propositions incises. **Vous transcrirez** au moins un passage au **style indirect**. **Vous pourrez ajouter** des **compléments circonstanciels de manière** (→ CHAPITRE 18) pour préciser le ton ou les gestes du locuteur.

HARPAGON. – Hors d'ici tout à l'heure, et qu'on ne réplique pas. Allons, que l'on détale de chez moi, maître juré filou, vrai gibier de potence.

LA FLÈCHE. – Je n'ai jamais rien vu de si méchant
5 que ce maudit vieillard, et je pense, sauf correction, qu'il a le diable au corps.

HARPAGON. – Tu murmures entre tes dents.

LA FLÈCHE. – Pourquoi me chassez-vous ?

HARPAGON. – C'est bien à toi, pendard, à me deman-
10 der des raisons : sors vite, que je ne t'assomme.

LA FLÈCHE. – Qu'est-ce que je vous ai fait ?

HARPAGON. – Tu m'as fait que je veux que tu sortes.

Molière, *L'Avare*, II, 3, 1668.

16 **Complétez** le **dialogue suivant** par des **propositions incises**. (*Attention* : lisez bien le texte pour comprendre qui parle.)

– Attends-moi, Grangibus ! héla Boulot, ses livres et ses cahiers sous le bras.

– Grouille-toi, alors, j'ai pas le temps de bavarder, moi ! ….

5 – Y a du neuf ? ….

– Ça se pourrait ! ….

– Quoi ? ….

– Viens toujours ! ….

Et Boulot ayant rejoint les deux Gibus, ses
10 camarades de classe, tous trois continuèrent à marcher côte à côte dans la direction de la maison commune.

Louis Pergaud, *La Guerre des boutons*,
© Mercure de France, 1912.

17 **Récrivez** le texte de l'exercice 7 en faisant apparaître un **dialogue au style direct** entre la mère et son petit garçon.

18 **Récrivez** le dialogue de l'exercice 1 au **style indirect** en remplaçant les verbes *dire* et *répondre* par des **synonymes variés**.

Une lettre de réclamation

Lettre au Comte de Lastic

Sans avoir l'honneur, Monsieur, d'être connu de vous, j'espère qu'ayant à vous offrir des excuses et de l'argent, ma lettre ne saurait être mal reçue. J'apprends que Mlle de Cléry a envoyé de Blois un panier à une bonne vieille femme, nommée Mme Levasseur, et si pauvre qu'elle demeure chez moi ; que ce panier contenait,
5 entre autres choses, un pot de vingt livres de beurre ; que le tout est parvenu, je ne sais comment, dans votre cuisine ; que la bonne vieille, l'ayant appris, a eu la simplicité de vous envoyer sa fille, avec la lettre d'avis, vous redemander son beurre, ou le prix qu'il a coûté ; et qu'après vous être moqués d'elle, selon l'usage, vous et Mme votre épouse, vous avez, pour toute réponse, ordonné à vos gens de la chas-
10 ser. J'ai tâché de consoler la bonne femme affligée, en lui expliquant les règles du grand monde et de la grande éducation ; je lui ai prouvé que ce ne serait pas la peine d'avoir des gens, s'ils ne servaient à chasser le pauvre, quand il vient réclamer son bien ; et, en lui montrant combien *justice* et *humanité* sont des mots roturiers, je lui ai fait comprendre, à la fin, qu'elle est trop honorée qu'un comte ait mangé son
15 beurre. Elle me charge donc, Monsieur, de vous témoigner sa reconnaissance de l'honneur que vous lui avez fait, son regret de l'importunité qu'elle vous a causée, et le désir qu'elle aurait que son beurre vous eût paru bon. Que si par hasard il vous en a coûté quelque chose pour le port du paquet à elle adressé, elle offre de vous le rembourser, comme il est juste. Je n'attends là-dessus que vos ordres pour exé-
20 cuter ses intentions, et vous supplie d'agréer les sentiments avec lesquels j'ai l'honneur d'être, etc.

Jean-Jacques Rousseau, décembre 1754.

→ CHAPITRE 1 La situation d'énonciation
→ CHAPITRE 2 Écrire au passé
→ CHAPITRE 3 Écrire au présent

ÉVALUATION 1

QUESTIONS

Une lettre

1. a. Quel est l'énonciateur de cette lettre ? Relevez les marques de sa présence.

b. Quel est le destinataire de la lettre ? Par quels mots est-il désigné ?

2. Rousseau connaissait-il son interlocuteur avant de lui envoyer ce courrier ?

3. Quel troisième personnage est l'objet de cette lettre ? Donnez son nom et relevez les substituts lexicaux qui le désignent. (→ Aide 1)

Le récit d'une mésaventure

4. a. Repérez le passage narratif du texte. (→ Aide 2)

b. Quel système de temps est utilisé dans ce passage ? Pourquoi ?

5. Analysez la valeur du présent du verbe *J'apprends* (l. 2).

6. De combien de phrases est composé ce récit ? Quel est l'effet de cette construction ?

Un message ironique

7. a. Relevez le champ lexical de la noblesse dans le texte.
À quels personnages est-il associé ? (→ Aide 3)

b. Donnez une expression synonyme du mot *roturiers* dans le texte.

c. Quels mots sont désignés comme *roturiers* par Rousseau ?
Comment les met-il en valeur ?

8. Repérez le passage où Rousseau raconte ce qu'il aurait expliqué à madame Levasseur : que pensez-vous de ses explications ?

9. a. Quel message Rousseau transmet-il au comte de la part de madame Levasseur ?

b. Ce message vous paraît-il convenir à la situation décrite dans le passage narratif de la lettre ?

10. En reprenant les réponses aux questions précédentes, expliquez ce que dénonce Rousseau et comment il s'y prend.

> **Aide 1**
> Le **substitut lexical** d'un nom est un groupe nominal qui reprend ce nom dans le texte (→ CHAPITRE 10).

> **Aide 2**
> Pour le **discours narratif** (→ CHAPITRE 5).

> **Aide 3**
> Un **champ lexical** est l'ensemble des termes se rapportant à une même notion (→ CHAPITRE 26).

RÉÉCRITURE

■ Récrivez le passage des lignes 10 à 15 (*J'ai tâché de consoler la bonne femme affligée… qu'un comte ait mangé son beurre*) en commençant par *Nous avons tâché de te consoler…*

RÉDACTION

■ Imaginez Rousseau recevant la réponse du comte et la lisant à madame Levasseur. Composez un récit au passé et à la troisième personne pour raconter la scène. Vous y insérerez la réponse du comte.

Aide à la rédaction

Le sujet propose d'écrire un récit et une lettre.
Pour les rédiger, posez-vous les questions suivantes :

– *À quel temps devrai-je rédiger mon récit ? la lettre ?*
– *À quelle personne mon narrateur s'exprimera-t-il ?*
– *Quel sera le contenu de la lettre du comte ?*
– *Quelles seront les réactions de mes deux personnages ?*

ACTIVITÉ *J'observe...*

Pendant la guerre de 1870, de riches bourgeois veulent quitter la ville de Rouen, occupée par les Prussiens : sous la neige, en pleine nuit, ils attendent dans une cour qu'on attelle des chevaux...

La porte subitement se ferma. Tout bruit cessa. Les bourgeois, gelés, s'étaient tus ; ils demeuraient immobiles et roidis[1].

1. *roidis* (vieilli) : raidis.

Un rideau de flocons blancs ininterrompu miroitait sans cesse en descendant vers la terre ; il effaçait les formes, poudrait les choses d'une mousse de glace,
5   et l'on n'entendait plus, dans le grand silence de la ville calme et ensevelie sous l'hiver, que ce froissement vague, innommable et flottant de la neige qui tombe, plutôt sensation que bruit, entremêlement d'atomes légers qui semblaient emplir l'espace, couvrir le monde.

L'homme reparut, avec sa lan-
10 terne, tirant au bout d'une corde un cheval triste qui ne venait pas volontiers. Il le plaça contre le

2. *timon* : partie métallique où l'on accroche le harnais du cheval.
3. *traits* : lanières qui relient le cheval à ce qu'il tire.

timon[2], attacha les traits[3], tourna longtemps autour pour assurer les
15 harnais, car il ne pouvait se servir que d'une main, l'autre portant sa lumière. Comme il allait chercher la seconde bête, il remarqua tous ces voyageurs immobiles, déjà
20 blancs de neige, et leur dit : « Pourquoi ne montez-vous pas dans la voiture ? Vous serez à l'abri, au moins. »

Guy de Maupassant, *Boule de Suif*, 1880.

1
  a. Quels sont les personnages évoqués dans le paragraphe 1 ?
  b. Que font-ils ? Dans quel état sont-ils ?
  c. À quels temps sont conjugués les verbes qui les évoquent ?

2
  a. Quelles sont les informations données dans le paragraphe 2 ? Trouvez-lui un titre.
  b. À quel temps principal les verbes sont-ils conjugués ?
  c. Ce paragraphe fait-il progresser l'histoire des bourgeois ? À quoi sert-il ?

3
  a. Que se passe-t-il dans le paragraphe 3 ? L'action progresse-t-elle ?
  b. À quel temps principal les verbes sont-ils conjugués ?
  c. Imaginez que le texte ne comporte qu'un seul paragraphe : selon vous, serait-il aussi clair ? À quoi correspondent les changements de paragraphe ?

❶ Les formes de discours

On distingue quatre **formes de discours** selon la **visée** recherchée :
– le discours **narratif** (qui raconte des événements en les situant dans le temps) ;
– le discours **descriptif** (qui décrit un lieu, un être ou un objet en les situant dans l'espace) ;
– le discours **explicatif** et le discours **argumentatif** (→ CHAPITRE 7).

❷ Les caractéristiques des discours narratif et descriptif

Les discours narratif et descriptif présentent chacun des **caractéristiques** différentes :

	DISCOURS NARRATIF (= narration)	**DISCOURS DESCRIPTIF** (= description)
Visée principale	Raconter des événements. **Ex.** *La porte subitement se ferma.*	Décrire un lieu, un être ou un objet. **Ex.** *Ils demeuraient immobiles et roidis.*
Organisation du texte	Indicateurs de **temps** (→ CHAPITRE 6). **Ex.** *soudain, peu après, alors, enfin, déjà…*	Indicateurs de **lieu** (→ CHAPITRE 6). **Ex.** *en face, en haut, vers la terre, à droite, à côté, plus loin…*
Principaux temps verbaux – récit au passé	**Passé simple** de l'indicatif. **Ex.** *L'homme reparut, avec sa lanterne…*	**Imparfait** de l'indicatif. **Ex.** *[La neige] effaçait les formes, poudrait les choses d'une mousse de glace…*
Principaux temps verbaux – récit au présent	**Présent** de l'indicatif. **Ex.** *L'homme reparaît, avec sa lanterne…*	**Présent** de l'indicatif. **Ex.** *[La neige] efface les formes, poudre les choses d'une mousse de glace…*
Termes caractéristiques	Verbes d'**action**. **Ex.** *Il le plaça contre le timon, attacha les traits, tourna longtemps autour…*	– **Verbes attributifs** et attributs (→ CHAPITRE 17). **Ex.** *Le monde devenait blanc sous la neige.* – **Noms et expansions du nom** (→ CHAPITRE 21). **Ex.** *Un rideau de flocons blancs ininterrompu miroitait sans cesse…*
Effet dans le récit	**Progression** de l'histoire.	**Pause** dans le récit, précision du cadre, des personnages…

❸ L'alternance des deux formes de discours dans le récit

Le changement de forme de discours est souvent marqué par un nouveau **paragraphe** et un changement de **temps** dans le **récit** au passé.

Description (imparfait)
> *Un rideau de flocons blancs ininterrompu **miroitait** sans cesse en descendant vers la terre ; il **effaçait** les formes, **poudrait** les choses d'une mousse de glace […].*

Narration (passé simple)
> Alinéa → *L'homme **reparut**, avec sa lanterne, tirant au bout d'une corde un cheval triste qui ne venait pas volontiers. Il le **plaça** contre le timon, **attacha** les traits, **tourna** longtemps autour pour assurer les harnais […].*

RAPPEL Un **texte narratif** peut avoir une **visée argumentative** (**Ex.** fable, conte philosophique).
Un **texte descriptif** peut avoir une **visée explicative** (**Ex.** mode d'emploi).

À vos marques !

1 **Vérifiez** que vous savez repérer :
– le **discours narratif** ;
– le **discours descriptif**.

Un Persan reçoit la visite d'un ami alchimiste…

Hier matin, comme j'étais au lit, j'entendis frapper rudement à ma porte, qui fut soudain ouverte ou enfoncée par un homme avec qui j'avais lié quelque société[1], et qui me parut tout hors de
5 lui-même.

Son habillement était beaucoup plus que modeste ; sa perruque de travers n'avait pas même été peignée ; il n'avait pas eu le temps de faire recoudre son pourpoint[2] noir, et il avait renoncé,
10 pour ce jour-là, aux sages précautions avec lesquelles il avait coutume de déguiser le délabrement de son équipage[3].

Montesquieu, *Lettres persanes*, XLV, 1721.

1. *quelque société* : une certaine amitié.
2. *pourpoint* : partie haute du vêtement masculin.
3. *équipage* (vieilli) : tenue.

2 **Complétez** le texte suivant en utilisant les **indicateurs de lieu** proposés.

Liste : *là – au milieu de l'immensité de la pièce – entre deux vases – dans cette bienheureuse contrée du soleil où la vie se passe au-dehors – Dans le cabinet – sur la cheminée – dans le vestibule.*

L'hôtel, vide et sonore, avait des échos de cathédrale au moindre bruit qui se produisait **1** ….
[…] cet appartement démesuré se trouvait meublé de la façon la plus sommaire. **2** …., un ancien
5 meuble vert, en velours d'Utrecht, espaçait son canapé et ses huit fauteuils, style Empire, aux bois raides et tristes ; un petit guéridon[1] de la même époque semblait un joujou, **3** …. ; **4** …., il n'y avait qu'une affreuse pendule de marbre
10 moderne, **5** …., tandis que le carrelage, passé au rouge et frotté, luisait d'un éclat dur. Les chambres à coucher étaient encore plus vides. On sentait **6** …. le tranquille dédain[2] des familles du Midi, même les plus riches, pour le confort et
15 le luxe, **7** …. .

D'après Émile Zola, *Naïs*, 1883.

1. *guéridon* : petite table à pied central.
2. *dédain* : mépris.

3 **Complétez** le texte suivant en utilisant les **indicateurs de temps** proposés.

Liste : *juste à ce moment-là – et* (2 fois) *– jamais – lorsqu'il rencontra l'empereur pour la première fois – depuis deux semaines – un jour* (2 fois) *– quand je prononçai le nom de von Waldeslust – toujours* (2 fois) *– Quand je rentrais à la maison.*

En 1944, un jeune Allemand se rappelle son enfance et l'influence de son père, un aristocrate autoritaire.

Ma mère me raconta **1** …. que, **2** …., le souverain le salua aimablement par ces paroles : « Je suis ravi de faire votre connaissance, Hohenfels. » Ce à quoi mon père lui répondit : « Comte von
5 Hohenfels, Majesté. » L'empereur n'oublia **3** …. la leçon.

4 …., ma mère me posait **5** …. la même question : « Comment s'est passée ta journée au lycée ? » **6** …. je lui répondais **7** …. de la même
10 manière : « Très bien. » Or, **8** …., mon père que je n'avais pas vu **9** …. entra dans la pièce **10** …. .

« Ne pourrais-tu être un peu plus explicite ? dit-il. T'es-tu fait des amis ? »

Je citai les fameux « von quelque chose » **11** ….,
15 **12** …., il s'écroula de rire dans un fauteuil.

D'après Fred Uhlman, *La Lettre de Conrad*, 1985,
trad. B. Gartenberg,
© Stock, 1986, 2000.

4 1. **Repérez** dans ce paragraphe le passage de la **narration** à la **description**.
2. **Justifiez** votre réponse en relevant les **temps verbaux** utilisés.

La narratrice s'est fait surprendre, une nuit, alors qu'elle essayait de s'enfuir de la maison familiale.

Après cet événement, ma mère voulut à tout prix se débarrasser de ma présence et, à cette fin, résolut de m'envoyer en Petite-Russie chez ma grand-mère, la vieille Alexandrovitcheva. J'allais
5 déjà sur ma quatorzième année, j'étais grande de taille, fine et élancée, mais mon esprit guerrier se dessinait dans les traits de mon visage et, bien que j'eusse la peau blanche, les joues rouge vif, les yeux brillants et les sourcils noirs, mon miroir
10 et ma mère me répétaient chaque jour que je n'étais point jolie du tout.

Nadejda Dourova, *Cavalière du tsar*, 1836,
trad. P. Lequesne,
© éd. Viviane Hamy, 1995.

1. L'extrait suivant est-il **narratif** ou **descriptif**? **Justifiez** votre réponse en relevant des éléments caractéristiques.

2. Observez l'**organisation** du texte en repérant ses étapes.

Il était un de ces gens dont le peuple dit: Voilà un fameux gaillard! Il avait les épaules larges, le buste bien développé, les muscles apparents, des mains épaisses, carrées et fortement marquées
5 aux phalanges par des bouquets de poils touffus et d'un roux ardent. Sa figure, rayée par des rides prématurées, offrait des signes de dureté que démentaient ses manières souples et liantes. Sa voix de basse-taille, en harmonie avec sa grosse
10 gaieté, ne déplaisait point. Il était obligeant et rieur. Si quelque serrure allait mal, il l'avait bientôt démontée, rafistolée, huilée, limée, remontée, en disant: Ça me connaît. Il connaissait tout d'ailleurs, les vaisseaux, la mer, la France, l'étran-
15 ger, les affaires, les hommes, les événements les lois, les hôtels et les prisons. Si quelqu'un se plaignait par trop, il lui offrait aussitôt ses services.

Honoré de Balzac, Le Père Goriot, 1835.

> **Aide** Une **description** peut être **organisée** de haut en bas, du proche au lointain, du physique au moral…

1. Cet extrait est-il **narratif** ou **descriptif**? **Justifiez** votre réponse.

2. Relevez les **notations descriptives**.

Olympe vient de s'enfuir du couvent mais, dans sa hâte, elle a bousculé un jeune homme.

Elle ferma les yeux pour revivre la scène: un choc, le chapeau vola, et le jeune homme vêtu d'un riche justaucorps[1] mordoré[2] et coiffé d'une perruque châtain se pencha, puis se retourna.
5 Elle croisa son regard clair, vert pour être exact, juste avant que le voile ne retombe. Si elle se souvenait de tant de détails, lui pouvait bien en faire autant…

Elle respira profondément pour retrouver son
10 calme. Olympe jouait sa dernière carte. Elle espérait faire fléchir[3] son père. Elle irait jusqu'à le supplier à genoux afin qu'il renonce à sa décision. Son père était homme de bon sens, il comprendrait vite qu'elle n'avait aucune vocation reli-
15 gieuse.

Annie Jay, À la poursuite d'Olympe, © Hachette Livre, 1995.

1. *justaucorps*: partie haute du vêtement masculin.

2. *mordoré*: brun aux reflets dorés.

3. *faire fléchir*: faire céder.

Vautrin, illustration pour *Le Père Goriot*, par Honoré de Balzac (1799-1850), publié par René Kieffer à Paris en 1922.

1. Ces extraits sont-ils **narratifs** ou **descriptifs**?

2. Lequel vous semble refléter l'**opinion du narrateur**? **Justifiez** votre réponse.

Texte 1

Dans un château, une fête bat son plein, rythmée par le carillon d'une horloge…

C'était aussi dans cette salle que s'élevait, contre le mur de l'ouest, une gigantesque horloge d'ébène[1]. Son pendule se balançait avec un tic-tac sourd, lourd, monotone; et quand l'aiguille
5 des minutes avait fait le circuit du cadran et que l'heure allait sonner, il s'élevait des poumons d'airain[2] de la machine un son clair, éclatant, profond et excessivement musical, mais d'une note si particulière et d'une énergie telle, que
10 d'heure en heure, les musiciens de l'orchestre étaient contraints d'interrompre un instant leurs accords pour écouter la musique de l'heure […].

E. A. Poe, Nouvelles Histoires extraordinaires, « Le masque
de la mort rouge », trad. Ch. Baudelaire, 1857.

1. *ébène*: bois noir. **2.** *airain*: bronze.

Texte 2

L'horloge de la cathédrale de Strasbourg est une curiosité. Son coffre est de bois sculpté. Son mécanisme, datant de 1842, attire les badauds: tous les jours, à midi trente, elle propose un ballet
5 d'automates. Les spectateurs peuvent alors voir défiler, tour à tour, devant la Mort, un enfant, un adolescent, un adulte et un vieillard, personnifiant les différents âges de la vie.

> **Aide** Une description peut présenter la réalité de façon **objective** (neutre) ou **subjective** (personnelle): le **vocabulaire** peut exprimer ou non une **opinion** (un avis) (→ CHAPITRE 9).

8

1. Qu'évoque le narrateur dans ce texte ?
2. **Relevez** les **verbes** conjugués et **classez**-les en **verbes attributifs** et **verbes d'action**.
3. Lesquels sont les plus nombreux ? Pourquoi, selon vous ?

Olaudah Equiano, réduit en esclavage, était le fils d'un chef de village africain.

Les femmes étaient alertes, modestes, gracieuses, et paraient leurs bras et leurs jambes de nombreux bracelets d'or. En plus de leur travail dans les champs aux côtés des hommes, elles faisaient
5 de la poterie et du tissage. Elles utilisaient une baie particulière pour teindre le coton d'un beau bleu. Hommes, femmes et enfants s'habillaient avec cette étoffe bleue. Je suis allé dans de nombreux endroits au cours de ma vie, mais jamais
10 je n'ai retrouvé cette couleur si particulière.

Olaudah Equiano, *Le Prince esclave*, adap. d'A. Cameron,
© 1995, Ann Cameron ; trad. A. Bataille, © Rageot, 2002.

> **Aide** Un **verbe attributif** (*être*, *paraître*, *sembler*, *devenir*…) permet d'exprimer une caractéristique du sujet, grâce à l'attribut du sujet (→ CHAPITRE 17).
> *Ex. Cet homme est élégant.*

ORTHOGRAPHE

9

Conjuguez les verbes entre parenthèses au **passé simple** ou à l'**imparfait**.

Je m'(*appeler*) Joséphine, mais (*hériter*) bien vite du surnom de « Phine ». Pour tous, j'(*incarner*) la bonté simple des petites gens. Chaque jour, j'(*héberger*) dans ma modeste maison les enfants
5 du voisinage, venus chercher le réconfort des contes anciens.

Un jour, je (*remarquer*) que l'un d'eux manquait à l'appel. Je (*demander*) aux autres si Ronan, l'absent, n'avait pas eu de problèmes graves. Pour
10 une fois, j'(*écouter*) alors la plus singulière des histoires. Ronan était parti à l'aube relever ses filets à Goulven, mais n'était jamais revenu. Je (*reprocher*) aux enfants la lenteur de leur récit, et surtout son imprécision. Mais je (*rester*) sur ma faim.
15 Ils ne savaient rien de plus.

> **Aide** À la 1re personne du singulier, les verbes du 1er groupe se terminent en *-ai* au **passé simple**, et en *-ais* à l'**imparfait**. Remplacer *je* par *il*, *elle* permet de choisir le temps qui convient (→ CHAPITRE 9).
> *Ex. J'allai vite sur le port.*
> → *Elle alla vite sur le port.* (passé simple)
> *Ex. J'allais souvent sur le port.*
> → *Elle allait souvent sur le port.* (imparfait)

RÉÉCRITURE

10

1. Ce portrait est-il **valorisant** ? **Justifiez** votre réponse.
2. **Récrivez** ce texte en le modifiant de façon à obtenir l'impression **contraire**.

À le voir il semblait être encore un bel homme. C'était un grand gaillard, robuste, roux clair et sans le moindre cheveu blanc, avec une longue barbe rousse qui lui arrivait presque au milieu de
5 la poitrine ; à première vue quelque peu gauche[1] et dégradé, semble-t-il ; mais, en le regardant plus attentivement, vous auriez tout de suite distingué en lui un monsieur parfaitement maître de lui-même et qui avait reçu autrefois une éduca-
10 tion des plus aristocratiques. Maintenant encore les manières de Veltchaninov étaient très libres, audacieuses et même gracieuses, malgré toute l'humeur bougonne et la gaucherie qu'il avait acquises. Et même jusqu'à présent il était plein
15 de cette sûreté la plus inébranlable, la plus aristocratiquement insolente, dont il ne soupçonnait peut-être pas en lui-même la mesure, bien qu'il fût un homme non seulement intelligent, mais même sensé parfois, presque cultivé et pos-
20 sédant des dons indubitables. Le teint de son visage, ouvert et rougeaud, se distinguait dans sa vieillesse par une tendresse féminine et attirait l'attention des femmes […].

Fedor Dostoïevski, *L'Éternel Mari*, 1870,
trad. B. Kreise, © Lausanne, L'Âge d'Homme, 1988.

1. *gauche* : maladroit.

> **Aide** La description **subjective** (exprimant l'opinion de celui qui décrit) contient du vocabulaire valorisant (**connotation méliorative**) ou dévalorisant (**connotation péjorative**) (→ CHAPITRE 28).

11

Récrivez la **rédaction** de Julien en tenant compte des conseils du correcteur.

Fais des paragraphes pour aérer ton récit.
Intègre des passages descriptifs à la narration.

Quand le marquis de Bertillon arriva à Versailles, il fut subjugué par la magnificence du bâtiment. Les allées et venues des serviteurs et des courtisans lui firent tourner la tête. Pris de vertige, il se dirigea vers le parc du château pour y reprendre ses esprits. Là, assis sur un banc, à l'ombre d'un grand chêne, il admira le splendide jardin qu'avait imaginé Lenôtre.

12 **1. Rétablissez** le texte original écrit au **passé** en conjuguant les verbes au temps qui convient, **imparfait** ou **passé simple**. (*Attention*: un verbe est au passé antérieur.)
2. Retrouvez les trois paragraphes qui composent l'extrait.

En même temps qu'il passe, elle lève la tête; il fléchit involontairement les épaules; et, quand il s'est mis plus loin, du même côté, il la regarde. Elle a un large chapeau de paille, avec des rubans
5 roses qui palpitent au vent derrière elle. Ses bandeaux noirs, contournant la pointe de ses grands sourcils, descendent très bas et semblent presser amoureusement l'ovale de sa figure. Sa robe de mousseline claire, tachetée de petits pois, se
10 répand à plis nombreux. Elle est en train de broder quelque chose; et son nez droit, son menton, toute sa personne se découpe sur le fond de l'air bleu. Comme elle garde la même attitude, il fait plusieurs tours de droite et de gauche pour
15 dissimuler sa manœuvre; puis il se plante tout près de son ombrelle, posée contre le banc, et il affecte d'observer une chaloupe sur la rivière.

D'après Gustave Flaubert,
L'Éducation sentimentale, 1869.

13 **1. Repérez** dans cet extrait où commence la partie **narrative**.
2. Inventez la **suite**: les deux personnages rencontrent le vampire évoqué dans le titre de la nouvelle. Vous **rédigerez** une courte **description** du vampire que vous intégrerez dans votre récit.

Ses cheveux lui descendaient jusqu'aux reins et leur éclat était tel qu'on eût pu croire qu'ils possédaient une vie propre. Son teint avait la blancheur de l'ivoire le plus pur. Pourtant,
5 contrairement à celui de la plupart des rousses, nulle tache de son[1] ne le déparait[2]. Elle tenait sa beauté d'une aïeule[3] venue d'un rivage étranger – personne ne savait exactement d'où – et ramenée en Écosse.
10 Davenant tomba amoureux de la jeune fille dès le premier instant et, malgré le nombre de ses soupirants[4], eut de bonnes raisons de croire que cet amour était partagé.

Claude Askew, *Aylmer Vance et le vampire*, 1914,
trad. M.-L. Marlière, © EJL, 1997.

1. *tache de son*: tache de rousseur.
2. *déparait*: rendait moins beau.
3. *aïeule*: ancêtre.
4. *soupirants*: prétendants.

14 À partir de cette image, **écrivez**:
– un court texte **narratif**: vous êtes l'un des personnages et vous racontez cette rencontre le soir dans votre journal;
– un court texte **descriptif**: vous évoquerez au choix un élément de l'image (le paysage, un autre personnage, les chevaux…).

Alfred de Dreux
(1810-1860),
*Cavaliers et Amazones
au bord d'un lac*
(musée du Louvre, Paris).

ACTIVITÉ J'observe...

Cet hiver-là, maman Coupeau faillit passer, dans une crise d'étouffement. Chaque année, au mois de décembre, elle était sûre que son asthme la collait sur le dos pour des deux ou trois semaines. Elle n'avait plus quinze ans, elle devait en avoir soixante-treize à la Saint-Antoine. Avec ça, très patraque, râlant 5 pour un rien, quoique grosse et grasse. Le médecin annonçait qu'elle s'en irait en toussant, le temps de crier : Bonsoir, Jeanneton, la chandelle est éteinte !

Quand elle était dans son lit, maman Coupeau devenait mauvaise comme la gale[1]. Il faut dire que le cabinet où elle couchait avec Nana n'avait rien de gai. Entre le lit de la petite et le sien, se trouvait juste la place de deux chaises. Le 10 papier des murs, un vieux papier gris déteint, pendait en lambeaux. La lucarne ronde, près du plafond, laissait tomber un jour louche et pâle de cave. On se faisait joliment vieux là-dedans, surtout une personne qui ne pouvait pas respirer. La nuit encore, lorsque l'insomnie la prenait, elle écoutait dormir la petite et c'était une distraction. Mais, dans le jour, comme on ne lui tenait pas compa-15 gnie du matin au soir, elle grognait, elle pleurait, elle répétait toute seule pendant des heures, en roulant sa tête sur l'oreiller :

« Mon Dieu ! que je suis malheureuse !... Mon Dieu ! que je suis malheureuse !... En prison, oui, c'est en prison qu'ils me feront mourir ! »

Et dès qu'une visite lui arrivait, Virginie ou Mme Boche, pour lui demander 20 comment allait la santé, elle ne répondait pas, elle entamait tout de suite le chapitre de ses plaintes.

Émile Zola, *L'Assommoir*, 1877.

1. *la gale*: maladie contagieuse produite par un parasite animal.

1 Quand se déroule la scène ?
a. Quels sont les groupes de mots qui vous ont permis de répondre ?
b. Précisez leur classe grammaticale.

2 Délimitez le passage descriptif.
a. Quels sont les éléments décrits ?
b. Dans quel ordre sont-ils évoqués ? Relevez les groupes de mots qui vous ont permis de répondre.
c. Observez les vignettes ci-dessous : laquelle correspond à la description du texte ?

① Définition

● Les **indicateurs de temps et de lieu** permettent de **relier** différents éléments dans un texte pour marquer sa progression. Ils **organisent** le texte pour marquer l'ordre du récit ou de la description (→ CHAPITRE 5), les étapes de l'explication ou de l'argumentation (→ CHAPITRE 7).

Ex. La nuit encore, <u>lorsque l'insomnie la prenait</u>, elle écoutait dormir la petite et c'était une distraction. Mais, <u>dans le jour</u>, comme on ne lui tenait pas compagnie <u>du matin au soir</u>, elle grognait, elle pleurait, elle répétait toute seule <u>pendant des heures</u> en roulant sa tête <u>sur l'oreiller</u>.

● Certains de ces indicateurs, souvent placés en début de phrase et reliant deux phrases ou deux propositions du texte, sont appelés des **indicateurs spatio-temporels**.

*Ex. Elle prit son mal en patience. **Puis**, le printemps arrivant, elle guérit.*
*La chambre contenait deux lits. **Au-dessus**, une lucarne jetait un jour pâle.*

② Les classes grammaticales des indicateurs spatio-temporels

LES INDICATEURS TEMPORELS (= de temps)	**LES INDICATEURS SPATIAUX** (= de lieu)
● **marquent une succession chronologique d'événements.**	● **relient les différents éléments d'une description.**
Adverbes et locutions *Ex. tout d'abord, puis, alors, ensuite, enfin, soudain, parfois, peu après, à présent, maintenant, aujourd'hui, hier, demain, tout de suite, tout d'un coup, bientôt…*	**Adverbes et locutions** *Ex. ici, là, derrière, devant, dedans, là-haut, au-dessus, en dessous, tout autour, plus loin, plus près, tout près, au-dehors, là-bas, au-delà, en-deçà…*
Conjonctions *Ex. et (coordination); comme, pendant que, quand, lorsque… (subordination)*	**Groupes prépositionnels** *Ex. d'un côté, de l'autre côté, en bas, en haut, en face, au milieu, à droite, à gauche…*
● **renvoient à une époque de référence du récit (= CC de temps).**	● **renvoient à un lieu de référence du récit (= CC de lieu).**
Groupes nominaux *Ex. après plusieurs années, pendant plusieurs années, cette fois, tous les soirs, en 1789, avant la nuit, après le repas, ce jour, la veille, le lendemain, cet hiver-là, chaque année, au mois de décembre, quinze ans après, dès le lever du soleil, jusqu'au lendemain…*	**Groupes nominaux** *Ex. au village, à la mer, vers les montagnes, sur le couvercle, devant elle, derrière le ruisseau, dans la rue, à l'intérieur de la maison, le long du fleuve, à travers les plaines, en dessous du verger, du côté des remparts, près du château, au nord, au-delà des rochers…*
Textes souvent concernés : textes narratifs, explicatifs, argumentatifs, énumérations dans les descriptions…	Textes souvent concernés : textes descriptifs, textes explicatifs…

ATTENTION D'autres indices donnent des indications de temps et de lieu :

– le **lexique** propre à une **époque** ;

Ex. une chandelle, Jeanneton.

– les **épithètes**.

Ex. Maman Coupeau, <u>alitée</u>, se plaignait.

EXERCICES J'applique...

À vos marques !

1 **Vérifiez**, dans les phrases suivantes, que vous savez repérer :
– les **indicateurs temporels** ;
– les **indicateurs spatiaux**.

Zola est né en 1840 à Paris. Son père meurt très tôt et laisse la famille démunie. Il devient journaliste puis se consacre à la littérature. Au cours de célèbres soirées, dans sa maison de Médan,
5 il fonde l'École naturaliste. Lors de l'affaire Dreyfus, il prend parti pour l'accusé et publie dans *L'Aurore* le célèbre article « J'accuse ». Il meurt mystérieusement à Paris en 1902.

2 **1. Dites** si les mots ou groupes de mots soulignés dans le texte suivant sont des **indicateurs de temps** ou **de lieu**.
2. Précisez leur **classe grammaticale**.

Antoinette n'a pas posté les invitations que sa mère lui avait confiées. Tout est prêt pour le bal.

Elle entendit sonner les trois quarts, et puis dix coups… Les dix coups… Alors, elle tressaillit et se glissa hors de la pièce. Elle marchait vers le salon, comme un assassin novice qu'attire le lieu
5 de son crime. Elle traversa le corridor, où deux serveurs, la tête renversée, buvaient à même le goulot des bouteilles de champagne. Elle gagna la salle à manger. Elle était déserte, toute prête, parée avec la grande table au milieu, chargée de
10 gibier, de poissons en gelée, d'huîtres dans des plats d'argent, ornée de dentelles de Venise, avec les fleurs qui reliaient les assiettes, et les fruits en deux pyramides égales. Tout autour, les guéridons à quatre et six couverts brillaient de cris-
15 taux, de fine porcelaine, d'argent et de vermeil. Plus tard, Antoinette ne put jamais comprendre comment elle avait osé traverser ainsi, dans toute sa longueur, cette grande chambre rutilante de lumières. Au seuil du salon, elle hésita un ins-
20 tant et puis elle avisa dans le boudoir voisin le grand canapé de soie ; elle se jeta sur les genoux, se faufila entre le dos du meuble et la tenture flottante […]. À présent, l'appartement semblait endormi, calme, silencieux.

Irène Némirovsky, *Le Bal*,
© Grasset & Fasquelle, 1930.

3 **Replacez** dans l'extrait suivant les **indicateurs temporels** proposés.

Liste : *et – d'abord – à trois heures et demie* (2 fois) *– à la cloche de la première messe – déjà – puis – quand je descendais le chemin de sable.*

[…] j'aimais tant l'aube, **1** …., que ma mère me l'accordait en récompense. J'obtenais qu'elle m'éveillât **2** …., et je m'en allais, un panier vide à chaque bras, vers des terres maraîchères qui
5 se réfugiaient dans le pli étroit de la rivière, vers les fraises, les cassis et les groseilles barbues.

3 …., tout dormait dans un bleu originel, humide et confus, **4** …. **5** …., le brouillard retenu par son poids baignait **6** …. mes jambes,
10 **7** …. mon petit torse bien fait, atteignait mes lèvres, mes oreilles et mes narines plus sensibles que tout le reste de mon corps… […].

Je revenais **8** …. .

D'après Colette, *Sido*, © Fayard, 1901.

4 **Complétez** le texte par les **indicateurs spatiaux** proposés.

Liste : *à cet endroit-même – dans l'embrasure – sur la gauche – sur la rue – sur les panneaux – vers l'est – sur les moulures – au rez-de-chaussée – sur le seuil – à l'étage.*

Dans une rue tranquille de Londres, une maison se distingue des autres.

À deux portes d'un coin, **1** …. en allant **2** …., l'entrée d'une cour interrompait l'alignement, et **3** …. , la masse rébarbative d'un bâtiment projetait en saillie[1] son pignon **4** …. . Haut d'un
5 étage, sans fenêtres, il n'offrait rien qu'une porte **5** …., et **6** …. la façade aveugle d'un mur décrépit. Il présentait dans tous ses détails les symptômes d'une négligence sordide et prolongée. La porte, dépourvue de sonnette ou de heurtoir,
10 était écaillée et décolorée. Les vagabonds gîtaient **7** …. et frottaient des allumettes **8** …. ; les enfants tenaient boutique **9** …. ; un écolier avait essayé son canif **10** …. ; et depuis près d'une génération, personne n'était venu chasser ces indis-
15 crets visiteurs ni réparer leurs déprédations[2].

D'après Robert Louis Stevenson, *Le Cas étrange du Dr Jekyll et de M. Hyde*, 1886, trad. T. Varlet © Flammarion.

1. *en saillie* : partie qui dépasse d'un alignement.
2. *déprédations* : dégradations.

Maurice Asselin (1882–1947)
Le Pont Mirabeau, 1911
(Ackland Art Museum,
Burton Emmett Collection).

5 **Repérez** dans le poème les **indicateurs temporels et spatiaux.**

Le Pont Mirabeau

Sous le pont Mirabeau coule la Seine
    Et nos amours
    Faut-il qu'il m'en souvienne
La joie venait toujours après la peine

5   Vienne la nuit sonne l'heure
      Les jours s'en vont je demeure

Les mains dans les mains restons face à face
    Tandis que sous
    Le pont de nos bras passe
10 Des éternels regards l'onde si lasse

      Vienne la nuit sonne l'heure
      Les jours s'en vont je demeure

L'amour s'en va comme cette eau courante
    L'amour s'en va
15   Comme la vie est lente
Et comme l'Espérance est violente

      Vienne la nuit sonne l'heure
      Les jours s'en vont je demeure

Passent les jours et passent les semaines
20   Ni temps passé
    Ni les amours reviennent
Sous le pont Mirabeau coule la Seine

      Vienne la nuit sonne l'heure
      Les jours s'en vont je demeure

Guillaume Apollinaire, *Alcools*, 1913, © Gallimard, 1920.

> **Aide** • Certaines **indications de lieu** peuvent être données par le **lexique** ou des **groupes de mots qui ne sont pas compléments circonstanciels.**
> *Ex. Le chemin* (sujet) *traverse le parc* (COD).
>
> • *Et* n'est pas toujours un indicateur temporel : il peut avoir d'autres valeurs comme l'addition (➔ CHAPITRE 8).

6 **Relevez** les **indicateurs temporels et précisez** leur **classe grammaticale.**

Lady Carlotta s'avança sur le quai de la petite gare de campagne et se mit à arpenter ces lieux dépourvus d'intérêt pour tuer le temps jusqu'au moment où il plairait au train de poursuivre son
5 voyage. Soudain, sur la route qui passait derrière la gare, elle aperçut un cheval aux prises avec une charge plus qu'imposante, et un de ces charretiers qui semblent vouer une haine sourde à l'animal qui les aide à gagner leur vie. Lady
10 Carlotta eut tôt fait de se rendre sur la route et de faire prendre à l'affaire un tout autre tour. [...] Une seule fois elle avait mis en pratique la doctrine de la non-intervention[1] : c'était le jour où l'un de ses plus éloquents partisans s'était trouvé
15 assiégé durant près de trois heures sur un petit arbre de mai extrêmement inconfortable par un verrat[2] furieux, tandis que Lady Carlotta, de l'autre côté de la haie, avait continué l'aquarelle qu'elle avait commencée en refusant d'intervenir dans le différend qui opposait le verrat et son
20 adversaire. Il est à craindre qu'elle perdit l'amitié de la dame en question que l'on vint finalement tirer de sa fâcheuse position. Ce jour-là, elle ne manqua que son train, qui, manifestant
25 pour la première fois de tout le voyage une certaine impatience, démarra sans elle. [...] Elle n'avait pas encore eu le temps de se demander ce qu'elle allait faire ensuite, qu'elle se trouva nez à nez avec une dame d'allure imposante, qui
30 la dévisageait avec la plus extrême attention.

Saki, « La méthode Schartz-Metterklume »,
La Fenêtre ouverte, 1930, trad. J. Rosenthal,
© Robert Laffont, 1960.

1. L'entourage de Lady Carlotta lui reproche d'intervenir pour venir en aide aux animaux.
2. *verrat* : porc employé pour la reproduction.

7 **Relevez**, dans le texte, les **indicateurs spatio-temporels** et **précisez** leur **classe grammaticale.**

Le narrateur est un homme préhistorique.

Dès le lendemain matin, père conduisit son peuple [...] hors de cette corniche ensanglantée, vers la plus belle caverne de toute la région. Elle nous faisait envie depuis longtemps, c'était la
5 Terre promise, avec son beau portique ogival, de cinq mètres de large et près de sept de haut [...]. Sur le devant une large terrasse, bien orientée vers le midi, pouvait indifféremment servir de loggia ou de salle à manger. À l'intérieur, un
10 living-room spacieux et de belles proportions, au plafond voûté, était flanqué d'alcôves[1] et d'autres cavernes plus petites, qui feraient très bien l'affaire pour les enfants. En arrière un couloir menait jusque dans les entrailles de la colline.

Roy Lewis, *Pourquoi j'ai mangé mon père*, 1960,
trad. Vercors et R. Barisse, © Actes Sud, 1990.

1. *alcôves*: dans une chambre, renfoncement où on peut placer un lit.

8 **Observez** les **indicateurs spatio-temporels** et **déterminez** la **forme de discours** dominante de l'extrait suivant.

La gazette de Cyrano

Quinze ans après, en 1665. Le parc du couvent que les Dames de la Croix[1] occupaient à Paris.

Superbes ombrages. À gauche, la maison; vaste perron sur lequel ouvrent plusieurs portes. Un
5 arbre énorme au milieu de la scène, isolé au milieu d'une petite place ovale. À droite, premier plan, parmi de grands buis, un banc de pierre à demi circulaire.

Tout le fond du théâtre est traversé par une
10 allée de marronniers qui aboutit à droite, quatrième plan, à la porte d'une chapelle entrevue parmi les branches. À travers le double rideau d'arbres de cette allée, on aperçoit des fuites de pelouses, d'autres allées, des bosquets, les pro-
15 fondeurs du parc, le ciel.

La chapelle ouvre une porte latérale sur une colonnade enguirlandée de vigne rougie, qui vient se perdre à droite, au premier plan, derrière les buis.

Edmond Rostand, *Cyrano de Bergerac*, acte V, 1897.

1. *Les Dames de la Croix*: congrégation religieuse.

Aide Pour le **discours descriptif** et **narratif** (→ CHAPITRE 5).

9 **Mêmes consignes** que dans l'EXERCICE 8 avec le texte suivant.

Nous étions deux amis suivis de huit spahis[1] et de quatre chameaux avec leurs chameliers. Nous ne parlions plus, accablés de chaleur, de fatigue et desséchés de soif comme ce désert ardent.
5 Soudain un de nos hommes poussa une sorte de cri; tous s'arrêtèrent [...].

[...] Et voilà que tout à coup mon compagnon, mon ami, presque mon frère, tomba de cheval, la tête en avant, foudroyé par une insolation.

10 Et pendant deux heures, pendant que j'essayais en vain de le sauver, toujours ce tambour insaisissable m'emplissait l'oreille de son bruit monotone[...]; et je sentais se glisser dans mes os la peur, la vraie peur, la hideuse peur, en face de ce
15 cadavre aimé, dans ce trou incendié par le soleil entre quatre monts de sable, tandis que l'écho inconnu nous jetait, à deux cents lieues de tout village français, le battement rapide du tambour.

Ce jour-là, je compris ce que c'était que d'avoir
20 peur; je l'ai su mieux encore une autre fois...

Guy de Maupassant, « La Peur »,
Contes de la Bécasse, 1883.

1. *spahis*: cavaliers de l'armée indigène mise en place par la France en Afrique du nord.

10 **Repérez** les **indicateurs spatiaux** et **déterminez** le **rôle** qu'ils jouent dans ce texte explicatif.

L'effet de serre

L'effet de serre est un phénomène naturel, qui retient dans l'atmosphère terrestre la chaleur venue du Soleil. Il est dû à une concentration de gaz. Ces gaz, principalement le dioxyde de car-
5 bone (CO_2), le méthane et le dioxyde d'azote, sont indispensables à la vie. Sans eux, la température moyenne à la surface de la Terre serait d'environ – 20 °C. Mais leur trop forte concentration piège davantage de chaleur et entraîne
10 un réchauffement de la planète qui constitue... une menace pour la vie. Aujourd'hui, la hausse du taux de ces gaz dans l'atmosphère est essentiellement liée aux activités humaines, en particulier à la combustion des carburants, à l'in-
15 dustrie et à l'agriculture.

L'Actu, jeudi 14 septembre 2006, n° 2118.

Aide Pour le **discours explicatif** et **argumentatif** (→ CHAPITRE 7).

11 1. **Repérez** les indicateurs temporels et spatiaux du passage.
2. **Définissez** la forme de discours à laquelle appartient ce passage et **précisez** le rôle des indicateurs temporels.

Florent, affamé, observe les Halles, marché central de Paris.

Il leva une dernière fois les yeux, il regarda les Halles. Elles flambaient dans le soleil. Un grand rayon entrait par le bout de la rue ouverte, au fond, trouant la masse des pavillons d'un portique de lumière ; et, battant la nappe des toitures,
5 une pluie ardente tombait. […] En haut, une vitre s'allumait, une goutte de clarté roulait jusqu'aux gouttières, le long de la pente des larges plaques de zinc. Ce fut alors une cité tumultueuse dans
10 une poussière d'or volante. Le réveil avait grandi, du ronflement des maraîchers, couchés sous leurs limousines, au roulement plus vif des arrivages. Maintenant, la ville entière repliait ses griffes ; les carreaux bourdonnaient, les pavillons gron-
15 daient ; toutes les voix donnaient et l'on eût dit l'épanouissement magistral de cette phrase que Florent, depuis quatre heures du matin, enten- dait se traîner et se grossir dans l'ombre. À droite, à gauche, de tous côtés, des glapissements de
20 criée mettaient des notes aiguës de petite flûte, au milieu des basses sourdes de la foule.

Émile Zola, *Le Ventre de Paris*, 1873.

12 **Remplacez** les tirets (___) par des indi- cateurs de temps et les pointillés (....) par des indicateurs de lieu de votre choix.

On avait projeté ___ d'aller déjeuner ...., le jour de la fête de Mme Dufour, qui s'appelait Pétronille. Aussi, comme on avait attendu cette partie impatiemment, s'était-on levé ___ .
5 M. Dufour, ayant emprunté la voiture du lai- tier, conduisait lui-même. La carriole, à deux roues, était fort propre ; elle avait un toit sup- porté par quatre montants de fer où s'attachaient des rideaux qu'on avait relevés pour voir le pay-
10 sage. Celui de derrière, seul, flottait au vent, comme un drapeau. La femme, ..., s'épanouis- sait dans une robe de soie cerise extraordinaire. ___, ..., se tenaient une vieille grand-mère et une jeune fille. On apercevait ___ la chevelure jaune
15 d'un garçon qui, faute de siège, s'était étendu ...., et dont la tête seule apparaissait.

___, on s'était mis à regarder la contrée.

En arrivant ...., M. Dufour avait dit : « Voici la campagne enfin ! » – et sa femme, à ce signal,
20 s'était attendrie sur la nature.

...., une admiration les avait saisis .... ; ...., ..., c'était Argenteuil, dont le clocher se dressait ; .... apparaissaient les buttes de Sannois et le Moulin d'Orgemont.

D'après Guy de Maupassant,
Une partie de campagne, 1881.

À vos plumes !

13 **Écrivez** une courte biographie pour un des auteurs proposés. Vous **utiliserez** des indicateurs de temps et de lieu que vous sou- lignerez :
– Guy de Maupassant.
– Edgar Allan Poe.
– Victor Hugo.
– Molière.

14 **Décrivez** la scène représentée par le tableau ci-contre en précisant qui voit (un personnage ou un narrateur extérieur à la scène) et dans quelles circonstances. **Organisez** la des- cription à l'aide d'**indicateurs spatiaux** et **tem- porels** variés.

Vincent Van Gogh (1853–1890), *Terrasse du Café le soir, Place du Forum, Arles*, 1888 (Rijksmuseum Kröller-Müller, Otterlo).

Une nouvelle

L'orgue du Titan

*Le narrateur est au service de Maître Jean. Ils se rendent, à dos d'âne,
à travers la montagne chez le frère de celui-ci.*

Il fallait être ponctuel avec maître Jean. À trois heures du matin, j'étais debout ;
à quatre, nous étions sur la route des montagnes ; à midi, nous prenions quelque
repos et nous déjeunions dans une petite maison d'auberge bien noire et bien froide,
située à la limite d'un désert de bruyères et de laves ; à trois heures, nous repartions
5 à travers ce désert.

La route était si ennuyeuse, que je m'endormis à plusieurs reprises. J'avais étudié très consciencieusement la manière de dormir en croupe sans que le maître s'en
aperçût. Bibi ne portait pas seulement l'homme et l'enfant, il avait encore à l'arrière-
train, presque sur la queue, un portemanteau étroit, assez élevé, une sorte de petite
10 caisse en cuir où ballottaient pêle-mêle les outils de maître Jean et ses nippes[1] de
rechange. C'est sur ce portemanteau que je me calais, de manière qu'il ne sentît pas
sur son dos l'alourdissement de ma personne et sur son épaule le balancement de
ma tête. Il avait beau consulter le profil que nos ombres dessinaient sur les endroits
aplanis du chemin ou sur les talus de rochers, j'avais étudié cela aussi, et j'avais, une
15 fois pour toutes, adopté une pose en raccourci, dont il ne pouvait saisir nettement
l'intention. Quelquefois pourtant, il soupçonnait quelque chose et m'allongeait sur
les jambes un coup de sa cravache à pomme d'argent, en disant :

– Attention, petit ! on ne dort pas dans la montagne !

Comme nous traversions un pays plat et que les précipices étaient encore loin,
20 je crois que ce jour-là il dormit pour son compte. Je m'éveillai dans un lieu qui
me parut sinistre. C'était encore un sol plat couvert de bruyères et de buissons de
sorbiers nains. De sombres collines tapissées de petits sapins s'élevaient sur ma
droite et fuyaient derrière moi ; à mes pieds, un petit lac, rond comme un verre de
lunette, – c'est vous dire que c'était un ancien cratère, – reflétait un ciel bas et
25 nuageux. L'eau, d'un gris bleuâtre, à pâles reflets métalliques, ressemblait à du plomb
en fusion. Les berges unies de cet étang circulaire cachaient pourtant l'horizon,
d'où l'on pouvait conclure que nous étions sur un plan très élevé ; mais je ne m'en
rendis point compte et j'eus une sorte d'étonnement craintif en voyant les nuages
ramper si près de nos têtes, que, selon moi, le ciel menaçait de nous écraser.

30 Maître jean ne fit nulle attention à ma mélancolie.

– Laisse brouter Bibi, me dit-il en mettant pied à terre ; il a besoin de souffler.
Je ne suis pas sûr d'avoir suivi le bon chemin, je vais voir.

Il s'éloigna et disparut dans les buissons ; Bibi se mit à brouter les fines herbes et
les jolis œillets sauvages qui foisonnaient avec mille autres fleurs dans ce
35 pâturage inculte. Moi, j'essayai de me réchauffer en battant la semelle.
Bien que nous fussions en plein été, l'air était glacé. Il me sembla
que les recherches du maître duraient un siècle. Ce lieu désert
devait servir de refuge à des bandes de loups, et, malgré sa
40 maigreur, Bibi eût fort bien pu les tenter. J'étais en ce temps-
là plus maigre encore que lui ; je ne me sentis pourtant
pas rassuré pour moi-même. Je trouvais le pays affreux
et ce que le maître appelait une partie de plaisir s'annonçait pour moi comme une expédition grosse de
45 dangers. Était-ce un pressentiment ?

George Sand, *Contes d'une grand'mère*, 1873.

1. *nippes* :
vêtements
de peu de valeur.

QUESTIONS

Un récit au passé

1. Qui raconte l'histoire ?

2. À quel système de temps le récit est-il mené ? Justifiez votre réponse. (→ Aide 1)

3. À quels personnages renvoient les pronoms personnels surlignés ?

4. Dans le premier paragraphe, énoncez, étape par étape, l'organisation de la journée des personnages. Relevez :
a. les verbes d'action ;
b. les indications de temps.

> **Aide 1** Un récit peut utiliser le **système de temps passé** ou le système de temps **présent** (→ CHAPITRES 2 et 3).

Une description réaliste

5. a. Délimitez les passages descriptifs et justifiez votre réponse.
b. À quel temps y sont majoritairement conjugués les verbes ?

6. Relevez-y les indicateurs de lieu.

7. Les éléments de la description font-ils progresser le récit ?
Quel est l'effet produit ?

Une situation inquiétante

8. Dans le 3e paragraphe, à son réveil, quel paysage découvre le narrateur ?
Relevez les adjectifs qui contribuent à donner une image inquiétante du décor.
(→ Aide 2)

> **Aide 2** Pour les adjectifs (→ CHAPITRE 22).

9. Relevez deux comparaisons et expliquez-les.
En quoi traduisent-elles l'étonnement et l'angoisse du narrateur ? (→ Aide 3)

> **Aide 3** Une comparaison est une figure de style qui permet de créer une image (→ CHAPITRE 25).

10. À votre avis la mésaventure qui suivra cet épisode sera-t-elle joyeuse ou angoissante ? Citez des éléments du texte à l'appui de votre réponse.

RÉÉCRITURE

1. Récrivez le passage des lignes 1 à 11 (*Il fallait… rechange*) en mettant les verbes au présent.

2. Récrivez le passage des lignes 33 à 35 (*Il s'éloigna… semelle*) en remplaçant *il* par *ils*, *Bibi* par *les ânes*, *moi* par *nous*.

RÉDACTION

■ Rédigez la suite immédiate de cet extrait.
Imaginez ce qui arrive au narrateur.

Aide pour la rédaction

Pour préparer votre rédaction, posez-vous les questions suivantes :

– *À quelle personne dois-je rédiger mon texte ?*
– *Quel système de temps dois-je utiliser ?*
– *Dois-je tenir compte précisément des informations (lieu, temps…) données dans le texte ?*

ÉVALUATION 2

ACTIVITÉ J'observe...

Se nourrir en respectant la Terre

Plus d'informations sur : www.ledeveloppementdurable.fr

Paysage agricole près de Cognac, Charente (45°47' N – 0°17' O)

Grâce à ses agriculteurs, la France est le 2ème exportateur mondial de denrées agricoles.
Mais c'est aussi l'un des premiers consommateurs de pesticides.

Les agriculteurs français ne représentent que 3,3 % de la population active (contre 44 % dans le monde). Ils entretiennent cependant la moitié du territoire. Les augmentations considérables des productions ont été obtenues par le recours à des méthodes intensives reposant sur la mécanisation et l'utilisation d'engrais et de produits chimiques. Ces techniques sont une exception dans le monde : moins de 2 % des paysans de la planète ont un tracteur, environ 80% travaillent à mains nues et les 20 % restant, avec des animaux de trait. En France, comme dans les autres pays industriels, les sols se détériorent. Les pesticides et les nitrates, utilisés aussi massivement dans les jardins, sont responsables de la dégradation de nombreuses nappes souterraines et de deux rivières sur trois. Ces effets maintenant connus, nombre d'agriculteurs réagissent et modifient leurs pratiques. Dans leurs jardins, les citoyens doivent suivre.

Le développement durable, pourquoi ? Une exposition pédagogique pour tous.
Photo de Yann-Artus Bertrand. Association googplanet. Site : www.ledeveloppementdurable.fr

Les agriculteurs français ne représentent que 3,3 % de la population active (contre 44 % dans le monde). Ils entretiennent cependant la moitié du territoire. Les augmentations considérables des productions ont été obtenues par le recours à des méthodes intensives reposant sur la mécanisation et l'utilisation d'engrais et de produits chimiques. Ces techniques sont une exception dans le monde : moins de 2 % des paysans de la planète ont un tracteur, environ 80 % travaillent à mains nues et les 20 % restant, avec des animaux de trait.

En France, comme dans les autres pays industriels, les sols se détériorent. Les pesticides et les nitrates, utilisés aussi massivement dans les jardins, sont responsables de la dégradation de nombreuses nappes souterraines et de deux rivières sur trois. Ces effets maintenant connus, nombre d'agriculteurs réagissent et modifient leurs pratiques. Dans leurs jardins, les citoyens doivent suivre.

1 Qu'apprend-on sur l'agriculture en France dans cette affiche ?
Écrivez une phrase pour le résumer.

2 Relevez quelques chiffres utilisés dans le texte. Quelle fonction ont ces chiffres ?

3 Quel problème est soulevé dans la deuxième partie du texte ? Relevez deux termes négatifs qui servent à la critique que fait l'auteur.

4 À qui l'auteur de l'affiche s'adresse-t-il à la fin du texte ? Que leur demande-t-il ?

5 **a.** Quelle image la photographie donne-t-elle de l'agriculture en France ?
b. Quel rapport y a-t-il entre l'image et le titre ?

1 Les formes de discours

On distingue quatre **formes de discours** selon la **visée** recherchée :
– le discours **explicatif**, qui donne une **explication** ou répond à une **question** ;
– le discours **argumentatif**, qui défend une idée (= une **thèse**) et tente de **convaincre** le destinataire ;
– le discours **narratif** et le discours **descriptif** (→ CHAPITRE 5).

2 Les caractéristiques des discours explicatif et argumentatif

	DISCOURS EXPLICATIF (= explication)	**DISCOURS ARGUMENTATIF** (= argumentation)
Visée principale	**Expliquer**, répondre à une question, faire comprendre.	**Défendre** (ou **réfuter**) une idée, **convaincre** le destinataire, faire réagir.
Contenu	Des **informations précises** (= définitions, schémas, tableaux, chiffres, illustrations…).	– Une **thèse** (= une idée à défendre). – Des **arguments** (= des preuves données pour soutenir la thèse). – Des **exemples** (= des faits pour illustrer les arguments).
Organisation logique du texte	– Des **titres**, **sous-titres**, **tirets**, une typographie spécifique (gras, italique, couleurs)… – Des **indicateurs temporels** (→ CHAPITRE 6) (*premièrement, deuxièmement…*) et **connecteurs logiques** (→ CHAPITRE 8) (*mais, en revanche, car, parce que, donc, par conséquent…*).	– Des **paragraphes** ordonnés. – Des **indicateurs temporels** (→ CHAPITRE 6) (*tout d'abord, ensuite, enfin…*) et **connecteurs logiques** (→ CHAPITRE 8) (*mais, en revanche, car, parce que, donc, par conséquent…*).
Énonciateur	**absent** ou **neutre**, objectif ; utilisation de la forme impersonnelle et de la forme passive (→ CHAPITRE 13), du présent de vérité générale (→ CHAPITRE 2).	**présent** (*je, nous*), donnant son avis, subjectif ; exclamations, interrogations, injonctions s'adressant au destinataire… (→ CHAPITRES 1 ET 13).
Vocabulaire	**technique**, scientifique, neutre.	exprimant une opinion personnelle : termes **modalisateurs** (→ CHAPITRE 9).
	Textes souvent concernés : encyclopédies, dictionnaires, manuels scolaires, magazines, sites Internet…	Textes souvent concernés : discours, lettres, articles de presse, critiques de films, essais, publicités, dialogues…

Les |agriculteurs français| ne <u>représentent</u> que <u>3,3 % de la population active</u> (contre 44 % dans le monde). Ils <u>entretiennent</u> cependant <u>la moitié du territoire</u>. Les augmentations considérables des productions ont été obtenues par le <u>recours à des méthodes intensives reposant sur la mécanisation et l'utilisation d'engrais et de produits chimiques</u>.

} Cet extrait donne des informations sur l'agriculture française et les méthodes de production grâce à des pourcentages → texte **explicatif**.

En France, comme dans les autres pays industriels, les <u>sols se détériorent</u>. Les **pesticides** et les **nitrates**, utilisés aussi massivement dans les jardins, sont responsables de <u>la dégradation</u> de nombreuses **nappes souterraines** et de deux rivières sur trois.

} Cet extrait dénonce l'utilisation abusive des engrais. Il s'appuie sur des termes spécialisés et utilise des termes connotés négativement → texte **argumentatif**.

À vos marques !

1 **Vérifiez** que vous savez repérer :
– le **discours explicatif** ;
– le **discours argumentatif**.

a. Le développement durable vise à concilier le progrès économique et social et la préservation de l'environnement pour les générations futures.

b. Tant que les habitudes de consommation ne seront pas changées, la surproduction entraînera une surconsommation. Changeons tout cela !

c. L'Union européenne, l'État, les régions sont tous acteurs de l'aménagement du territoire.

d. Maintenons des espaces où l'on respire et non des lieux où l'on consomme !

2 **Complétez** le tableau en **relevant** des **caractéristiques du texte explicatif**.

À Bloc dans les Blogs

Les chiffres défilent… 9 523, 9 524, 9 525. Une poignée de minutes plus tard s'affiche déjà 9 530. Chaque jour, le site de la radio Skyrock, skyblog.com, répertorie les nouveaux blogs créés
5 durant les dernières vingt-quatre heures.

En France, vous êtes déjà des millions à avoir attrapé le virus de la blogmania. Une enquête Médiamétrie datée d'avril 2005 indique que six jeunes sur dix, âgés de 11 à 20 ans, connaissent
10 ces journaux en ligne, et trois sur dix en ont déjà fabriqué un. À lui seul, skyblog.com en héberge environ 5,6 millions. […] Alors comment expliquer cet engouement ?

« Le blog permet de garder le contact avec ses
15 proches », explique la sociologue Hélène Delaunay Teterel. Comme il est écrit par des ados et pour des ados, le blog emploie souvent le langage SMS. Un « jtdr » remplace « je t'adore », un « mdr » signifie « mort de rire ». […] Cette
20 écriture rapide vous sert de code. Les parents ou les profs ont du mal à décrypter votre charabia et à lire vos discussions.

Enquête de J.-B. Gournay, *Géo Ado*, n° 47, novembre 2006.

3 **Retrouvez** l'ordre du **texte explicatif** suivant.

a. Ce mystère intriguait déjà savants et philosophes dans la Grèce antique.

b. N'empêche : on essayait quand même de localiser ce qu'on appelait alors l'âme ou l'esprit.

c. La conscience est l'élément le plus évident et le plus mystérieux de notre esprit…

d. On l'expérimente en permanence, puisque chacun d'entre nous est conscient d'être une même personne au fil du temps, qui vit, élabore des idées et se projette dans l'avenir…

e. Mais où peut-elle bien se cacher ?

f. À l'époque, on ne parlait pas encore de conscience, le mot ne sera défini qu'au XVIIᵉ siècle.

D'après Jérôme Blanchart, *Science et Vie Junior*, octobre 2006.

4 **Complétez** ce texte **explicatif** avec les **connecteurs logiques** qui vous sont proposés.

Liste : *aussi – enfin – Car – Mais – mais – donc – C'est pourquoi.*

Au XXᵉ siècle, de nouvelles techniques vont permettre d'observer le fonctionnement du cerveau en direct : électroencéphalogramme, imagerie par résonance magnétique… Grâce à elles, les
5 neurobiologistes parviennent à filmer des différences d'activités lorsqu'une personne est consciente ou non d'une information visuelle. Ils prouvent ❶ …. ❷ …. le lien entre conscience et cerveau. ❸ …. c'est à peu près tout ! ❹ …. ces
10 techniques révèlent ❺ …. que les zones spécialisées telles que l'aire de Broca¹ ne fonctionnent jamais seules, ❻ …. en connexion permanente avec d'autres secteurs du cerveau. ❼ …. les scientifiques pensent aujourd'hui que la conscience
15 émerge d'un « super-réseau » de cellules nerveuses englobant la quasi-totalité de notre encéphale. Inutile de dire qu'il sera très difficile de cartographier précisément ce « super-réseau ».

D'après Jérôme Blanchart, *Science et Vie Junior*, octobre 2006.

1. *l'aire de Broca* : partie du cerveau qui correspond au langage.

Organisation du texte	Vocabulaire technique	Informations précises : chiffres et dates	Temps des verbes

5 **Rédigez** les **questions** auxquelles répond ce **texte explicatif**.

Voici comment s'organisait le théâtre au temps de Molière.

Le prix des places resta sans changement notable. Une place au parterre continuait de coûter 15 sous. Avec les progrès de l'architecture théâtrale, on distinguait maintenant les loges du
5 troisième rang, les loges hautes, les loges, l'amphithéâtre et le théâtre, c'est-à-dire la scène. [...]

Les comédiens continuaient d'accepter les spectateurs sur la scène. Il arrivait qu'il y en eût jusqu'à deux cents. Les femmes par contre
10 n'avaient pas le droit d'y paraître. Pour limiter le désordre, on refoulait à droite et à gauche ces clients gênants, mais de si bon rapport. [...]

En dépit des ordonnances de police[1], la tenue de ce public laissait à désirer. Il y eut un jour,
15 au Palais-Royal[2], une vraie scène d'émeute, et les compagnons de Molière purent craindre un moment pour leur vie.

Il est plaisant de lire l'ordonnance de la Reynie touchant la salle de la rue de Mazarine : défense
20 aux vagabonds, gens sans aveux, soldats, personnes de quelque qualité et condition que ce soit, de s'attrouper aux environs de la salle [...]. Une représentation dramatique, en ce temps, réclame de la police une vigilance très spéciale.

Antoine Adam, *Histoire de la littérature française au XVIIe siècle*, vol. 2, © Albin Michel, 1997.

1. *ordonnances de police* : règlements édités par la police.
2. *Palais Royal* : salle de théâtre occupée par les Italiens et la troupe de Molière.

6 **Relevez** le **passage explicatif** dans cet extrait de roman puis **donnez** les **caractéristiques** de ce passage qui vous ont permis de l'identifier.

Le professeur Aronnax et ses compagnons se sont échappés du Nautilus *et assistent à un étrange phénomène marin.*

S'était-on aperçu de notre fuite ? Ned Land me glissa un poignard dans la main. Ce n'était pas à nous que l'équipage en voulait.

« Maelström ! Maelström ! » criait-il.
5 Maelström : un nom plus effrayant pouvait-il retentir à notre oreille ? Le *Nautilus* était-il entraîné dans ce gouffre ? On sait qu'au moment du flux, les eaux resserrées entre les îles Feröe et Loffoden sont précipitées avec une irrésistible violence.
10 Elles forment un tourbillon dont aucun navire n'a jamais pu sortir. De tous les points de l'horizon accourent des lames monstrueuses. Elles constituent ce gouffre justement appelé le « Nombril de l'Océan », dont la puissance d'at-
15 traction s'étend jusqu'à une distance de quinze kilomètres. Là sont aspirés non seulement les navires, mais les baleines, mais aussi les ours blancs des régions boréales.

C'est là que le *Nautilus* – involontairement ou
20 volontairement peut être – avait été engagé par son capitaine. Nous étions dans l'épouvante, et quel bruit autour de notre frêle canot !

Jules Verne, *Vingt Mille Lieues sous les mers*, chap. XIX, 1870.

7 **1.** Dans cet extrait de bande dessinée, sur quel **sujet** porte l'**explication** faite par le narrateur ?
2. Quelles informations précises apprend-on ?
3. Quelle partie du texte n'appartient pas au discours explicatif mais au **discours narratif** ?

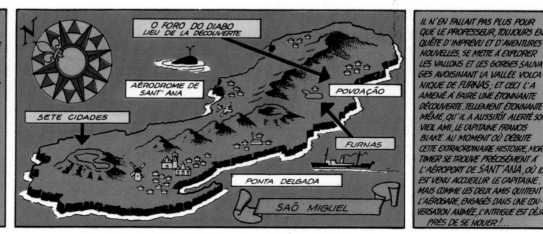

Edgar P. Jacobs, *Blake et Mortimer*, tome 7 : *L'Énigme de l'Atlantide*, © Dargaud Lombard, 1977.

8 **Complétez** cet article sur l'ornithorynque à l'aide des informations suivantes. Quelle est la **forme de discours** du texte obtenu?

Liste: *la queue de castor – palmées – 3 ou 4 km/h – jusqu'à 5 mètres de profondeur – de vers – en forme de bec de canard – son terrier – de petits crustacés ou de mollusques – godille.*

Ornithorynque

Particularité → Sous l'eau, il est aveugle et sourd. Chaque jour, au lever et au coucher du soleil, l'ornithorynque d'Australie quitte **❶** .... pour aller patauger. Ce drôle d'animal à **❷** .... et au
5 museau **❸** .... nage à **❹** .... . Il rame avec ses pattes avant **❺** .... et **❻** .... avec sa queue. Quand il plonge sous l'eau, ses yeux et ses oreilles se couvrent aussitôt d'un repli de peau. L'animal s'enfonce alors à l'aveugle **❼** .... . De son bec, il fouille à tâtons le fond de l'eau, à la recherche **❽** ...., **❾** .... à engloutir.

D'après Karine Jacquet, *Géo Ado*,
Le plaisir d'explorer, n° 40, mars 2006.

9 **Retrouvez** les **six arguments** donnés par l'auteur de ce texte **argumentatif** pour nous convaincre que la lune est difficilement habitable. Aidez-vous des **connecteurs logiques** que vous relèverez également.

Peut-on escompter que des hommes travaillent, ou même vivent, un jour sur la Lune?

Vivre y paraît difficile. Rien n'y est comme sur la terre. D'abord la gravité y est six fois plus faible que chez nous. De plus, on n'y trouve ni
5 air ni eau. Par ailleurs, la Lune tourne si lentement que les jours et les nuits y durent deux semaines. Durant la journée, la température s'élève au dessus du point d'ébullition de l'eau, tandis que pendant la nuit, le froid est plus rigou-
10 reux que dans l'Antarctique. Et puis, faute d'atmosphère, il n'y a rien qui puisse filtrer des radiations solaires ou détruire les météorites qui tombent toujours de temps en temps. Il n'y a pas non plus de champ magnétique pour dévier les
15 rayons cosmiques.

Isaac Asimov, *La Lune*, © Flammarion, 1929.

10 **1. Dans** cet extrait, quels sont les **arguments** donnés par Joseph pour justifier son désir d'arrêter ses études?
2. Relevez, dans le discours de Joseph, les **connecteurs** qui relient ses arguments.

– Si ce n'est pas de la paresse pure et simple, donne tes raisons.

Joseph ne refusait pas de s'expliquer:
– Des raisons, j'en ai beaucoup. D'abord, je
5 ne suis pas fait pour les études. Oh! je ne suis pas plus bête qu'un autre, mais toutes ces histoires ne me disent rien du tout. Ce n'est pas mon genre. Et je suis même sûr que les trois quarts de ce qu'on apprend, c'est parfaitement inutile, au
10 moins pour ce que je veux faire. Et puis, il faut toujours acheter des livres et des fournitures, même dans cette école où j'étais. Nous n'avons pas les moyens d'acheter tant de choses.
[...]
15 – Si je poursuis mes études, je resterai bien huit ou dix ans sans gagner d'argent. Tandis que si je commence tout de suite, dans le commerce...

George Duhamel, *Le Notaire du Havre*,
in *Chronique des Pasquier*, © Mercure de France, 1934.

11 **Relevez** les **arguments** de Cléonte pour réfuter les défauts annoncés par Covielle.

Cléonte demande à Covielle de dresser la liste des défauts de Lucie.

Covielle. – [...] Premièrement, elle a les yeux petits.
Cléonte. – Cela est vrai, elle a les yeux petits; mais elle les a pleins de feux, les plus brillants, les plus perçants du monde, les plus touchants qu'on puisse
5 voir.
Covielle. – Elle a la bouche grande.
Cléonte. – Oui; mais on y voit des grâces qu'on ne voit point aux autres bouches; et cette bouche, en la voyant, inspire des désirs, est la plus attrayante,
10 la plus amoureuse du monde. [...]
Covielle. – Pour de l'esprit...
Cléonte. – Ah! elle en a, Covielle, du plus fin, du plus délicat.
Covielle. – Sa conversation...
15 Cléonte. – Sa conversation est charmante.
[...]
Covielle. – Mais enfin elle est capricieuse autant que personne du monde.
Cléonte. – Oui, elle est capricieuse, j'en demeure d'ac-
20 cord; mais tout sied bien[1] aux belles, on souffre[2] tout des belles.

Molière, *Le Bourgeois gentilhomme*, acte III, scène 9, 1670.

1. *tout sied bien*: tout va bien. **2.** *souffre*: supporte.

12 1. Dans l'extrait suivant, de quoi Rodrigue cherche-t-il à **convaincre** le comte ?

2. Quels **arguments** utilise Rodrigue ? Vous pouvez employer un langage courant pour formuler vos réponses.

3. Quelle **réaction** du Comte cherche-t-il à provoquer ?

Pour sauver l'honneur de sa famille, le jeune et impétueux Rodrigue provoque en duel le Comte, combattant expérimenté.

DON RODRIGUE

Parle sans t'émouvoir.
Je suis jeune, il est vrai ; mais aux âmes bien nées
La valeur n'attend point le nombre des années.

LE COMTE

Te mesurer à moi ! qui t'a rendu si vain,
5 Toi qu'on n'a jamais vu les armes à la main ?

DON RODRIGUE

Mes pareils à deux fois ne se font point connaître,
Et pour leurs coups d'essai veulent des coups de maître.

LE COMTE

Sais-tu bien qui je suis ?

DON RODRIGUE

Oui ; tout autre que moi
Au seul bruit de ton nom pourrait trembler d'effroi.
10 Les palmes dont je vois ta tête si couverte
Semblent porter écrit le destin de ma perte.
J'attaque en téméraire un bras toujours vainqueur ;
Mais j'aurai trop de force[1], ayant assez de cœur.
À qui venge son père il n'est rien d'impossible.
15 Ton bras est invaincu, mais non pas invincible.

Pierre Corneille, *Le Cid*, acte II, scène 2, 1637.

1. *j'aurai trop de force* : j'aurai beaucoup de force.

13 1. **Relevez** les **arguments** avancés par Diderot pour vanter les mérites de sa robe de chambre.

2. **Relevez** les éléments du texte qui montrent que l'auteur exprime son opinion personnelle.

Diderot raconte une anecdote : il vient de changer sa vieille robe de chambre contre une neuve…

Pourquoi ne l'avoir pas gardée ? Elle était faite à moi ; j'étais fait à elle. Elle moulait tous les plis de mon corps sans le gêner ; j'étais pittoresque[1] et beau. L'autre, raide, empesée[2], me manne-
5 quine[3]. Il n'y avait aucun besoin auquel sa complaisance ne se prêtât[4] ; car l'indigence[5] est presque toujours officieuse. Un livre était-il couvert de poussière, un de ses pans s'offrait à l'essuyer. L'encre épaissie refusait-elle de couler de ma plume, elle présentait le flanc. On y voyait tracés en longues raies noires les fréquents services qu'elle m'avait rendus. Ces longues raies annonçaient le littérateur, l'écrivain, l'homme qui tra-
10 vaille. À présent, j'ai l'air d'un riche fainéant ; on ne sait qui je suis.

Sous son abri, je ne redoutais ni la maladresse d'un valet, ni la mienne, ni les éclats du feu, ni la chute de l'eau. J'étais le maître absolu de ma
15 vieille robe de chambre ; je suis devenu l'esclave de la nouvelle.

Denis Diderot, *Regrets sur ma vieille robe de chambre*, 1772.

1. *pittoresque* : curieux à regarder. 2. *empesée* : amidonnée.
3. *me mannequine* : me donne la rigidité d'un mannequin.
4. *Il n'y avait aucun besoin auquel sa complaisance ne se prêtât* :
cette robe de chambre se prêtait à tous les besoins.
5. *l'indigence* : la pauvreté, le besoin.

À vos plumes !

14 Reprenez le texte de l'exercice 10, et **imaginez** la **réponse** du père et de la mère qui incitent leur enfant à continuer les études. Vous écrirez au moins deux **arguments** venant du père et de la mère et relierez les idées à l'aide de **connecteurs logiques**.

15 **Lisez** ce début de fable et imaginez les **arguments** de la souris et les **réponses** du chat. Vous écrirez la suite de la fable sous la forme d'un **dialogue argumentatif**.

Le vieux Chat et la jeune Souris

Une jeune Souris, de peu d'expérience,
Crut fléchir un vieux Chat, implorant sa clémence,
Et payant de raisons le Raminagrobis :
   « Laissez-moi vivre : ….

Jean de La Fontaine, *Fables*, Livre XII, V, 1694.

16 Voici des informations sur les talents de nageur de l'ours polaire. **Rédigez** un article identique à celui de l'exercice 8 en utilisant toutes les données.

Nage à 10 km/h. Vit dans l'océan Arctique.
Passe 1/3 de son temps dans l'eau.

Particularités pour aller dans l'eau :
– narines fermées et paupières transparentes sur les yeux ;
– jarres (longs poils) qui se collent les unes aux autres et forment une pellicule imperméable ;
– de larges pattes palmées pour ramer et des pattes arrière pour se diriger ;
– mangeur de poissons et de phoques.

D'après Karine Jacquet, *Géo Ado*,
Le plaisir d'explorer, n° 40, mars 2006

8 Les connecteurs logiques

▶
École allemande du XVIIIᵉ siècle, *Omnia Vanitas* (collection privée).

Memnon conçut un jour le projet insensé d'être parfaitement sage. Il n'y a guère d'hommes à qui cette folie n'ait quelquefois passé par la tête. Memnon se dit à lui-même : « Pour être très sage, et **par conséquent** très heureux, il n'y a qu'à être sans
5 passions ; et rien n'est plus aisé, comme on sait. Premièrement, je n'aimerai jamais de femme ; car, en voyant une beauté parfaite, je me dirai à moi-même : ces joues-là se rideront un jour ; ces beaux yeux seront bordés de rouge ; cette gorge ronde deviendra plate et pendante ; cette belle tête deviendra chauve. Or je
10 n'ai qu'à la voir à présent des mêmes yeux dont je la verrai alors, et assurément cette tête ne fera pas tourner la mienne.

« En second lieu je serai toujours sobre ; j'aurai beau être tenté par la bonne chère, par des vins délicieux, par la séduction de la société ; je n'aurai qu'à me représenter les suites des excès, une tête pesante, un estomac embarrassé, la perte
15 de la raison, de la santé et du temps, je ne mangerai alors que pour le besoin ; ma santé sera toujours égale, mes idées toujours pures et lumineuses. Tout cela est si facile qu'il n'y a aucun mérite à y parvenir.

« Ensuite, disait Memnon, il faut penser un peu à ma fortune ; mes désirs sont modérés ; mon bien est solidement placé sur le receveur général des finances de
20 Ninive ; j'ai de quoi vivre dans l'indépendance : c'est là le plus grand des biens. Je ne serai jamais dans la cruelle nécessité de faire ma cour ; je n'envierai personne, et personne ne m'enviera. Voilà qui est encore très aisé. J'ai des amis, continuait-il, je les conserverai, **puisqu**'ils n'auront rien à me disputer. Je n'aurai jamais d'humeur avec eux, ni eux avec moi ; cela est sans difficulté. »
25 Ayant fait ainsi son petit plan de sagesse dans sa chambre, Memnon mit la tête à la fenêtre.

Voltaire, *Memnon ou la Sagesse humaine*, 1749.

1 **a.** Quel est l'objectif de Memnon ?
b. À quelle condition générale y arrivera-t-il, selon lui ? Relevez la phrase qui le précise.

2 **a.** Quelles sont ses trois résolutions ?
b. Relevez les connecteurs (mots ou groupes de mots) qui les introduisent.

3 **a.** À quelle classe grammaticale appartiennent les mots surlignés en violet ? Quel lien mettent-ils en valeur ?
b. Par quel mot de la même classe grammaticale, pourrait-on remplacer *par conséquent* (l. 4) ?

4 *J'ai des amis… je les conserverai,* **puisqu**'*ils n'auront rien à me disputer.*
Par quel mot pouvez-vous remplacer *puisque* dans cette phrase : *et – car – or – donc* ?

1 Définition

Les connecteurs logiques permettent de **relier** les différentes idées d'un texte par un lien logique (cause, conséquence, opposition...). Ils **organisent** le texte pour marquer les étapes de l'explication ou de l'argumentation (→ CHAPITRE 7).

Ex. *Memnon ne veut pas aimer de femme,* ***car*** *il désire vivre sans passions* ***pour*** *devenir sage* ***et donc*** *très heureux.*

2 Les valeurs des connecteurs logiques

Ils expriment plusieurs valeurs et appartiennent à **différentes classes grammaticales**.

VALEURS	CONNECTEURS LOGIQUES	EXEMPLES
La **cause** (→ CHAPITRE 20)	– *à cause de, en raison de, par, pour, grâce à, du fait de, faute de...* (**prépositions**) – *en effet* (**locution**) – *car* (**conj. de coordination**) – *parce que, puisque, étant donné que, sachant que, vu que, du fait que, comme, sous prétexte que...* (**conj. de subordination**)	*Memnon prend trois résolutions* ***parce qu'il*** *veut devenir parfaitement sage.*
La **conséquence** (→ CHAPITRE 20)	– *c'est pourquoi, par conséquent...* (**locutions**) – *donc, et* (**conj. de coordination**) – *de sorte que, si bien que, si... que, tant... que, tellement... que, au point que* (**conj. de subordination**)	*Memnon veut devenir parfaitement sage,* ***donc*** *il prend trois résolutions.*
L'**opposition** ou la **concession**	– *malgré, en dépit de...* (**prépositions**) – *cependant, pourtant, toutefois, néanmoins, certes...* (**adverbes**) – *or, mais* (**conj. de coordination**) – *bien que, quoique* (+ subjonctif)*, alors que, même si...* (**conj. de subordination**)	***Malgré*** *ces résolutions, je doute qu'il parvienne à la sagesse.*
L'**addition** et les **étapes du raisonnement**	– *d'abord, premièrement, de plus, en outre, en second lieu, non seulement... mais encore / aussi, ensuite...* (**adverbes et locutions**) – *et, ni* (**conj. de coordination**)	*Il décide* ***non seulement*** *de ne pas se marier,* ***mais aussi*** *de rester sobre.*
Le **but**	– *pour, afin de, dans l'idée de, de manière à, en vue de...* (**prépositions**) – *pour que, afin que, de manière que, de façon que, de peur que...* (+ subjonctif) (**conj. de subordination**)	*Il ne souhaite pas faire fortune,* ***afin d'avoir*** *des amis qui ne l'envient pas.*
La **conclusion**	– *ainsi, finalement, en somme...* (**adverbes et locutions**) – *et* (**conj. de coordination**)	***En somme,*** *Memnon renonce à tous les plaisirs.*
La **comparaison**	– *comme, ainsi...* (**adverbes et locutions**) – *comme, tel(le)s que, ainsi que...* (**conj. de subordination**)	*Qui est prêt à vivre* ***ainsi que*** *le préconise Memnon ?*
L'**explication** ou l'**exemple**	– *c'est-à-dire, en effet, par exemple...* (**adverbes et locutions**)	*Memnon demeure célibataire et sobre,* ***c'est-à-dire*** *qu'il renonce aux plaisirs.*
L'**hypothèse**	– *si, à condition que, pourvu que...* (**conj. de subordination**)	*Memnon sera sage* ***à condition qu'il*** *tienne ses trois résolutions.*

ATTENTION Le connecteur *et* peut avoir différentes valeurs.

Ex. *Memnon sera célibataire* ***et*** *sobre.* (addition) – *Memnon sera pauvre* ***et*** *il conservera ses amis.* (conséquence) – ***Et*** *c'est ainsi que Memnon devint sage.* (conclusion)

À vos marques !

1 **Vérifiez** que vous savez:
– identifier les **connecteurs logiques**;
– préciser leur **classe grammaticale**.
– préciser leur **valeur**.

a. Hier, Julie a pris le bus pour aller travailler car sa moto était encore en réparation.

b. Pourtant, le garagiste lui avait promis qu'elle serait prête assez rapidement.

c. Mais il n'avait ni tenu ses promesses, ni appelé pour prévenir du retard.

d. Elle avait donc dû le joindre elle-même.

2 **Dites** si les mots soulignés sont ou non des **connecteurs logiques**.

Le narrateur est convaincu qu'un être invisible et surnaturel l'observe.

Or, un soir, j'ai entendu craquer mon parquet derrière moi. Il a craqué d'une façon singulière. J'ai frémi. Je me suis tourné. Je n'ai rien vu. Et je n'y ai plus songé.

5 Mais le lendemain, à la même heure, le même bruit s'est produit. J'ai eu tellement peur que je me suis levé, sûr, sûr, sûr, que je n'étais pas seul dans ma chambre. On ne voyait rien pourtant. L'air était limpide, transparent partout. Mes deux
10 lampes éclairaient tous les coins.

Le bruit ne recommença pas et je me calmai peu à peu; je restais inquiet cependant, je me retournais souvent.

Le lendemain, je m'enfermai de bonne heure,
15 cherchant comment je pourrais parvenir à voir l'Invisible qui me visitait. […]

En face de moi, mon lit, un vieux lit de chêne à colonnes. À droite, ma cheminée. À gauche, ma porte que j'avais fermée au verrou. Derrière moi,
20 une très grande armoire à glace. Je me regardai dedans. J'avais des yeux étranges et les pupilles très dilatées.

Puis je m'assis comme tous les jours.

Guy de Maupassant, *Lettre d'un fou*, 1885.

Aide La **conjonction de coordination** *et* possède de nombreuses valeurs: elle peut être connecteur logique (addition, conclusion, conséquence), mais aussi un indicateur temporel.

3 **Indiquez** la **classe grammaticale** des connecteurs logiques en gras.

Certains trouvent, **effectivement**, que la mondialisation présente surtout des avantages. **D'une part**, elle permet aux consommateurs des pays développés de s'offrir des affaires qui, sinon,
5 seraient réservées aux plus riches. Sans elle, **par exemple**, les lecteurs DVD seraient encore des produits de super-luxe. **D'autre part**, les défenseurs de la mondialisation jugent qu'elle permet de donner du travail aux pays en voie de dévelop-
10 pement – **et donc** d'aider ses habitants à vivre mieux. **De fait**, de nombreux pays d'Asie sont sortis en partie du sous-développement durant ces dernières années. […] **Et pourtant**, **malgré tous ces avantages**, d'autres spécialistes jugent que
15 la mondialisation n'est pas aussi merveilleuse qu'elle en a l'air…

Géo Ado n° 48, décembre 2006.

4 **Relevez** les **connecteurs logiques** et **précisez** leur **classe grammaticale**.

À tort ou à raison

On ne sait jamais qui a raison ou qui a tort. C'est difficile de juger. Moi, j'ai longtemps donné raison à tout le monde. Jusqu'au jour où je me suis aperçu que la plupart des gens à qui je don-
5 nais raison avaient tort! Donc, j'avais raison! Par conséquent, j'avais tort! Tort de donner raison à des gens qui avaient le tort de croire qu'ils avaient raison. C'est-à-dire que moi qui n'avais pas tort, je n'avais aucune raison de ne pas don-
10 ner tort à des gens qui prétendaient avoir raison, alors qu'ils avaient tort. J'ai raison, non? Puisqu'ils avaient tort! Et sans raison, encore! Là, j'insiste, parce que… moi aussi, il arrive que j'aie tort. Mais quand j'ai tort, j'ai mes raisons,
15 que je ne donne pas. Ce serait reconnaître mes torts!!! J'ai raison, non? Remarquez… il m'arrive aussi de donner raison à des gens qui ont raison aussi. Mais, là encore, c'est un tort. C'est comme si je donnais tort à des gens qui ont tort.
20 Il n'y a pas de raison! En résumé, je crois qu'on a toujours tort d'essayer d'avoir raison devant des gens qui ont toutes les bonnes raisons de croire qu'ils n'ont pas tort!

Raymond Devos, *Sens dessus dessous*, © Stock, 1976.

5 **Relevez** les **connecteurs logiques** dans le texte argumentatif suivant.

Au cours du XIXe siècle, les Européens ont bâti de grands empires coloniaux dans le monde. Ainsi, l'Afrique a été partagée entre différents pays d'Europe, par exemple le Royaume-Uni et
5 la France qui se sont taillé les deux plus vastes empires.

Pour justifier la colonisation, les Européens avancent plusieurs arguments. Ainsi Jules Ferry évoque d'abord l'argument démographique :
10 créer des colonies de peuplement ; ensuite il avance l'argument économique et financier : assurer des débouchés aux produits industriels et aux capitaux. Enfin, il pense que les Européens sont investis de la mission de civiliser des peu-
15 ples qu'ils jugent inférieurs.

Pour les peuples colonisés, la colonisation a différentes conséquences. En effet, si les Européens ont apporté l'instruction et la vaccination, ils ont également imposé le travail forcé (ou corvées)
20 notamment lors de la construction de voies ferrées. La course aux colonies entraîne les pays colonisateurs dans de fortes rivalités, comme au Maroc en 1906 où Britanniques, Espagnols, Français et Allemands sont au bord de la guerre.

Histoire-Géographie 4e, 32 fiches d'activités, © Hatier, 2006.

6 **Précisez** si les connecteurs en gras expriment une **cause**, une **conséquence** ou une **addition**.

Voici le discours du philosophe Pangloss.

« Il est démontré, disait-il, que les choses ne peuvent être autrement : **car**, tout étant fait pour une fin, tout est nécessairement pour la meilleure fin. Remarquez bien que les nez ont été faits
5 pour porter des lunettes, **aussi** avons-nous des lunettes. Les jambes sont visiblement instituées pour être chaussées, **et** nous avons des chausses. Les pierres ont été formées pour être taillées, **et** pour en faire des châteaux, **aussi** monseigneur
10 a un très beau château ; le plus grand baron de la province doit être le mieux logé ; **et**, les cochons étant faits pour être mangés, nous mangeons du porc toute l'année : **par conséquent**, ceux qui ont avancé que tout est bien ont dit une
15 sottise : il fallait dire que tout est au mieux. »

Voltaire, *Candide,* chap. I, 1759.

7 **Relevez** les **connecteurs logiques** et **précisez** leur **valeur**.

Le pain

La surface du pain est merveilleuse d'abord à cause de cette impression quasi panoramique qu'elle donne : comme si l'on avait à sa disposition sous la main les Alpes, le Taurus ou la Cordillère
5 des Andes.

Ainsi donc une masse amorphe en train d'éructer fut glissée pour nous dans le four stellaire, où durcissant elle s'est façonnée en vallées, crêtes, ondulations, crevasses… Et tous ces plans dès
10 lors si nettement articulés, ces dalles minces où la lumière avec application couche ses feux, – sans un regard pour la mollesse ignoble sousjacente.

Ce lâche et froid sous-sol que l'on nomme la
15 mie a son tissu pareil à celui des éponges : feuilles ou fleurs y sont comme des sœurs siamoises soudées par tous les coudes à la fois. Lorsque le pain rassit ces fleurs fanent et se rétrécissent : elles se détachent alors les unes des autres, et la masse en
20 devient friable…

Mais brisons-la : car le pain doit être dans notre bouche moins objet de respect que de consommation.

Francis Ponge, *Le Parti pris des choses,* © Gallimard, 1942.

Pablo Picasso (1881-1973), *Les Pains,* 1909 (Musée national d'Art moderne – Centre Georges Pompidou, Paris).

8 **1. Parmi** les **connecteurs** suivants, **relevez** ceux qui peuvent exprimer un **lien logique**.
2. Construisez une **phrase** dans laquelle vous utiliserez chacun des connecteurs relevés.
habituellement – puisque – puis – mais – soudain – pourtant – toutefois – tout à coup – par exemple – car – en conséquence – or – enfin – en revanche – aujourd'hui – certes – enfin – demain.

8. Les connecteurs logiques **75**

9 **Précisez** la **valeur** des **connecteurs** logiques en gras.

Je veux réaliser des films, je lis désormais beaucoup, **mais** pas un instant à cette époque l'idée d'écrire des livres ne m'effleure. **Pourtant**, je désire raconter des histoires **et** j'en ai plusieurs en tête !
5 **Mais** seuls le cinéma, les images, semblent dans mes cordes. Les écrivains m'apparaissent alors comme des êtres supérieurement intelligents auprès de qui je ne suis qu'un primate sachant à peine se tenir debout. Il faudra que j'en
10 devienne un et que j'en rencontre beaucoup pour comprendre que les écrivains sont des gens comme les autres, et qu'à proportion égale, comme dans toutes les franges de la société, on y trouve des gens bien, **certes**, **mais** aussi des cré-
15 tins, des médiocres et des nuisibles. **Sinon**, il n'y aurait que des bons livres en librairie, et ça se saurait.

Le cinéma, **donc**, est mon rêve [...].

Mikaël Ollivier, *Celui qui n'aimait pas lire*,
© Éditions de La Martinière Jeunesse, 2004.

10 **Replacez** les **connecteurs logiques** dans l'extrait suivant.

Liste : *et même – car – Mais – en effet – et – donc.*
En promenade dans les provinces de l'extrême Sud de la France, le narrateur visite l'établissement de santé de M. Maillard, un hospice bien particulier.

Tous ces détails restant présents à mon esprit, je prenais bien garde à tout ce que je pouvais dire devant la jeune dame ; **❶** .... rien ne m'assurait qu'elle eût toute sa raison ; et, **❷** .... , il y avait
5 dans ses yeux un certain éclat inquiet qui m'induisait[1] presque à croire qu'elle ne l'avait pas. Je restreignis **❸** .... mes observations à des sujets généraux, ou à ceux que je jugeais incapables de déplaire à une folle ou même de l'exciter. Elle
10 répondit à tout ce que je dis d'une manière parfaitement sensée ; **❹** .... ses observations personnelles étaient marquées du plus solide bon sens. **❺** .... une longue étude de la physiologie[2] de la folie m'avait appris à ne pas me fier même à de
15 pareilles preuves de santé morale, **❻** .... je continuai, pendant toute l'entrevue, à pratiquer la prudence dont j'avais usé au commencement.

D'après E. A. Poe, *Le Système du docteur Goudron*,
© Hachette Livre, 2001.

1. *m'induisait* : me poussait.
2. *physiologie* : fonctionnement.

11 **Déterminez** la **valeur** des **connecteurs** en gras, puis **précisez** la **forme de discours** à laquelle appartient ce texte.

Les Grecs et les Romains étendaient plus loin que nous le sens du mot *théâtre* ; **car** nous n'entendons par ce terme qu'un lieu élevé où l'acteur paraît, et où se passe l'action : **au lieu que** les
5 anciens y comprenaient toute l'enceinte du lieu commun aux acteurs et aux spectateurs.

[...] Son plan consistait **d'une part** en deux demi-cercles décrits d'un même centre, **mais** de différent diamètre ; **et de l'autre** en un carré long
10 de toute leur étendue, et moins large de la moitié ; **car** c'était ce qui en établissait la forme, et ce qui en faisait en même temps la division. [...]

Ainsi l'enceinte des *théâtres* était circulaire d'un côté, et carrée de l'autre [...].

Encyclopédie de Diderot et d'Alembert,
article « Théâtre », 1766.

12 **Relevez** les **connecteurs** puis, **précisez** leur **valeur** et leur **classe grammaticale**.
Le détective Hercule Poirot expose ses déductions.

« Bien qu'incapable de résoudre la question principale, je finissais par connaître certains côtés du tempérament de l'assassin.

– Par exemple ? demanda Fraser.

– D'abord, cet homme était doué d'un esprit
5 méthodique. Il cherchait avant tout à suivre une progression alphabétique. D'autre part, il ne trahissait aucun goût particulier dans le choix de ses victimes : Mme Ascher, Betty Barnard, Sir Carmichael Clarke, toutes différant étrangement
10 l'une de l'autre. Peu lui importaient leur sexe, leur âge et leur rang social. Ce fait est curieux. D'ordinaire, un homme tue sans discernement lorsqu'il veut se débarrasser de tous ceux qui font obstacle à ses desseins. Mais la progression alpha-
15 bétique nous montre que tel n'était point le cas pour A.B.C[1]. [...] »

« La mort de Betty Barnard m'apporta de nouvelles précisions. La manière dont elle fut tuée me donna fort à réfléchir. (Veuillez m'excuser, mon-
20 sieur Fraser.) D'abord, elle fut étranglée avec sa propre ceinture, elle devait donc être en termes amicaux et même affectueux avec son assassin. [...] »

Agatha Christie, *A.B.C. contre Poirot*,
© Agatha Christie & Librairie des Champs-Élysées, 1950.

1. *A.B.C.* : il s'agit de la signature de l'assassin.

13 Dans chacune de ces démonstrations mathématiques, **replacez** comme il convient les **connecteurs logiques** proposés.

a. Liste : *Si – car – Donc – alors.*

On sait que (EA) et (BF) sont parallèles et que (EA) est perpendiculaire à (AB) (.... AEB est rectangle en A). .... deux droites sont parallèles et qu'une troisième droite est perpendiculaire à l'une .... elle est perpendiculaire à l'autre. .... (AB) est perpendiculaire à (BF).

b. Liste : *Donc – Or – alors – et – Ainsi.*

Dans le triangle BCD, la droite (OK) passe par les milieux des côtés [BD] et [BC]. ...., on sait que O est le milieu de [BD] .... que K est le milieu de [BC]. ...., si une droite passe par les milieux de deux côtés d'un triangle, ... elle est parallèle au troisième côté du triangle. .... les droites (OK) et (DC) sont parallèles.

D'après *Triangle 4e*, © Hatier, 2002.

14 En vous aidant des **connecteurs logiques** en gras, **remettez** le texte dans l'ordre.

a. Ils sont **certes** beaucoup moins nombreux qu'en 1973, date à laquelle 224 000 jeunes quittaient l'école sans atteindre le niveau du CAP ou du BEP. **Mais** ces « sans qualif' » constituent désormais un « noyau dur », estimé à 6 % d'une classe d'âge.

b. Le collège unique affiche de belles réussites. La principale est l'élévation générale du niveau de formation de toute une classe d'âge, que l'on a désignée sous le terme de « massification » […].

c. Ainsi, 57 000 jeunes sortent chaque année du système éducatif sans aucune qualification.

d. Mais, depuis le milieu des années 1990, le système se grippe et ses résultats stagnent, comme s'il avait atteint « son seuil de compétence », selon les mots de Claude Thélot, devenu président du Haut Comité pour l'évaluation de l'école […].

D'après *Le Monde*, 30 mars 2001.

À vos plumes !

15 **Complétez** le texte suivant à l'aide des **connecteurs logiques** de votre choix.

La lecture est indispensable à l'homme .... (locution) elle lui permet d'élargir ses connaissances culturelles .... (locution) il peut découvrir d'autres pays et parcourir d'autres mondes à travers
5 les documentaires.

.... (locution) elle développe ses capacités de réflexion et son sens de l'à-propos. C'est en lisant que l'homme peut s'affirmer et trouver matière à discussion.

10 .... (locution), elle aide les enfants qui ont des difficultés en orthographe .... (adverbe) voir et revoir certains mots permet de mieux les photographier et de mémoriser leur écriture.

.... (adverbe), elle incite à aller au-devant des
15 autres, à découvrir autrui et ses cultures. Elle est une véritable démarche civique.

Il faut .... (conjonction de coordination) lire pour s'ouvrir aux autres et .... (adverbe) se découvrir soi-même.

16 **Illustrez** les arguments suivants à l'aide d'un **exemple** en utilisant un **connecteur logique** pour l'introduire. **Variez** ces connecteurs.

a. Les jeux sont innombrables et variés.

b. Sur Internet on peut découvrir de nombreux services.

c. Les chercheurs sont en alerte : nous assistons à un réchauffement climatique de la planète.

d. L'ouverture des magasins le dimanche est utile à une famille qui travaille.

e. La pratique d'un sport permet de se ressourcer.

f. Manger trop souvent des sucreries nuit à la bonne hygiène bucco-dentaire.

9 La modalisation

Les marques du jugement et des sentiments dans le texte

ACTIVITÉ *J'observe...*

Émile Zola écrit dans le journal L'Aurore, *le 13 janvier 1898, une lettre dénonçant la condamnation du militaire français Alfred Dreyfus, accusé de trahison. Voici la fin de la lettre.*

1. Le président de la République refuse de s'engager pour la révision du procès d'Alfred Dreyfus.

Lettre à M. Félix Faure[1],
président de la République

[...] Telle est donc la simple vérité, monsieur le Président, et elle est effroyable, elle restera pour votre présidence une souillure. Je me doute bien
5 que vous n'avez aucun pouvoir en cette affaire, que vous êtes le prisonnier de la Constitution et de votre entourage. Vous n'en avez pas moins un devoir d'homme, auquel vous songerez, et que
10 vous remplirez. Ce n'est pas, d'ailleurs, que je désespère le moins du monde du triomphe. Je le répète avec une certitude plus véhémente : la vérité est en marche, et rien ne l'arrêtera. [...] quand on enferme la vérité sous terre, elle s'y amasse, elle y
15 prend une force telle d'explosion que, le jour où elle éclate, elle fait tout sauter avec elle. On verra bien si l'on ne vient pas de préparer, pour plus tard, le plus retentissant des désastres.

Mais cette lettre est longue, monsieur le
20 Président, et il est temps de conclure.

Émile Zola, *L'Aurore*, 13 janvier 1898.

« Une » du journal *L'Aurore*.

 Relevez les marques de la présence de l'auteur.

 Quelle est l'opinion de Zola sur l'affaire et quels sont les moyens qu'il utilise pour convaincre le Président d'agir ? Pour répondre, repérez :
– un mot répété trois fois dans l'extrait ;
– le type de phrase et les temps employés lorsqu'il s'adresse au Président ;
– un verbe qui montre son insistance.

3 Quels sont les termes employés par l'auteur pour qualifier l'affaire Dreyfus ? Le vocabulaire est-il valorisant ou dévalorisant ?

4 Dans la phrase surlignée en violet, quels sont l'image et le champ lexical utilisés par l'auteur ? Quel est l'effet produit ?

 Zola est-il confiant quant au dénouement de l'affaire ou émet-il des doutes ? Justifiez votre réponse en citant le texte.

1 Définition

On appelle « **modalisation** » tous les **procédés** qui permettent à l'énonciateur (celui qui parle) d'exprimer son **sentiment** ou son **jugement** sur ce dont il parle (→ CHAPITRE 1).

Ex. Dreyfus fut déclaré coupable. → énoncé **neutre** : on ne sait pas ce que pense l'énonciateur.
Hélas, Dreyfus fut déclaré coupable. → énoncé **modalisé** : l'énonciateur regrette le verdict et met en doute la culpabilité du condamné.

2 Les procédés de la modalisation

● La **construction des phrases**

Les marques de la **1re personne** montrant l'implication de l'énonciateur.	*je, moi, mon, nous…*
Les **verbes** exprimant : – un jugement, une opinion ; – une émotion, un sentiment ; – une impression.	*– croire, penser, juger, prétendre…* *– apprécier, préférer / haïr, exécrer…* *– paraître, sembler…*
Les **constructions impersonnelles**	*il est certain / nécessaire / probable / curieux / préférable que…*
Les **types de phrases** (→ CHAPITRE 13) : – exclamations ; – interrogations ; – injonctions (futur de l'indicatif / impératif).	*– Quel livre !* (admiration) *– Vraiment ?* (doute) *– Vous le défendrez. / Défendez-le !*
Le **mode** des verbes : – conditionnel (→ CHAPITRE 45) ; → Il exprime une action incertaine ou soumise à une condition. – subjonctif (→ CHAPITRE 44). → Il exprime une action dont la réalisation n'est pas certaine car elle est soumise à un désir, à un doute, à une volonté.	*– D'après ses juges, Dreyfus **serait** coupable. D'après ses défenseurs, il **aurait été** accusé à tort.* (→ marque une distance par rapport à l'information rapportée) *– Je <u>doute</u> qu'il **soit** coupable. Je doute qu'il **ait commis** l'acte dont on l'accuse.*
La **typographie** (parenthèses, italique, guillemets).	*D'après le tribunal militaire, Dreyfus serait « un traître ».* (l'énonciateur met le propos à distance grâce aux guillemets)

● Le **vocabulaire**

Les **noms connotés** (→ CHAPITRE 28)	*une affaire judiciaire* (neutre) / *une injustice* (parti pris)…
Les **adjectifs évaluatifs** (→ CHAPITRE 22)	*triomphal / désastreux… assez grave / le plus effroyable…*
Les **adverbes d'opinion** et **locutions**	*évidemment, certainement, sans doute, peut-être, heureusement, malheureusement…*
Les **groupes prépositionnels**	*à mon avis, selon moi, de son point de vue…*
Les **interjections**	*hélas ! zut !* (déception)…
Les **figures de style** (→ CHAPITRE 25) : comparaisons, métaphores, personnifications…	*Quand on enferme la <u>vérité</u> sous terre, elle s'y amasse, elle y prend une **force** telle d'**explosion** que, le jour où elle **éclate**, elle fait tout **sauter** avec elle.* (→ l'image de la catastrophe renforce l'impression de menace)

REMARQUES

• L'auteur combine les procédés pour exprimer son jugement et ses sentiments.
• L'auteur peut énoncer des faits avec certitude ou bien nuancer ses propos.
*Ex. Je suis **sûr** de sa culpabilité, il **doit être** coupable, il est **peu probable** qu'il soit coupable…*

À vos marques !

1 **Vérifiez** que vous savez repérer les différents **procédés de modalisation** :
– la construction des phrases (marque de la présence de l'énonciateur, type de verbe, construction impersonnelle, type de phrase, typographie);
– le vocabulaire (adjectif, adverbe, groupe prépositionnel, interjection).

a. Je pense que lorsqu'on est adolescent, on se laisse souvent influencer.

b. Il semble difficile quelquefois de résister au phénomène de groupe.

c. D'après mes parents, on se laisse « entraîner » (cela me paraît un peu excessif) par les copains.

d. Malheureusement, il faut admettre que, parfois, on se laisse embarquer malgré soi.

e. Serions-nous trop influençables?

f. À mon avis, on peut toujours trouver des camarades raisonnables!

2 **1. Classez** les **verbes** en trois catégories, selon qu'ils expriment une **opinion**, une **émotion** ou une **impression**.

croire – paraître – aimer – avoir l'air – considérer – préférer – penser – exécrer – admettre – ressentir – sembler.

2. Composez trois phrases en utilisant un verbe de chaque catégorie.

Ex. *Je considère que les fous du volant doivent être fortement punis. Je déteste ces inconscients. Il semble que la peur du gendarme conditionne notre conduite.*

3 **Complétez** les phrases suivantes par les **adverbes** proposés.

Liste : *indubitablement – constamment – pourtant – particulièrement – malheureusement – finalement.*

a. La lenteur, aujourd'hui est .... considérée comme un défaut.

b. Il faut .... aller plus vite.

c. On croit gagner du temps mais .... quand on se presse, on passe à côté de l'essentiel.

d. ...., en se dépêchant, on finit par ne jamais jouir des choses.

e. La lenteur est .... l'occasion de maîtriser son geste et son esprit.

f. Certains travaux demandent .... d'être patient et concentré.

4 **Récrivez** ces phrases en employant une **construction impersonnelle**.

Ex. *Les négociations de paix **semblent** avoir commencé.* → **Il semble que** *les négociations de paix aient commencé.*

a. Une fête sera *peut-être* organisée pour accueillir le nouvel élève handicapé.

b. Notre camarade ne se sent *probablement* pas toujours à l'aise parmi nous.

c. Un tel changement *semble* avoir renforcé la solidarité de la classe.

d. Nous nous posons, alors, *certainement* plus de questions sur l'intégration des handicapés à l'école.

e. Nous traitons l'élève *nécessairement* comme n'importe quel camarade, oubliant son handicap.

f. Cette initiative sera *évidemment* suivie par d'autres projets de ce type.

> **Aide** Certaines constructions impersonnelles sont suivies du subjonctif.
> **Ex.** *Il **semble que** le froid se **soit** installé.*
> *Il **se peut qu'**il **fasse** froid. Il est **probable qu'**il **pleuve**.*
> Pour la conjugaison du **subjonctif présent** et **passé** (→ CHAPITRE 44).

5 **1. Complétez** le texte par les **termes péjoratifs proposés**.
2. Remplacez-les par des **termes** ou **expressions mélioratives** afin de modifier l'opinion de l'énonciateur.

Liste : *détestable – de sauvagerie – affreuses – idiots – la plus haïssable, et la plus offensante à dieu – celle des animaux – grossièrement – stupides – timides et lâches – comme des bêtes.*

Ils ignorent l'usage du métal, des armes à feu et de la roue. Ils portent leurs fardeaux sur le dos, ❶ ...., pendant de longs parcours. Leur nourriture est ❷ ...., semblable à ❸ .... . Ils se peignent
5 ❹ .... le corps et adorent des idoles ❺ .... . Je ne reviens pas sur les sacrifices humains, qui sont la marque ❻ .... de leur état. [...] J'ajoute qu'on les décrit ❼ .... comme des enfants ou des ❽ .... . Ils changent très fréquemment de femmes, ce
10 qui est un signe très vrai ❾ .... . Ils ignorent de toute évidence la noblesse et l'élévation du beau sacrement du mariage. Ils sont ❿ .... à la guerre.

D'après Jean-Claude Carrière, *La Controverse de Valladolid*, 1992, © J.-C. Carrière.

6 Relevez, dans ces critiques diverses, le vocabulaire évaluatif : noms, adjectifs qualificatifs, adverbes, verbes.

Ciné / *Mauvaise foi*

Pour son premier film, le comédien Roschdy Zem (*Indigènes*) aborde avec finesse un sujet délicat, sans jamais tomber dans les clichés. Une comédie romantique qui est aussi une belle leçon de tolérance. (D.F.)

Manga / *D. Gray-Man*

L'histoire mêle habilement émotion, héroïsme, action et humour, dans une ambiance sombre et gothique. Elle est servie par un dessin d'une très grande finesse. Un excellent début pour une série prometteuse. (E.B.-L.)

Fantastique / *Le Combat d'hiver,* *Jean-Claude Mourlevat*

On est complètement pris par cette intrigue trépidante dans un univers sombre et complexe. Une histoire d'amitié, qui est aussi un hymne au courage et à la liberté. (B.Q.)

CD / *Eminem*

Résultat : un album inégal mais foisonnant, porté par de très beaux titres dont le *Things need to be changed*, d'Eminem, et le single *They don't know*. (B.Q.)

Le Monde des ados, n° 154, 29 novembre 2006.

7 1. Quels sont les deux **types de phrases** utilisés dans ce texte ? **Relevez** deux exemples de chaque.
2. Quel semble être le **sentiment** de l'auteur ? **Justifiez** votre réponse en relevant d'autres procédés.

Liberté !

De quel droit mettez-vous des oiseaux dans des cages ?
De quel droit ôtez-vous ces chanteurs aux bocages,
Aux sources, à l'aurore, à la nuée, aux vents ?
De quel droit volez-vous la vie à ces vivants ?
5 Homme, crois-tu que Dieu, ce père, fasse naître
L'aile pour l'accrocher au clou de ta fenêtre ?
Ne peux-tu vivre heureux et content sans cela ?
Qu'est-ce qu'ils ont donc fait tous ces innocents-là
Pour être au bagne avec leur nid et leur femelle ?
10 [...]
Prenez garde à la sombre équité. Prenez garde !
Partout où pleure et crie un captif, Dieu regarde.
Ne comprenez-vous pas que vous êtes méchants ?
À tous ces enfermés donnez la clef des champs !

Victor Hugo, *La Légende des siècles*, XXXIII,
« Le cercle des Tyrans », I, 12 mai 1856 (v. 1 à 9 et 25 à 28).

8 Récrivez les énoncés suivants en utilisant des **exclamations** et des **interrogations** afin de bien marquer le **point de vue de l'énonciateur**. Voici quelques formulations possibles : *Comment est-ce possible... ? De quel droit... ? Comment peut-on... ? Est-il normal... ? Quelle chance... ! Il est scandaleux... ! Quelle tristesse... !* (Attention aux modes !)

a. Les enfants sont victimes de violences dans certains pays.
b. L'exploitation des enfants est une réalité dans nos sociétés développées.
c. La malnutrition et la maladie touchent en priorité les nourrissons.
d. Je suis née dans un pays où la nourriture ne manque pas.
e. Tous les pays développés ne s'allient pas pour éradiquer la faim dans le monde.
f. Il faut choisir entre le développement économique et la survie de certaines populations.

9 Mettez ces informations au **mode conditionnel** afin de rendre l'information **probable** et non certaine.

a. La NASA annonce, avant la fin de l'année, un nouveau départ de la navette spatiale.
b. Les autorités mettent en place un processus de paix d'ici la fin du mois.
c. L'assassin est passé par la porte principale sans être vu.
d. La chute de la Bourse entraîne la chute des capitaux.
e. Les explorateurs se sont perdus dans la forêt équatoriale.
f. Notre plus célèbre chanteuse de rock quitte la scène définitivement après sa tournée !

> **Aide** Pour la conjugaison du **conditionnel présent** et **passé** (→ CHAPITRE 45).

10 **Récrivez** ces phrases de façon à présenter l'information comme **incertaine**. **Utilisez** des moyens variés : verbe d'impression, formule impersonnelle, adverbe, phrase interrogative, mode du conditionnel.

Ex. *Le nouveau principal du collège est une femme.*
→ **Il semble que** *le nouveau principal du collège soit une femme.*

a. La classe de 4e 5 part au ski.

b. Tous les élèves sont contents à l'idée de partir.

c. Les professeurs encadrent les cours.

d. Le voyage dure deux semaines.

e. Des cours ont lieu le soir avant le dîner.

11 **Récrivez** les énoncés suivants à l'aide des **éléments proposés** entre parenthèses de façon à exprimer l'opinion de l'énonciateur. (Attention aux modes !)

a. Chaque jour, dans le monde, 14 000 personnes sont contaminées par le virus du sida. (*Il faut savoir que…*)

b. Aujourd'hui encore, 420 millions de personnes sont séropositives. (*Il est intolérable qu'…*)

c. Si l'on veut que les choses changent, il faut changer les mentalités. (*Je pense que…*)

d. Si chaque personne se responsabilise pour se protéger, cela bougera. (*À mon avis…*)

e. Le vaccin du virus sera prêt dans une quinzaine d'années. (*Peut-on espérer…?*)

12 **Ajoutez** aux phrases suivantes des expressions qui mettent en évidence une **opinion personnelle**. **Vous utiliserez** des verbes, des tournures impersonnelles, des adverbes ou GN qui utilisent la 1re personne (*je pense que, je sais que, je doute que, il me semble, il me paraît normal, à mon avis, personnellement…*).

a. L'image, aujourd'hui, sur Internet, à la télévision ou dans les publicités peut être dangereuse.

b. L'image, quelquefois, est utilisée à mauvais escient et de façon perverse.

c. Les parents doivent surveiller ce que les adolescents regardent à la télévision ou sur Internet.

d. Je mets sur mon blog des photos et des films mais je fais attention à ne blesser personne ou à ne mettre personne en cause.

e. Tous les adolescents n'ont pas conscience du mal qu'ils font en filmant n'importe quoi avec leurs portables.

f. La législation devrait être plus sévère sur l'utilisation de l'image.

13 **1. Les énoncés** suivants exposent **diffé-rentes opinions**. **Précisez** à chaque fois si l'énonciateur **dénonce** le propos, y **adhère**, le présente comme **peu probable** ou ne s'im-plique pas du tout.
2. Vous préciserez le procédé utilisé pour mar-quer le point de vue (vocabulaire évaluatif, adverbe, mode du conditionnel, formule imper-sonnelle, exclamation, interrogation).

a. Les très sérieuses expéditions scientifiques enrichissent le savoir de notre humanité.

b. Ces voyages sont excessivement coûteux.

c. Selon certains éminents scientifiques, les extraterrestres existeraient.

d. Il est probable que la vie existe dans l'espace.

e. Soignons nos malades et nourrissons les peu-ples affamés avant d'aller voir ailleurs !

f. Des messages de paix ont été envoyés dans l'espace ainsi que de la musique.

14 **1. Dans cette réplique, quelle est l'opi-nion** d'Angélique sur le mariage ?
2. Relevez les **procédés** qui marquent sa prise de position.
3. Quelles remarques pouvez-vous faire sur la phrase soulignée ?

George Dandin ne s'accommode pas du comporte-ment de sa femme dans le monde.

ANGÉLIQUE. – Oh ! les Dandin s'y accoutumeront s'ils veulent. Car, pour moi, je vous déclare que mon dessein n'est pas de renoncer au monde et de m'enterrer toute vive dans un mari.
5 Comment ! parce qu'un homme s'avise de nous épouser, il faut d'abord que toutes choses soient finies pour nous, et que nous rompions tout commerce avec les vivants ? C'est une chose merveilleuse que cette tyrannie de Messieurs
10 les maris, et je les trouve bons de vouloir qu'on soit morte à tous les divertissements, et qu'on ne vive que pour eux. Je me moque de cela, et ne veux point mourir si jeune.
[…] Pour moi, qui ne vous ai point dit de vous
15 marier avec moi et que vous avez prise sans consulter mes sentiments, je prétends n'être point obligée à me soumettre en esclave à vos volontés ; et je veux jouir, s'il vous plaît, de quelque nombre de beaux jours que m'offre la
20 jeunesse, prendre les douces libertés que l'âge me permet, voir un peu de beau monde, et goû-ter le plaisir de m'ouïr dire des douceurs.

Molière, *George Dandin ou le Mari confondu*, I, 4, 1668.

15 **Repérez** dans ces phrases les **divers procédés de modalisation** utilisés pour marquer l'attitude du locuteur face à son énoncé.

a. Ah! La famille, quel lourd fardeau parfois!

b. Il faut constamment faire des efforts pour que tout le monde s'entende bien.

c. Il est fréquent que la famille s'agrandisse le week-end avec les enfants de mes beaux-parents.

d. Alors, là! C'est la guerre pour la salle de bains, la télé, et c'est chacun pour soi!

e. Famille nombreuse, famille heureuse, non?

16 **Modifiez** les énoncés à l'aide de **tous les procédés de modalisation étudiés** (interjection, construction impersonnelle, mode des verbes…).

a. L'obésité est un fléau qui commence à toucher les enfants et les adolescents français.

b. Nous sommes tentés par la publicité qui présente des produits alléchants.

c. Lorsqu'on regarde la télévision ou quand on joue au jeu vidéo, on se laisse aller au grignotage.

d. L'équilibre alimentaire n'est pas une priorité pour un adolescent.

e. Un adolescent de quinze ans doit manger en quantité suffisante mais de façon équilibrée.

f. Un repas au fast-food, c'est environ 1800 calories en une fois, soit l'apport quotidien en énergie.

g. Se faire plaisir de temps en temps et rester raisonnable souvent est un bon compromis.

17 **Relevez** les éléments du texte qui laissent supposer une **opinion** (que vous préciserez) et ceux qui **marquent une distance** par rapport à l'information donnée.

Steak Aztèque

Une vraie boucherie! Des chercheurs mexicains ont découvert que les 550 membres d'une expédition espagnole ont été exterminés par les Aztèques[1] en 1520. Grâce aux ossements trouvés sur le site de Tecuaque à Mexico, ils ont reconstitué les derniers instants des malheureux, sacrifiés sur l'autel des dieux. Après leur capture, ils ont eu le cœur arraché, puis les membres… Les restes ont été cuits et, d'après les traces de dents sur les os, dévorés par les bourreaux. Bigre! Les Indiens se seraient ainsi vengés de l'assassinat de leur roi, Cacamatzin. Cette découverte confirme que les Aztèques ne se sont pas spontanément soumis aux conquistadors[2], les prenant pour des dieux. Il y a manifestement eu de fortes résistances à l'envahisseur.

Fabrice Nicot, *Science et Vie junior*, n° 205, octobre 2006.

1. *Aztèques*: peuple et civilisation que les Espagnols trouvèrent au Mexique.
2. *conquistadors*: conquérants espagnols du Nouveau Monde.

À vos plumes !

18 **Illustrez** la photo de l'Unicef ci-contre par un texte qui porte un **jugement** et incite à lutter contre l'enrôlement des enfants dans la guerre.

19 **Écrivez** une courte **critique** de film, de jeu vidéo, de livre (BD, roman, manga…) **ou de CD** qui vous a marqué dernièrement. Vous pouvez émettre un jugement positif ou négatif. Aidez-vous de l'EXERCICE 6.

20 **Reprenez** le texte « Liberté » de Victor Hugo (→ EXERCICE 7), et à votre tour écrivez un **texte défendant les animaux enfermés dans les zoos**. Vous utiliserez les mêmes types de phrases.

Enfants soldats au Soudan, 2001
(des enfants déposent leurs armes).

Argumenter pour défendre

L'affaire Calas

Jean Calas est accusé d'avoir tué son fils, car ce dernier, protestant, s'était converti au catholicisme malgré la volonté de son père. Jean Calas a été condamné au supplice de la roue puis exécuté. Un an après, Voltaire revient sur l'affaire Calas et cherche à prouver l'innocence de ce père de famille.

Il paraissait impossible que Jean Calas, vieillard de soixante-huit ans, qui avait depuis longtemps les jambes enflées et faibles, eût seul étranglé et pendu son fils âgé de vingt-huit ans, qui était d'une force au-dessus de l'ordinaire ; il fallait absolument qu'il eût été assisté dans cette exécution par sa femme, par son fils Pierre
5 Calas, par Lavaisse[1] et par la servante. Ils ne s'étaient pas quittés un seul moment le soir de cette fatale aventure. Mais cette supposition était aussi absurde que l'autre : comment une servante zélée catholique aurait-elle pu souffrir que des huguenots[2] assassinassent un jeune homme, élevé par elle, pour le punir d'aimer la religion de la servante ? Comment Lavaisse, serait-il venu exprès de Bordeaux pour
10 étrangler son ami dont il ignorait la conversion[3] prétendue ? Comment une mère tendre aurait-elle mis les mains sur son fils ? Comment tous ensemble auraient-ils pu étrangler un jeune homme aussi robuste qu'eux tous, sans un combat long et violent, sans des cris affreux qui auraient appelé tout le voisinage, sans des coups réitérés, sans des meurtrissures, sans des habits déchirés ?

15 Il était évident que, si le parricide[4] avait pu être commis, tous les accusés étaient également coupables, parce qu'ils ne s'étaient pas quittés d'un moment : il était évident qu'ils ne l'étaient pas ; il était évident que le père seul ne pouvait l'être ; et cependant l'arrêt condamna ce père à expirer sur la roue[5].

Voltaire, *Traité sur la tolérance*, 1763.

1. *Lavaisse* : ami de la famille.
2. *huguenots* : protestants.
3. *conversion* : changement de religion.
4. *parricide* : personne qui attente à la vie de très proches parents.
5. *roue* : supplice qui consiste à briser les membres du supplicié.

→ CHAPITRE 7 **Le discours explicatif et le discours argumentatif**
→ CHAPITRE 8 **Les connecteurs logiques**
→ CHAPITRE 9 **La modalisation**

QUESTIONS

La démonstration de l'innocence (lignes 1 à 6)

1. Quelle présentation Voltaire fait-il de Jean Calas et de son fils ?

a. Relevez un terme doté d'une connotation péjorative désignant le père et expliquez la formation de ce mot. Pourquoi Voltaire choisit-il ce terme pour désigner l'homme qu'il veut défendre ? (→ Aide 1)

b. Relevez les expressions qui caractérisent la corpulence des personnages. (→ Aide 2)

2. Comment Voltaire démontre-il alors en ce début de texte l'innocence du père ?

3. Que suppose-t-il par conséquent sur le déroulement du drame ?

4. Quels sont les termes utilisés par Voltaire pour marquer une distance vis-à-vis de l'accusation ? Relevez un nom et un adjectif.

Les objections (lignes 6 à 14)

5. Quelles sont, selon Voltaire, les raisons qui disculpent chacun des personnages ?

6. Quels procédés de modalisation utilise-t-il ? Repérez le type de phrase, le mode et le temps des verbes, le vocabulaire évaluatif.

7. Quel est le connecteur logique qui démarre l'argumentation de ce passage ? Donnez-en la valeur. (→ Aide 3)

Le jugement et la détermination de Voltaire (lignes 15 à 18)

8. a. Quelle est la conclusion donnée par Voltaire ?

b. Comment Voltaire montre-t-il sa détermination dans cette conclusion ? De quel type de construction s'agit-il ?

9. a. Quel connecteur logique à la fin du texte insiste sur l'absurdité du jugement ?

b. Donnez un synonyme de ce connecteur logique. Quelle en est la valeur ? (→ Aide 3)

> **Aide 1**
> Pour les **connotations**
> (→ CHAPITRE 28).

> **Aide 2**
> Pour le vocabulaire se rapportant aux **caractéristiques physiques** d'un personnage
> (→ CHAPITRE 27).

> **Aide 3** Les synonymes sont des mots de **sens très proches**
> (→ CHAPITRE 24).

ÉVALUATION 3

RÉÉCRITURE

■ Récrivez la phrase des lignes 15 à 18 (*Il était évident que… à expirer sur la roue.*) au système du présent en respectant la concordance des temps.

RÉDACTION

■ Imaginez le dialogue entre un magistrat, persuadé de la culpabilité de Calas, et Voltaire convaincu de son innocence. Vous reprendrez la démonstration et les objections de Voltaire que vous mêlerez aux accusations du magistrat.

Ex. *Le magistrat, qui ne doutait pas de la culpabilité du vieux Calas, regarda longuement Voltaire et commença :*
« Comment, Monsieur Voltaire, osez-vous soutenir que Jean Calas est innocent du crime dont on l'accuse ? »
Voltaire se leva alors et prit la parole : …

Aide pour la rédaction

Le sujet de rédaction propose un dialogue argumenté.
Pour réussir cet exercice, aidez-vous des arguments de Voltaire et demandez-vous :

– *Comment dois-je organiser mon dialogue (tirets, guillemets, verbes de dialogue, temps de l'énonciation) ?*
– *Quels sont les arguments de Voltaire que je dois reprendre ?*
– *Quels sont ceux que je peux imaginer qui prouveraient la culpabilité de Calas ?*
– *Quels procédés de modalisation puis-je utiliser pour appuyer mon argumentation ?*
– *Quels connecteurs logiques, de valeurs différentes, puis-je utiliser afin de construire mon argumentation ?*

10 Les substituts du nom

▶ Fernand Khnopff (1858-1921), *Les Lèvres rouges*, 1897 (collection privée, Belgique).

Dans une église, le narrateur suit la cérémonie qui va faire de lui un prêtre, lorsqu'il aperçoit quelqu'un...

Je levai par hasard ma tête, que j'avais jusque-là tenue inclinée, et j'aperçus devant moi, si près que j'aurais pu la toucher, quoique en réalité elle fût à une assez grande distance et de l'autre côté de la balus-
5 trade, une jeune femme d'une beauté rare et vêtue avec une magnificence royale. Ce fut comme si des écailles me tombaient des prunelles[1]. J'éprouvai la sensation d'un aveugle qui recouvrerait subitement la vue. L'évêque, si rayonnant tout à l'heure, s'étei-
10 gnit tout à coup, les cierges pâlirent sur leurs chandeliers d'or comme les étoiles au matin, et il se fit par toute l'église une complète obscurité. La charmante créature se détachait sur ce fond d'ombre comme une révélation angélique ; elle semblait éclairée d'elle-
15 même et donner le jour plutôt que le recevoir.

Je baissai la paupière, bien résolu à ne plus la relever pour me soustraire à l'influence des objets extérieurs ; car la distraction m'envahissait de plus en plus, et je savais à peine ce que je faisais.

Une minute après, je rouvris les yeux, car à travers mes cils je la voyais étin-
20 celante des couleurs du prisme[2], et dans une pénombre pourprée[3] comme lorsqu'on regarde le soleil.

[...] Cette femme était un ange ou un démon, et peut-être tous les deux...

Théophile Gautier, *Récits fantastiques*, « La morte amoureuse », 1836.

1. *prunelles* : yeux.

2. *prisme* : objet qui décompose les couleurs de la lumière.
3. *pourprée* : colorée de rouge.

1 **a.** Que voit le jeune homme dans l'église ?
b. Quel groupe de mots dans la première phrase vous a permis de répondre ? Quelle est sa classe grammaticale ?
c. Sur quelles caractéristiques de la femme ce groupe de mots insiste-t-il ?
d. Relevez, dans la suite du paragraphe 1, trois autres mots ou groupes de mots qui la désignent.

2 **a.** *[...] à travers mes cils je la voyais étincelante des couleurs du prisme* (l. 19-20). Qui le narrateur voit-il à travers ses cils ?
b. À quelle classe grammaticale appartient le terme qui désigne ce personnage dans cette proposition ?

3 **a.** Dans la dernière phrase de l'extrait, quel groupe nominal désigne le personnage ?
b. Dans ce GN, quel mot vous permet d'affirmer qu'il s'agit de la femme évoquée au début du texte ?

① La substitution

Dans un texte, **pour éviter les répétitions,** on utilise des éléments pouvant remplacer un nom : ce sont les **substituts du nom.** Ces substituts sont classés en deux catégories :
– les substituts lexicaux (→ CHAPITRE 21) ;
– les substituts pronominaux (→ CHAPITRE 11).

② Les substituts lexicaux

Ce sont des **groupes nominaux** :

GROUPES NOMINAUX	EXEMPLES
● **Le nom repris** avec : – un **déterminant** différent (→ CHAPITRE 12) Au début d'un texte, le déterminant sera plutôt **indéfini** (*un / une…*). Ensuite il sera plus **précis** (*le / la, ce…*).	*une jeune femme* → ***cette** jeune femme*, ***la** jeune femme*
– une **expansion du nom** différente (→ CHAPITRE 21) (adjectif, GN complément du nom, prop. sub. relative)	*une jeune femme* → *cette femme **magnifique**, une femme **d'une beauté rare**, la femme **qui s'avançait***
● **Un synonyme** (→ CHAPITRE 24) Son sens peut être : – **plus précis** que celui du nom repris (**spécifique**) – **moins précis** que celui du nom repris (**générique**)	*une jeune femme* → *une jeune **courtisane**…* → *une jeune **créature**…*
● **Une périphrase** (expression qui définit le nom repris)	*Vénus* → *la déesse de l'amour et de la beauté*

ATTENTION Les substituts lexicaux ont souvent des **connotations** positives ou négatives (→ CHAPITRE 28).

> **Ex.** *Une charmante créature* (mélioratif) / *une courtisane* (péjoratif)

③ Les substituts pronominaux

Les **substituts pronominaux** regroupent différentes classes de pronoms (→ CHAPITRE 11) :

PRONOMS	EXEMPLES
● Le pronom personnel de 3ᵉ personne (*il, elle, le, la, lui, leur, ils, elles, les, eux, en…*)	***Elle** semblait éclairée d'**elle-même**.* (= la femme)
● Le pronom possessif (*le mien, la tienne, les siennes, la nôtre, les vôtres…*)	*Il plongea ses yeux dans **les siens**.* (= les yeux de la femme)
● Le pronom démonstratif (*celui-ci, celle-là, ceux-ci…*)	*Je la voyais. **Celle-ci** me regarda à son tour.* (= la femme)
● Le pronom indéfini (*les uns, les autres, certains, plusieurs, chacun…*)	*Les cierges pâlirent sur leurs chandeliers d'or comme les étoiles au matin. **Chacun** d'eux avait perdu son éclat.*
● Le pronom relatif (→ CHAPITRE 23) (*qui, que, quoi, dont, où, auquel, laquelle…*)	*La charmante créature **qui** se détachait sur ce fond d'ombre […] semblait éclairée d'elle-même.*

ATTENTION Certains pronoms varient **en genre** et **en nombre** selon le nom qu'ils reprennent.

> **Ex. Celui-ci/Celle-ci** *me regarda à son tour.* **Ceux-ci/Celles-ci** *me regardèrent.*

EXERCICES *J'applique...*

À vos marques !

1 **Vérifiez** que vous savez repérer, pour le groupe souligné :
– **trois substituts lexicaux** ;
– **un substitut pronominal.**

Le narrateur évoque une soirée avec ses amis…

Le plus âgé d'entre nous, Flamand d'origine, fumait sa pipe d'un air distrait, et ne disait mot. Son air froid et sa distraction me faisaient spectacle à travers ce charivari discordant[1] qui nous
5 étourdissait, et m'empêchait de prendre part à une conversation trop peu réglée pour qu'elle eût de l'intérêt pour moi.

Nous étions dans la chambre du fumeur ; la nuit s'avançait : on se sépara, et nous demeurâ-
10 mes seuls, notre ancien et moi.

Il continua de fumer flegmatiquement[2] ; je demeurai les coudes appuyés sur la table, sans rien dire. Enfin notre homme rompit le silence.

Jacques Cazotte, *Le Diable amoureux*, 1772.

1. *ce charivari discordant* : ce bruyant désordre.
2. *flegmatiquement* : calmement.

2 Dans le texte suivant, **relevez** tous les substituts de *Frédéric.*

Les parents de Frédéric surveillent de près ses études.

Irrités de sa paresse, ils le mirent pensionnaire au collège ; et il ne travailla pas davantage, moins surveillé qu'à la maison, enchanté de ne plus sentir toujours peser sur lui des yeux sévères.
5 Aussi, alarmés des allures émancipées[1] qu'il prenait, finirent-ils par le retirer, afin de l'avoir de nouveau sous leur férule[2]. Il termina sa seconde et sa rhétorique, gardé de si près, qu'il dut enfin travailler : sa mère examinait ses cahiers, le for-
10 çait à répéter ses leçons, se tenait derrière lui à toute heure, comme un gendarme. Grâce à cette surveillance, Frédéric ne fut refusé que deux fois aux examens du baccalauréat.

Aix possède une école de droit renommée, où le
15 fils Rostand prit naturellement ses inscriptions.[…]

[…] Le jeune homme se trouva être un joueur passionné ; il passait au jeu la plupart de ses soirées, et les achevait ailleurs.

Émile Zola, *Naïs*, 1883.

1. *émancipées* : libérées. **2.** *sous leur férule* : sous leur autorité.

3 **1. Indiquez**, pour chaque élément souligné, s'il s'agit d'un **déterminant** ou d'un **pronom.**
2. Dans le cas d'un pronom, **précisez** l'élément qu'il remplace.

Le Danseur de corde et le Balancier

Sur la corde tendue un jeune voltigeur
Apprenait à danser ; et déjà son adresse,
 Ses tours de force, de souplesse,
 Faisaient venir maint[1] spectateur.
5 Sur son étroit chemin on le voit qui s'avance,
Le balancier en main, l'air libre, le corps droit,
 Hardi, léger autant qu'adroit ;
Il s'élève, descend, va, vient, plus haut s'élance,
 Retombe, remonte en cadence,
10 Et, semblable à certains oiseaux
Qui rasent en volant la surface des eaux,
 Son pied touche, sans qu'on le voie,
À la corde qui plie et dans l'air le renvoie.
Notre jeune danseur, tout fier de son talent,
15 Dit un jour : à quoi bon ce balancier pesant
 Qui me fatigue et m'embarrasse ? […]
Aussitôt fait que dit. Le balancier jeté,
Notre étourdi chancelle, étend les bras et tombe,
Il se casse le nez, et tout le monde rit.
20 Jeunes gens, jeunes gens, ne vous a-t-on pas dit
Que sans règle et sans frein tôt ou tard on suc-
       [combe ?

Florian, *Fables*, 1792 (v. 1 à 16 et 19 à 23).

1. *maint* : de nombreux.

> **Aide** Le **déterminant** se trouve **devant un nom**.
> Le **pronom** remplace un élément du texte ; il se trouve **devant un verbe**.

4 **Complétez** le texte suivant en utilisant des **déterminants** variés.

Liste : *ce – cinq – le – les* (2 fois) *– quatre – six – un.*

Petits pots de crème

Prenez **1** …. œufs et 80 g de sucre. Cassez **2** …. œuf et battez-le. Ajoutez le jaune des **3** …. autres œufs. Mélangez avec **4** …. sucre. Versez du lait chaud sur **5** …. mélange sans cesser de
5 tourner pour que **6** …. œufs ne cuisent pas. Répartissez toute la préparation dans **7** …. ramequins. Enfournez **8** …. ramequins pendant une demi-heure, thermostat 5.

5 **Corrigez** le devoir de Baptiste. **Récrivez** les phrases pour supprimer l'**ambiguïté** des **pronoms substituts**.

Revois les pronoms substituts dans ton texte : ils sont ambigus !

Quand Molière écrit son Tartuffe en 1665, il ne plaît pas à tout le monde, car il s'y attaque à l'hypocrisie religieuse. Beaucoup de gens, appartenant au parti des dévots sont choqués, mais d'autres apprécient l'œuvre. Dès sa sortie ils la font interdire. Il écrit alors au roi Louis XIV pour lui demander d'intervenir en sa faveur. Il promet de lire la pièce. Au bout de dix-huit mois, il peut enfin la faire jouer librement : sa première représentation a lieu le 5 février 1666.

6 **Complétez** le texte suivant en utilisant des **pronoms** substituts variés.

Liste : *celui-ci – Il – la sienne – lui – qui* (2 fois).

M. de Granville était un gentilhomme serviable ❶ .... était sensible aux idées des Lumières. ❷ .... gérait son domaine avec humanité. Quand les paysans rencontraient leur maître, ils ne man-
5 quaient jamais de ❸ .... témoigner leur respect. Les notables voisins reconnaissaient également les grandes qualités de ❹ .... . Il mettait toujours ses attelages à la disposition des autres. Si quelqu'un venait à manquer d'une voiture, il
10 prêtait aussitôt ❺ .... . Jamais sa générosité ne fut prise en défaut. Chacun disait : « Voilà un homme ❻ .... mérite le respect. »

7 **Remplacez** les noms soulignés par un synonyme de sens **spécifique**.

Ex. une œuvre → une sculpture (terme spécifique).
a. Le bâtiment donnait directement sur la vallée.
b. Ce lieu donnait envie de se recueillir.
c. Aussitôt l'homme s'installa à la fenêtre.
d. Il observa longuement les animaux.
e. Ceux-ci se nourrissaient paisiblement de végétaux.
f. Soudain le ciel s'obscurcit et le vent se leva.
g. Un oiseau poussa un cri lugubre.
h. L'homme prit ses affaires et se rendit auprès de sa monture.
i. Il ajusta le col de son vêtement, sauta en selle et s'éloigna.

8 **Indiquez** ce que représente chaque **substitut** souligné dans le texte. (Vous pourrez présenter vos réponses sous forme de tableau.)

Lors d'une soirée entre amis, une surprise effrayante attend les invités…

À ces mots, il tira de sa poche une main d'écorché ; cette main était affreuse, noire, sèche, très longue et comme crispée, les muscles, d'une force extraordinaire, étaient retenus à l'intérieur et à
5 l'extérieur par une lanière de peau parcheminée[1], les ongles jaunes, étroits, étaient restés au bout des doigts ; tout cela sentait le scélérat[2] d'une lieue. « Figurez-vous, dit mon ami, qu'on vendait l'autre jour les défroques[3] d'un vieux sorcier
10 bien connu dans toute la contrée. […] Toujours est-il que ce vieux gredin[4] avait une grande affection pour cette main, qui, disait-il, était celle d'un célèbre criminel supplicié en 1736, pour avoir jeté, la tête la première, dans un puits sa femme
15 légitime, ce quoi faisant je trouve qu'il n'avait pas tort, puis pendu au clocher de l'église le curé qui l'avait marié. Après ce double exploit, il était allé courir le monde et dans sa carrière aussi courte que bien remplie, il avait détroussé douze
20 voyageurs, enfumé une vingtaine de moines dans leur couvent et fait un sérail[5] d'un monastère de religieuses. – Mais que vas-tu faire de cette horreur ? nous écriâmes-nous. – Eh parbleu, j'en ferai mon bouton de sonnette pour effrayer mes
25 créanciers. »

Guy de Maupassant, *La Main d'écorché*, 1875.

1. *parcheminée* : qui ressemble à du parchemin.
2. *scélérat* : criminel.
3. *défroques* : vieilles affaires.
4. *gredin* : escroc (familier).
5. *sérail* : harem.

9 **Classez** les **substituts** soulignés: GN (avec un changement de déterminant ou d'expansion), **synonyme**, **périphrase** ou **pronom**.

Diderot était un philosophe. Cet auteur du XVIIIᵉ siècle avait des idées qui faisaient de lui un homme des Lumières. Pour diffuser ces idées, il écrivit de nombreuses œuvres. Parmi celles-ci,
5 se trouve un ouvrage collectif majeur: l'*Encyclopédie*. D'autres penseurs y collaborèrent avec lui. Ce philosophe y rédigea plusieurs articles. Mais le philosophe écrivit aussi des textes de fiction et des mémoires sur les mathémati-
10 ques notamment. Notre auteur se lia également à certains souverains et s'intéressa à la manière de gouverner. L'homme qui, avec d'Alembert, entreprit de regrouper en une Encyclopédie toutes les connaissances de ses contemporains
15 aura laissé une forte empreinte dans son époque.

10 **Relevez** tous les **substituts** des groupes soulignés.

On conservait, par charité, dans le fond de l'écurie, un très vieux cheval blanc que la maîtresse voulait nourrir jusqu'à sa mort naturelle, parce qu'elle l'avait élevé, gardé toujours, et qu'il
5 lui rappelait des souvenirs.

Un goujat[1] de quinze ans, nommé Isidore Duval, et appelé plus simplement Zidore, prenait soin de cet invalide, lui donnait, pendant l'hiver, sa mesure d'avoine et son fourrage, et
10 devait aller, quatre fois par jour, en été, le déplacer dans la côte où on l'attachait, afin qu'il eût en abondance de l'herbe fraîche.

L'animal, presque perclus, levait avec peine ses jambes lourdes, grosses des genoux et enflées au-
15 dessus des sabots. Ses poils, qu'on n'étrillait plus jamais, avaient l'air de cheveux blancs, et des cils très longs donnaient à ses yeux un air triste.

Quand Zidore le menait à l'herbe, il lui fallait tirer sur la corde, tant la bête allait lentement;
20 et le gars, courbé, haletant, jurait contre elle, s'exaspérant d'avoir à soigner cette vieille rosse.

Les gens de la ferme, voyant cette colère du goujat contre Coco, s'en amusaient, parlaient sans cesse du cheval à Zidore, pour exaspérer le
25 gamin. Ses camarades le plaisantaient. On l'appelait dans le village Coco-Zidore.

Guy de Maupassant, *Coco*, 1884.

1. *goujat*: désignait autrefois un valet, puis un homme grossier.

ORTHOGRAPHE

11 **Replacez** les **substituts** proposés pour remplacer *plusieurs hommes*. (Aidez-vous des accords et du sens.)

Liste: *Le sixième – deux d'entre eux – le dernier – ses compagnons – deux autres – les – un troisième.*
Georges Vine, le héros de la nouvelle, est interné et découvre son nouvel environnement.

[…] Il ne se trouvait pas dans une cellule mais dans une grande salle commune au troisième étage. Il y avait avec lui plusieurs hommes. Il
❶ …. observait attentivement **❷** …. jouaient aux
5 dames, assis à même le plancher **❸** …., installé dans un fauteuil, avait les yeux fixés dans le vide **❹** …., appuyés contre les barreaux d'une fenêtre ouverte, regardaient au-dehors et poursuivaient une conversation très raisonnable à bâtons rom-
10 pus **❺** …. lisait un magazine **❻** …., assis dans un coin, égrenait des arpèges harmonieux sur un piano absent.

Il contemplait **❼** …., appuyé contre un mur. Il était là depuis deux heures, deux heures qui lui
15 avaient paru deux années.

D'après Frederic Brown, *Une étoile m'a dit*, « Tu seras fou », trad. J. Papy, © Denoël, 1954.

Aide Un substitut peut ne reprendre qu'une partie d'un élément du texte: c'est un **substitut partiel**.

Ex. Un **groupe d'éléphants** *s'abreuvait.* **Le plus grand d'entre eux** *barrissait terriblement.* **Les femelles** *aspergeaient leur petit, tandis qu'un* **jeune mâle** *se roulait dans la boue.*

RÉÉCRITURE

12 **Récrivez** le texte en remplaçant *un chat* par *deux chats* et *Pluton* par *Pluton et Orion*.
Le narrateur adore les animaux.

Nous eûmes des oiseaux, un poisson doré, un beau chien, des lapins, un petit singe et un chat.

Ce dernier était un animal remarquablement fort et beau, entièrement noir, et d'une sagacité[1]
5 merveilleuse. […]

Pluton, – c'était le nom du chat, – était mon préféré, mon camarade. Moi seul, je le nourrissais, et il me suivait dans la maison partout où j'allais. Ce n'était même pas sans peine que je
10 parvenais à l'empêcher de me suivre dans les rues.

E. A. Poe, *Nouvelles Histoires extraordinaires*, « Le chat noir », trad. Ch. Baudelaire, 1857.

1. *sagacité*: perspicacité, intuition.

13 **Récrivez** le texte en remplaçant *Guéorguy Ivanytch Orlov* par *Anna Serguéïevna*.

Pour des raisons dont ce n'est pas le moment de parler en détail, j'avais été forcé d'entrer comme valet de chambre chez un fonctionnaire pétersbourgeois[1]. Il avait quelque trente-cinq ans
5 et s'appelait Guéorguy Ivanytch Orlov.

J'étais entré au service de cet Orlov à cause de son père, homme d'État connu, que je tenais pour un adversaire sérieux dans mon affaire.

J'escomptais que, vivant chez le fils, grâce aux
10 conversations que j'entendrais et aux documents et aux notes que je trouverais sur la table, j'étudierais en détail les projets et les intentions du père.

Généralement, à onze heures du matin, la son-
15 nette électrique crépitait dans ma chambre de service, me faisant savoir que mon maître était réveillé.

Anton Tchekhov, *Récit d'un inconnu*, 1893,
trad. V. Volkoff, © Lausanne, L'Âge d'homme, 1993.

1. *pétersbourgeois*: de Saint-Pétersbourg, en Russie.

À vos plumes !

14 **1. Repérez** les **substituts** utilisés pour les trois personnages: Angelo, Cristina et le berger.
2. Écrivez la suite du texte suivant en utilisant des **substituts variés** pour désigner Angelo, Cristina et le berger. Vous **évoquerez** par exemple une rencontre entre Cristina et le berger, et la déclaration de celui-ci.

Dans un village perdu, Angelo vit seul avec son père.

Quoi qu'il en fût, tout le village adorait Angelo ainsi qu'une créature sauvage, très jolie, une certaine Cristina qui ressemblait plus à une gitane que toutes les autres femmes que j'ai rencontrées
5 dans ces régions. Les lèvres écarlates[1], les yeux d'un noir profond, sa constitution évoquait celle d'un lévrier. En prime, elle manifestait une si mauvaise langue que le diable lui-même eût évité de discuter avec elle. Angelo ne se souciait pas le
10 moins du monde de cette fille. C'était un gaillard tout simple, un peu simplet même, bien différent de son vieux filou de père, et qui, dans ce que j'appellerais des circonstances normales, n'aurait jamais levé les yeux sur aucune femme,
15 hormis sur la jolie créature potelée[2] et bien dotée que son père désirait le voir épouser. Mais les circonstances devinrent vite anormales.

Un très joli berger travaillant dans les collines qui dominent Maratea était amoureux de
20 Cristina – laquelle ne lui avait jamais montré qu'indifférence.

F. M. Crawford, *Car la vie est dans le sang*, 1880,
in *Les Cent Ans de Dracula*, Librio, n° 160,
trad. J. Finné, © J. Finné, 1987.

1. *écarlates*: rouges.
2. *potelée*: grassouillette.

15 **1. Inventez** une **périphrase** pour désigner chaque élément proposé.
2. Utilisez-la dans un court texte descriptif qui portera sur l'élément de votre choix.

Ex. le soleil → *l'astre du jour.*

a. *la jeunesse.*
b. *la vieillesse.*
c. *le tonnerre.*
d. *l'aigle.*
e. *le ciel.*
f. *le vent.*

16 **Rédigez** le **portrait** de ces personnages. Pour préparer votre texte, **imaginez** des **substituts** lexicaux variés que vous emploierez.

Judson Huss (né en 1942), *Le Dormeur*, 1985
(collection particulière).

ACTIVITÉ · J'observe...

Iphicrate et son serviteur Arlequin sont deux naufragés. Iphicrate pense qu'il faut rechercher d'autres survivants.

ARLEQUIN. – Cherchons, il n'y a pas de mal à cela ; mais reposons-nous auparavant pour boire un petit coup d'eau-de-vie ; j'ai sauvé ma pauvre bouteille, la voilà ; j'en boirai les deux tiers, comme de raison, et puis je vous donnerai le reste.

5 IPHICRATE. – Eh ! Ne perdons point de temps, suis-moi ; ne négligeons rien pour nous tirer[1] d'ici. Si je ne me sauve, je suis perdu ; je ne reverrai jamais Athènes, car nous sommes dans l'île des Esclaves.

ARLEQUIN. – Oh ! Oh ! Qu'est-ce que c'est que cette race-là ?

IPHICRATE. – Ce sont des esclaves de la Grèce révoltés contre leurs maîtres, et
10 qui depuis cent ans sont venus s'établir sur une île, et je crois que c'est ici ; tiens, voici sans doute quelques-unes de leurs cases[2] ; et leur coutume, mon cher Arlequin, est de tuer tous les maîtres qu'ils rencontrent, ou de les jeter dans l'esclavage.

ARLEQUIN. – Eh ! Chaque pays a sa coutume ; ils
15 tuent les maîtres, à la bonne heure[3] ; je l'ai entendu dire aussi, mais on dit qu'ils ne font rien aux esclaves comme moi.

IPHICRATE. – Cela est vrai.

ARLEQUIN. – Eh ! Encore vit-on[4].

20 IPHICRATE. – Mais je suis en danger de perdre la liberté, et peut-être la vie : Arlequin, cela ne te suffit-il pas pour me plaindre ?

ARLEQUIN, *prenant sa bouteille pour boire*. – Ah ! Je vous plains de tout mon cœur, cela est juste.

Marivaux, *L'Île des Esclaves*, scène 1, 1725.

Notes :
1. *tirer* : retirer (partir).
2. *cases* : habitations.
3. *à la bonne heure* : très bien, tant mieux pour eux.
4. *Encore vit-on* : nous sommes encore en vie.

► Sydney Wernicke (Arlequin) et Fabio Zenoni (Iphicrate), mise en scène d'Irina Brook, au Théâtre de l'Atelier, Paris (2005).

1
a. Dans la première réplique du texte, qui parle ? À qui ?
b. Quels personnages sont désignés par *je* et *vous* ?
c. *J'en boirai les deux tiers* (l. 3) : de quoi Arlequin boira-t-il les deux tiers ?
Le mot qui vous a permis de répondre se trouve-t-il dans cette proposition ?

2
a. Qui est venu s'établir sur cette île depuis cent ans ?
b. Quel est le sujet du verbe *sont venus* (l. 10) ? Quel mot reprend-il ?

3
a. *ils tuent les maîtres* (l. 14-15) : qui tue les maîtres ?
b. *ils* reprend-il un élément du texte ou renvoie-t-il aux personnes qui dialoguent ?

4
a. Arlequin plaint-il Iphicrate ? Justifiez votre réponse en citant le texte.
b. Que reprend le mot *cela* dans *cela est juste* (l. 24) ?

① Le rôle et la fonction du pronom

Le **pronom** est un mot qui peut avoir **toutes les fonctions** grammaticales d'un **nom** : sujet, attribut, COD, etc. **Ex.** *Je vous donnerai le reste.* (*Je* = sujet ; *vous* = COI)

Comme un nom, un pronom peut être associé à une préposition.
Ex. *Il n'y a pas de mal* $\boxed{à}$ *cela.*

Le pronom peut :
– reprendre un élément du texte (groupe nominal, nom propre, proposition...), appelé **antécédent** ;
Ex. <u>Les esclaves</u> *règnent sur l'île, et leur coutume est de tuer les maîtres qu'*$\boxed{ils}$ *rencontrent.*
   (antécédent)   (pronom de reprise)

– désigner un élément de la situation d'énonciation (énonciateur, destinataire...) (→ CHAPITRE 1).
Ex. *Je* <u>vous</u> *plains de tout mon cœur.* (*Je* = énonciateur = Arlequin ; <u>vous</u> = destinataire = Iphicrate)

② Les différentes classes de pronoms

Les **pronoms** **personnels**	*je, me, moi (-même), tu, te, toi (-même), il, elle, on, le, la, lui, nous, vous, ils, eux...*	Les **1ʳᵉ et 2ᵉ personnes** (singulier et pluriel) renvoient à la situation d'énonciation. La **3ᵉ personne** reprend un élément du texte.
	Ex. *Je ne reverrai jamais Athènes, car* **nous** *sommes dans l'île des Esclaves.*	
Les **pronoms** **personnels** **adverbiaux**	*en, y.*	**En** reprend des éléments **introduits par de**. **Y** reprend des éléments **introduits par à** et des C.C. de lieu.
	Ex. *J'***en** *ai déjà entendu parler.*	
Les **pronoms** **démonstratifs**	*ce, ceci, cela, celui-ci, celle-ci, ceux-ci, celles-là...*	Ils « montrent » un être ou une chose présent(e) **dans la situation d'énonciation** ou évoqué(e) **dans le texte**.
	Ex. *Cherchons, il n'y a pas de mal à* **cela**.	
Les **pronoms** **possessifs**	*le mien, la tienne, les siens, le nôtre, la vôtre, le leur...*	Ils mettent en relation l'être ou la chose évoqué(e) avec son « **possesseur** ».
	Ex. *Iphicrate risque sa vie. Arlequin ne craint rien pour* **la sienne**. (= sa vie)	
Les **pronoms** **indéfinis**	*personne, rien, nul(le)(s), aucun(e), chacun(e), tout, le même, d'autres...*	Ils désignent l'**absence** d'élément, **un seul** élément ou **plusieurs** éléments. Ils expriment également la **ressemblance** ou la **différence**.
	Ex. *Ils ne font* **rien** *aux esclaves comme moi.*	
Les **pronoms** **relatifs**	*qui, que, quoi, dont, où, auquel, laquelle, desquels...*	Ils **introduisent** une proposition subordonnée relative (→ CHAPITRE 23) dans laquelle ils ont une fonction grammaticale. Ils **reprennent** le nom complété.
	Ex. *Ce sont des esclaves [...]* **qui** *depuis cent ans sont venus s'établir sur une île.*	
Les **pronoms** **interrogatifs**	*qui, que, quoi, lequel, laquelle...*	Ils désignent l'élément sur lequel porte la **demande d'information**.
	Ex. **Que** *veux-tu dire ?*	
Les **pronoms** **numéraux**	*un(e), (les) deux, (les) mille, le premier, le quart...*	Ils permettent de **classer** des éléments ou d'en désigner une **quantité précise**.
	Ex. *J'en boirai* **les deux tiers**.	

EXERCICES — J'applique...

À vos marques !

1 **Vérifiez** que vous savez repérer :
– les **pronoms** ;
– l'**élément auquel ils renvoient** : élément du texte ou de la situation d'énonciation.

Le narrateur vient de se présenter chez le comte Dracula.

Je lui tendis alors la lettre scellée[1] que Mr. Hawkins m'avait confiée. Il la lut avec gravité. Puis, avec un charmant sourire, il me la tendit afin que j'en prisse moi-même connaissance.
5 Un passage du texte, en tout cas, m'apporta un plaisir extrême. Il disait :

« Je déplore[2] qu'une attaque de goutte[3], une de plus, m'interdise tout voyage dans un avenir plus ou moins éloigné. Mais je suis heureux de vous
10 envoyer un remplaçant de valeur qui jouit de toute ma confiance. »

> Bram Stocker, *Dracula*, 1897, trad. J. Finné,
> © Librairie des Champs-Élysées.

1. *scellée* : cachetée.
2. *déplore* : regrette.
3. *goutte* : maladie des articulations (crises douloureuses).

---

2 **Précisez** à quelle **classe** appartiennent les pronoms surlignés.

Dans une lettre à sa correspondante palestinienne Mervet, Galit évoque la « Bat Mitzva », une fête qui sera donnée pour ses douze ans.

L'année prochaine ce sera mon tour. Je recevrai plein de cadeaux. J'ai déjà demandé un tambour à papa. Ce qui me fait peur, c'est que je serai obligée de me laisser embrasser par toute la
5 grande famille et tous les amis que je ne connais presque pas.
Question jeux, je ne fais plus du tout de patins à roulettes. Ils sont devenus trop petits. Je préfère aller à la piscine avec Ayala, ma meilleure
10 amie, ou aller regarder les magasins. J'aime aussi beaucoup les jeux vidéo. À la maison, je m'occupe, comme toi , de mes petites sœurs. En été, nous jouons toutes les trois dans le jardin. On a un grand jardin avec des arbres fruitiers et des
15 cactus. C'est mon père qui l'entretient. Moi, j'arrose de temps en temps.

> Galit Fink et Mervet Akram Sha'ban, *Si tu veux être mon amie*,
> trad. A. Elbaz et B. Khadige, © Gallimard, 1992.

---

3 **Indiquez** quel élément est repris par chaque pronom surligné.

Le poète vient de tuer un loup.

La mort du loup

J'ai reposé mon front sur mon fusil sans poudre,
Me prenant à penser, et n'ai pu me résoudre[1]
À poursuivre sa Louve et ses fils, qui, tous trois,
Avaient voulu l'attendre, et, comme je le crois,
5 Sans ses deux louveteaux, la belle et sombre veuve
Ne l'eût pas laissé seul subir la grande épreuve ;
Mais son devoir était de les sauver, afin
De pouvoir leur apprendre à bien souffrir la faim,
À ne jamais entrer dans le pacte des villes
10 Que l'homme a fait avec les animaux serviles[2]
Qui chassent devant lui, pour avoir le coucher,
Les premiers possesseurs du bois et du rocher.

> Alfred de Vigny, *Les Destinées*, 1864.

1. *résoudre* : décider.   2. *serviles* : soumis.

---

4 **Complétez** le texte avec les **pronoms** proposés.

Liste : *ce – ceci – Il – Je – me – personne – quelqu'un – qui – vous.*

Rosine fait croire à Bartholo qu'elle a perdu un papier à l'extérieur de la maison, pour le remettre en cachette à son prétendant.

BARTHOLO *sort de la maison et cherche.* – Où donc est-il ? Je ne vois rien.

ROSINE. – Sous le balcon, au pied du mur.

BARTHOLO. – **❶** …. **❷** …. donnez là une jolie com-
5 mission ! **❸** …. est donc passé **❹** …. ?

ROSINE. – **❺** …. n'ai vu **❻** …. .

BARTHOLO, *à lui-même.* – Et moi **❼** …. ai la bonté de chercher… Bartholo, vous n'êtes qu'un sot, mon ami ; **❽** …. doit vous apprendre à ne
10 jamais ouvrir de jalousie[1] sur la rue. *(Il rentre.)*

ROSINE, *toujours au balcon.* – Mon excuse est dans mon malheur : seule, enfermée, en butte à[2] la persécution d'un homme odieux, est-**❾** …. un crime de tenter à sortir d'esclavage.

15 BARTHOLO, *paraissant au balcon.* – Rentrez, Signora ; c'est ma faute si vous avez perdu votre chanson, mais ce malheur ne vous arrivera plus, je vous jure. *(Il ferme la jalousie à clef.)*

> D'après Beaumarchais, *Le Barbier de Séville*,
> acte I, scène 3, 1775.

1. *jalousie* : fenêtre.   2. *en butte à* : soumise à.

5 **Remplacez** les groupes soulignés par le pronom demandé.

a. Rousseau était un philosophe du XVIIIe siècle. Rousseau mena une vie assez modeste. (pronom personnel)

b. Cet auteur écrivit des œuvres variées, il était très fier de ses œuvres. (pronom personnel adverbial)

c. Il fit de nombreux voyages en Europe, notamment à Paris. Il revint à Paris peu de temps avant sa mort. (pronom personnel adverbial)

d. En 1750, son *Discours sur les sciences et les arts* est récompensé par l'académie de Dijon. Mais cette récompense ne lui permet pas de vivre confortablement. (pronom démonstratif)

e. Ami de Diderot, il participa à l'élaboration de l'*Encyclopédie*. Comme beaucoup d'intellectuels de l'époque qui apportèrent une contribution à l'ouvrage, il apporta sa propre contribution. (pronom possessif)

f. Mais il se querella avec ces hommes de lettres. Une partie de ces hommes de lettres firent en sorte qu'il se retire de ce milieu. (pronom indéfini)

g. Rousseau se demanda alors quelles personnes s'acharnaient autant sur lui. (pronom interrogatif)

h. Brouillé avec le philosophe anglais Hume, il rentra finalement à Paris ; Hume l'avait invité en Grande-Bretagne. (pronom relatif)

6 **Remplacez** les pronoms soulignés par un groupe de mots de votre choix.

a. Le matelot le prit dans ses bras.

b. Il était rare qu'une telle chose se produise sur le navire. Il regarda les autres en souriant.

c. Enfin ils allaient pouvoir en manger.

d. Il poussa un cri de victoire. Le reste de l'équipage enchaîna avec le sien.

e. En ces temps de famine, tous les morceaux paraissaient de premier choix. Lequel aurait-il l'honneur d'offrir au capitaine ?

f. En fait chacun se servit dans une mêlée indescriptible.

g. Quand tous les hommes furent rassasiés, il restait une dizaine de parts. Trois furent données au capitaine, le reste alla dans les réserves.

h. Ce fut la dernière épreuve avant que le bateau n'atteigne enfin le rivage si longtemps espéré.

i. Ils y trouvèrent nourriture et distraction. Ils en profitèrent largement.

7 **Identifiez** la fonction grammaticale des pronoms surlignés.

Le narrateur fait le portrait du jeune baron de Sigognac.

Un col de guipure[1] antique, dont tous les jours[2] n'étaient pas dus à l'habileté de l'ouvrier et auquel la vétusté[3] ajoutait plus d'une découpure, se rabattait sur son justaucorps[4] dont les plis flottants annonçaient qu'il avait été taillé pour un homme plus grand et plus gros que le fluet[5] baron. Les manches de son pourpoint[4] cachaient les mains comme les manches d'un froc[6], et il entrait jusqu'au ventre dans ses bottes à chaudron[7], ergotées d'un éperon de fer. Cette défroque hétéroclite[8] était celle de feu son père, mort depuis quelques années, et dont il achevait d'user les habits, déjà mûrs pour le fripier[9] à l'époque du décès de leur premier possesseur.

Théophile Gautier, *Le Capitaine Fracasse*, 1863.

1. *guipure* : sorte de dentelle.
2. *jours* : trous dans une dentelle.
3. *vétusté* : grand âge.
4. *justaucorps, pourpoint* : vêtements d'homme serrés à la taille.
5. *fluet* : mince, fragile.
6. *froc* : habit de moine.
7. *bottes à chaudron* : bottes élargies aux genoux.
8. *défroque hétéroclite* : vieille tenue mal assortie.
9. *fripier* : personne qui récupère les vieux tissus et vêtements.

> **Aide** Pour trouver la **fonction du pronom relatif**, il faut remplacer le pronom par son **antécédent** et analyser la proposition obtenue.
> *Ex. Ses bottes **dont** le cuir était usé appartenaient à son père. → Le cuir de ses bottes était usé.*
> Si *de ses bottes* est complément du nom *cuir* dans la proposition transformée, alors *dont* est complément du nom *cuir* dans la proposition d'origine.

Pour chaque mot surligné, indiquez s'il s'agit d'un **pronom** ou d'un **déterminant. Justifiez** vos réponses.

Olympe de Clos-Renault, qui s'est enfuie du couvent, attend le retour de son père, sorti avec sa nouvelle épouse.

Elle patientait depuis une heure, sur une banquette au pied du grand escalier, comme une visiteuse ordinaire, lorsque le carrosse de son père arriva. Le conseiller de Clos-Renault en descen-
5 dit lentement. Un conseiller de satin bleu, couvert de dentelles et de rubans, avec une longue perruque poudrée et des mouches[1] plein le visage…

« Père ? » fit Olympe avec incrédulité[2].
10 Comment pouvait-il se déguiser ainsi ? Lui qui d'ordinaire se moquait des courtisans en fanfreluches[3] ! Émilie le suivait dans une robe à couper le souffle, avec autour du cou les bijoux de… sa mère !
15 « Que diable faites-vous là, Olympe ? tonna Augustin de Clos-Renault. Pourquoi vous a-t-on laissée sortir ? Cela ne se passera pas comme ça, tudieu, la mère supérieure va m'entendre ! »

Qui était le plus gêné, se demanda confusé-
20 ment Olympe, l'homme pomponné comme une vieille coquette ou la jeune fille en fuite ? Elle le regarda passer une main sur son visage, comme pris en faute, pour en ôter les mouches.

Annie Jay, *À la poursuite d'Olympe*, © Hachette Livre, 1995.

1. *mouches* : faux grains de beauté.
2. *avec incrédulité* : sans y croire.
3. *fanfreluches* : ornements vestimentaires (nœuds, dentelles, rubans…).

> **Aide** Le **pronom** est un mot qui précède un **verbe**. Le **déterminant** est un mot qui précède un **nom**.
> *Ex. Elle la <u>rencontre</u>. (la = pronom)*
>   verbe
> *Elle rencontre la <u>reine</u>. (la = déterminant)*
>   nom

Relevez les **pronoms** du texte puis précisez à quelle catégorie ils appartiennent.

Le narrateur, prince africain enlevé et réduit en esclavage, raconte son enfance.

Lorsque nous redoutions une invasion, nous enfoncions des piquets autour de nos maisons, après en avoir trempé les pointes acérées[1] dans du poison. Quiconque marchait dessus mourait.
5 Les champs se trouvaient à environ deux heures de marche du village. Pour éviter les attaques en chemin, les villageois s'y rendaient en groupes, munis de […] leurs pelles et de leurs armes.

Nous avions des fusils, des arcs et des flèches,
10 et de larges épées à double tranchant, mais aussi des lances et d'énormes boucliers derrière lesquels un homme pouvait se cacher tout entier.

Les habitants de notre région formaient une véritable armée de volontaires. Même les fem-
15 mes connaissaient les signaux d'alerte et savaient se servir des armes. Au moindre signal, un coup de feu tiré la nuit par exemple, chacun saisissait ses armes et sortait de sa maison pour combattre.

Olaudah Equiano, *Le Prince esclave*,
adapt. A. Cameron, © 1995 by A. Cameron ;
trad. A. Bataille, © Rageot, 2002.

1. *acérées* : aiguisées.

Accordez *leur* selon qu'il est un **pronom** ou un **déterminant**.

Les cavaliers prirent (*leur*) montures par les rênes pour (*leur*) montrer la fontaine. Les hommes, comme (*leur*) compagnons, s'abreuvèrent longuement. Les murs de la ville étaient main-
5 tenant à (*leur*) portée. Le logis (*leur*) tendait les bras. Ils se remirent en selle pour repartir avec un nouvel entrain. À la tombée du jour, l'aubergiste les accueillit chaleureusement. Il (*leur*) tardait d'arriver. Ils confièrent (*leur*) chevaux aux
10 garçons d'écurie, qui (*leur*) promirent de les soigner le mieux du monde. Ils dînèrent de bon appétit puis gagnèrent chacun (*leur*) chambre.

> **Aide** *Leur*, **pronom**, est un mot qui précède un **verbe**. Il est **invariable**. *Leur*, **déterminant**, est un mot qui précède un **nom** avec lequel **il s'accorde** (→ CHAPITRE 33).
> *Ex. Elle leur <u>parle</u>. (leur = pronom)*
>   verbe
> *Elle parle de leurs <u>voyages</u>. (leurs = déterminant)*
>   nom

11 **Complétez** les phrases suivantes par la forme correcte : *ni* ou *n'y*.

a. Gustave n'aime .... le théâtre .... le cinéma.

b. Il .... va jamais.

c. Pour lui, ces spectacles ne peuvent pas remplacer la lecture d'un bon livre .... l'expérience pratique.

d. Ses amis lui disent qu'il .... trouvera pas seulement des connaissances, mais aussi une nouvelle approche de l'art.

e. Mais ces arguments ne le touchent pas. Il .... prête aucune attention.

f. Ses amis .... comprennent rien, car il est d'habitude très ouvert d'esprit.

g. Ils ont essayé de le motiver, mais .... la contrainte .... la surprise n'ont eu d'effet.

h. Aujourd'hui, Gustave regrette son entêtement qui lui vaut de ne pas connaître les dramaturges français .... les grands classiques du cinéma.

> **Aide** • *N'y* = adverbe *ne* + pronom adverbial *y*.
> • *Ni* = conjonction de coordination qui relie deux éléments dans une phrase négative (devient *et* dans une phrase affirmative) (→ CHAPITRE 33).
> *Ex. Il ne mange pas de chocolat, **ni** de bonbons.*
> → *Il mange du chocolat **et** des bonbons.*

12 **Récrivez** le texte en remplaçant *Jérémie* par *Jérémie et son compagnon*. Vous **ferez** toutes les modifications qui s'imposent.

Jérémie fit trois pas, puis oscilla, étendit les mains, rencontra un mur qui le soutint debout et se remit en marche en trébuchant. Par moments une bourrasque, s'engouffrant dans la
5 rue étroite, le lançait en avant, le faisait courir quelques pas ; puis quand la violence de la trombe cessait, il s'arrêtait net, ayant perdu son pousseur, et il se remettait à vaciller sur ses jambes capricieuses d'ivrogne. Il allait, d'instinct,
10 vers sa demeure, comme les oiseaux vont au nid. Enfin, il reconnut sa porte et il se mit à la tâter pour découvrir la serrure et placer la clef dedans. Il ne trouvait pas le trou et jurait à mi-voix. [...] Comme il s'appuyait contre le battant pour ne
15 point tomber, il céda, s'ouvrit, et Jérémie, perdant son appui, entra chez lui en s'écroulant, alla rouler sur le nez au milieu de son logis, et il sentit que quelque chose de lourd lui passait sur le corps, puis s'enfuyait dans la nuit.

Guy de Maupassant, *L'Ivrogne*, 1884.

13 **Complétez** les phrases suivantes par la forme correcte : *ceux-ci* ou *ceci*.

a. Ce soir, nous allons ramasser des châtaignes. (*Ceux-ci/Ceci*) nous réjouit.

b. Mais les écureuils qui nous observent ne semblent pas partager notre joie. (*Ceux-ci/Ceci*) voient leurs réserves partir dans nos sacs.

c. Arrivés à la maison, nous trions nos provisions. Nous mettons à part les marrons, car (*ceux-ci/ceci*) ne se mangent pas.

d. Le tri prend quelques minutes. (*Ceux-ci/Ceci*) nous paraît une éternité.

e. Enfin tout est prêt. Les parents allument le feu. Contrairement à nous, (*ceux-ci/ceci*) n'ont pas l'air impatients.

f. La dégustation des châtaignes grillées est un vrai festin. (*Ceux-ci/Ceci*) restera un excellent souvenir.

g. Nous voudrions recommencer plus souvent, mais (*ceux-ci/ceci*) ne se fait qu'à l'automne.

> **Aide** *Ceux-ci* désigne des **êtres animés** et *ceci* désigne une **chose**, une **idée**…

À vos plumes !

14 **Prolongez** le texte en **racontant** les retrouvailles du narrateur avec son ancien ami. Vous **utiliserez** au moins **un pronom de chaque catégorie**.

Plusieurs amis évoquent le souvenir de leur jeunesse et de ceux qu'ils ont connus.

Nous cherchions d'autres noms qui nous rappelaient des figures jeunes coiffées du képi à galons d'or. Nous avions retrouvé plus tard quelques-uns de ces camarades barbus, chauves,
5 mariés, pères de plusieurs enfants, et ces rencontres avec ces changements nous avaient donné des frissons désagréables, nous montrant comme la vie est courte, comme tout passe, comme tout change.
10 Mon ami demanda :
« Et Patience, le gros Patience ? »
Je poussai une sorte de hurlement :
« Oh ! Quant à celui-là, écoute un peu. J'étais, voici quatre ou cinq ans, en tournée d'inspec-
15 tion à Limoges, attendant l'heure du dîner… »

Guy de Maupassant, *L'Ami Patience*, 1883.

CLÉANTE

Jacques Noël, costume de Cléante pour *L'Avare* de Molière, mise en scène de Jacques Mauclair, le 15 janvier 1962.

ACTIVITÉ   *J'observe...*

Harpagon, extrêmement avare, reproche à son fils Cléante de dilapider son argent en habillement.

CLÉANTE. – Quelle grande dépense est-ce que je fais ?

HARPAGON. – Quelle ? Est-il rien de plus scandaleux que ce somptueux équipage[1] que vous promenez par la ville ? Je querellais hier votre sœur ; mais c'est encore
5 pis. Voilà qui crie vengeance au Ciel ; et, à vous prendre depuis les pieds jusqu'à la tête, il y aurait là de quoi faire une bonne constitution[2]. Je vous l'ai dit vingt fois, mon fils, toutes vos manières me déplaisent fort ; vous donnez furieusement dans le marquis[3], et pour aller
10 ainsi vêtu, il faut bien que vous me dérobiez.

[...]

CLÉANTE. – Moi, mon père ? C'est que je joue, et, comme je suis fort heureux, je mets sur moi tout l'argent que je gagne.

HARPAGON. – C'est fort mal fait. Si vous êtes heureux au jeu, vous en devriez profiter
15 et mettre à honnête intérêt l'argent que vous gagnez, afin de le trouver un jour. Je voudrais bien savoir, sans parler du reste, à quoi servent tous ces rubans dont vous voilà lardé[4] depuis les pieds jusqu'à la tête, et si une demi-douzaine d'aiguillettes[5] ne suffit pas pour attacher un haut-de-chausses[6] ? Il est bien nécessaire d'employer de l'argent à des perruques, lorsque l'on peut porter des cheveux de son cru, qui
20 ne coûtent rien ! Je vais gager qu'en perruques et rubans il y a du moins vingt pistoles ; et vingt pistoles rapportent par année dix-huit livres six sols huit deniers, à ne les placer qu'au denier douze[7].

CLÉANTE. – Vous avez raison.

Molière, *L'Avare*, I, 4, 1668.

1. *équipage* : costume.
2. *constitution* : placement.
3. *vous donnez dans le marquis* : vous jouez au marquis.
4. *vous voilà lardé...* : Harpagon compare les rubans au lard dont on entoure la viande.
5. *aiguillettes* : lacets qui attachaient la culotte à la veste.
6. *haut-de-chausses* : partie du vêtement allant de la taille aux genoux.
7. *denier douze* : taux d'intérêts.

1 **a.** Dans le groupe *ce somptueux équipage* (l. 3), Harpagon parle-t-il d'un équipage particulier ou du prix des équipages en général ? Quel mot vous aide à répondre ?
b. Classez les GN surlignés en violet en deux colonnes :

Être (ou chose) identifié(e)	Être (ou chose) non identifié(e)

2 **a.** *Quelle grande dépense est-ce que je fais ?* (l. 1)
Quels sont le genre et le nombre de *quelle* ? Avec quel mot de la phrase s'accorde-t-il ?
b. *toutes vos manières me déplaisent fort* (l. 8) – *tout l'argent que je gagne* (l. 13)
– *tous ces rubans* (l. 16) : que remarquez-vous à propos des déterminants des noms soulignés ?

3 *Il est bien nécessaire d'employer de l'argent.* (l. 18)
Peut-on remplacer les mots soulignés par un nombre précis ?

1 Définition

Le **déterminant** se trouve devant le nom et indique son **genre** et son **nombre**
(→ CHAPITRE 21).

Ex. **la** *ville –* **cet** *équipage –* **vos** *manières.*

2 Les classes de déterminants

On peut classer les déterminants en **deux groupes**.

● Ceux qui signalent que l'élément exprimé par le nom est **précisément identifié**
dans la réalité (on sait de quel être ou de quelle chose on parle).
Ils permettent de **reprendre un nom déjà cité** dans un texte (→ CHAPITRE 10).

Articles définis (et articles définis contractés)	*le, la (l'), les* *au (= à + le), aux (= à + les),* *du (= de + le), des (= de + les)*	Ils désignent une catégorie, un être ou une chose dont on a déjà parlé ou que tout le monde connaît. *Ex.* **la** *ville,* **l'**argent, *les rubans* **du** *fils.*
Déterminants démonstratifs	*ce (cet), cette, ces*	Ils permettent de « montrer » un être ou une chose présent(e) dans la situation d'énonciation (→ CHAPITRE 1) ou évoqué(e) dans le texte. *Ex.* **cette** *ville,* **cet** *argent,* **ces** *rubans.*
Déterminants possessifs	*mon, ma, mes, ton, ta, tes,* *son, sa, ses, notre, nos, votre,* *vos, leur(s)*	Ils mettent en relation l'être ou la chose évoqué(e) avec son « possesseur ». *Ex.* **ma** *ville,* **ton** *argent,* **votre** *sœur,* **leurs** *rubans.*

● Ceux qui signalent que l'élément exprimé par le nom n'est **pas précisément identifié**
dans la réalité (on ne sait pas de quel être ou de quelle chose on parle).

Articles indéfinis	*un, une, des (de, d')*	Ils désignent un être ou une chose en général, ou que l'on ne connaît pas encore. *Ex.* **un** *marquis,* **une** *perruque,* **des** *cheveux.*
Articles partitifs	*du, de la (de l'), des (de)*	Ils désignent une partie d'une chose que l'on ne peut pas compter. *Ex.* **du** *courage,* **de** *l'argent.*
Déterminants indéfinis	*plusieurs, quelque(s), tout(e),* *beaucoup de, tant de,* *certain(e)(s), chaque, aucun,* *nul…*	Ils désignent une quantité indéterminée ou nulle d'êtres ou de choses. *Ex.* **plusieurs** *rubans,* **chaque** *perruque,* **tout** *l'argent.*
Déterminants numéraux	*un, deux, trois, cent, mille…*	Ils désignent un nombre précis d'êtres ou de choses. *Ex.* **vingt** *pistoles,* **cent** *deniers.*
Déterminants interrogatifs ou exclamatifs	*quel(s), quelle(s)*	Ils indiquent que l'être ou la chose évoqué(e) fait l'objet d'une interrogation ou d'une exclamation. *Ex.* **quelle** *grande dépense !*

À vos marques !

1 **Vérifiez** que, dans chaque phrase, vous savez :
– reconnaître les **noms** ;
– identifier leur **déterminant** ;
– donner le **genre** et le **nombre** du déterminant.

a. La classe de 4ᵉ B va au théâtre pour assister à une représentation de *L'Avare*.

b. Tous les élèves ont étudié cette pièce et souhaitent venir car ils ont apprécié ses aspects comiques.

c. Le professeur est surpris : quelques enfants n'ont pas eu l'autorisation de leurs parents pour sortir le soir.

d. Quel dommage ! Ses arguments n'ont pas été suffisants pour les convaincre.

e. « Quelle décision prendre ? » se demande le professeur. Plusieurs élèves proposent de reporter la sortie et leur suggestion est approuvée.

2 **Indiquez** quel est le **déterminant** du nom souligné et **précisez** sa classe.

La mère d'Antoinette Kampf organise un bal ; la jeune fille rêve d'y participer.

Ce <u>soir</u>-là, Antoinette, que l'Anglaise emmenait se coucher d'ordinaire sur le coup de neuf <u>heures</u>, resta au <u>salon</u> avec ses <u>parents</u>. Elle y pénétrait si rarement qu'elle regarda avec atten-
5 tion les <u>boiseries</u> blanches et les meubles dorés, comme lorsqu'elle entrait dans une <u>maison</u> étrangère. Sa mère lui montra un petit guéridon où il y avait de l'<u>encre</u>, des <u>plumes</u> et un paquet de cartes et d'enveloppes.
10 – Assieds-toi là. Je vais te dicter les <u>adresses</u>. « Est-ce que vous venez, mon cher <u>ami</u> ? » dit-elle à voix haute en se tournant vers son <u>mari</u>, car le domestique desservait dans la pièce voisine, et, devant lui, depuis plusieurs <u>mois</u>, les
15 Kampf se disaient « vous ».

Irène Némirovsky, *Le Bal*,
© éd. Grasset & Fasquelle, 1930.

> **Aide** Le **déterminant démonstratif** (*ce, cet, cette*) peut être renforcé par les adverbes *-ci* ou *-là* placés après le nom.
> *Ex.* **cette** fois-**ci**.

3 **Relevez** les **déterminants**, **précisez** leur **classe** et **indiquez** le **nom** qu'ils déterminent.

Ariettes oubliées

Il pleure dans mon cœur
Comme il pleut sur la ville ;
Quelle est cette langueur
Qui pénètre mon cœur ?

5 Ô bruit doux de la pluie
Par terre et sur les toits !
Pour un cœur qui s'ennuie
Ô le chant de la pluie !

Il pleure sans raison
10 Dans ce cœur qui s'écœure.
Quoi ! nulle trahison ?…
Ce deuil est sans raison.

C'est bien la pire peine
De ne savoir pourquoi
15 Sans amour et sans haine
Mon cœur a tant de peine !

Paul Verlaine, *Romances sans paroles*, 1873.

4 **Complétez** le texte suivant avec le **déterminant** qui convient.

Liste : *la* (3 fois) – *le* (4 fois) – *les* (2 fois) – *l'* (3 fois) – *du* (3 fois) – *une* (4 fois) – *un* – *des* (2 fois) – *sa* (3 fois) – *cette* – *quelque* – *toute*.

…. soir je m'étais égaré dans …. forêt, à …. distance de …. cataracte …. Niagara ; bientôt je vis …. jour s'éteindre autour de moi, et je goûtai, dans …. …. solitude, …. beau spectacle d'…. nuit
5 dans …. déserts …. Nouveau Monde.

…. heure après …. coucher …. soleil …. lune se montra au-dessus …. arbres, à …. horizon opposé. …. brise embaumée, que …. reine des nuits[1] amenait de …. orient avec elle, semblait la précéder
10 dans …. forêts, comme …. fraîche haleine.

…. astre solitaire monta peu à peu dans …. ciel : tantôt il suivait paisiblement …. course azurée[2], tantôt il reposait sur …. groupes de nues[3] qui ressemblaient à …. cime de hautes montagnes cou-
15 ronnées de neige.

D'après François-René de Chateaubriand,
Génie du christianisme, 1802.

1. reine des nuits : image désignant la lune.
2. course azurée : dans le ciel.
3. nues : nuages.

5 Relevez les articles, **indiquez** quel nom est déterminé et **précisez** enfin s'il s'agit d'**articles définis, indéfinis, définis contractés ou partitifs.**

Robinson, naufragé sur une île, tente de construire une embarcation.

Faute de vernis ou même de goudron pour enduire les flancs de la coque, il entreprit de fabriquer de la glu selon un procédé qu'il avait observé dans les chantiers de l'Ouse[1]. Il dut pour cela
5 raser presque entièrement un petit bois de houx qu'il avait repéré dès le début de son travail près du mât du levant. Pendant quarante-cinq jours, il débarrassa les arbustes de leur première écorce et recueillit l'écorce intérieure en la découpant
10 en lanières.

Michel Tournier, *Vendredi ou les Limbes du Pacifique*,
© Gallimard, 1972.

1. *l'Ouse* : rivière d'Angleterre.

6 **Indiquez** si les déterminants soulignés sont des **articles partitifs**, des **articles définis contractés** ou des **articles indéfinis.**

Gervaise et Coupeau sombrent dans la misère. Le propriétaire menace de les expulser.

Les hivers surtout les nettoyaient[1]. S'ils mangeaient du pain au beau temps, les fringales arrivaient avec la pluie et le froid [...]. Ce gredin de décembre entrait chez eux par-dessous la porte,
5 et il apportait tous les maux, le chômage des ateliers, les fainéantises engourdies des gelées, la misère noire des temps humides. Le premier hiver, ils firent encore du feu quelquefois, se pelotonnant autour du poêle, aimant mieux avoir
10 chaud que de manger ; le second hiver, le poêle ne se dérouilla seulement pas, il glaçait la pièce de sa mine lugubre de borne de fonte. [...] M. Marescot arrivait, le samedi suivant, couvert d'un bon paletot, ses grandes pattes fourrées dans
15 des gants de laine ; et il avait toujours le mot d'expulsion à la bouche, pendant que la neige tombait dehors, comme si elle leur préparait un lit sur le trottoir, avec des draps blancs.

Émile Zola, *L'Assommoir*, 1877.

1. *les nettoyaient* : ne leur laissaient rien.

> **Aide** • L'**article partitif** se trouve devant un élément généralement non comptable, on peut le remplacer par « un peu de ».
> *Ex. Je mange **du** pain. → Je mange **un peu de** pain.*

7 **Relevez** les **articles définis** et les **articles définis contractés.**

Le maître de philosophie explique à Monsieur Jourdain ce qu'est la physique.

MAÎTRE DE PHILOSOPHIE. – Est-ce la physique que vous voulez apprendre ?

MONSIEUR JOURDAIN. – Qu'est-ce qu'elle chante, cette physique ?

5 MAÎTRE DE PHILOSOPHIE. – La physique est celle qui explique les principes des choses naturelles, et les propriétés du corps ; qui discourt de la nature des éléments, des métaux, des minéraux, des pierres, des plantes et des animaux,
10 et nous enseigne les causes de tous les météores, l'arc-en-ciel, les feux volants, les comètes, les éclairs, le tonnerre, la foudre, la pluie, la neige, la grêle, les vents et les tourbillons.

MONSIEUR JOURDAIN. – Il y a trop de tintamarre là-
15 dedans, trop de brouillamini.

MAÎTRE DE PHILOSOPHIE. – Que voulez-vous donc que je vous apprenne ?

MONSIEUR JOURDAIN. – Apprenez-moi l'orthographe.

Molière, *Le Bourgeois gentilhomme*, II, 4, 1670.

> **Aide** L'**article défini contracté** se trouve dans les constructions qui exigent les prépositions *de* ou *à*.
> *Ex. Il sort **du** collège. (= sortir **de** quelque part)*

8 **Repérez** les **déterminants démonstratifs et possessifs** de cet extrait.

Fabrice, emprisonné en haut de la tour Farnèse, pense à Clélia, la fille du gouverneur de la prison, en observant une chambre où se trouve une volière.

Verrai-je Clélia ? se dit Fabrice en s'éveillant. Mais ces oiseaux sont-ils à elle ? Les oiseaux commençaient à jeter des petits cris et à chanter, et à cette élévation c'était le seul bruit qui s'en-
5 tendît dans les airs. Ce fut une sensation pleine de nouveauté et de plaisir pour Fabrice que ce vaste silence qui régnait à cette hauteur : il écoutait avec ravissement les petits gazouillements interrompus et si vifs par lesquels ses voisins les
10 oiseaux saluaient le jour. S'ils lui appartiennent, elle paraîtra un instant dans cette chambre, là sous ma fenêtre [...]. Ce que Fabrice n'apprit que plus tard, c'est que cette chambre était la seule du second étage du palais qui eût de l'ombre de
15 onze heures à quatre : elle était abritée par la tour Farnèse.

Stendhal, *La Chartreuse de Parme*, 1838.

9 **Dites** à quel possesseur renvoient les **déterminants possessifs** soulignés.

Le docteur Jekyll écrit à son ami Utterson pour lui expliquer sa dispute avec Lanyon.

« Je ne blâme pas <u>notre</u> vieil ami, écrivait Jekyll, mais je partage <u>son</u> avis que nous ne devons jamais nous revoir. J'ai l'intention dorénavant de mener une vie extrêmement retirée ; il ne faut
5 pas vous en étonner, et vous ne devez pas non plus douter de <u>mon</u> amitié, si <u>ma</u> porte est souvent condamnée même pour vous. Laissez-moi suivre <u>ma</u> voie ténébreuse. [...] La seule chose que vous puissiez faire pour alléger <u>mon</u> sort,
10 Utterson, c'est de respecter <u>mon</u> silence. »

Utterson en fut stupéfait : la sinistre influence de Hyde avait disparu, le docteur était retourné à <u>ses</u> travaux et à <u>ses</u> amitiés d'autrefois ; huit jours plus tôt l'avenir le plus souriant lui promet-
15 tait une vieillesse heureuse et honorée ; et voilà qu'en un instant, amitié, paix d'esprit, et toutes les joies de <u>son</u> existence sombraient à la fois.

Robert Louis Stevenson, *Le Cas étrange du Dr Jekyll et de M. Hyde*, 1886, trad. T. Varlet, © Flammarion.

10 **Indiquez** pour chaque élément surligné s'il s'agit d'un **article défini** ou d'un **pronom personnel**. Vous **justifierez** vos réponses.

Un marin a dû être amputé d'un bras.

Son frère, qui tenait ~~la~~ barre, ~~le~~ suivait de l'œil en hochant ~~la~~ tête.

On finit par rentrer au port.

~~Le~~ médecin examina ~~la~~ blessure et ~~la~~ déclara
5 en bonne voie. Il fit un pansement complet et ordonna ~~le~~ repos. Mais Javel ne voulut pas se coucher sans avoir repris son bras, et il retourna bien vite au port pour retrouver ~~le~~ baril qu'il avait marqué d'une croix.
10 On ~~le~~ vida devant lui et il ressaisit son membre, bien conservé dans sa saumure[1], ridé, rafraîchi. Il ~~l'~~enveloppa dans une serviette emportée à cette intention, et rentra chez lui.

Guy de Maupassant, *Contes de la bécasse*, « En mer », 1883.

1. *saumure* : eau fortement salée.

> **Aide** • Le **déterminant** se trouve devant un nom, avec lequel il s'accorde.
> *Ex. **leur** maison / **leurs** affaires.*
>
> • Le **pronom personnel** se trouve devant un verbe.
> (→ CHAPITRE 11)
> *Ex. je **la** vois / je **leur** parle.*

11 **Complétez** le texte avec les **déterminants** demandés.

Argan se croit malade et veut que sa fille épouse un médecin. Toinette, sa servante, imagine de se déguiser pour le tromper.

TOINETTE. – Monsieur, voilà (art. indéfini) .... médecin qui demande à vous voir.

ARGAN. – Et (dét. interrogatif) .... médecin ?

TOINETTE. – (art. indéfini) .... médecin de (art. défini)
5 .... médecine.

ARGAN. – Je te demande qui il est ?

TOINETTE. – Je ne le connais pas ; mais il me ressemble comme (dét. numéral) .... gouttes d'eau, et si je n'étais sûre que (dét. possessif) .... mère
10 était honnête femme, je dirais que ce serait (dét. indéfini) .... petit frère qu'elle m'aurait donné depuis (art. défini) .... trépas de (dét. possessif) .... père.

ARGAN. – Fais-le venir.
15 BÉRALDE[1]. – Vous êtes servi à souhait : (art. indéfini) .... médecin vous quitte, un autre se présente.

ARGAN. – J'ai bien peur que vous ne soyez cause de (dét. indéfini) .... malheur.

BÉRALDE. – Encore ! vous en revenez toujours là ?
20 ARGAN. – Voyez-vous ? j'ai sur (art. défini) .... cœur (dét. indéfini + dét. démonstratif) .... maladies-là que je ne connais point, ces...

D'après Molière, *Le Malade imaginaire*, III, 7, 1673.

1. Béralde : frère d'Argan.

12 **Accordez** le déterminant *quel* et **indiquez** si c'est un **déterminant exclamatif** ou **interrogatif**.

a. (*Quel*) chance ! Il fait beau pour le premier jour des vacances. (*Quel*) idiots, ces météorologistes ! Ils avaient annoncé la pluie.

b. Juliette est ravie. Sur (*quel*) plage ira-t-elle ce matin ? (*Quel*) choix difficile !

c. « (*Quel*) point de vue magnifique ! » s'exclame-t-elle en apercevant la mer du haut d'un rocher.

d. « (*Quel*) importance ? » se dit-elle finalement. Elle se dirige vers celle du Fort-Bloqué en se demandant (*quel*) coquillages elle y ramassera.

e. Son seau est rempli de coquilles multicolores : (*quel*) variété de formes et de couleurs !

f. (*Quel*) bonne journée ! La jeune fille est fatiguée après avoir nagé tout l'après-midi. « (*Quel*) temps fera-t-il demain ? » C'est sa dernière pensée avant de s'endormir.

g. (*Quel*) bel été elle passera en Bretagne !

13 **Indiquez** pour chaque élément souligné s'il s'agit d'un **déterminant possessif** ou d'un **pronom personnel**.

a. M. et Mme Martin ont demandé de l'aide à leurs amis pour leur déménagement.

b. Jean leur a répondu qu'il serait là et Olivier les a appelés pour dire qu'il ne leur serait pas d'une grande aide car il a une entorse.

c. Leurs nouveaux voisins les ont prévenus : leur parking est loin de l'immeuble ; il leur faudra demander une clé au gardien pour se garer plus près.

d. Il leur reste une semaine et c'est la panique : leurs cartons ne sont pas finis, ils doivent encore vérifier que leur abonnement au gaz est pris en compte et que leur ligne de téléphone sera transférée à la date de leur emménagement.

e. Heureusement, d'autres personnes leur ont téléphoné pour annoncer qu'elles viendraient à leur secours.

> **Aide** *Leur* **devant un verbe** ne prend **jamais de « s » :** c'est un pronom personnel (→ CHAPITRE 33).

14 **Complétez** les phrases par *ces* (déterminant démonstratif) ou *ses* (déterminant possessif).

a. Pauline adore lire. .... romans préférés sont ceux de science-fiction. .... derniers temps, elle dévore les *Chroniques martiennes*.

b. .... parents s'étonnent parfois du temps qu'elle passe dans .... lectures.

c. Elle leur répond alors : « .... livres me font rêver et réfléchir, mais j'aime aussi .... nouvelles fantastiques qui m'ont été offertes pour mon anniversaire. »

d. .... amis savent qu'ils lui feront plaisir avec .... cadeaux-là.

e. Toutes .... heures passées dans d'autres mondes lui permettent de s'évader. Elle se demande même si un jour elle n'écrira pas .... propres histoires.

> **Aide** • *Ces* (dét. démonstratif) désigne les éléments (= *ceux-là*).
> • *Ses* (dét. possessif) indique le possesseur (= *les siens*).

À vos plumes !

15 **Complétez** le texte suivant avec les **déterminants** de votre choix en tenant compte de la cohérence du texte.

Échoués sur une île étrange, Jeanne et son frère découvrent la Ville des mots…

Alors il faut que je vous dise : quand ils sont libres d'occuper .... temps comme ils le veulent, au lieu de nous servir, ... mots mènent .... vie joyeuse. Ils passent ....
5 journées à se déguiser, à se maquiller et à se marier.

.... haut de .... colline, je n'ai d'abord rien compris. .... mots étaient si nombreux. Je ne voyais
10 qu'.... grand désordre. J'étais perdue dans .... foule. J'ai mis .... temps, je n'ai appris que peu à peu à reconnaître .... principales tribus qui composent .... peuple .... mots. Car .... mots s'organisent en tri-
15 bus, comme .... humains. Et .... tribu a .... métier.

D'après Erik Orsenna, *La grammaire est une chanson douce*, © Éditions Stock, 2001.

16 **Rédigez** la suite de ce texte en décrivant de la même manière deux autres « tribus » de **déterminants**.

Jeanne s'intéresse à la « tribu » des articles, après avoir observé celle des noms (→ EXERCICE 15).

Par exemple, la toute petite tribu des *articles*. Son rôle est simple et assez inutile, avouons-le. Les articles
5 marchent devant les noms, en agitant une clochette : attention, le nom qui me suit est un masculin, attention,
10 c'est un féminin ! Le tigre, la vache.

Les noms et les articles se promènent ensemble, du
15 matin jusqu'au soir.

Erik Orsenna, *La grammaire est une chanson douce*, © Éditions Stock, 2001.

Le monologue de théâtre

Acte I, scène 1
George Dandin

GEORGE DANDIN. – Ah! qu'une femme demoiselle[1] est une étrange affaire, et que mon mariage est une leçon bien parlante à tous les paysans qui veulent s'élever au-dessus de leur condition, et s'allier comme j'ai fait à la maison d'un gentil-homme[2]. La noblesse de soi est bonne : c'est une chose considérable assurément, mais elle est accompagnée de tant de mauvaises circonstances, qu'il est très bon de ne s'y point frotter. Je suis devenu là-dessus savant à mes dépens, et connais le style des nobles lorsqu'ils nous font nous autres entrer dans leur famille. L'alliance qu'ils font est petite avec nos personnes. C'est notre bien seul qu'ils épousent, et j'aurais bien mieux fait, tout riche que je suis, de m'allier en bonne et franche paysannerie, que de prendre une femme qui se tient au-dessus de moi, s'offense de porter mon nom, et pense qu'avec tout mon bien je n'ai pas assez acheté la qualité de son mari. George Dandin, George Dandin, vous avez fait une sottise la plus grande du monde. Ma maison m'est effroyable maintenant, et je n'y rentre point sans y trouver quelque chagrin[3].

Molière, *George Dandin*, I, 1, 1668.

1. *une femme demoiselle*: une femme noble.
2. *la maison d'un gentilhomme*: la famille d'un homme noble.
3. *chagrin*: colère.

Molière, *George Dandin*, mise en scène de Jacques Lassalle
avec Alain Pralon (Dandin), Bérengère Dautun (madame de Sottenville)
et François Beaulieu (monsieur de Sottenville), Paris, Comédie-Française, 1992.

QUESTIONS

Deux conditions sociales opposées

1. Relevez dans le texte un terme qui s'oppose à *paysan* et un terme qui s'oppose à *paysannerie*.

2. a. À quelle classe sociale appartient Dandin ?
Citez le passage du texte qui vous a permis de répondre.

b. Relevez deux groupes nominaux qui désignent la femme de Dandin.

c. Qu'en déduisez-vous quant à sa classe sociale ?

3. Quelle est la classe grammaticale de *y* (l. 6) ?
À quel élément du texte ce mot renvoie-t-il ?

La dénonciation du mariage d'argent

4. De quel mariage Dandin parle-t-il ? Quel mot vous a permis de répondre ?

5. Relevez le champ lexical du mariage.
Est-il ici question de sentiments ? (→ Aide 1)

6. *J'aurais bien mieux fait,* <u>tout riche que je suis</u>, *de m'allier en bonne et franche paysannerie.*
Récrivez cette phrase en remplaçant le groupe de mots souligné par :
– une proposition introduite par *bien que* ;
– un groupe nominal introduit par *malgré*.

7. À qui ce mariage doit-il servir d'exemple ?
Appuyez votre réponse sur l'observation des déterminants.

8. Quels sont les reproches que Dandin fait à sa femme ?

Le monologue de Dandin

9. À quel temps le monologue est-il mené ? Donnez sa valeur précise. (→ Aide 2)

10. Relevez tous les substituts (lexicaux et pronominaux) qui désignent George Dandin. Donnez leur classe grammaticale.
Lesquels paraissent inhabituels ? Pourquoi ?

11. À qui sont destinées les paroles de Dandin ?

12. Comment expliquez-vous l'utilisation de deux pronoms différents pour désigner Dandin ?

Aide 1 Le **champ lexical** regroupe tous les mots qui évoquent un **même thème** (→ CHAPITRE 26).

Aide 2 Le système de temps dépend du type d'énoncé (→ CHAPITRE 1).
Pour la **valeur des temps** (→ CHAPITRES 2 et 3).

ÉVALUATION 4

RÉÉCRITURE

■ Récrivez le passage des lignes 6 à 12 (*Je suis devenu là-dessus savant…*
la qualité de son mari) en remplaçant *je* par *tu*.

RÉDACTION

■ Rédigez le monologue que pourrait tenir Angélique, la jeune femme noble de Dandin.

Aide à la rédaction

Le sujet vous propose d'écrire un monologue de théâtre en adoptant, sur le même thème, le point de vue d'un autre personnage. Pour préparer votre rédaction, posez-vous les questions suivantes :
– *À quelle personne dois-je rédiger mon monologue ?*
– *Quel temps dois-je utiliser ?*
– *Quels sujets dois-je aborder ?*

Georges Troubat (né en 1951), *En attendant l'automne* (2006),
acrylique sur toile, 130 x 89 cm (collection particulière).

Partie 2

La grammaire de la phrase et de ses constituants

Avec des **mots**,
on construit une phrase ;
avec des **phrases**,
on construit un **texte**
ou un **discours**.
La phrase est donc un
élément important
de la maîtrise du langage.
Pour comprendre
ce que vous lisez
ou pour vous exprimer,
vous avez besoin
de savoir comment
se construit
une phrase.

13 Types et formes de phrases

ACTIVITÉ *J'observe...*

▶
Molière,
*Le Bourgeois
gentilhomme*,
mise en scène
de Jean-Louis
Barrault, avec
Jacques Charon
(Monsieur
Jourdain) et
Robert Hirsch
(Maître de
philosophie),
Chapiteau
des Tuileries,
Paris, 1972.

MAÎTRE DE PHILOSOPHIE : Que voulez-vous donc que je vous apprenne ?

MONSIEUR JOURDAIN : Apprenez-moi l'orthographe.

MAÎTRE DE PHILOSOPHIE : Très volontiers.

5 MONSIEUR JOURDAIN : Après vous m'apprendrez l'almanach, pour savoir quand il y a de la lune et quand il n'y en a point.

MAÎTRE DE PHILOSOPHIE : Soit. Pour bien suivre votre pensée et traiter cette matière en philosophe, il faut commencer selon l'ordre des choses, par une exacte 10 connaissance de la nature des lettres, et de la différente manière de les prononcer toutes. Et là-dessus j'ai à vous dire que les lettres sont divisées en voyelles, ainsi dites voyelles parce qu'elles expriment les voix ; et en consonnes, ainsi appelées consonnes parce qu'elles sonnent avec les voyelles, et ne font que marquer les diverses articulations des voix. Il y a cinq voyelles ou voix : 15 A, E, I, O, U.

MONSIEUR JOURDAIN : J'entends tout cela.

MAÎTRE DE PHILOSOPHIE : La voix A se forme en ouvrant fort la bouche : A.

MONSIEUR JOURDAIN : A, A. Oui.

MAÎTRE DE PHILOSOPHIE : La voix E se forme en rapprochant la mâchoire d'en bas 20 de celle d'en haut : A, E.

MONSIEUR JOURDAIN : A, E, A, E. Ma foi ! oui. Ah ! que cela est beau !

MAÎTRE DE PHILOSOPHIE : Et la voix I en rapprochant encore davantage les mâchoires l'une de l'autre, et écartant les deux coins de la bouche vers les oreilles : A, E, I.

25 MONSIEUR JOURDAIN : A, E, I, I, I, I. Cela est vrai. Vive la science !

Molière, *Le Bourgeois gentilhomme*, II, 4, 1670.

 Comment le maître de philosophie commence-t-il sa leçon ?
Quelles leçons M. Jourdain désire-t-il recevoir ? Comment exprime-t-il ses désirs ?

 Monsieur Jourdain est-il convaincu par la leçon du maître de philosophie ?
Comment exprime-t-il ses sentiments ?

3 *Très volontiers* (l. 4) : quelle est la particularité grammaticale de cette phrase ?
Relevez dans le texte trois phrases qui présentent la même caractéristique.

4 *Les lettres sont divisées en voyelles et en consonnes.* Récrivez cette phrase
en commençant par : *On divise...* Comparez les deux phrases.
Quel groupe de mots est mis en valeur par la phrase du texte ?

5 Comparez la construction des deux propositions introduites par *quand* dans la phrase
surlignée en orange : que remarquez-vous ?

1 La phrase

C'est une suite de mots organisés selon des règles grammaticales pour former un énoncé qui a un sens. On distingue :
– la **phrase verbale**, qui contient un ou plusieurs verbes conjugués ;
Ex. La voix A se forme en ouvrant fort la bouche : A.
– la **phrase non verbale**, qui ne contient pas de verbe conjugué.
Ex. Très volontiers.

2 Les types de phrases

On distingue **quatre types de phrases** :

La **phrase** **déclarative**	Elle exprime un fait, une certitude ou une opinion.	*Ex. J'entends tout cela.*
La **phrase** **exclamative**	Elle traduit un sentiment, une émotion de l'énonciateur.	*Ex. Vive la science ! Ma foi !*
La **phrase** **injonctive**	Elle donne un ordre, une défense ou un conseil.	*Ex. Apprenez-moi l'orthographe.*
La **phrase** **interrogative** **totale**	Elle met en question l'ensemble de la phrase. On y répond par *oui* ou par *non*.	*Ex. Avez-vous compris ?*
La **phrase** **interrogative** **partielle**	Elle demande une information sur une partie de la phrase. Elle est introduite par un mot interrogatif.	*Ex. Que voulez-vous donc que je vous apprenne ?*

ATTENTION Les types de phrases peuvent se combiner : « *Allez-vous enfin répondre ?* » ou « *Vous répondrez quand je vous le demanderai.* » sont aussi des phrases injonctives.

3 Les formes de phrases

La **phrase** **affirmative**	Elle exprime qu'un fait a été, est ou sera.	*Ex. Il y a de la lune.*
La **phrase** **négative**	Elle exprime qu'un fait n'a pas été, n'est pas ou ne sera pas.	*Ex. Il n'y a pas de lune.*
La **phrase** **neutre**	Elle ne met aucun mot en relief.	*Ex. La voix A se forme en ouvrant fort la bouche.*
La **phrase** **emphatique**	Elle met un mot ou un groupe de mots en relief par : – le **présentatif** *c'est… qui, c'est… que, c'est… dont,* qui encadre le mot ou le groupe de mots que l'on veut mettre en relief ; – le **détachement** où le mot ou le groupe de mots que l'on veut mettre en relief est détaché en début ou en fin de phrase.	*Ex. C'est en ouvrant fort la bouche* **qu'**on forme la voix A. *Ex. La voix A, on la forme en ouvrant fort la bouche.*
La **phrase** **passive**	Elle présente un **sujet qui subit l'action** (→ CHAPITRE 15) exprimée par le verbe et le met ainsi en valeur.	*Ex. L'orthographe* (sujet) *est enseignée par le maître* (complément d'agent).

ATTENTION Ces notions se combinent entre elles : elles servent à décrire la phrase.

Ex. Le Bourgeois gentilhomme n'a pas été représenté cette année.
(phrase verbale de forme passive et négative et de type déclaratif)

À vos marques !

1 **Vérifiez** que vous savez reconnaître :
– les phrases **verbales** et **non verbales** ;
– les quatre **types de phrases** ;
– la forme **affirmative** et la forme **négative**.

a. « Je n'en doute point, Monsieur. »

b. « Hé bien ! ne l'avais-je pas deviné ? »

c. « Paix ! »

d. « Cela vous incommodera-t-il de me donner ce que je vous dis ? »

e. « Cet homme-là fait de vous une vache à lait. »

f. « Taisez-vous. »

Phrases extraites du *Bourgeois gentilhomme* de Molière, II, 4, 1670.

2 **Relevez** les phrases injonctives en précisant à chaque fois par quel moyen l'ordre ou le conseil est exprimé.

Étienne découvre le travail des mineurs.

– Laisse donc ça, dit-il. Nous verrons après déjeuner… Vaut mieux[1] abattre, si nous voulons avoir notre compte de berlines[2].

5 – C'est que, répondit le jeune homme, ça baisse. Regarde, il y a une gerçure. J'ai peur que ça n'éboule.

Mais le père haussa les épaules. Ah ! ouiche[3] ! ébouler ! Et puis, ce ne serait pas la première fois, on s'en tirerait tout de même. Il finit par se 10 fâcher, il renvoya son fils au front de taille[4].

[…] Et Maheu recommença le premier à taper, plus bas, la tête au ras de la roche. Maintenant, la goutte lui tombait sur le front, si obstinée, qu'il croyait la sentir lui percer d'un trou les os du crâne.

15 – Il ne faut pas faire attention, expliquait Catherine à Étienne. Ils gueulent toujours.

Émile Zola, *Germinal*, 1885.

1. *Vaut mieux* : registre familier, abréviation de « il vaut mieux ».
2. *berlines* : petits wagons dans lesquels le charbon est transporté.
3. *ouiche* : oui.
4. *au front de taille* : à l'avant du groupe qui taille la roche.

Aide L'**ordre** peut être exprimé par : l'**impératif** ; le **futur de l'indicatif** ; le **subjonctif** (qui permet d'exprimer l'ordre à la 3ᵉ pers.) ; l'**infinitif** ; des **locutions verbales** (*il faut, tu dois…*) (→ CHAPITRES 40, 43, 44).
Ex. Ne jette pas ce papier. / Tu ne jetteras pas ce papier. / Qu'il ne jette pas ce papier. / Ne pas jeter de papier. / Tu ne dois pas jeter ce papier.

3 **Transformez** ces phrases déclaratives en phrases injonctives en variant les moyens d'expression de l'ordre.

a. Nous regardons la météo avant de partir en promenade en mer.

b. Paul et Virginie nous attendent.

c. Nous nous dépêchons de les rejoindre.

d. Tu penses à prendre le panier du pique-nique.

e. Chacun se met à son poste.

4 **Repérez** les phrases interrogatives dans cet extrait. **Précisez** à chaque fois s'il s'agit d'une **interrogation totale** ou d'une **interrogation partielle**.

GÉRONTE. – Ma foi ! seigneur Argante, voulez-vous que je vous dise ? l'éducation des enfants est une chose à quoi il faut s'attacher fortement.

ARGANTE. – Sans doute. À quel propos cela ?

5 GÉRONTE. – À propos de ce que les mauvais déportements[1] des jeunes gens viennent le plus souvent de la mauvaise éducation que leurs pères leur donnent.

ARGANTE. – Cela arrive parfois. Mais que voulez-10 vous dire par là ?

GÉRONTE. – Ce que je veux dire par là ?

ARGANTE. – Oui.

GÉRONTE. – Que si vous aviez, en brave père, bien morigéné[2] votre fils, il ne vous aurait pas joué 15 le tour qu'il vous a fait.

ARGANTE. – Fort bien. De sorte donc que vous avez bien mieux morigéné le vôtre ?

GÉRONTE. – Sans doute, et je serais bien fâché qu'il m'eût rien fait approchant de cela.

20 ARGANTE. – Et si ce fils que vous avez, en brave père, si bien morigéné, avait fait pire encore que le mien ? Eh ?

GÉRONTE. – Comment ?

ARGANTE. – Comment ?

25 GÉRONTE. – Qu'est-ce que cela veut dire ?

Molière, *Les Fourberies de Scapin*, II, 1, 1671.

1. *déportements* : mauvais comportements.
2. *bien morigéné* : bien grondé.

Aide Une même **question** peut être **formulée de manières différentes** selon le **registre de langue**.
Ex. Tu viens ? → familier (l'ordre des mots est identique à celui de la phrase déclarative). / *Est-ce que tu viens ?* → courant. / *Viens-tu ?* → soutenu (inversion du sujet).

5 **Distinguez** les **phrases interrogatives**, **déclaratives** et **injonctives** en **complétant** la **ponctuation** des phrases suivantes. (Plusieurs propositions sont parfois admissibles.)

Rosine attend le comte Almaviva, qui se fait appeler Lindor, dont elle est amoureuse.

Scène 2

ROSINE, *seule, sortant de sa chambre.*

Il me semblait avoir entendu parler ☐ Il est minuit sonné; Lindor ne vient point ☐ Ce mauvais temps même était propre à le favoriser ☐ Sûr de ne rencontrer personne ☐ Ah ☐
5 Lindor ☐ si vous m'aviez trompée ☐ Quel bruit entends-je ☐ Dieux ☐ C'est mon tuteur ☐ Rentrons ☐

Scène 3

ROSINE, BARTHOLO.

BARTHOLO, *tenant de la lumière.* – Ah ☐ Rosine, puisque vous n'êtes pas encore rentrée dans
10 votre appartement ☐

ROSINE. – Je vais me retirer ☐

BARTHOLO. – Par le temps affreux qu'il fait, vous ne reposerez pas, et j'ai des choses très pressées à vous dire ☐

15 ROSINE. – Que me voulez-vous, Monsieur ☐ N'est-ce donc pas assez d'être tourmentée le jour ☐

BARTHOLO. – Rosine, écoutez-moi ☐

ROSINE. – Demain je vous entendrai ☐

BARTHOLO. – Un moment, de grâce ☐

20 ROSINE, *à part.* – S'il allait venir ☐

D'après Beaumarchais, *Le Barbier de Séville*, IV, 2-3, 1775.

6 **Transformez** ces **phrases déclaratives** en **phrases interrogatives** portant sur le groupe souligné.

Ex. *Paul viendra <u>en bus</u>.*

→ *Comment Paul viendra-t-il?*

a. J'ai acheté <u>des livres</u> pour mon frère. Nous fêtons son anniversaire <u>samedi</u>.

b. Il va avoir <u>31 ans</u>. Il aime lire <u>des bandes dessinées et des romans fantastiques</u>.

c. Mes parents nous invitent <u>au restaurant</u>. Ils vont <u>lui offrir du matériel photographique</u>.

d. Ses amis pourront nous rejoindre facilement <u>grâce au plan que nous leur avons donné</u>. Il seront <u>six</u>.

e. S'il fait beau, nous profiterons <u>du jardin de notre maison de campagne</u>. Les enfants pourront s'amuser.

7 **Identifiez** les émotions exprimées dans les **phrases exclamatives** de l'extrait et **complétez** le tableau.

Cyrano interrompt une représentation théâtrale, il veut que l'acteur principal quitte la scène.

MONTFLEURY, *aux marquis.*

            Venez à mon secours,
Messieurs!

    UN MARQUIS, *nonchalamment.*

   Mais jouez donc!

    CYRANO

            Gros homme, si tu joues
Je vais être obligé de te fesser les joues!

    UN MARQUIS

Assez!

    CYRANO

   Que les marquis se taisent sur leurs bancs,
5 Ou bien je fais tâter ma canne à leurs rubans!

    TOUS LES MARQUIS, *debout.*

C'en est trop!... Montfleury...

    CYRANO

           Que Montfleury s'en aille.
Ou bien je l'essorille[1] et le désentripaille[2]!

    UNE VOIX

Mais...

    CYRANO

  Qu'il sorte!

    UNE AUTRE VOIX

   Pourtant...

    CYRANO

         Ce n'est pas encore fait?
Avec le geste de retrousser ses manches.
Bon! Je vais sur la scène en guise de buffet,
10 Découper cette mortadelle d'Italie!
[...]

    LE PARTERRE

Montfleury! – Montfleury! – La pièce de Baro!

Edmond Rostand, *Cyrano de Bergerac*, I, 4, 1897.

1. *essorille*: essore. **2.** *désentripaille*: étripe.

Colère	Angoisse	Enthousiasme	Mépris

8 **Distinguez** les phrases affirmatives des phrases négatives. **Relevez** les éléments de négation.

Vieille chanson du jeune temps

Je ne songeais pas à Rose ;
Rose au bois vint avec moi ;
Nous parlions de quelque chose,
Mais je ne sais plus de quoi.

5 [...]

Rose défit sa chaussure,
Et mit, d'un air ingénu,
Son petit pied dans l'eau pure ;
Je ne vis pas son pied nu.

10 Je ne savais que lui dire ;
Je la suivais dans le bois,
La voyant parfois sourire
Et soupirer quelquefois.

Je ne vis qu'elle était belle
15 Qu'en sortant des grands bois sourds.
« Soit ; n'y pensons plus ! » dit-elle.
Depuis, j'y pense toujours.

Victor Hugo, *Les Contemplations*, 1855
(v. 1 à 4 et 25 à 36).

> **Aide** *Ne* peut suffire à former la négation.
> La négation peut être restrictive : *ne... que* est
> l'équivalent de *seulement* à la forme affirmative.

9 **Relevez** les phrases à la **forme emphatique** et **précisez** le procédé employé (**présentatif** ou **détachement**).

Une tribu d'hommes préhistoriques découvre qu'on peut faire cuire la viande.

– Nous autres, nous y sommes habitués, dit père, mais au début il faut s'y prendre avec précaution. Le mieux, c'est de souffler dessus pour commencer, puis de mordiller petit à petit par
5 l'extérieur. Mais vous verrez qu'en un rien de temps vous vous débrouillerez très bien.

[...] Ce fut une révélation.

– M'man ! Comment as-tu dégotté ça ? m'écriai-je dans l'enthousiasme. Mais elle se contenta de
10 sourire, et ce fut William qui, de sa voix de fille, répondit d'un air important, mais où perçait la rancune : « C'est mon pauvre petit cochon ! »

Roy Lewis, *Pourquoi j'ai mangé mon père*,
1960, trad. Vercors et R. Barisse,
© Acte Sud, 1990.

10 **Mêmes consignes** que dans l'EXERCICE 9 avec le texte suivant.

Antoinette s'est disputée avec sa mère qui refuse qu'elle participe au bal qu'elle organise.

« Si elle m'avait touchée, je la griffais, je la mordais et puis... on peut toujours s'échapper... et pour toujours... la fenêtre... » pensa-t-elle fiévreusement.
5 Et elle se vit sur le trottoir, couchée, en sang... Pas de bal le 15... On dirait : « Cette petite, elle ne pouvait pas choisir un autre jour pour se tuer... »

Comme sa mère avait dit : « Je veux vivre, moi,
10 moi... » Peut-être, au fond, cela faisait plus mal encore que le reste... Jamais Antoinette n'avait vu dans les yeux maternels ce froid regard de femme, d'ennemie...

« Sales égoïstes ; c'est moi qui veut vivre, moi,
15 moi, je suis jeune, moi... Ils me volent, ils volent ma part de bonheur sur la terre... Oh ! pénétrer dans ce bal par miracle, et être la plus belle, la plus éblouissante, les hommes à ses pieds ! »

Irène Némirovsky, *Le Bal*,
© Grasset & Fasquelle, 1930.

11 **Distinguez** les phrases à la **forme active** et les phrases à la **forme passive**.

**Leonardo DiCaprio et Matt Damon
Frères ennemis**

Ils ont tous deux explosé il y a dix ans, l'un avec *Titanic*, l'autre avec *Will Hunting*. Chacun a depuis réussi à consolider son statut, DiCaprio en se faisant rare et ambitieux, Damon en se fai-
5 sant multiple et clairvoyant. Ils ont souvent été comparés, mais n'avaient jamais joué ensemble. *The Departed*[1], signé Martin Scorsese, est donc attendu comme la rencontre au sommet de deux frères rivaux. Ce remake[2] du thriller hongkon-
10 gais *Infernal Affairs*[3] évoque justement le brouillage des identités entre deux ennemis jurés, un flic et un mafieux[4]. Comme pour faire culminer l'attente, Martin Scorsese a laissé entendre que cela pourrait être son dernier gros film holly-
15 woodien [...].

Télérama, du 9 au 15 septembre 2006, n° 2956,
dossier réalisé par M. Blottière, A. Ferenczi, L. Guichard,
G. Olivier-Odicino, F. Strauss.

1. *The Departed* : le mort.
2. *remake* : nouvelle version d'un film.
3. *Infernal Affairs* : affaires infernales.
4. *mafieux* : membre de la mafia, organisation criminelle.

12 **1. Relevez** les phrases à la **forme passive** dans le premier extrait.
2. Mettez les phrases du second extrait à la **forme passive**.

Évacuation de la population menacée par une éruption

Depuis le réveil de la Soufrière de Montserrat, en 1995, les volcanologues de l'observatoire de Montserrat sont en alerte. Des événements éruptifs se sont succédé: explosions, nuées ardentes, nais-
5 sance et croissance d'un important dôme de lave.

Sur le conseil des géologues, la capitale a été évacuée en avril 1996. […] En août 1997, l'éva-cuation des 5 500 habitants restant dans l'île a été décidée.

La montagne Pelée en 1902

Le 8 mai 1902, une terrible explosion libère une nuée ardente. Des gaz, des cendres et des blocs de lave incandescente détruisent la ville de Saint-Pierre en moins de deux minutes, tuant 28 000 per-
5 sonnes et dévastant une surface de 58 km².

Sciences de la Vie et de la Terre 4e, © Hatier, 1998.

13 **Mettez** les phrases à la **forme négative. Plusieurs réponses sont parfois possibles.**

Paul et Marie aiment les films et les séries. Ils les enregistrent souvent. Ils consultent également tous les programmes des salles de cinéma. Ils vont tous les jours sur Internet pour visiter les sites de
5 leurs acteurs favoris. Ils connaissent tout de leur filmographie. Ils pensent encore à certains épi-sodes marquants. Quelqu'un les a informés de l'arrivée d'une nouvelle série. Ils cherchent le DVD partout.

14 **Complétez** les phrases suivantes avec le déterminant **exclamatif** ou **interrogatif** *quel* que vous accorderez.

Diderot admire un tableau d'Hubert Robert.

Ô les belles, les sublimes ruines ! …. fermeté, et en même temps …. légèreté, sûreté, facilité de pinceau ! …. effet ! …. grandeur ! …. noblesse ! Qu'on me dise à qui ces ruines appartiennent,
5 afin que je les vole […]. Propriétaire indolent ! …. tort te fais-je, lorsque je m'approprie des char-mes que tu ignores ou que tu négliges ! Avec …. étonnement, …. surprise je regarde cette voûte brisée, les masses surimposées à[1] cette voûte ! Les
10 peuples qui ont élevé ce monument, où sont-ils ? que sont-ils devenus ? Dans …. énorme profon-deur obscure et muette mon œil va-t-il s'égarer ?

D'après Diderot, *Correspondance littéraire, salon de 1767.*

1. *surimposées à*: placées par-dessus.

15 **Complétez** les phrases suivantes avec *on* ou *on n'*.

a. « (*On / On n'*) est pas sérieux quand (*on / on n'*) a dix-sept ans. »
b. (*On / On n'*) a reconnu ce vers de Rimbaud quand (*on / on n'*) a entendu le professeur le lire.
c. En effet, (*on / on n'*) a appris ce poème, « Roman », quand (*on / on n'*) était en cinquième.
d. (*On / On n'*) avait un poème à apprendre par semaine. Lorsqu'(*on / on n'*) était pas capable de réciter, (*on / on n'*) en avait un deuxième à connaître pour la fois suivante.
e. (*On / On n'*) a que de bonnes notes avec ce système si (*on / on n'*) est sérieux.

À vos plumes !

16 **Imaginez** la discussion de ces personnages. **Utilisez** tous les **types** et **formes de phrases** étudiés dans la leçon. **Respectez** la présenta-tion typographique d'un dialogue (tirets, guillemets… → CHAPITRE 4) **et** soyez attentif à la **ponctuation.**

Pierre Auguste Renoir (1841-1919), ▶
Le Déjeuner des canotiers, 1881
(Phillips Collection, Washington).

> *Cosette est orpheline. Elle vit chez les Thénardier, qui tiennent une auberge, avec leur filles Éponine et Azelma, appelées aussi Ponine et Zelma.*

Les ivrognes chantaient toujours leur chanson, et l'enfant, sous la table, chantait aussi la sienne.

Tout à coup Cosette s'interrompit. Elle venait de se retourner et d'apercevoir la poupée des petites
5 Thénardier qu'elles avaient quittée pour le chat et laissée à terre à quelques pas de la table de cuisine.

Alors elle laissa tomber le sabre emmaillotté[1] qui ne lui suffisait qu'à demi, puis elle promena lente-
10 ment ses yeux autour de la salle. La Thénardier parlait bas à son mari, et comptait de la monnaie, Ponine et Zelma jouaient avec le chat, les voyageurs mangeaient, ou buvaient, ou chantaient, aucun regard n'était fixé sur elle. Elle n'avait pas un moment à perdre. Elle sortit de dessous la table en rampant sur
15 ses genoux et sur ses mains, s'assura encore une fois qu'on ne la guettait pas, puis se glissa vivement jusqu'à la poupée, et la saisit. Un instant après elle était à sa place, assise, immobile, tournée seulement de manière à faire de l'ombre sur la poupée qu'elle tenait dans ses bras. Ce bonheur de jouer avec une poupée était telle-
20 ment rare pour elle qu'il avait toute la violence d'une volupté[2].

Personne ne l'avait vue, excepté le voyageur, qui mangeait lentement son maigre souper.

Cette joie dura près d'un quart d'heure.

Victor Hugo, *Les Misérables*, 1862.

1. *le sabre emmaillotté* : Cosette a mis un tissu autour du sabre (jouet) et fait comme si c'était une poupée.

2. *volupté* : plaisir intense.

1 Relevez les verbes conjugués dans les phrases surlignées en orange.
Combien en comportent-elles ?

2 Dans la phrase surlignée en violet :
a. Relevez les verbes conjugués.
b. Quel est le mot répété deux fois qui relie certains de ces verbes ?
c. Repérez un mot qui joue le même rôle dans cette phrase.

3 *qu'on ne la guettait pas / qu'elle tenait dans ses bras.*
a. Pouvez-vous supprimer ces deux groupes de mots ?
b. Précisez dans les deux cas le mot qui est complété par ces expressions.

4 *Ce bonheur [...] était <u>tellement</u> rare pour elle <u>qu'</u>il avait toute la violence d'une volupté.*
Reformulez cette phrase (l. 19-20) en deux phrases simples de même sens.

LEÇON ▸ *Je retiens...*

① La phrase complexe et les liens entre les propositions

La phrase **complexe** contient **plusieurs verbes conjugués**, donc **plusieurs propositions**.
Ces propositions peuvent être reliées de différentes manières :

● La **juxtaposition**

Ponine et Zelma jouaient **,** *les voyageurs mangeaient.*
(proposition indépendante)   (proposition indépendante)

> Lien : **signe de ponctuation** (virgule , / point-virgule ; / deux-points :)

● La **coordination**

Ponine et Zelma jouaient **et** *les voyageurs mangeaient.*
(proposition indépendante)   (proposition indépendante)

> Lien : – **conjonction de coordination** (*mais, ou, et, donc, or, ni, car*)
> – **adverbe de liaison** (*puis, pourtant, cependant...*)

● La **subordination**

Ponine et Zelma jouaient **tandis que** *les voyageurs mangeaient.*
(proposition principale)   (proposition subordonnée)

> Lien : **mot subordonnant** (*parce que, comme, si...*)
> (**Astuce** la plupart d'entre eux contiennent les lettres « *qu* »)

② Les types de propositions subordonnées

La proposition subordonnée **infinitive** (→ CHAPITRE 16)	Elle s'organise autour d'un **verbe à l'infinitif** qui possède un **sujet propre**. Elle complète souvent un verbe de perception. **Ex.** *Le voyageur voit* **Cosette prendre la poupée.**
La proposition subordonnée **relative** (→ CHAPITRE 23)	Elle est introduite par un **pronom relatif** (*qui, que, dont, auquel...*) qui a une fonction grammaticale dans cette proposition. Elle est le plus souvent **complément de l'antécédent**. **Ex.** *Le voyageur regarde Cosette* **qui joue avec la poupée.**
La proposition subordonnée **conjonctive**	Elle est introduite par une **conjonction de subordination** (*que, parce que, si, comme, puisque...*). **Ex.** *Le voyageur remarque* **qu'elle s'amuse avec la poupée.**
La proposition subordonnée **interrogative indirecte**	Elle est introduite par un **mot interrogatif** (*quand, où, pourquoi...*) ou par *si*. Dans la proposition principale on trouve un verbe exprimant une **demande d'information** (*demander, ignorer...*). **Ex.** *Le voyageur se demande* **si elle pourra garder la poupée.**

REMARQUE On classe parfois les propositions subordonnées selon leur **fonction** dans la phrase :
– les propositions subordonnées COD / COI sont des **complétives** (→ CHAPITRE 16) ;
Ex. *Cosette ne remarque pas* que le voyageur l'observe.
(COD)
– les propositions subordonnées CC sont des **circonstancielles** (→ CHAPITRE 18).
Ex. Comme personne ne la regarde, *Cosette saisit la poupée.*
(CC de cause)

À vos marques !

1 **Vérifiez** que vous savez :
– distinguer les **phrases simples** et les **phrases complexes** ;
– repérer une **proposition principale** et une **proposition subordonnée**.

Sans le souffle blanchâtre de la cheminée, l'haleine brumeuse du fumier et les geignements du bétail, on eût pu croire la ferme abandonnée.

Sur le chemin de boue figée, recouvert par une
5 neige souple, marche un homme, grand et large d'épaules, suivi de loin par les animaux à peine visibles dans le crépuscule. En vue des Bâtards[1], il s'arrête et arrête son troupeau, puis il avance seul dans la cour. Il va fièrement. Le bois de ses
10 sabots crisse. En approchant, il voit que la flamme du foyer projette une ombre rousse sur les vitres de la grande salle. Arrivé contre la porte, il la heurte du poing, sans marquer d'hésitation.
[...]
15 D'une lourde jetée d'épaule, l'homme repousse le panneau de chêne qui craque puis cède.

Claude Seignolle, *La Dimension fantastique*,
« Le meneur de loups », 1947, © EJL, 1996.

1. *les Bâtards* : nom de la ferme.

> **Aide** Pour analyser des phrases simples ou complexes, il faut commencer par repérer le ou les verbes conjugués ; puis isoler les propositions ; enfin observer leur lien (ponctuation, conjonction de coordination ou mot subordonnant).

2 **Délimitez**, dans ce texte, les propositions **indépendantes** et **précisez** si elles sont **juxtaposées** ou **coordonnées**.

Après son naufrage, Robinson s'est réfugié sur une île où il partage sa cabane avec Paf le chien qu'il a sauvé de la noyade. Un jour, un tremblement de terre secoue l'île.

Le sol tremblait toujours sous mes pieds. [...] dans ma maison bouleversée, sous mon toit abattu, mon pauvre Paf gémissait sans arrêt.

Le tremblement de terre cessa enfin ; la mer,
5 quoique toujours violemment agitée, était revenue aux rochers et au sable : les pierres ne roulaient plus de la colline ; je me levai et commençai à écarter les débris de mon toit afin de porter secours à Paf.

10 Heureusement, celui-ci n'avait que des blessures superficielles et, à part quelques poteries brisées, le dégât de ma demeure se réduisait au toit. Sur l'heure, je m'attaquai à refaire la charpente mais il se passa de longs jours avant de pouvoir
15 remettre le tout en état.

Daniel Defoe, *Robinson Crusoé*,
adaptation de G. Vallerey, © Nathan, 2002.

3 **Délimitez** les propositions **principales**, **subordonnées** et **indépendantes**.
Indiquez précisément la catégorie de chaque **subordonnée**.

Veni, vidi, vixi[1]

J'ai bien assez vécu, puisque dans mes douleurs
Je marche, sans trouver de bras qui me secourent,
Puisque je ris à peine aux enfants qui m'entourent,
Puisque je ne suis plus réjoui par les fleurs ;

5 [...]

Maintenant, mon regard ne s'ouvre qu'à demi ;
Je ne me tourne plus même quand on me nomme ;
Je suis plein de stupeur et d'ennui, comme un homme
Qui se lève avant l'aube et qui n'a pas dormi.

10 Je ne daigne plus même, en ma sombre paresse,
Répondre à l'envieux dont la bouche me nuit.
Ô Seigneur ! ouvrez-moi les portes de la nuit
Afin que je m'en aille et que je disparaisse !

Victor Hugo, *Les Contemplations*, 1848
(v. 1 à 4 et v. 25 à 32).

1. *Veni, vidi, vixi* : je suis venu, j'ai vu, j'ai vécu.

4 **Distinguez** les propositions **conjonctives** des propositions **relatives**.

Zerbinette parle au père de celui qu'elle aime sans savoir qui il est. Elle vient de se moquer de lui.

ZERBINETTE. – [...] Qu'en dites-vous ?

GÉRONTE. – Je dis que le jeune homme est un pendard, un insolent, qui sera puni par son père du tour qu'il lui a fait ; que l'Égyptienne est
5 une malavisée[1], une impertinente, de dire des injures à un homme d'honneur, qui saura lui apprendre à venir ici débaucher les enfants de famille ; et que le valet est un scélérat, qui sera par Géronte envoyé au gibet[2] avant qu'il
10 soit demain.

Molière, *Les Fourberies de Scapin*, III, 3, 1671.

1. *malavisée* : qui manque de bon sens.
2. *envoyé au gibet* : pendu.

> **Aide** La subordonnée **conjonctive** complète un **verbe**, c'est un élément essentiel de la phrase.
> La subordonnée **relative** complète un **nom** ou un **pronom** (→ CHAPITRE 23).

5 **Repérez**, dans le texte suivant, les **verbes à l'infinitif** et **signalez** ceux qui appartiennent à une **subordonnée infinitive**.

Mouret possède un grand magasin, « Au Bonheur des Dames », qu'il veut développer.

Dans le pâté[1] énorme, il y avait encore, sur cette dernière voie, un vaste terrain en bordure, qu'il ne possédait point ; et cela suffisait à gâter son triomphe, il était torturé par le besoin de complé-
5 ter sa conquête, de dresser là, comme apothéose[2], une façade monumentale. Tant que l'entrée d'honneur se trouverait rue Neuve-Saint-Augustin, dans une rue noire du vieux Paris, son œuvre demeurait infirme, manquait de logi-
10 que ; il la voulait afficher[3] devant le nouveau Paris, sur une de ces jeunes avenues où passait au grand soleil la cohue de la fin du siècle ; il la voyait dominer, s'imposer comme le palais géant du commerce, jeter plus d'ombre sur la ville que
15 le vieux Louvre.

Émile Zola, *Au Bonheur des Dames*, 1883.

1. *pâté* : pâté de maisons, quartier.
2. *apothéose* : réussite complète.
3. *afficher* : montrer publiquement.

> **Aide** Attention, quand le sujet du verbe à l'infinitif est un **pronom**, il se trouve **avant le verbe** principal et conjugué.
> *Ex. Il voit Pénélope arriver.* → *Il **la** voit arriver.*

6 **Délimitez** les **subordonnées** et **donnez** leur **classe grammaticale** : subordonnée relative, interrogative ou conjonctive.

a. Marie s'inquiète : « Séverine organise une soirée qui aura lieu samedi prochain. Je me demande qui viendra. »

b. « Elle ignore que Romain a lui aussi choisi cette date pour fêter son anniversaire et qu'il a déjà distribué les invitations. »

c. « Je ne sais pas qui aura le courage de lui annoncer cette nouvelle qui va la démoraliser. »

d. « On pourrait dire à Séverine qu'il faut modifier la date qu'elle a choisie. »

e. Pauline rassure Marie : « Je ne crois pas que ce sera un problème, elle fait partie de ceux que Romain a invités. »

f. Mais alors, sait-on quelle est sa décision : annuler ou reporter ?

g. Elle pense qu'elle la reportera à un jour qui conviendra à tout le monde.

7 **Relevez** les **propositions subordonnées circonstancielles** et **précisez** la **circonstance** exprimée par chacune.

Julien Sorel est le précepteur des enfants de Mme de Rênal. Ils sont attirés l'un par l'autre. Ils se trouvent avec une amie de Mme de Rênal, dans le jardin.

Enfin, comme le dernier coup de dix heures retentissait encore, il étendit la main, et prit celle de Mme de Rênal, qui la retira aussitôt. Julien, sans trop savoir ce qu'il faisait, la saisit de nou-
5 veau. Quoique bien ému lui-même, il fut frappé de la froideur glaciale de la main qu'il prenait ; il la serrait avec une force convulsive ; on fit un dernier effort pour la lui ôter, mais enfin cette main lui resta.

10 [...] Pour que Mme Derville ne s'aperçût de rien, il se crut obligé de parler ; sa voix alors était éclatante et forte. Celle de Mme de Rênal, au contraire, trahissait tant d'émotion, que son amie la crut malade et lui proposa de rentrer. Julien
15 sentit le danger : « Si Mme de Rênal, rentre au salon, je vais retomber dans la position affreuse où j'ai été toute la journée. J'ai tenu cette main trop peu de temps pour que cela compte comme un avantage qui m'est acquis. »

Stendhal, *Le Rouge et le Noir*, 1830.

> **Aide** Pour les types de compléments circonstanciels (→ CHAPITRE 18).

8 **Transformez** les deux indépendantes en une **phrase complexe** (comportant une principale et une subordonnée) **qui conservera le rapport logique** exprimé par le mot coordonnant ou sous-entendu par la virgule. **Variez** les **mots subordonnants**.

a. Je suis fatiguée donc je me coucherai tôt.

b. Je dois être raisonnable, je participe à une compétition demain matin.

c. Je me suis entraînée dur, j'ai maintenant le niveau attendu.

d. Je suis angoissée car le résultat de cette épreuve est important pour moi.

e. Je serai à l'heure sur la piste d'athlétisme, mon entraîneur sera satisfait.

f. L'important est de participer mais je serai déçue de ne pas être sur le podium.

g. Le jour J arrive : je me sens à la fois anxieuse et pressée de concourir.

h. Je me sens fatiguée, pourtant j'ai dormi suffisamment.

i. Je me prépare un petit déjeuner équilibré : je dois être en pleine forme.

j. Je n'aurais pas pris ce mauvais départ, je gagnais la course.

9 **Transformez** les deux phrases en une **phrase complexe** composée d'une **principale** et d'une **subordonnée relative**. Vous ferez les modifications nécessaires.

a. J'ai lu un livre. Le titre de ce livre est *Le Bizarre Incident du chien pendant la nuit*.

b. C'est un roman. Le narrateur du roman est le personnage principal.

c. L'adolescent raconte un événement. Cet événement est le point de départ de changements dans sa vie.

d. La police le trouve dans le jardin de sa voisine. Son chien a été tué dans le jardin.

e. Il tient l'animal dans ses bras. Il a été transpercé par une fourche.

f. Le héros mène une enquête. L'enquête le conduit à découvrir la vérité sur son passé.

g. L'auteur choisit un point de vue. C'est un point de vue surprenant.

h. Le narrateur est un adolescent autiste[1]. On connaît toutes ses pensées et on comprend son mode de fonctionnement.

1. *autiste* : désigne une personne repliée sur elle-même qui a du mal à communiquer.

10 **Réécrivez** les phrases afin qu'elles comportent au moins une **principale** et une **subordonnée**. **Modifiez** l'ordre des mots si nécessaire.

Le Bleu IKB, International Blue Klein. Ce bleu électrique, marque de fabrique d'Yves Klein, est devenu une œuvre d'art. L'artiste en recouvrait des tableaux entiers, des monochromes. Il l'uti-
5 lisait aussi pour ses toiles « anthropométriques », réalisées par empreintes de corps recouverts de peinture, sorte de « pinceaux vivants ». L'artiste est mort en 1962 à l'âge de 34 ans.

L'Actu, Île-de-France, septembre-décembre 2006.

11 **Délimitez** toutes les **propositions**, et **donnez** la **classe grammaticale** précise et la **fonction** des **subordonnées**.

Texte 1

Il était tard dans l'après-midi lorsque M. Utterson se présenta à la porte du Dr Jekyll, où il fut reçu aussitôt par Poole[1], qui l'emmena, par les cuisines et en traversant une cour qui avait
5 été autrefois un jardin, jusqu'au corps de logis qu'on appelait indifféremment le laboratoire ou la salle de dissection. Le docteur avait racheté la maison aux héritiers d'un chirurgien fameux ; et comme lui-même s'occupait plutôt de chimie
10 que d'anatomie, il avait changé la destination du bâtiment situé au fond du jardin.

R. L. Stevenson, *Le Cas étrange du Dr Jekyll et de M. Hyde*, 1886, trad. T. Varlet, © Flammarion.

1. *Poole* : domestique au service du Dr Jekyll.

Aide Un mot subordonnant peut-être précédé d'une conjonction de coordination.
*Ex. Il viendra <u>parce qu'il l'a promis</u> **et** <u>parce qu'il le doit</u>.*

Texte 2

C'était chez ma tante, Lady Agatha. Elle m'annonça un jour qu'elle venait de découvrir un jeune homme extraordinaire, qui allait lui prêter son concours pour les œuvres d'East-End[1].
5 Elle ajouta qu'il se nommait Dorian Gray. Mais je dois dire qu'elle ne souffla mot de sa beauté physique. Les femmes, tout au moins les honnêtes femmes, ne savent pas apprécier la beauté physique. Elle me dit qu'il était très sérieux et
10 qu'il avait une belle nature.

Oscar Wilde, *Le Portrait de Dorian Gray*, 1891, trad. Éd. Jaloux et F. Fraperau, © Stock, Le Livre de poche, 1983.

1. *East-End* : quartier de Londres.

12 **Complétez** les phrases par des **pronoms relatifs. Accordez** les pronoms composés.

La rôtisserie des poètes

[...] À gauche, premier plan, comptoir surmonté d'un dais en fer forgé, ... sont accrochés des oies, des canards, des paons blancs. [...] Du même côté, second plan, immense cheminée devant ....,
5 entre de monstrueux chenets, ... chacun supporte une petite marmite, les rôtis pleurent dans les lèchefrites[1].

À droite, premier plan avec porte. Deuxième plan, un escalier montant à une petite salle en
10 soupente, ... on aperçoit l'intérieur par des volets ouverts ; une table y est dressée, un menu lustre flamand y luit : c'est un réduit .... l'on va manger et boire. Une galerie de bois, faisant suite à l'escalier, semble mener à d'autres petites salles
15 analogues.

Au milieu de la rôtisserie, un cercle de fer .... l'on peut faire descendre avec une corde, et .... de grosses pièces sont accrochées, fait un lustre de gibier.

D'après Edmond Rostand, *Cyrano de Bergerac*, II, 1897.

1. *lèchefrites* : plat placé sous la broche pour recevoir le jus de la viande.

13 **Choisissez** l'orthographe qui convient.
1 *quoique / quoi... que*.

a. .... en pense Martine, je partirai samedi.
b. Le week-end sera agréable, ... il risque de pleuvoir
c. .... on en dise, la Normandie n'est pas très loin.

2. *quel(le)(s)... que / quelque(s) / quelque...que*.
a. .... soit ta décision, nous t'aiderons. Nous avons .... économies.
b. Si tu veux créer .... entreprise .... ce soit nous serons là. As-tu déjà .... idées ?
c. .... soient tes qualités de cuisinier, transformer ce magasin en salon de thé ne sera pas facile. Tu devras engager .... employés.

> **Aide** • *Quoique* est un mot subordonnant exprimant une concession synonyme de *bien que*. **Quoi que** constitue un mot subordonnant signifiant *quelle que soit la chose que*.
>
> • *Quel(les)...que* et *quelque ... que* permettent de former des subordonnées. Attention à l'accord de *quel*.
>
> • *Quelque(s)* est un déterminant, placé devant un nom avec lequel il s'accorde.

À vos plumes !

14 **Récrivez** le texte suivant en développant les circonstances de l'action grâce à des phrases complexes comportant des **propositions subordonnées.**
Vous pouvez vous inspirer du tableau.

Alors on descendit. Le mari sauta le premier, puis ouvrit les bras pour recevoir sa femme. [...]
La jeune fille ensuite, posant la main sur l'épaule de son père, sauta légèrement toute seule.
5 Le garçon aux cheveux jaunes était descendu en mettant un pied sur la roue, et il aida M. Dufour à décharger la grand-mère.
Alors on détela le cheval, qui fut attaché à un arbre ; et la voiture tomba sur le nez, les deux
10 brancards à terre. Les hommes, ayant retiré leurs redingotes, se lavèrent les mains dans un seau d'eau, puis rejoignirent leurs dames installées déjà sur les escarpolettes[1].

Guy de Maupassant, *Une partie de campagne*, 1881.

1. *escarpolettes* : balançoires.

George Seurat (1859-1891), *Un dimanche après-midi à l'Île de la Grande Jatte*, 1884-1886 (Art Institute, Chicago).

Un article

Regards croisés

Carte blanche à Raymond Depardon

Portraits d'Afars, de Canaques ou de Javanaises, paysages d'Océanie ou de la Terre Feu... Toute cette galerie de petites merveilles photographiques est enfin exhumée[1] des collections françaises dans lesquelles elle sommeillaient depuis des lustres. Leurs auteurs ? Ils s'appellent Isidore van Kinsbergen, Henri Jacquart, Paul
5 Émile Miot... Qui sont-ils ? D'illustres inconnus, alors que certains mériteraient de figurer au panthéon[2] de la photographie. Dès la mise au point des premiers daguerréotypes[3], au milieu du XIXᵉ siècle, tous sont partis à l'aventure dans les terres lointaines, avant les conquêtes coloniales ou les accompagnant, pour en rapporter ces images sublimes. Et que sait-on d'eux ? Rien ou pas grand-chose.

10 L'affaire n'est en fait pas si surprenante qu'il n'y paraît. Longtemps, aux yeux des conservateurs de musées français, à l'exception notable d'Orsay, un photographe n'avait guère plus de mérite artistique qu'un typographe[4] ou un géomètre[5]. Peu à peu, les mentalités évoluent. On commence à reconnaître à un photographe, fût-il un explorateur ou un aventurier, la singularité d'un regard d'auteur. Mais,
15 récemment encore, ne fallait-il pas se rendre au Metropolitan Museum de New York pour découvrir l'œuvre des Beaufils, père et fils, des Cévenols[6] toujours inconnus en France, ayant réalisé à Beyrouth, à la fin du XIXᵉ siècle, une admirable galerie de portraits de chef de tribus libanaises ?

Avec l'ouverture du Quai Branly – qui centralise un fonds de 700 000 épreuves –
20 les clichés des Beaufils, qui étaient répertoriés dans les collections scientifiques ou de sciences humaines, devraient sortir de leur ghetto[7] et trouver la place qu'ils méritent dans l'histoire de l'art du XIXᵉ siècle.

C'est en tout cas le souhait de Raymond Depardon, qui, ébloui par le talent de ces inconnus, commente pour nous ces
25 daguerréotypes et tirages sur papier albuminé qu'il a sélectionnés parmi les œuvres de cette première exposition. « *Je considère la photographie comme un bienfait*, dit le cinéaste et
30 photographe, qui n'a cessé de mettre ses pas dans les traces de ces curieux, particulièrement en Afrique. *Une image, c'est un échange, une façon de tendre la main
35 à l'autre. Je me reconnais dans tous ces photographes, et j'aimerais savoir qui ils sont.* »

LUC DESBENOIT

Télérama hors-série,
« D'un regard l'autre »,
septembre 2006.

1. *exhumée*: tirée de l'oubli.
2. *panthéon*: ensemble de personnages célèbres.
3. *daguerréotypes*: images obtenues par un procédé primitif de photographie.
4. *typographe*: ouvrier qui travaille dans une imprimerie.
5. *géomètre*: technicien qui prend des mesures.
6. *Cévenols*: originaires des Cévennes.
7. *ghetto*: lieux de ségrégation, d'enfermement.

Isidore van Kinsbergen (1821-1905), *Le Sultan et sa suite. Jawa, Grandes Îles de la Sonde*, 1870-1875 (Musée du quai Branly, Paris).

QUESTIONS

L'introduction d'un dossier

1. Donnez un titre à chaque paragraphe.

2. Quel type de phrase emploie l'auteur pour provoquer la curiosité du lecteur ? Citez des exemples.

3. Relevez une phrase interrogative dans le premier paragraphe et sa reprise au style indirect à la fin de l'article. Déduisez-en le thème de ce dossier ? (→ Aide 1)

> **Aide 1** Pour le **style indirect** et la **subordonnée interrogative indirecte** (→ CHAPITRE 4).

Les photographes

4. Selon cet article, comment les photographes étaient-ils considérés ? Pour justifier votre réponse :

a. Relevez des phrases à la forme négative. Distinguez les phrases verbales des phrases non verbales. Précisez à quel type de phrase chacune d'elles est combinée.

b. Relevez un mot subordonnant qui exprime l'opposition.

5. a. Dans la phrase des lignes 19 à 22 (*Avec l'ouverture du Quai Branly… l'histoire de l'art du XIXᵉ siècle*), relevez les propositions subordonnées.

b. Donnez leur fonction grammaticale.

c. Quelles informations apportent-elles ?

6. Relevez une autre phrase qui évoque les Beaufils. Est-elle simple ou complexe ? Justifiez votre réponse.

L'exotisme – La découverte de l'autre

7. a. Comment sont construites les phrases surlignées en violet (syntaxe, ponctuation) ?

b. Quel effet cela produit-il ?

8. a. Qu'indique l'utilisation de l'italique dans l'article ?

b. Quelle est la définition de l'image donnée par Raymond Depardon ?

c. Quel procédé utilise-t-il pour introduire cette définition ?

9. Relevez le champ lexical du voyage. (→ Aide 2)

> **Aide 2** Pour les **champs lexicaux** (→ CHAPITRE 26).

RÉÉCRITURE

1. Relevez une phrase et une proposition à la forme passive et mettez-les à la forme active. (→ Aide 3)

2. Repérez le passage au style direct et transposez-le au style indirect en commençant la phrase par : *Raymond Depardon a dit…* (→ Aide 4)

> **Aide 3** Pour le **passif** (→ CHAPITRE 15).

> **Aide 4** Pour les **paroles rapportées** (→ CHAPITRE 4).

RÉDACTION

■ Commentez la photographie en imaginant les circonstances de sa réalisation, l'état d'esprit du photographe, ses liens avec la personne photographiée…

Aide à la rédaction

Le sujet vous propose de mêler texte descriptif et commentaire.
Avant de commencer, répondez aux questions suivantes :

– *Quelle personne et quel système de temps dois-je utiliser ?*
– *Le verbe commenter de la consigne m'autorise-t-il à donner mes impressions personnelles sur la photographie ?*
– *Le verbe imaginer de la consigne m'autorise-t-il à inventer l'histoire de cette photographie (conditions dans lesquelles elle a été prise, projet du photographe…) ?*

ÉVALUATION 5

ACTIVITÉ *J'observe...*

Le comte d'Athol vient de perdre sa femme, Véra.

Le comte regarda, autour de lui, la robe jetée, la veille, sur un fauteuil ; sur la cheminée, les bijoux, le collier de perles, l'éventail à demi fermé, les lourds flacons de parfums qu'*Elle* ne respirerait plus. Sur le lit d'ébène[1] aux colonnes tordues,
5 resté défait, auprès de l'oreiller où la place de la tête adorée et divine était visible encore au milieu des dentelles, il aper-çut le mouchoir rougi de gouttes de sang où sa jeune âme avait battu de l'aile un instant ; le piano ouvert, suppor-tant une mélodie inachevée à jamais ; les fleurs indiennes
10 cueillies par elle, dans la serre, et qui se mouraient dans de vieux vases de Saxe ; et, au pied du lit, sur une fourrure noire, les petites mules[2] de velours oriental, sur lesquelles une devise[3] rieuse de Véra brillait, brodée en perles : *Qui verra Véra l'aimera.* Les pieds nus de la bien-aimée y jouaient hier
15 matin, baisés à chaque pas, par le duvet des cygnes ! – Et là, là, dans l'ombre, la pendule, dont il avait brisé le ressort pour qu'elle ne sonnât plus d'autres heures.

Ainsi elle était partie !... *Où* donc !... Vivre maintenant ? – Pour quoi faire ?... C'était impossible, absurde.
20 Et le comte s'abîmait[4] en des pensées inconnues.

Il songeait à toute l'existence passée. – Six mois s'étaient écoulés depuis ce mariage. N'était-ce pas à l'étranger, au bal d'une ambassade, qu'il l'avait vue pour la première fois ?...

Villiers de L'Isle-Adam, *Véra*, 1874.

1. ébène : bois noir.

2. mules : pantoufles.
3. devise : paroles exprimant une pensée, une règle de vie.

4. s'abîmait : se perdait.

1 **a.** Qui regarde les objets dans la chambre de Véra ?
b. Relevez le groupe de mots qui vous a permis de répondre.
Quelle est sa classe grammaticale ?

2 **a.** Qu'a fait le comte à la pendule ?
b. Relevez la phrase qui vous permet de répondre : quel mot y désigne le comte ?
Donnez sa classe grammaticale.

3 **a.** D'après la devise brodée sur les pantoufles, qui aimera Véra ?
b. Quelle est la classe grammaticale du groupe que vous avez relevé ?

4 **a.** Pour le comte, qu'est-ce qui est devenu *impossible*, *absurde*, depuis la mort de Véra ?
b. Récrivez la dernière phrase du deuxième paragraphe en remplaçant le pronom *c'*
par ce qu'il représente.
c. Quelle est la classe grammaticale du mot qui remplace *c'* ?

① Définition

Le **sujet** est un **élément essentiel** de la phrase qui commande l'**accord du verbe**
(→ CHAPITRE 34). Il fait en général l'action exprimée par le verbe.

Ex. *Le comte* [songeait] *à Véra.*

> *Qu'est-ce qui* (ou *qui est-ce qui*) *songeait ?*
> = *Le comte* → sujet du verbe *songeait.*

RAPPEL Le sujet peut se trouver **avant** ou **après le verbe** (= sujet inversé)
dans les phrases interrogatives (→ CHAPITRE 13), dans certaines subordonnées (→ CHAPITRE 14)
ou dans les propositions incises (→ CHAPITRE 4).

Ex. *Comment s'appelait* **la jeune femme ?** */ C'était la femme à laquelle* _songeait_ **le comte.** */*
Que deviendrai-je sans elle ? _se demandait_ **le comte.**

② Les classes grammaticales du sujet

Groupe nominal	*Le comte* _regarda_, *autour de lui, la robe jetée, la veille, sur un fauteuil.*
Pronom (personnel, possessif, démonstratif, indéfini, interrogatif, relatif...) (→ CHAPITRE 11)	*Il* _aperçut_ *le mouchoir rougi.* (pronom personnel) *C'était la femme* **qui** *avait séduit le comte.* (*C'* = pronom démonstratif) (*qui* = pronom relatif) **Qui** _regarde_ *le comte ?* (pronom interrrogatif) **Tout** *lui* _rappelle_ *Véra.* (pronom indéfini)
Groupe infinitif	**Vivre** _était_ *impossible, absurde.*
Proposition subordonnée (→ CHAPITRE 14)	**Qui verra Véra** *l'*_aimera_. (prop. sub. relative) **Qu'elle ait disparu** *lui* _semble_ *insupportable.* (prop. sub. conjonctive)

③ Sujets particuliers

● Le sujet de la **forme passive** (→ CHAPITRE 13) **subit l'action** exprimée par le verbe.

Ex. *Véra* avait jeté *la robe* sur un fauteuil.
    sujet   COD

    La robe avait été jetée *par Véra* sur un fauteuil.
    sujet   compl. d'agent

FORME ACTIVE
(Le sujet est **actif** :
Véra fait l'action de *jeter*.)

FORME PASSIVE
(Le sujet est **passif** :
la robe subit l'action d'*être jetée*.)

● Le sujet *il* des **formes impersonnelles** est vide de sens : il ne représente rien.

– Le sujet *il* ne renvoie à rien : c'est un sujet grammatical.

Ex. **Il** *faisait nuit.* (→ *Qui est-ce qui faisait nuit ?*) / **Il** *neige.* / **Il** *faut qu'il vienne.* /
Il *y a des nuages.*

– Le sujet *il* est **apparent** et il existe un **sujet réel** : la transformation de la phrase
permet de le trouver.

Ex. **Il** *restait* _les affaires de Véra_. (→ *Les **affaires de Véra** restaient.*)
sujet apparent   sujet réel

À vos marques !

1 **Vérifiez** que vous savez repérer les **sujets** des verbes soulignés. (Attention aux pronoms relatifs et aux sujets inversés !)

La reine Marie-Thérèse d'Autriche, l'épouse de Louis XIV, se lève...

Marie-Thérèse n'<u>avait</u> aucun pouvoir. Timide et effacée, comprenant mal le français, elle <u>préférait</u> vivre retirée dans ses appartements, à l'écart du monde. Pour l'heure, Marie-Thérèse, encore
5 dans son lit, <u>tendait</u> son bras à Fagon, son premier médecin, qui lui <u>tâtait</u> le pouls comme chaque matin. Puis la reine <u>se leva</u> et <u>ôta</u> sa chemise de nuit.

« La chemise de jour », <u>ordonna</u> Mme de
10 Montespan, la surintendante, à Élisabeth, pendant que la reine <u>attendait</u> nue, debout dans la ruelle de son lit[1]. Élisabeth <u>prit</u> cérémonieusement le vêtement des mains de la camériste[2] puis le <u>passa</u> à Madame qui <u>était</u> ce matin la femme
15 la plus titrée de la pièce. Celle-ci en <u>revêtit</u> la reine avec respect, ainsi que le <u>voulait</u> l'étiquette[3].

Annie Jay, Complot à Versailles,
© Hachette Livre, 1993, 2001.

1. *ruelle de lit* : espace à côté du lit. 2. *camériste* : femme de chambre.
3. *étiquette* : organisation des cérémonies autour de la reine.

2 **Relevez** tous les **verbes conjugués** et leur **sujet** dans le texte suivant.

Le marquis de La Tour-Samuel se souvient du jour où un ami veuf lui a demandé un service.

À dix heures, le lendemain, j'étais chez lui. Nous déjeunâmes en tête à tête ; mais il ne prononça pas vingt paroles. Il me pria de l'excuser ; la pensée de la visite que j'allais faire dans
5 cette chambre, où gisait[1] son bonheur, le bouleversait, me disait-il. Il me parut en effet singulièrement[2] agité, préoccupé, comme si un mystérieux combat se fût livré dans son âme.

Enfin il m'expliqua exactement ce que je devais
10 faire. C'était bien simple. Il me fallait prendre deux paquets de lettres et une liasse de papiers enfermés dans le premier tiroir de droite du meuble dont j'avais la clef.

Guy de Maupassant, Apparition, 1883.

1. *gisait* : reposait. 2. *singulièrement* : bizarrement.

3 **Indiquez**, dans ce poème, avec quel **verbe** s'accorde chaque sujet souligné.

Venise

Seul assis sur la grève[1],
<u>Le grand lion</u> soulève
Sur l'horizon serein[2],
    Son pied d'airain[3].

5 Autour de lui, par groupes,
<u>Navires et chaloupes</u>[4],
Pareils à des hérons[5]
    Couchés en rond,

Dorment sur l'eau <u>qui</u> fume
10 Et croisent dans la brume
En légers tourbillons
    Leurs pavillons.

La <u>lune</u> <u>qui</u> s'efface
Couvre son front <u>qui</u> passe
15 D'un nuage étoilé
    Demi voilé.

Alfred de Musset, Contes
d'Espagne et d'Italie, « Venise »,
1829 (v. 5 à 20).

1. *grève* : rivage. 2. *serein* : calme.
3. *airain* : bronze. 4. *chaloupes* : barques. 5. *hérons* : oiseaux.

Photographie de Ferdinand Ongania, *Venise : colonne du Lion et Île St Georges Maje de la Piazzetta de Saint-Mar* (Musée d'Orsay, Paris).

4 **Repérez** les **sujets** des verbes du texte suivant. (Attention aux sujets inversés et aux formes impersonnelles.)

Conradin, dix ans, vit chez une sévère tutrice qui lui interdit tout sous prétexte qu'il est malade.

Le jardin, morne et sans vie, sur lequel donnaient tant de fenêtres prêtes à s'ouvrir pour des rappels à l'ordre – ne pas faire ceci ou cela, venir prendre ses médicaments –, ne l'attirait guère. Les
5 quelques arbres fruitiers qui y poussaient étaient jalousement gardés hors de sa portée, comme s'il s'agissait de spécimens rares qui eussent fleuri au milieu d'un désert. Pourtant il eût été bien difficile de trouver un marchand de quatre-saisons
10 prêt à offrir plus de dix shillings pour toute la récolte de l'année. Toutefois, dans un coin oublié, presque masquée par un triste bosquet, se dressait une remise à outils abandonnée mais de proportions respectables, où Conradin s'était créé un
15 havre, un refuge qui, selon son humeur, se transformait en salle de jeux ou en cathédrale.

Saki, « Sredni Vashtar », 1910, trad. G. Marlière,
in La Dimension fantastique 2, © EJL, 1998.

5 **Donnez** la classe grammaticale des sujets soulignés. Dans le cas du pronom *il*, vous **préciserez** s'il a une valeur impersonnelle.

Littérature

Je voudrais aujourd'hui écrire de beaux vers
Ainsi que j'en lisais quand j'étais à l'école
Ça me mettait parfois les rêves à l'envers
Il est possible aussi que je sois un peu folle

5 Mais compter tous ces mots accoupler ces syllabes
Me paraît un travail fastidieux[1] de fourmi
J'y perdrais mon latin mon chinois mon arabe
Et même le sommeil mon serviable ami

J'écrirai donc comme je parle et puis tant pis
10 Si quelque grammairien[2] surgi de sa pénombre
Voulait me condamner avec hargne et dépit
Il est une autre science où je peux le confondre.

Robert Desnos, Destinée arbitraire,
© Gallimard, 1975 (publication posthume).

1. *fastidieux* : long et pénible.
2. *grammairien* : spécialiste de la grammaire.

6 **Complétez** le texte avec les sujets proposés en vous appuyant sur l'accord des verbes.

Liste : *il – Ils* (3 fois) – *Je* (2 fois) – *l'odeur – qui* (2 fois) – *nous – ils.*

Conrad, le fils d'un ambassadeur allemand, raconte son arrivée au collège.

❶ …. finis pourtant par me familiariser avec la classe dont ❷ …. me choquait toujours autant quand j'arrivais du dehors, et ❸ …. m'habituai aux élèves, ❹ …., eux, commençaient à m'accepter, plus ou moins, comme l'un des leurs.
5 ❺ …. ne me bousculaient pourtant jamais ni même ne me touchaient. Je ne dirais pas qu' ❻ …. me traitaient comme une vache sacrée[1], mais ❼ …. semblait exister entre eux et moi une barrière invisible. ❽ …. n'osaient pas se montrer
10 familiers.
[…] ❾ …. étions de la même caste[2], mais ❿ …. acceptaient comme un fait acquis que je leur sois supérieur : le souverain de leur petit empire ⓫ ….
15 daignait les saluer, eux, les courtisans[3].

D'après Fred Uhlman, La Lettre de Conrad, 1985,
trad. B. Gartenberg, © éd. Stock, 1986, 2000.

1. *vache sacrée* : en Inde, on ne touche pas les vaches, animaux sacrés.
2. *caste* : classe sociale fermée.
3. *courtisans* : personnes qui fréquentent la cour d'un souverain.

7 **Remplacez** les sujets soulignés par des sujets de la classe grammaticale indiquée entre parenthèses. (Attention aux accords.)

a. Ce soir-là, Faustine se préparait pour se rendre au bal du marquis de Beaulieu. (pronom personnel)

b. Les préparatifs pour se parer duraient toujours des heures, malgré l'aide précieuse de sa femme de chambre. (infinitif)

c. Mais le fait d'être resplendissante était très important à ses yeux. (prop. subordonnée)

d. Rechercher un futur mari faisait partie de ses activités pour la soirée. (groupe nominal)

e. Arrivée au château, elle rencontra mademoiselle de La Tour, sa grande amie. (nom propre)

f. Leurs retrouvailles après la longue période hivernale la remplirent de joie. (infinitif)

g. Cette joie était partagée par son amie. (pronom démonstratif)

h. Finalement ce fut un moment merveilleux pour tous les convives. (groupe nominal)

8 **Précisez** pour chaque sujet surligné si le pronom *il* reprend un élément du texte ou s'il est **impersonnel**.

La jeune narratrice a décidé de quitter secrètement sa famille pour entrer dans l'armée. Son père ignore qu'il la voit pour la dernière fois.

Demain, il passerait devant ma porte avec un tressaillement[1] de chagrin. Il n'y aurait plus en ces lieux qu'un vide et un silence de tombe. Mon père me fixa avec insistance : « Qu'as-tu ? Es-tu
5 bien sûre de n'être pas malade ? » Je répondis que j'étais seulement fatiguée et que j'avais froid. « Pourquoi ne fais-tu pas chauffer ta chambre ? Il commence à faire frais et humide. » Puis après un silence mon père me demanda : « Pourquoi
10 ne dis-tu pas à Efim de manier Alkide[2] à la longe[3] ? Il n'est pas moyen de l'approcher, toi-même ne l'as plus monté depuis longtemps, et tu n'en donnes à personne d'autre la permission. Il est si fatigué de l'écurie qu'il se cabre dans
15 sa stalle[4]. Il faut absolument le faire courir un peu. »

Nadejda Dourova, Cavalière du tsar, 1836,
trad. P. Lequesne,
© éd. Viviane Hamy, 1995.

1. *tressaillement* : sursaut.
2. *Alkide* : nom d'un cheval.
3. *longe* : longue corde qui sert à tenir un cheval.
4. *stalle* : sorte de petit box.

9 **Repérez** si les phrases suivantes contiennent une **forme impersonnelle**.
Relevez alors le **sujet apparent** et le **sujet réel**.

a. Il est nécessaire que nous arrivions à l'heure à la gare : il est peu probable que le train nous attende !

b. C'est heureux que tu te sois aperçu à temps que tu avais oublié les billets !

c. Il est évident que tu trouveras un taxi devant la gare : il te ramènera chez toi.

d. Qu'il est étourdi, ce garçon !

e. Il est probable qu'il ne prendra pas l'avion. Il craint les accidents.

f. Il est pourtant plus sûr de voyager en avion.

g. Il est préférable de réserver les billets longtemps à l'avance.

FRANÇAIS → HISTOIRE

10 **Relevez** dans le texte uniquement les sujets de verbes au **passif**.

De l'Afrique à l'Amérique

Au XVIIIe siècle, le négrier[1] apporte en Afrique barres de fer, verroteries[2] de toutes sortes, tissus, alcool, armes… Contre ces produits, il demandait des esclaves.

5 Les esclaves étaient stockés sur la côte. Ce n'est qu'après un examen anatomique minutieux que les pièces[3] étaient adjugées[4]. Les meilleures étaient appelées les « pièces d'Inde » : c'étaient des Noirs de 15 à 25 ans, sans défaut.

10 Aussitôt achetés, les Noirs étaient marqués au fer rouge aux initiales du propriétaire puis embarqués. Rasés et nus, couchés corps à corps, ils étaient si serrés qu'ils nageaient dans le sang, les vomissements, les déjections. Comme la traver-

15 sée durait deux mois, on imagine la mortalité due aux épidémies !

Avant l'arrivée, les malades étaient jetés à la mer. Puis nouvelle vente ; et quand l'esclave était enfin acheté par un maître du Brésil, de Cuba ou

20 d'Amérique du Nord, son calvaire n'était pas terminé. […] Sa moyenne de vie était de cinq à sept ans.

J. Ki-Zerbo, *Histoire de l'Afrique noire*, 1978, © GHI, 2006.

1. *négrier* : désigne le bateau comme le trafiquant d'esclaves noirs.
2. *verroteries* : objets en verre coloré.
3. *pièces* : désignent les esclaves.
4. *adjugées* : vendues.

ORTHOGRAPHE

11 **Accordez** correctement les **verbes** et les **auxiliaires** entre parenthèses avec leur sujet.

Maître Derville travaille dans une étude de notaire qui ressemble à toutes les autres.

Les tuyaux (*traverser*, imparfait) diagonalement la chambre et (*rejoindre*, imparfait) une cheminée condamnée sur le marbre de laquelle (*se voir*, imparfait) divers morceaux de pain, des triangles

5 de fromage de Brie, des côtelettes de porc frais, des verres, des bouteilles, et la tasse de chocolat du Maître clerc. L'odeur de ces comestibles[1] (*s'amalgamer*, imparfait) si bien avec la puanteur du poêle chauffé sans mesure, avec le parfum

10 particulier aux bureaux et aux paperasses, que la puanteur d'un renard n'y (*avoir*, conditionnel) pas été sensible. Le plancher (*être*, imparfait) déjà couvert de fange[2] et de neige apportée par les clercs. Près de la fenêtre (*se trouver*, imparfait) le secrétaire

15 à cylindre du Principal, et auquel (*être*, imparfait) adossée la petite table destinée au second clerc. Le second (*faire*, imparfait) en ce moment le palais. Il (*pouvoir*, imparfait) être huit à neuf heures du matin.

D'après Honoré de Balzac, *Le Colonel Chabert*, 1832.

1. *comestibles* : aliments. 2. *fange* : boue.

Aide Pour la conjugaison de l'**imparfait** de l'indicatif et du **conditionnel** (→ CHAPITRES 41 et 45).

ORTHOGRAPHE

12 **Repérez** le **sujet** des verbes du texte et **complétez** leur **terminaison**.

On parlai…. de l'amour, on discutai…. ce vieux sujet, on redisai…. des choses qu'on avai…. dites, déjà, bien souvent. […]

Peu….-on aimer plusieurs années de suite ?

5 – Oui, prétendai…. les uns.

– Non, affirmai…. les autres.

On distinguai…. les cas, on établissai…. des démarcations, on citai…. des exemples ; et tous, hommes et femmes, pleins de souvenirs surgis-

10 sants et troublants, qu'ils ne pouvai…. citer et qui leur montai…. aux lèvres, semblai…. émus, parlai…. de cette chose banale et souveraine, l'accord tendre et mystérieux de deux êtres, avec une émotion profonde et un intérêt ardent.

D'après Guy de Maupassant, *Le Bonheur*, 1882.

1. Indiquez si les **pronoms relatifs** surlignés sont des sujets.

2. Accordez correctement les **verbes** entre parenthèses avec leur sujet.

Veltchaninov est malade, mais il ignore quel est son mal.

En fait, il s'agissait de certains événements qui lui (*venir*, imparfait) de plus en plus souvent à la mémoire, « brusquement et Dieu sait pourquoi », qui (*remonter*, imparfait) à sa vie passée et passée
5 depuis longtemps, mais qui lui (*revenir*, imparfait) d'une façon particulière. Veltchaninov, depuis longtemps déjà, se plaignait de perdre la mémoire : il oubliait le visage de gens qu'il (*connaître*, imparfait), qui, lorsqu'il les rencontrait,
10 lui en (*vouloir*, imparfait) à cause de cela ; un livre, qu'il (*lire*, plus-que-parfait) six mois plus tôt, il

l'oubliait complètement en ce laps de temps. Eh bien quoi ? Malgré cette perte quotidienne et évidente de mémoire (dont il (*s'inquiéter*, imparfait)
15 beaucoup), tout ce qui touchait au passé lointain, tout ce qui avait été complètement oublié depuis dix ans, quinze ans même, tout cela lui revenait en mémoire parfois, mais avec une exactitude d'impressions et de détails si étonnante,
20 qu'il (*sembler*, imparfait) les revivre.

D'après Fedor Dostoïevski, *L'Éternel Mari*, 1870, trad. B. Kreise, © Lausanne, L'Âge d'homme, 1988.

Aide Quand le **pronom relatif** est un **sujet**, il faut retrouver son **antécédent** (le nom repris) pour accorder correctement le verbe (→ CHAPITRE 23).

Ex. les amis qui [sont venus] / *l'ami* qui [est venu] .

À vos plumes !

1. Récrivez le texte en remplaçant *Un vieux chat* par *De vieux chats*. Vous ferez toutes les modifications qui s'imposent.

2. À la manière de l'auteur, **rédigez** le **portrait** du vieux chien qui garde le domaine. Vous emploierez des sujets variés.

Un chat se tient dans un château en ruine, qui semble abandonné.

Un vieux chat noir, maigre, pelé comme un manchon[1] hors d'usage et dont le poil tombé laissait voir par places la peau bleuâtre, était assis sur son derrière aussi près du feu que cela était
5 possible sans se griller les moustaches, et fixait sur la marmite ses prunelles[2] vertes traversées d'une pupille en forme d'I avec un air de surveillance intéressée. [...]

Ce chat tout seul, dans cette cuisine, semblait
10 faire la soupe pour lui-même, et c'était sans doute lui qui avait disposé sur la table de chêne une assiette à bouquets verts et rouges, un gobelet d'étain, fourbi[3] sans doute avec ses griffes tant il était rayé, et un pot de grès sur les flancs duquel
15 se dessinaient grossièrement, en traits bleus, les armoiries du porche, de la clef de voûte et des portraits.

Théophile Gautier, *Le Capitaine Fracasse*, 1863.

1. *manchon* : accessoire où l'on glisse les mains par grand froid.
2. *prunelles* : yeux.
3. *fourbi* : nettoyé.

Récrivez le texte en remplaçant *sœur* par *frère*. Vous **trouverez** des prénoms masculins pour chaque frère.

Mervet, une adolescente palestinienne, présente sa famille à sa correspondante israélienne.

Moi aussi, j'ai une grande sœur de quinze ans. Elle s'appelle Majda. C'est elle qui aide le plus ma mère à la maison. Elle fait la lessive et sait déjà préparer le pain. C'est moi ensuite qui l'ap-
5 porte au four qui se trouve au coin de notre rue. Mon autre sœur s'appelle Manaal. Elle est née deux ans après moi. Mon père dit que c'est la plus belle de la famille parce qu'elle a de grands yeux bleus. L'autre jour, maman a dit qu'elle était
10 maintenant assez grande pour aller chercher l'eau pour la lessive. Mais je l'accompagne parce qu'elle a encore peur des soldats quand elle sort toute seule.

Galit Fink et Mervet Akram Sha'ban,
Si tu veux être mon amie, 1992,
trad. A. Elbaz et B. Khadige, © Gallimard, 1992.

16 La fonction complément d'objet

ACTIVITÉ *J'observe...*

Un loup végétarien
explique ses problèmes
à un médecin.

Marcel Gotlib,
Rubrique-à-brac,
© Dargaud Éditeur, 1970.

1 **a.** Pouvez-vous supprimer les groupes suivants : *une petite fille habillée tout en rouge* (vignette 4), *que tu as un joli bâton* (vignette 5) ?
b. Observez la construction de ces deux groupes. Suivent-ils directement le verbe ?

2 **a.** Que mange le loup (vignette 6) ? Que lui conseille le médecin (vignette 10) ?
b. Comparez la construction du verbe *manger* dans les vignettes 6, 8 et 10. Que constatez-vous ?

3 **a.** Quels mots ou groupes de mots sont repris par les pronoms dans les expressions suivantes : *je vous le répète / Vous la lui refusez* (vignettes 8 et 9) ?
b. Quelle remarque pouvez-vous faire à propos de la place de ces pronoms par rapport au verbe conjugué ? Pouvez-vous supprimer ces pronoms ?

❶ Les compléments d'objet direct (COD) et indirect (COI)

Le **complément d'objet** (CO) est un **élément essentiel** de la phrase. Il **subit** en général l'action exprimée par le verbe. Il n'est **pas mobile** dans la phrase.

● Si le complément d'objet est **construit directement** après le verbe, il est complément d'objet direct (**COD**). Le verbe est appelé **transitif direct**.

Ex. *Je rencontre* une petite fille .

> rencontrer **qui** / **quoi** ?

ASTUCE Dans la **transformation passive** (→ CHAPITRE 13), le COD de la phrase active **devient le sujet** de la phrase passive.

Ex. *Votre organisme réclame **de la viande**.* → ***La viande** est réclamée par votre organisme.*
      Sujet   **COD**   sujet passif   complément d'agent

● Si le complément d'objet est **introduit par une préposition** (*à, de…*), il est complément d'objet indirect (**COI**). Le verbe est appelé **transitif indirect**.

Ex. *On **parle** de choses et d'autres .*

> parler **de** qui / **de** quoi ?

RAPPEL Un seul verbe peut avoir un **COD** et un **COI**.

Ex. *Le loup demande un conseil à son médecin.*
                    COD   COI

❷ Les classes grammaticales des compléments d'objet

Le **complément d'objet** peut appartenir à différentes classes grammaticales.

Groupe nominal	**Ex.** *Je rencontre une petite fille. Je parle à une petite fille.* COD COI
Pronom (→ CHAPITRE 11) (pronom personnel, indéfini, interrogatif ou relatif)	**Ex.** *Vous la lui refusez.* (pronoms personnels) COD COI

Groupe infinitif	**Ex.** *Je préfère manger des légumes.*
	           COD
	Ex. *Il refuse de manger de la viande.*
	           COI

Proposition subordonnée (principalement des COD)	**– conjonctive** **Ex.** *Vous verrez que vous retrouverez votre équilibre psychique.* COD
	– interrogative indirecte **Ex.** *Le loup se demande s'il est malade.* COD
	– infinitive **Ex.** *Le médecin voit le loup s'inquiéter.* COD

ATTENTION Quand le COD est un verbe à l'infinitif, il est parfois introduit par le mot *de*.

Ex. *Il projette un voyage en Asie.* → *Il projette de voyager en Asie.* (= projeter quelque chose)
         COD   COD

À vos marques !

1 **Vérifiez** que vous êtes capable de reconnaître :
– un **verbe transitif direct** ou **indirect** ;
– un **COD** et un **COI**.

a. Julie a décidé de cuisiner un bon repas pour ses amis. Ils arriveront à huit heures.

b. Elle a fait des courses et regroupe les ingrédients nécessaires à la confection d'une tarte.

c. La tâche la plus délicate consiste à préparer la pâte. Mais elle y a pensé et une pâte déjà prête suffira.

d. La jeune femme espère que tout sera réussi. On sonne. Ils sont là.

2 **Indiquez** si les groupes soulignés sont des **compléments d'objet** (précisez le verbe complété) ou des **attributs** du sujet (précisez le sujet).

Denise arrive de province et se présente pour un travail dans un grand magasin parisien.

[…] Mouret[1] intervint une seconde fois.

– Comment, vous êtes la nièce de Baudu !…
Est-ce que c'est Baudu qui vous envoie ?

– Oh ! non, monsieur !

5 Et elle ne put s'empêcher de rire, tant l'idée lui parut singulière. Ce fut une transfiguration. Elle restait rose, et le sourire, sur sa bouche un peu grande, était comme un épanouissement du visage entier. Ses yeux gris prirent une flamme
10 tendre, ses joues se creusèrent d'adorables fossettes, ses pâles cheveux eux-mêmes semblèrent voler, dans la gaieté bonne et courageuse de tout son être.

– Mais elle est jolie ! dit tout bas Mouret à
15 Bourdoncle[2].

L'intéressé refusa d'en convenir, d'un geste d'ennui. Clara[2] avait pincé les lèvres, tandis que Marguerite[2] tournait le dos. Seule, Mme Aurélie[2] approuva Mouret de la tête […].

Émile Zola, *Au Bonheur des dames*, 1883.

1. *Mouret* : patron du magasin.
2. *Bourdoncle, Clara, Marguerite, Mme Aurélie* : employés du magasin.

> **Aide** L'**attribut du sujet** se construit avec un **verbe d'état** (*être, paraître, demeurer…*) (➜ CHAPITRE 17).

3 **Indiquez** si les groupes soulignés sont des **compléments d'objet** ou des **compléments circonstanciels**.

a. Nous projetons de passer une journée à Bruxelles.

b. Nous y allons samedi prochain si nous arrivons à obtenir des places de train.

c. Nous nous promènerons à pied et en métro car nous songeons à visiter plusieurs musées.

d. Le musée de la bande dessinée mérite d'être vu mais nous manquerons peut-être de temps.

e. Nous dégusterons des gaufres et nous vous appellerons de la gare à notre retour.

> **Aide** Certains compléments circonstanciels sont essentiels. Pour les distinguer des compléments d'objet, il faut revenir au sens du verbe et de son complément.

4 **Mettez**, quand c'est possible, les phrases suivantes à la **voix passive** pour déterminer si le verbe souligné est complété par un **COD**.

Colomba coupe l'oreille de l'un des chevaux de son frère Orso : en faisant accuser les Barricini, elle poussera son frère à venger l'assassinat de leur père.

Le jardin, fermé de murs, touchait à un terrain assez vaste, enclos de haies, où l'on mettait les chevaux, car les chevaux corses ne connaissent guère l'écurie. En général on les lâche dans un
5 champ et l'on s'en rapporte à leur intelligence pour trouver à se nourrir et à s'abriter contre le froid et la pluie.

Colomba ouvrit la porte du jardin avec la même précaution, entra dans l'enclos, et en sif-
10 flant doucement elle attira près d'elle les chevaux, à qui elle portait souvent du pain et du sel.
[…] Satisfaite alors, Colomba rentrait dans le jardin, lorsque Orso ouvrit sa fenêtre et cria : « Qui va là ? » En même temps elle entendit qu'il armait
15 son fusil.

Prosper Mérimée, *Colomba*, 1840.

> **Aide** Dans la transformation passive, le COD de la phrase active devient le sujet de la phrase passive (➜ CHAPITRE 13).
>
> *Ex. Colomba coupa l'oreille du cheval.*
>   COD
> → *L'oreille du cheval fut coupée par Colomba.*
>   sujet passif

5 **Indiquez** si les groupes soulignés sont **COD** ou **COI**, et **précisez** pour chacun la classe grammaticale et le verbe complété.

a. Julien rêve de partir. Pourtant il ne veut pas faire de peine à ses parents.

b. Il envisage des voyages depuis longtemps. Mais cela nécessite de l'argent.

c. Il projette de travailler encore plusieurs mois. Il veut de bonnes conditions pour ses pérégrinations.

d. Il ne prendra pas de risques et il collecte des informations qui lui seront utiles.

e. Des amis lui ont pourtant déconseillé de s'en aller car il n'a pas encore de diplôme.

f. Il ne parle que de parcourir le monde et de découvrir de nouveaux horizons.

g. Son projet manque de réalisme et ses parents refusent de le laisser partir sans s'être sérieusement préparé.

h. Julien essaie de convaincre ses parents de le laisser partir à l'aventure.

> **Aide** Il ne faut pas confondre *de* préposition et *de (la)* article partitif (→ CHAPITRE 12). L'étude de la construction du verbe permet de lever la difficulté.
> *Ex. Je mange de la ratatouille.*
> *(manger quelque chose → COD)*
> *Je me nourris de légumes.*
> *(se nourrir de quelque chose → COI)*

6 **Relevez** les **COD** et les **COI** dans le texte suivant, et **précisez** à chaque fois la classe grammaticale et le verbe complété.

Triste, triste

Je contemple mon feu. J'étouffe un bâillement.
Le vent pleure. La pluie à ma vitre ruisselle.
Un piano voisin joue une ritournelle.
Comme la vie est triste et coule lentement.

5 Je songe à notre Terre, atome d'un moment,
Dans l'Infini criblé d'étoiles éternelles,
Au peu qu'ont déchiffré nos débiles[1] prunelles,
Au Tout qui nous est clos inexorablement.

Et notre sort ! toujours la même comédie,
10 Des vices, des chagrins, le spleen[2], la maladie,
Puis nous allons fleurir les beaux pissenlits d'or.

L'Univers nous reprend, rien de nous ne subsiste,
Cependant qu'ici-bas tout continue encor.
Comme nous sommes seuls ! Comme la vie est triste !

Jules Laforgue, *Premiers Poèmes*, 1880.

1. *débiles*: faibles. 2. *spleen*: mélancolie profonde.

7 **Indiquez** si les verbes soulignés sont complétés par un **COD** ou un **COI** dont vous **préciserez** la classe grammaticale.

Charlie, 33 ans, a l'âge mental d'un enfant de 6 ans. Il subit une opération qui augmente son quotient intellectuel, ce qui bouleverse sa vie.

27 avril. Je me suis fait des amis parmi quelques-uns des garçons au snack. Ils discutaient de Shakespeare[1] et s'il avait ou non écrit les pièces de Shakespeare. L'un des garçons – le gros avec
5 la figure en sueur – disait que Marlowe[1] avait écrit toutes les pièces de Shakespeare. Mais Lenny, le petit avec des lunettes foncées, ne croyait pas à cette histoire à propos de Marlowe ; il affirmait que tout le monde sait que c'est sir Francis Bacon[1]
10 qui a écrit ces pièces de théâtre parce que Shakespeare n'a jamais fait d'études et n'a jamais eu la culture que révèlent ces pièces. C'est alors que celui qui portait une calotte d'étudiant de première année a dit qu'il avait entendu dans les
15 toilettes deux garçons qui disaient que les pièces de Shakespeare avaient en réalité été écrites par une femme.
[…]
Maintenant, je comprends que l'une des gran-
20 des raisons d'aller au collège et de s'instruire, c'est d'apprendre que les choses auxquelles on a cru toute sa vie ne sont pas vraies, et que rien n'est ce qu'il paraît être.

Daniel Keyes, *Des fleurs pour Algernon*,
trad. G. H. Gallet, © Flammarion, 1959.

1. *Shakespeare, Marlowe, sir Francis Bacon*: auteurs anglais.

> **Aide** Le pronom relatif peut être complément d'objet (→ CHAPITRE 23).
>
> *Ex. Je mange une pomme. (une pomme = COD)*
> → *La pomme que je mange est sucrée. (que = COD)*

8 Relevez les **COD** et **COI**. Pour chacun, **précisez** la **classe grammaticale** et le **verbe complété**.

Un esclave évoque son maître, M. King.

M. King n'avait pas l'intention de me traiter comme un esclave ordinaire. Il m'a demandé ce que je savais faire. Je lui ai répondu que je connaissais un peu la navigation, que je compre-
5 nais assez bien l'arithmétique, que je savais écrire, raser la barbe et couper les cheveux. [...]

Il était content de moi. Je travaillais souvent à bord de ses bateaux où je recevais ou livrais des marchandises. Il m'arrivait aussi de le raser, de
10 le coiffer, de m'occuper de son cheval. Un jour, il m'a dit que grâce à moi il économisait plus de cent livres par an, et que je lui étais plus utile que n'importe lequel de ses employés blancs. Mais ses employés, eux, gagnaient chacun une
15 soixantaine de livres, par an.

Olaudah Equiano, *Le Prince esclave*,
adapt. A. Cameron, trad. A. Bataille,
© Ann Cameron, 1995, © Rageot, 2002.

9 **Mêmes consignes** que dans l'EXERCICE 8 avec le texte suivant.

Denise, vendeuse dans un grand magasin, a obtenu une promotion. Les membres du personnel ont une attitude différente à son égard.

Depuis le renvoi de son fils, Mme Aurélie trem-blait, car elle voyait ces messieurs devenir froids, et elle voyait de jour en jour grandir la puissance de la jeune fille. N'allait-on pas la sacrifier à cette
5 dernière, en profitant d'un prétexte quelconque? Son masque d'empereur soufflé de graisse sem-blait avoir maigri de la honte qui entachait main-tenant la dynastie des Lhomme: et elle affec-tait de s'en aller chaque soir au bras de son mari,
10 rapprochés tous deux par l'infortune, compre-nant que le mal venait de la débandade de leur intérieur; tandis que le pauvre homme, plus affecté qu'elle, dans la peur maladive qu'on le soupçonnât lui-même de vol, comptait deux fois
15 les recettes, bruyamment, en faisant avec son mauvais bras de véritables miracles. Aussi, lorsqu'elle vit Denise passer première aux costu-mes pour les enfants, éprouva-t-elle une joie si vive, qu'elle afficha à l'égard de celle-ci les sen-
20 timents les plus affectueux.

Émile Zola, *Au Bonheur des dames*, 1880.

10 **Précisez** si les groupes soulignés sont **COI** ou **compléments circonstanciels**.

a. Je rêve <u>de partir en vacances</u>... Je crois que j'irai <u>à Prague</u> si j'en ai le temps.

b. J'ai annoncé cette décision <u>à des amis</u> qui, eux, me proposent d'aller <u>à Rome</u>, mais je m'y suis rendu l'année dernière.

c. Je ne parviens vraiment pas <u>à me décider</u>. <u>À qui</u> demander conseil?

d. Pour résumer: soit je pars seul <u>à l'aventure</u>, soit je me joins <u>à un groupe</u>, mais je vais <u>à un endroit déjà connu</u>.

11 **Indiquez** si les groupes soulignés sont **COD** ou **COI** et **transformez**-les en pro-noms.

a. « Je pense <u>qu'il fera beau demain</u>.

b. – As-tu pensé <u>à consulter les prévisions sur Internet</u>?

c. On m'a dit <u>que c'était fiable</u>.

d. – Je n'ai pas songé <u>à le faire</u>.

e. Je ne réussis pas <u>à me connecter</u> au réseau en ce moment.

f. Je parlerai <u>de ce problème</u> à Mathieu.

g. – Tu as raison, en attendant, je demanderai à Paul et Cécile <u>qu'ils se renseignent</u> ce soir. »

12 **Indiquez** la **fonction** des pronoms sou-lignés.

Toinette s'est opposée à son maître, Argan, à propos du mariage de sa fille. Béline, la seconde épouse d'Argan, intervient.

TOINETTE. – Il <u>nous</u> a dit qu'il voulait donner sa fille en mariage au fils de Monsieur Diafoirus; je <u>lui</u> ai répondu que je trouvais le parti avan-tageux pour elle; mais que je croyais qu'il ferait
5 mieux de <u>la</u> mettre dans un couvent.

BÉLINE. – Il n'y a pas grand mal à cela, et je trouve qu'elle a raison.

ARGAN. – Ah! mamour, vous <u>la</u> croyez. C'est une scélérate: elle <u>m'</u>a dit cent insolences.

10 BÉLINE. – Hé bien! je <u>vous</u> crois, mon ami. Là, remettez-vous. Écoutez, Toinette, si vous fâchez jamais mon mari, je <u>vous</u> mettrai dehors. Çà, donnez-<u>moi</u> son manteau fourré et des oreil-lers, que je <u>l'</u>accommode dans sa chaise. [...]

15 BÉLINE, *accommodant les oreillers qu'elle met autour d'Argan.* – Levez-vous, que je mette <u>ceci</u> sous vous.

Molière, *Le Malade imaginaire*, I, 6, 1773.

13 **Différenciez** les propositions **subordonnées COD** des **subordonnées relatives**.

a. Martin pensait qu'il serait en retard au rendez-vous que Lucie lui avait donné à la gare.

b. L'heure que sa montre indiquait n'était pas la bonne, il avait oublié que l'on changeait d'heure cette nuit-là.

c. Il a d'abord cru que son amie n'était pas venue. Puis il a constaté que l'horloge de la gare n'était pas réglée à la même heure que sa montre.

d. Il a alors décidé qu'il se rendrait chez elle en passant par les quais qui bordent la Seine.

e. Lucie, surprise, s'est demandé qui sonnait à sa porte, et elle a bien ri quand Martin lui a expliqué qu'il s'était levé trop tôt.

Aide Une proposition subordonnée **conjonctive** COD complète un **verbe** ; une proposition subordonnée **relative** complète un **nom** ou un **pronom** (→ CHAPITRE 23).

14 **Transformez** chaque groupe de deux phrases en une seule constituée d'une principale et d'une **subordonnée COD**.

Ex. Elle demanda : « Est-ce que Pierre viendra ? »
→ Elle demanda si Pierre viendrait.

a. Marie lui demanda : « As-tu encore faim ? »

b. Il lui répondit : « Je ne sais pas. »

c. « Quelle réponse étrange ! » dit-elle.

d. « C'est de la gourmandise », ajouta-t-il.

e. « Ressers-toi si tu veux », proposa-t-elle.

f. « J'en reprendrai un peu », décida-t-il.

Aide Il faut veiller à la **concordance des temps** : système du présent ou système du passé en fonction du **temps du verbe de parole** (→ CHAPITRES 2 et 3).

15 **Différenciez** les verbes **transitifs** et **intransitifs**.

a. Paul a déjeuné puis il a conduit rapidement et il est arrivé sur le chantier. Il a sorti son matériel de bricolage et il a percé la cloison, ce qu'il devait faire depuis la veille.

b. Sophie a mangé un délicieux repas dans un grand restaurant avec des amis. Elle conduit sa carrière d'une main de maître. Elle sort souvent le soir pour fêter ses réussites et cette fois elle en est sûre, elle percera dans la chanson.

ORTHOGRAPHE

16 **Relevez** les **COD** ; en fonction de leur place, **accordez** les **participes passés**.

Jules se reproche de ne pas avoir été au chevet de sa femme lorsqu'elle est morte. Son frère tente de le rassurer.

– Tu n'y aurais pas (*résister*), lui dit son frère. Je n'ai (*pouvoir*) moi-même soutenir ce spectacle et tous les gens fondaient en larmes. Clémence était comme une sainte. Elle avait (*prendre*) de la force
5 pour nous faire ses adieux, et cette voix, entendue pour la dernière fois, déchirait le cœur. Quand elle a (*demander*) pardon des chagrins involontaires qu'elle pouvait avoir (*donner*) à ceux qui l'avaient (*servir*), il y a (*avoir*) un cri mêlé de
10 sanglots, un cri…

D'après Honoré de Balzac, *Ferragus*, 1831.

Aide Si le verbe est conjugué avec l'**auxiliaire** *avoir*, le **participe passé** s'accorde avec le **COD** lorsqu'il est placé **avant** le verbe (→ CHAPITRES 36).

À vos plumes !

17 **Décrivez** l'image ci-contre en employant au moins deux **COD** et deux **COI**.
Vous utiliserez le discours indirect (→ CHAPITRE 4) pour retranscrire les paroles d'Astérix et d'Obélix. **Vous ferez** varier et vous **préciserez** la **classe grammaticale** des compléments d'objet employés.

Albert Uderzo, *Le Fils d'Astérix* (1983) ▶
© Éditions Albert René.

ACTIVITÉ *J'observe...*

[...] Frédéric était un beau jeune homme, grand et de figure régulière, avec une forte barbe noire. Ses vices le rendaient aimable, auprès des fem-
5 mes surtout. On le citait pour ses bonnes manières. Les personnes qui connaissaient ses farces souriaient un peu ; mais, puisqu'il avait la décence[1] de cacher cette moitié suspecte de sa
10 vie, il fallait encore lui savoir gré de ne pas étaler ses débordements, comme certains étudiants grossiers, qui faisaient le scandale de la ville.
Frédéric allait avoir vingt et un ans.
15 Il devait passer bientôt ses derniers examens. Son père, encore jeune et peu désireux de lui céder tout de suite son étude, parlait de le pousser dans la magistrature debout[2]. Il avait à Paris
20 des amis qu'il ferait agir, pour obtenir une nomination de substitut. Le jeune homme ne disait pas non ; jamais il ne combattait ses parents d'une façon ouverte ; mais il avait un mince sou-
25 rire qui indiquait son intention arrêtée de continuer l'heureuse flânerie[3] dont il se trouvait si bien. Il savait son père riche, il était fils unique, pourquoi aurait-il pris la moindre peine ?

Émile Zola, *Naïs*, 1883.

1. *décence* : respect de ce qui est convenable.

2. *magistrature debout* : désigne les membres du parquet.

3. *flânerie* : vie calme et oisive dédiée au plaisir.

1 **a.** Qui est le *beau jeune homme, grand et de figure régulière, avec une forte barbe noire* ?
b. Quelle est la fonction, dans la phrase, du mot qui vous a permis de répondre ?
c. Quel est le verbe conjugué dans cette phrase ?
d. Relevez, dans le second paragraphe, une structure identique qui renseigne le lecteur sur ce personnage.

2 **a.** Dans le second paragraphe, qui est *riche* ?
b. Quelle est la fonction grammaticale du mot qui vous a permis de répondre ?

1 L'attribut du sujet

● **L'attribut du sujet** est un élément **essentiel** de la phrase (ni supprimable, ni déplaçable).
Il exprime une qualité du **sujet** (→ CHAPITRE 15) par l'intermédiaire d'un verbe attributif
et **s'accorde** avec lui.

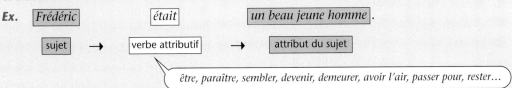

Ex. Frédéric était un beau jeune homme.

sujet → verbe attributif → attribut du sujet

être, paraître, sembler, devenir, demeurer, avoir l'air, passer pour, rester…

● L'attribut du sujet peut appartenir à différentes **classes grammaticales** :

Adjectif	*Ex.* Il semblait **aimable**.
Groupe nominal	*Ex.* Frédéric passait pour **un beau jeune homme**.
Pronom	*Ex.* Frédéric **l'**était.
Groupe infinitif	*Ex.* Son ambition demeurait **d'entrer dans la magistrature**.
Subordonnée	*Ex.* Le vœu de ses parents restait **qu'il fasse une brillante carrière**.
Adverbe	*Ex.* Tout était **bien**.

ATTENTION Il ne faut pas confondre l'attribut du sujet et le COD :

ATTRIBUT DU SUJET	**COD** (→ CHAPITRE 16)
Le sujet et l'attribut désignent le même être, la même chose. *Ex.* Frédéric semblait <u>aimable</u>. (Frédéric = aimable)	Le sujet et le COD désignent des êtres ou des choses différent(e)s. *Ex.* Il cachait <u>ses débordements</u>. (il ≠ débordements)
Le verbe peut être remplacé par *être*. *Ex.* Frédéric <u>était</u> aimable.	Le verbe ne peut pas être remplacé par *être*. *Ex.* *Il était ses débordements.*
La transformation passive n'est pas possible. *Ex.* *Aimable a été par Frédéric.*	La transformation passive est possible. *Ex.* Ses débordements étaient cachés (par lui).

2 L'attribut du COD

L'attribut du COD est un élément **essentiel**. Il exprime une qualité du COD (→ CHAPITRE 16)
et **s'accorde** avec lui.

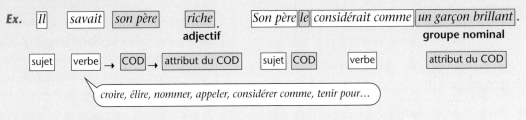

Ex. Il savait son père riche. Son père le considérait comme un garçon brillant.

adjectif | groupe nominal

sujet verbe → COD → attribut du COD | sujet COD verbe attribut du COD

croire, élire, nommer, appeler, considérer comme, tenir pour…

ATTENTION Il ne faut pas confondre attribut du COD et COD :

Ils ont appelé <u>leur fils</u> Frédéric. ≠ Ils ont appelé <u>leur fils Frédéric</u>.

COD   attribut du COD | COD

= Ils l'ont appelé Frédéric. | = Ils l'ont appelé (en criant).

À vos marques !

1 **Vérifiez** que vous savez repérer parmi les mots ou groupes de mots soulignés :
– le **sujet** et son **attribut** ;
– le **COD** et son **attribut**.

Le jeune narrateur et son maître, à cheval sur Bibi, se rendent dans un village du fond de l'Auvergne.

Ce lieu désert devait servir de refuge à des bandes de loups, et, malgré sa maigreur, Bibi eût fort bien pu les tenter. J'étais en ce temps-là <u>plus maigre encore que lui</u> ; je ne me sentis pourtant pas rassuré
5 pour moi-même. Je trouvais <u>le pays</u> <u>affreux</u> […].

[…] nous repartîmes au petit trot de Bibi, qui ne paraissait nullement démoralisé d'entrer dans la montagne.

Aujourd'hui, de belles routes sillonnent ces
10 sites sauvages, en partie cultivés déjà ; mais, à l'époque où je les vis pour la première fois, <u>les voies étroites, inclinées ou relevées dans tous les sens, allant au plus court n'importe au prix de quels efforts</u>, n'étaient point <u>faciles à suivre</u>.

George Sand, *L'Orgue du Titan*, 1873.

2 **Identifiez** la **classe grammaticale** des **attributs du sujet** soulignés, puis **précisez** quels sujets ils caractérisent.

Mr. Cavendish reçoit sa famille.

Il fut <u>assez content de ce qu'il voyait</u>. Il était, pensa-t-il, et son miroir le lui confirma, <u>un gentleman de la vieille école</u>. Un cynique[1] l'aurait classé comme le type même du maître d'hôtel
5 de théâtre, mais Mr. Cavendish ne s'intéressait pas aux cyniques. […]

[…] Ronald Cavendish s'occupa de toutes les formalités d'usage et parvint même à sourire lorsque Edwin leva son verre et murmura : « À votre
10 bonne santé. »

Puis : « Voulez-vous que nous passions à table ? proposa-t-il. Tout est prêt. »

Jasper, ayant entendu le mot « dîner », était déjà <u>debout</u>. C'était <u>un gourmand</u>. Ils <u>l'</u>étaient
15 tous d'ailleurs, pensa Mr Cavendish tristement.

Robert Bloch, *Cher fantôme !*, 1957,
trad. É. Georges, © Agence littéraire Lenclud.

1. *cynique* : personne qui s'exprime sans respecter les règles de morale et de vie en société.

3 **Pour chaque élément souligné, relevez l'attribut** qui le caractérise.

À la fin de son aventure, Candide s'installe dans une métairie avec ses compagnons.

<u>Sa femme</u>, devenant tous les jours plus laide, devint acariâtre et insupportable ; <u>la vieille</u> était infirme et fut encore de plus mauvaise humeur que Cunégonde. Cacambo, qui travaillait au jar-
5 din, et qui allait vendre des légumes à Constantinople, était excédé de travail et maudissait sa destinée. <u>Pangloss</u> était au désespoir de ne pas briller dans quelque université d'Allemagne. Pour Martin, <u>il</u> était fermement persuadé qu'<u>on</u> est éga-
10 lement mal partout ; il prenait les choses en patience. […]

« Travaillons sans raisonner, dit Martin ; <u>c'</u>est le seul moyen de rendre la vie supportable. »

Toute la petite société entra dans ce louable des-
15 sein ; chacun se mit à exercer ses talents. La petite terre rapporta beaucoup. <u>Cunégonde</u> était à la vérité bien laide ; mais <u>elle</u> devint une excellente pâtissière ; Paquette broda ; la vieille eut soin du linge. Il n'y eut pas jusqu'à frère Giroflée qui ne
20 rendît service ; il fut un très bon menuisier, et même devint honnête homme ; et Pangloss disait quelquefois à Candide : « <u>Tous les événements</u> sont enchaînés dans le meilleur des mondes possibles […]. – Cela est bien dit, répondit Candide,
25 mais il faut cultiver notre jardin. »

Voltaire, *Candide*, 1759.

4 **Complétez** le texte avec les **attributs du sujet** proposés.

Liste : *plus complaisant*[1] – *de mon âge* – *plus gai* – *plus spirituel* – *jeune écolier d'environ quinze ans.*

En 1695, nous dit M. Bezuel, étant **❶** …., je fis connaissance avec les deux enfants d'Abaquene Procureur, écoliers comme moi. L'aîné était **❷** …., le cadet avait dix-huit mois de moins ; il s'appe-
5 lait Desfontaines : nous faisions nos promenades et toutes nos parties de plaisir ensemble, soit que Desfontaines eût plus d'amitié pour moi, soit qu'il fût **❸** …., **❹** …., **❺** …. que son frère, je l'aimais aussi davantage.

D'après Augustin Calmet, *Dissertation sur les revenants*,
« Des nouvelles de l'autre monde », 1751.

1. *complaisant* : aimable, qui cherche à plaire.

5 **Précisez** si les mots ou groupes de mots soulignés sont des **attributs du sujet** ou d'autres compléments. **Justifiez** votre réponse.

Conrad fait le portrait de Hans, tel qu'il l'a connu à l'école.

Tu étais <u>bien vêtu</u>, tes mains étaient <u>propres</u>, tes chemises impeccables, tu te montrais <u>courtois[1] envers tous</u>, mais ta politesse avait l'air <u>d'une barrière élevée sciemment[2]</u> et que je n'osais pas
5 franchir. Je me sentais <u>intimidé</u> en ta présence, presque gauche[3], presque craintif – sensation toute nouvelle pour moi car c'était toujours le contraire qui se passait : j'intimidais <u>les autres</u>.

Une fois ou deux, en rentrant chez moi après les
10 cours, je ralentis, espérant que tu <u>me</u> dépasserais, mais tu ralentis toi aussi et il me devint évident que tu n'avais aucune envie de me connaître, moi, un Hohenfels !

Peu à peu je devins <u>véritablement obsédé par</u>
15 <u>ce problème</u> : comment faire <u>ta connaissance</u> sans essuyer de rebuffade[4] et – je te l'avoue – sans souffrir dans mon orgueil.

Fred Uhlman, La Lettre de Conrad, 1985,
trad. B. Gartenberg, © Stock, 1986, 2000.

1. *courtois* : poli.
2. *sciemment* : volontairement.
3. *gauche* : maladroit.
4. *rebuffade* : rejet.

6 **Identifiez** la classe grammaticale des attributs du COD soulignés, puis **précisez** quels COD ils caractérisent.

Gourov, en vacances à Yalta, voit arriver une nouvelle femme en ville.

Personne ne savait qui elle était, et on l'appelait simplement « la dame au petit chien ».

« Si elle est ici sans mari et sans amis, combinait Gourov, il ne serait pas inutile de faire connais-
5 sance. »

À moins de quarante ans, il avait une fille de douze ans et deux fils lycéens. On l'avait marié tôt, quand il n'était encore qu'étudiant de deuxième année, et maintenant sa femme avait l'air une fois
10 et demie plus vieille que lui. C'était une grande femme aux sourcils foncés, raide, altière[1], digne, et, comme elle le disait elle-même, d'avant-garde. Elle lisait beaucoup, n'utilisait pas le signe dur[2] dans ses lettres, appelait son mari Dimitry au lieu
15 de Dmitry, tandis que lui la tenait secrètement pour <u>bornée</u>[3], <u>étriquée</u>[4], <u>sans grâce</u>, avait peur d'elle et évitait de se trouver à la maison.

Anton Tchekhov, La Dame au petit chien, 1899,
trad. V. Volkoff, © Lausanne, L'Âge d'Homme, 1993.

1. *altière* : fière.
2. *signe dur* : signe éliminé de l'orthographe russe en 1917.
3. *bornée* : obstinée, têtue. 4. *étriquée* : étroite d'esprit.

7 1. **Relevez**, dans ce texte, les **COD**.
2. **Précisez** quels sont ceux qui ont un **attribut du COD**.

Le narrateur voit entrer un célèbre joueur de polo, très bel homme.

C'était un garçon fortuné, de bonne famille, et je me souvins qu'il avait épousé environ un an auparavant une jeune fille considérée comme la plus belle de la Saison. Tous les journaux illus-
5 trés avaient publié un portrait des époux, et je me rappelais y avoir remarqué quel joli couple ils formaient.

Mr. Davenant fut introduit dans le salon. D'abord je doutai qu'il s'agît du même homme
10 tellement son teint blême et cireux[1] révélait un état maladif. Le jeune marié à la silhouette droite et élancée avait maintenant les épaules voûtées, un pas traînant, et son visage anémié[2], aux lèvres exsangues[3], affichait une pâleur alarmante.

Claude Askew, Aylmer Vance et le vampire, 1914,
trad. M.-L. Marlière, © EJL, 1997.

1. *blême et cireux* : pâle et jaunâtre (comme de la cire).
2. *anémié* : abattu, fatigué. 3. *exsangues* : très pâles.

8 1. **Relevez**, dans ce texte, les **COD**.
2. **Précisez** quels sont ceux qui ont un **attribut du COD**.

Le duc d'Almaroës effraie les gens du village.

Et puis on se taisait quand on entendait le bruit de ses pas, les enfants se pressaient sur leurs mères et les hommes le regardaient avec étonnement ; on était effrayé de ce regard de plomb, de ce froid sourire, de cette pâle figure, et si quelqu'un effleu-
5 rait ses mains, il les trouvait glaciales comme la peau d'un reptile.

Gustave Flaubert, Rêve d'enfer, 1837.

9 1. **Récrivez** les phrases en remplaçant les groupes soulignés par des **pronoms**.
2. **Précisez** pour chaque groupe souligné s'il s'agit d'un **COD** ou d'un **COD associé à son attribut**.

a. Charles trouve l'attitude de son domestique curieuse.

b. Il sait qu'Edgar est très superstitieux.

c. Mais il considère son valet comme une personne raisonnable.

d. Il ne comprend pas cette méfiance à propos du vendredi 13.

e. Edgar croit pourtant ce jour maudit.

f. Ainsi, ce jour-là, le valet refuse le travail sortant du quotidien.

g. Il appelle cette journée « le vendredi noir ».

h. Finalement, Charles pense engager un valet moins superstitieux.

> **Aide** L'attribut du COD reste **apparent**, même si l'on transforme le COD en **pronom**.
> *Ex. Je trouve ce tableau étonnant. → Je le trouve étonnant.*

10 **Complétez** les phrases suivantes avec un **attribut du sujet** de la classe grammaticale demandée.

a. La future maison de Robin sera .... (adjectif).

b. Il souhaite que le bâtiment ait l'air .... (groupe nominal).

c. Mais il veut aussi que l'ensemble demeure .... (adjectif).

d. « Il .... (pronom personnel) sera » lui assure l'architecte chargé du projet.

e. Cependant le désir de Robin est .... (proposition subordonnée).

f. C'est pourquoi il reste .... (adjectif).

g. Son vœu était de .... (groupe infinitif).

h. Il devient .... (groupe nominal).

ORTHOGRAPHE

11 **Accordez** les **attributs** entre parenthèses avec leur **sujet**.

Je reviens à mes ancêtres.

Ils étaient, paraît-il, démesurément (*grand*), (*osseux*), (*poilu*), (*violent*) et (*vigoureux*). Le jeune, plus haut encore que l'aîné, avait une voix tel-
5 lement forte que, suivant une légende dont il était (*fier*), toutes les feuilles de la forêt s'agitaient quand il criait.

Et lorsqu'ils se mettaient en selle tous deux pour partir en chasse, ce devait être un spectacle
10 superbe de voir deux géants enfourcher leurs grands chevaux.

Or, vers le milieu de l'hiver de cette année 1764, les froids furent (*excessif*) et les loups devinrent (*féroce*).

15 Ils attaquaient même les paysans attardés, rôdaient la nuit autour des maisons, hurlaient du coucher du soleil à son lever et dépeuplaient les étables.

[...] Et bientôt, une panique courut par toute
20 la province. Personne n'osait plus sortir dès que tombait le soir. Les ténèbres semblaient (*hanté*) par l'image de cette bête.

D'après Guy de Maupassant, Le Loup, 1882.

> **Aide** L'attribut du sujet s'accorde **en genre et en nombre** avec le **sujet** qu'il complète (→ CHAPITRE 35).
> *Ex. Georges est gentil. / Catherine est gentille.*

ORTHOGRAPHE

12 **Accordez** les **attributs** entre parenthèses avec leur **COD**.

a. Helena trouve (*étonnant*) l'absence de Camille à son rendez-vous.

b. Elle sait son amie (*ponctuel*) et (*respectueux*).

c. Son amie vient d'adopter une petite chienne qu'elle a appelée (*Frédéric*).

d. Elle considère cet animal comme (*son ami le plus fidèle*).

e. Camille tient cette artiste peintre pour (*le plus talentueux de sa génération*).

f. La jeune femme la considère (*génial*) et (*avant-gardiste*).

g. Helena, quant à elle, estime les toiles de cette artiste (*médiocre*).

h. Ce jugement sans nuances rend Camille (*fou de rage*).

13 **Récrivez** le texte en remplaçant *quelqu'un* et *cet être* par *une pauvre créature*. **Faites** les modifications nécessaires.

« Imaginez-vous quelqu'un, vêtu d'un complet d'été, ayant fait soixante kilomètres séparant deux villes : celle où on lui a refusé tout travail et tout secours, et celle qui fut son dernier espoir.
5 Imaginez-vous cet être nourri de carottes glacées sentant le purin de l'engrais et de pommes reinettes, aigres et dures, oubliées sur l'herbe d'un verger désert ; imaginez-le trempé par une pluie d'octobre, courbé sous de grosses rafales qui
10 accouraient du nord, et vous aurez devant vous l'homme que je fus, lors de mon arrivée dans la banlieue de votre sinistre ville. »

Jean Ray, *Les Contes du whisky*,
« Le gardien du cimetière », 1919,
© succession R. de Kremer, 1925.

14 **Récrivez** le texte suivant en remplaçant *Mlle Lajolle* par *Mlles Lajolle et Raymon* et *Mme Raymon* par *Mmes Lajolle et Raymon*. **Faites** les modifications nécessaires.

Le narrateur fait le portrait des femmes que l'on épouse avec raison, mais sans joie.

Elle est petite, blonde et grasse. Après-demain, je désirerai ardemment[1] une femme grande, brune et mince.

Elle n'est pas riche. Elle appartient à une famille
5 moyenne. C'est une jeune fille comme on en trouve à la grosse[2], bonnes à marier, sans qualités et sans défauts apparents, dans la bourgeoisie ordinaire. On dit d'elle : « Mlle Lajolle est bien gentille. » On dira demain : « Elle est fort gentille,
10 Mme Raymon. »

Guy de Maupassant, *Lui ?*, 1883.

1. *ardemment* : avec fougue. 2. *à la grosse* : fréquemment.

À vos plumes !

15 À l'aide des éléments proposés, **construisez** des phrases contenant un **COD** et un **attribut du COD**.
a. *élire président.*
b. *considérer comme honnête.*
c. *tenir pour responsable.*
d. *trouver admirable.*
e. *estimer injuste.*
f. *appeler Félix.*
g. *rendre muet.*
h. *nommer ministre.*

16 **Complétez** ce texte en remplaçant les pointillés par des **verbes d'état** variés.

Beaumarchais est un auteur du XVIIIᵉ siècle. Il .... écrivain après avoir été horloger du roi et avoir rempli diverses missions secrètes. Sa comédie *Le Barbier de Séville*, dans sa première version, ...
5 un échec. Réécrite, l'œuvre .... un classique du théâtre français. Avec *Le Mariage de Figaro* et ses réussites politiques, l'homme .... victorieux dans tous les domaines. Mais il .... trop insolent à une époque où le roi détient encore tous les pouvoirs.
10 Cependant, il .... fidèle aux philosophes des Lumières ainsi qu'aux idées révolutionnaires. Après son exil à Hambourg, il .... misérable et finit sa vie en France.

17 À partir de ce portrait, **écrivez** un court **texte descriptif** : vous **utiliserez** quatre verbes d'état différents pour introduire des **attributs du sujet** et au moins deux **attributs du COD**.

Élisabeth Louise Vigée-Le Brun (1755-1842),
La Reine Marie-Antoinette dit *à la Rose*
(Château de Versailles).

La description d'un personnage

Clochette

Sont-ils étranges, ces anciens souvenirs qui vous hantent sans qu'on puisse se défaire d'eux ?

Celui-là est si vieux, si vieux que je ne saurais comprendre comment il est resté si vif et si tenace dans
5 mon esprit. J'ai vu depuis tant de choses sinistres, émouvantes ou terribles, que je m'étonne de ne pouvoir passer un jour, un seul jour, sans que la figure de la mère Clochette ne se retrace devant mes yeux, telle que je la connus autrefois, voilà si longtemps, quand j'avais dix
10 ou douze ans.

C'était une vieille couturière qui venait une fois par semaine, tous les mardis, raccommoder le linge chez mes parents. Mes parents habitaient une de ces demeures de campagne appelées châteaux, et qui sont simple-
15 ment d'antiques maisons à toit aigu, dont dépendent quatre ou cinq fermes groupées autour.

Le village, un gros village, un bourg, apparaissait à quelques centaines de mètres, serré autour de l'église, une église de briques rouges, devenues noires avec le temps.

Donc, tous les mardis, la mère Clochette arrivait entre six heures et demie et
20 sept heures du matin et montait aussitôt dans la lingerie se mettre au travail.

C'était une haute femme maigre, barbue, ou plutôt poilue, car elle avait de la barbe sur toute la figure, une barbe surprenante, inattendue, poussée par bouquets invraisemblables, par touffes frisées qui semblaient semées par un fou à travers ce grand visage de gendarme en jupes.

25 Elle en avait sur le nez, sous le nez, autour du nez, sur le menton, sur les joues ; et ses sourcils d'une épaisseur et d'une longueur extravagantes, tout gris, touffus, hérissés, avaient tout à fait l'air d'une paire de moustaches placées là par erreur.

Elle boitait, non pas comme boitent les estropiés ordinaires, mais comme un navire à l'ancre. Quand elle posait sur sa bonne jambe son grand corps osseux et
30 dévié, elle semblait prendre son élan pour monter sur une vague monstrueuse, puis, tout à coup, elle plongeait comme pour disparaître dans un abîme, elle s'enfonçait dans le sol. [...] elle se balançait en même temps ; et sa tête toujours coiffée d'un énorme bonnet blanc, dont les rubans lui flottaient dans le dos, semblait traverser l'horizon, du nord au sud et du sud au nord, à chacun de ses mouvements.

35 J'adorais cette mère Clochette. Aussitôt levé, je montais dans la lingerie où je la trouvais installée à coudre, une chaufferette[1] sous les pieds. Dès que j'arrivais, elle me forçait à prendre cette chaufferette et à m'asseoir dessus pour ne pas m'enrhumer dans cette vaste pièce froide, placée sous le toit.

« Ça te tire le sang de la gorge », disait-elle.

40 Elle me contait des histoires, tout en reprisant le linge avec ses longs doigts crochus, qui étaient vifs ; ses yeux derrière ses lunettes aux verres grossissants, car l'âge avait affaibli sa vue, me paraissaient énormes, étrangement profonds, doubles.

Elle avait, autant que je puis me rappeler les choses qu'elle me disait et dont mon cœur d'enfant était remué, une âme magnanime[2] de pauvre femme. Elle voyait
45 gros et simple.

1. *chaufferette :* boîte dans laquelle on mettait des cendres chaudes ou de la braise.
2. *une âme magnanime :* un cœur généreux.

Guy de Maupassant, *Le Horla*, « Clochette », 1886.

→ CHAPITRE **15 La fonction sujet**
→ CHAPITRE **16 La fonction complément d'objet**
→ CHAPITRE **17 La fonction attribut**

QUESTIONS

Un regard subjectif

1. À quelle personne est faite la narration ?
Appuyez-vous sur les pronoms sujets pour justifier votre réponse.

2. *Sont-ils étranges, ces anciens souvenirs qui vous hantent sans qu'on puisse se défaire d'eux ?* (l. 1)
a. Repérez le verbe et le sujet de cette phrase.
b. Quel complément essentiel les accompagne ?

3. a. À quel personnage de conte fait penser Clochette (contrairement à ce que ce nom peut laisser supposer…) ?
b. À travers quel regard découvre-t-on Clochette ?

Le portrait de Clochette

4. Le personnage de Clochette donne lieu à un portrait statique et à un portrait en mouvement. En vous appuyant sur les verbes, délimitez les passages qui correspondent à ces deux façons de décrire la vieille femme.

5. a. Quelles parties du corps le narrateur décrit-il ?
b. Relevez des attributs du sujet qui les caractérisent.

6. a. Dans le paragraphe 7 (l. 25-27), relevez un COD et un attribut du sujet.
b. Quelle précision apportent-ils sur la physionomie de Clochette ?

7. a. Que découvre-t-on du caractère de Clochette à travers son comportement ?
b. Transformez le passage au style direct en style indirect de façon à faire apparaître une subordonnée conjonctive COD que vous délimiterez par des crochets. (→ Aide 1)

8. Dans le paragraphe 8 (l. 28-34), relevez :
a. les comparaisons ; **b.** le champ lexical de la tempête. (→ Aide 2)

> **Aide 1** Pour la transformation au **style indirect** (→ CHAPITRE 4).

> **Aide 2** • Pour les comparaisons (→ CHAPITRE 25).
> • Le champ lexical regroupe les mots du texte sur un même thème (→ CHAPITRE 26).

> **Aide 3** Attention aux **accords** liés au sujet, à l'attribut du sujet, au COD (→ CHAPITRES 34, 35, 36).

RÉÉCRITURE

1. Récrivez la phrase suivante en mettant au féminin pluriel le pronom *celui-là* :
Celui-là est si vieux, si vieux que je ne saurais comprendre comment il est resté si vif et si tenace dans mon esprit. (→ Aide 3)

2. Récrivez la phrase suivante en conjuguant au passé composé les verbes qui sont à l'imparfait :
Elle avait, autant que je puis me rappeler les choses qu'elle me disait, et dont mon cœur d'enfant était remué, une âme magnanime de pauvre femme.

RÉDACTION

■ Vous avez été marqué(e) dans votre enfance par un personnage de votre entourage (réel ou fictif). Faites son portrait en vous inspirant de celui de Clochette.

Aide pour la rédaction

La consigne vous demande de vous inspirer du texte.
Aidez-vous de vos observations précédentes sur le texte, et posez-vous les bonnes questions !

– *À quelle personne et à quel temps dois-je rédiger ?*
– *Quel regard dois-je poser sur mon personnage : celui du narrateur ou celui de l'enfant qu'il était ?*
– *Quels types de portraits (physique / moral, statique / en mouvement…) devront figurer dans mon devoir ?*
– *Quels procédés puis-je utiliser pour évoquer le comportement de mon personnage ? son caractère ? son physique ?*

ÉVALUATION 6

ACTIVITÉ — J'observe...

Voici le début d'un roman où le héros, Edgar Flanders, est un « détective de l'étrange »...

Les cloches des églises sonnèrent deux heures du matin. Une froide pluie de décembre tombait sur Paris. La lueur des réverbères se reflétait en flaques jaunes sur les pavés mouillés du boulevard Edgar-Quinet.

5 Aucune lumière ne brillait aux fenêtres. La ville semblait endormie. Pourtant, plaqués contre des portes cochères, plusieurs hommes épiaient les alentours d'un hôtel particulier. [...]

Tout avait commencé en automne de cette année
10 1920, six semaines après l'élection du socialiste Alexandre Millerand à la présidence de la République française.

Au lendemain des cérémonies accompagnant l'inhumation[1] du soldat inconnu sous l'Arc de triomphe, la police parisienne apprit que des tombes avaient été
15 profanées dans le cimetière du Montparnasse et que des cadavres fraîchement enterrés disparaissaient de leur cercueil.

Craignant les débordements ironiques de la presse, le gouvernement exigea que cette déplaisante affaire ne s'ébruite pas et ordonna au préfet de Paris de tout mettre en œuvre afin de résoudre le macabre mystère.

20 Malgré une surveillance renforcée, les vols de défunts continuèrent et l'enquête piétina jusqu'au jour où Edgar Flanders découvrit l'identité de celui qui louait une grande maison devant le terrain abritant les sépultures.

Noël Simsolo, *Edgar Flanders, détective de l'étrange,*
Les Vampires de Gand, © Éditions du Seuil, 2004.

1. *inhumation* :
enterrement.

---

1 Dans quelle ville l'action se déroule-t-elle ? Relevez trois groupes de mots qui permettent de situer l'action dans des lieux précis de cette ville.

2 **a.** En quelle année l'action se situe-t-elle ?
b. En quelle saison a-t-elle véritablement commencé ?
Relevez le groupe de mots qui vous l'indique.

3 **a.** Dans quel but le gouvernement exige-t-il du préfet de Paris qu'il agisse ?
b. Quel mot de liaison permet d'introduire cette idée de but ?
c. Récrivez la phrase en le remplaçant par l'expression *pour que.*
(Attention : vous devrez modifier la construction de la phrase.)

4 Quel genre de précision les compléments surlignés en orange apportent-ils :
temps – lieu – cause – conséquence – moyen – manière – opposition – but ?

1 Définition

Le **complément circonstanciel** (CC) est généralement un **élément non essentiel**
de la phrase : on peut souvent le supprimer. Il est **mobile** dans la phrase : on peut le déplacer.
Il précise les **circonstances de l'action** exprimée par le verbe : le temps, le lieu, la cause, le but...

Ex. *Les vols de défunts* se produisaient *la nuit.*

> Quand les vols se produisaient-ils ?
> = *la nuit*, **complément circonstanciel de temps** du verbe *se produire*

2 Les valeurs du complément circonstanciel

Les compléments circonstanciels peuvent exprimer différentes **valeurs** ou **circonstances** :

Le temps (→ CHAPITRE 19) → quand ? depuis quand ? pendant combien de temps ?...	**Ex.** <u>*Ce soir-là*</u>*, la ville semblait endormie.*
Le lieu → où ? par où ? jusqu'où ?...	**Ex.** *La pluie tombait* <u>**sur la ville**</u>*.*
La cause (→ CHAPITRE 20) → pourquoi ? à cause de quoi ou grâce à quoi ?	**Ex.** *Le gouvernement ordonna une enquête* <u>**parce qu'**</u>*il craignait que l'affaire ne s'ébruite.*
La conséquence (→ CHAPITRE 20) → avec quel résultat ?	**Ex.** *Le gouvernement craignait que l'affaire ne s'ébruite,* <u>**si bien qu'**</u>*il ordonna une enquête.*
Le but (= l'objectif visé) → dans quel but ? pour éviter quoi ?	**Ex.** *La police enquêta* <u>**pour** *retrouver les coupables*</u>*.*
Le moyen → au moyen de quoi ?	**Ex.** <u>**Grâce à** *son sens de l'observation*</u>*, l'inspecteur releva plusieurs indices.*
La manière → de quelle manière ?	**Ex.** *Le commissaire se rendit* <u>*rapidement*</u> *sur les lieux.*
L'accompagnement → avec qui ?	**Ex.** *Le commissaire se rendit sur les lieux* <u>**avec** *deux inspecteurs*</u>*.*
L'opposition → malgré quoi ? bien que quoi ?	**Ex.** <u>**Malgré** *les efforts de tous*</u>*, l'enquête piétinait.*
L'hypothèse → si quoi ? à quelle condition ?	**Ex.** <u>**Si** *le commissaire résout le mystère*</u>*, il sera promu commissaire principal.*
La comparaison → comme quoi ?	**Ex.** *Le brouillard tomba* <u>**comme** *un épais rideau opaque*</u>*.*

3 Les classes grammaticales du complément circonstanciel

Le complément circonstanciel peut appartenir à différentes **classes grammaticales** :

Un groupe nominal	**Ex.** *La police patrouillait* <u>*dans la ville*</u>*.*
Un pronom (→ CHAPITRE 11)	**Ex.** *La police* <u>*y*</u> *patrouillait.* *Le lieu* <u>**où**</u> *se rendait le commissaire était sordide.*
Un adverbe	**Ex.** *Le commissaire se rendit* <u>**rapidement**</u> *sur les lieux.*
Une forme en *-ant* **ou un gérondif** (*en* + *-ant*)	**Ex.** <u>**Craignant** *le scandale*</u>*, le gouvernement demanda une enquête.*
Un groupe infinitif	**Ex.** *La police enquêta* <u>*pour* **retrouver** *les coupables*</u>*.*
Une proposition subordonnée (→ CHAPITRE 14)	**Ex.** *Le gouvernement ordonna une enquête* <u>**parce qu'** *il craignait que l'affaire ne s'ébruite*</u>*.*

À vos marques !

1 **Vérifiez** que vous savez repérer :
– les **compléments circonstanciels** ;
– leur **valeur** et leur **classe grammaticale**.

a. Sous Louis XIII, Versailles n'était qu'un simple pavillon de chasse.

b. Grâce à l'efficacité de ses nombreux décorateurs et architectes, Louis XIV put s'y installer définitivement en 1682.

c. Il devint le lieu de résidence du roi et de la cour et le demeura jusqu'à la Révolution française.

d. Les travaux d'agrandissement commencèrent en 1661 et furent réalisés en trois étapes.

e. Les plus grands artistes, sculpteurs, architectes et jardiniers comme Le Nôtre collaborèrent à ce projet pour faire de Versailles l'un des plus beaux palais du monde.

f. Par son architecture, sa décoration intérieure, ses incomparables jardins et ses dépendances, il est le prototype de l'art classique français, imité dans toute l'Europe.

2 **Dites** si les compléments soulignés sont **compléments circonstanciels** ou **compléments d'objet** (direct ou indirect).

a. La nuit, il rêve de soleil.

b. Il aimerait partir très loin au soleil et parcourir des kilomètres à pied.

c. Mais sa prochaine destination n'est qu'à une centaine de kilomètres.

d. Il y trouvera certainement un ciel plus nuageux.

e. Néanmoins, il pourra se promener dans la campagne et respirer l'air frais.

f. Rien que d'y penser, même les yeux fermés, il esquisse un sourire.

g. Mais se réveillant à l'aube, il retrouve sa chambre en ville, et les lumières pâles des réverbères.

Aide • Le **complément circonstanciel**, généralement déplaçable ou supprimable, possède une valeur (lieu, temps…).
• Le **complément d'objet** est essentiel et dépend d'un verbe transitif.
Ex. Il dort la nuit. (CCT)
Il préfère la nuit. (COD de *préfère*)

---

3 **Relevez six compléments circonstanciels de temps** dans le texte suivant et **précisez** leur **classe grammaticale**.

5 juillet. – Ai-je perdu la raison ? Ce qui s'est passé la nuit dernière est tellement étrange, que ma tête s'égare quand j'y songe !

Comme je le fais maintenant chaque soir,
5 j'avais fermé ma porte à clef ; puis, ayant soif, je bus un demi-verre d'eau, et je remarquai par hasard que ma carafe était pleine jusqu'au bouchon de cristal.

Je me couchai ensuite et je tombai dans un
10 de ces sommeils épouvantables, dont je fus tiré au bout de deux heures environ par une secousse plus affreuse encore.

Figurez-vous un homme qui dort, qu'on assassine, et qui se réveille avec un couteau dans le
15 poumon, et qui râle, couvert de sang, et qui ne peut plus respirer, et qui va mourir, et qui ne comprend pas – voilà.

Guy de Maupassant, *Le Horla*, 1887.

4 **Relevez sept compléments circonstanciels de lieu** dans le texte suivant et **précisez** leur **classe grammaticale**.

Ferdinand, un travailleur immigré, découvre Paris à vélo…

Ferdinand zigzagua quelques secondes en un sur-place de sprinter et prit le Raspail[1].

Très bien, le Raspail, ça descend tout doux et, vlouf, en deux coups de pédale, on est sur l'autre
5 rive. Comme Jésus.

Sur les quais, Ferdinand agita le bras pour tourner, bien qu'il n'y eût personne, et se lança sur le pont pour prendre la place de la Concorde. Il frissonna au souvenir de la première nuit où il
10 avait fait le voyage. Il avait vaguement repéré un trajet sur la carte du calendrier des Postes qui se trouvait derrière la porte du local où il se réchauffait entre deux rondes et s'était lancé bravement. Ça n'avait pas traîné : il y avait eu la Seine et,
15 crac, il était tombé en plein sur Notre-Dame. Aujourd'hui, il pouvait en rire, mais sur le moment ç'avait été un choc, un sacré choc.

Claude Klotz, *Dracula père et fils*,
© Éditions Jean-Claude Lattès, 1974.

1. *le Raspail* : le boulevard Raspail.

5 Relevez onze **compléments circonstanciels de manière** dans le texte suivant et **précisez** leur **classe grammaticale**.

Claude Gueux, accusé de vol, assure avec panache sa propre plaidoirie…

Il parla debout, avec une voix pénétrante et bien ménagée, avec un œil clair, honnête et résolu, avec un geste presque toujours le même, mais plein d'empire. Il dit les choses comme elles
5 étaient, simplement, sérieusement, sans charger ni amoindrir, convint de tout, regarda l'article 296 en face, et posa sa tête dessous. Il eut des moments de véritable éloquence qui faisaient remuer la foule, et où l'on répétait à l'oreille dans l'auditoire
10 ce qu'il venait de dire.

Cela faisait un murmure pendant lequel Claude reprenait haleine en jetant un regard fier sur les assistants.

Victor Hugo, *Claude Gueux*, 1834.

6 1. **Complétez** les phrases suivantes avec un **complément circonstanciel** introduit par le mot proposé.
2. **Précisez** à chaque fois sa valeur : **cause**, **but**, **conséquence** ou **comparaison**.

a. Au XVIIIᵉ siècle, des philosophes s'expriment **pour**…
b. Ils font confiance à la raison **puisque**…
c. Montesquieu, dans les *Lettres persanes*, critique la société parisienne **parce que**…
d. Rousseau, **comme**…, accorde une place essentielle à l'éducation **dans la mesure où**…
e. Selon lui, un nouvel homme libéré des préjugés naîtra **grâce**…
f. Voltaire, lui, s'engage dans l'affaire Calas **afin**…
g. Diderot et d'Alembert unissent leurs efforts **pour que**…
h. Ces idées nouvelles se diffusent largement en France, **si bien que**…

7 1. **Replacez** dans le texte suivant les **compléments circonstanciels** proposés.
2. **Précisez** à chaque fois la **valeur** exprimée.

Liste : *frénétiquement – au sol – déjà – tout à coup – avec brutalité – vers lui – violemment – sur son corps – pour passer mes bras – par tous les moyens – là – qu'elle semblait près de craquer – dans mes bras – À chaque mouvement.*

Le narrateur assiste à une séance de spiritisme avec son ami Gazo…

Puis, ❶ …., sans que rien n'annonce son geste, il s'est mis à balancer ❷ …. son buste d'avant en arrière, à une cadence de plus en plus rapide. ❸ …., sa tête venait heurter la table ❹ …. . Un
5 mince filet de sang perlait ❺ …. sur son front. Je me suis précipité ❻ …. pour l'arrêter, mais je n'avais aucune prise ❼ …. . Ses membres étaient raides et glacés, ses yeux exorbités. J'ai dû rassembler toutes mes forces ❽ …. autour de sa
10 taille, lui faire quitter sa chaise et l'allonger ❾ …. . Son corps était aussi rigide que celui d'un cadavre, son visage, méconnaissable, sa peau si tendue sur ses joues ❿ …. . J'ai tenté ⓫ …. de le réchauffer, le frictionner, le secouer, je l'ai
15 même ⓬ …. pincé. […] J'ai été pris d'une angoisse terrible, j'avais l'impression que Gazo allait mourir, ⓭ …., ⓮ …. .

D'après Sarah K., *Créature contre créateur*, © Nathan, 2005.

8 **Déterminez** la **valeur** des **compléments circonstanciels soulignés**.

Voici la suite du texte précédent…

Gazo est revenu à lui <u>peu à peu</u>. Il s'est levé et a pris congé <u>sans un mot</u>. Je l'ai suivi. Il a regagné notre chambre, <u>où</u> il s'est déshabillé <u>comme un somnambule</u>. Il s'est glissé <u>dans le lit</u> et, lui
5 qui <u>d'ordinaire</u> se tourne et se retourne <u>maintes fois</u> <u>avant de s'endormir,</u> il a sombré dans un sommeil si <u>profond</u> qu'<u>un moment,</u> je me suis demandé si ce n'était pas <u>un coma.</u>

[…] <u>Le lendemain,</u> il ne se souvenait de rien
10 d'autre que du début de la séance. […] Mais son estomac allait mieux, a-t-il réalisé <u>subitement.</u> Et, tout content, il s'est empressé de téléphoner à sa mère <u>pour lui relater les événements de la nuit.</u>

Sarah K., *Créature contre créateur*, © Nathan, 2005.

9 **Relevez** dans ce poème:
– dix compléments de **lieu**;
– quatre compléments de **temps**;
– trois compléments de **comparaison**;
– un complément de **manière**;
– un complément de **but**.

Les Colombes

Sur le coteau, là-bas où sont les tombes,
Un beau palmier, comme un panache vert,
Dresse sa tête, où le soir les colombes
Viennent nicher et se mettre à couvert.

5 Mais le matin elles quittent les branches:
Comme un collier qui s'égrène, on les voit
S'éparpiller dans l'air bleu, toutes blanches,
Et se poser plus loin sur quelque toit.

Mon âme est l'arbre où tous les soirs, comme elles,
10 De blancs essaims de folles visions
Tombent des cieux, en palpitant des ailes,
Pour s'envoler dès les premiers rayons.

Théophile Gautier, *La Comédie de la mort*, 1838.

O R T H O G R A P H E

10 **Choisissez** la graphie qui convient dans les phrases suivantes: *ou / où – la / là*.

a. Depuis (*la/là*) rentrée, Léa cherche un sport (*ou / où*) une activité (*ou/où*) elle pourrait s'épanouir.
b. Elle pense pratiquer (*la/là*) natation (*ou/où*) l'athlétisme.
c. Son frère lui conseille plutôt (*la / là*) première discipline, car (*la/là*) elle pourrait également affiner sa silhouette.
d. Mais elle ignore (*ou/où*) elle pourrait (*la/là*) pratiquer: (*la/là*) piscine (*la/là*) plus proche serait à plus de vingt (*ou/où*) vingt-cinq kilomètres.
e. En fait, Léa ira (*la/là*) (*ou / où*) elle trouvera de (*la/là*) place.
f. Léa s'est finalement inscrite à (*la/là*) danse (*ou/où*) elle a reçu un bon accueil.
g. Elle prend ses cours au gymnase, (*la/là*) (*ou/où*) son frère fait du judo.
h. Elle rêve à présent de monter (*la/là*) (*ou/où*) montent les grandes étoiles: sur (*la/là*) scène de l'opéra de Paris.

Aide • *Ou*, conjonction de coordination, indique le choix (= *ou bien*).
Où, pronom relatif ou mot interrogatif, évoque le lieu.
• *La*, article défini ou pronom personnel, précède ou remplace un nom.
Là, adverbe, indique un lieu.

11 **Remplacez** les compléments circonstanciels soulignés de manière à obtenir des **propositions subordonnées** de même sens.
Ex. Après ton départ, il est resté seul.
→ *Après que tu es parti, il est resté seul.*

a. Dès le lever du jour, elle contempla de sa fenêtre le paysage alentour: plus aucune verdure!
b. À cause de ce terrible incendie et malgré l'intervention rapide des pompiers, la forêt était ravagée.
c. Il n'y avait plus un arbre pour trouver ombre et fraîcheur.
d. La forêt mettrait bien des années avant de reconquérir son charme passé.

Aide Une proposition subordonnée est généralement introduite par une **conjonction de subordination** (*lorsque, parce que*...) et se construit au minimum à l'aide d'un **sujet** et d'un **verbe**.

C O N J U G A I S O N

12 **1. Conjuguez** les verbes entre parenthèses au **temps** et au **mode** qui conviennent.
2. Indiquez la **valeur** des compléments circonstanciels.

a. Alors que son fils aîné (*se pendre*), Jean Calas, un riche négociant, est accusé de son meurtre.
b. Bien qu'il (*crier*) jusqu'au bout son innocence, il meurt sur la roue le 10 mars 1762.
c. Après qu'il (*être exécuté*), Voltaire, convaincu de son innocence, décide de le faire réhabiliter.
d. Dès lors, il va déployer toute son énergie afin que son procès (*être révisé*).
e. Après la cassation du jugement en 1764, l'affaire peut enfin être rejugée, à condition que la famille Calas (*vouloir*) bien se constituer prisonnière.
f. Voltaire n'a de cesse de batailler pendant trois ans en publiant divers libelles[1] jusqu'à ce que la réhabilitation (*être prononcé*) en 1765.
g. Alors même que tous (*déclarer*) sans véritable preuve que Calas est coupable, Voltaire montre que le doute doit profiter à l'accusé.

1. *libelles*: courts écrits satiriques.

Aide Pour l'emploi des **modes** (→ CHAPITRE 39):
– *quand, lorsque, parce que, comme, étant donné que, au moment où, après que*... + **indicatif**;
– *bien que, quoique, jusqu'à ce que, afin que, à condition que, avant que*... + **subjonctif**.

13 1. **Dites** si les groupes de mots en gras sont **essentiels** ou non, et **précisez** leur fonction.

2. **Indiquez** la **valeur** des **compléments circonstanciels** soulignés et **précisez** leur **classe grammaticale**.

Midi finissait de sonner. La porte de l'école s'ouvrit, et les gamins se précipitèrent <u>en se bousculant</u> <u>pour sortir plus vite</u>. Mais au lieu de se disperser <u>rapidement</u> et de rentrer dîner[1], <u>comme</u>
5 <u>ils le faisaient</u> <u>chaque jour</u>, ils s'arrêtèrent <u>à quelques pas</u>, se réunirent <u>par groupes</u> et se mirent à chuchoter.

C'est que, <u>ce matin-là</u>, Simon, le fils de la Blanchotte, était venu **à la classe** <u>pour la pre-</u>
10 <u>mière fois</u>.

Tous avaient entendu parler de la Blanchotte **dans leurs familles**; et <u>quoiqu'on lui fît bon</u> <u>accueil</u> <u>en public</u>, les mères la traitaient entre elles <u>avec une sorte de compassion un peu mépri-</u>
15 <u>sante</u> qui avait gagné les enfants <u>sans qu'ils sus-</u> <u>sent du tout pourquoi</u>.

Quant à Simon, ils ne le connaissaient pas, car il ne sortait jamais, et il ne galopinait[2] point <u>avec</u> <u>eux</u> <u>dans les rues du village</u> ou <u>sur les bords de</u>
20 <u>la rivière</u>. Aussi ne l'aimaient-ils guère […].

Guy de Maupassant, *La Maison Tellier*, « Le papa de Simon », 1883.

1. *dîner* (vieilli) : déjeuner.
2. *galopinait* : s'amusait.

14 **Relevez** tous les **compléments circonstanciels** de l'extrait. **Donnez** leur **valeur** et leur **classe grammaticale**.

Le jeune Candide vient d'être chassé du château du baron car il a été surpris embrassant la belle Cunégonde.

Candide, chassé du paradis terrestre, marcha longtemps sans savoir où, pleurant, levant les yeux au ciel, les tournant souvent vers le plus beau des châteaux qui renfermait la plus belle des
5 baronnettes; il se coucha sans souper au milieu des champs entre deux sillons; la neige tombait à gros flocons. Candide, tout transi, se traîna le lendemain vers la ville voisine, qui s'appelle Valdberghoff-trarbk-dikdorff, n'ayant point d'ar-
10 gent, mourant de faim et de lassitude. Il s'arrêta tristement à la porte d'un cabaret. Deux hommes habillés de bleu le remarquèrent: « Camarade, dit l'un, voilà un jeune homme très bien fait, et qui a la taille requise. » Ils s'avancèrent vers Candide
15 et le prièrent à dîner très civilement.

Voltaire, *Candide*, 1759.

À vos plumes !

15 **Rédigez** trois courts **articles de journal** relatant les faits proposés ci-dessous. Vous **utiliserez** pour cela des **compléments circonstanciels** de votre choix.

a. Les vols en direction de l'Angleterre ont été interrompus.

b. De nombreuses municipalités ont restreint l'utilisation de l'eau.

c. Un nouveau collège va être construit.

16 À partir de l'image ci-contre, **rédigez** un court **texte narratif** et / ou **descriptif** dans lequel vous **utiliserez** des **compléments circonstanciels** variés que vous **soulignerez**.

Leo, « Les mondes d'Aldébaran », cycle 2, *Bételgeuse*, ▶ tome 2, « Les survivants », © Dargaud, 2001.

19 L'expression du temps

Voici le début d'une nouvelle.

Il fut tiré du sommeil par la sonnerie du réveil, mais resta couché un bon moment après l'avoir fait taire, à repasser une dernière fois les plans qu'il avait établis pour une escroquerie dans la journée et un assassinat le soir.

Il n'avait négligé aucun détail, c'était une simple réca-
5   pitulation finale. À vingt heures quarante-six, il serait libre, dans tous les sens du mot. Il avait fixé le moment parce que c'était son quarantième anniversaire et que c'était l'heure exacte où il était né. Sa mère, passionnée d'astrologie, lui avait souvent rappelé la minute précise
10   de sa naissance. Lui-même n'était pas superstitieux, mais cela flattait son sens de l'humour de commencer sa vie à quarante ans, à une minute près.

De toute façon, le temps travaillait contre lui. [...] Un an auparavant, il avait « emprunté » cinq mille dol-
15   lars, pour les placer dans une affaire sûre, qui allait dou-
bler ou tripler la mise, mais où il en perdit la totalité.
[...] Il avait maintenant environ trente mille dollars de retard, le trou ne pouvait guère être dissimulé désormais plus de quelques mois et il n'y avait pas le moindre
20   espoir de le combler en si peu de temps.

Fredric Brown, *Fantômes et Farfouilles*,
« Cauchemar en jaune », © Éditions Denoël, 1963.

1 *Il avait fixé le moment parce que c'était son quarantième anniversaire.*
Un an auparavant, il avait « emprunté » cinq mille dollars.
Dans ces deux phrases, relevez les groupes de mots qui expriment le temps
et placez-les dans le tableau :

Groupe ni supprimable ni déplaçable : complément essentiel du verbe	Groupe supprimable ou déplaçable : complément circonstanciel de la phrase

2 Parmi les indications temporelles surlignées en orange, quelles sont celles
qui expriment une fréquence (habitude ou répétition), une durée, une date ?

3 Après avoir relu le texte, rétablissez l'ordre chronologique des événements suivants :
l'escroquerie / la liberté / le réveil / l'assassinat / l'emprunt de cinq mille dollars.

4 *[...] mais resta couché un bon moment après l'avoir fait taire* : l'action introduite
par *après* se déroule-t-elle avant, après ou en même temps que l'autre action ?

LEÇON *Je retiens...*

1 L'expression du temps dans la phrase et le texte

● Le **temps** peut être exprimé par :
– un mot ou groupe de mots faisant référence au temps dans le texte,
quelle que soit sa fonction grammaticale.
Ex. *Le jour de son quarantième anniversaire arriva.* (Ici, le groupe est sujet du verbe *arriver*).
– un **indicateur temporel** (→ CHAPITRE 6) qui relie les phrases et les propositions du texte
(adverbe, conjonction, groupe nominal) : *puis, et, d'abord…*
Ex. *Il réfléchit. Puis, il prit sa décision.*
– un **complément circonstanciel de temps** de la phrase.
Ex. *Il avait maintenant environ trente mille dollars de retard.*

● Les **compléments circonstanciels de temps** expriment :
– la **durée** de l'action :
Ex. *Il réfléchit quelques minutes à la situation.*
– la **fréquence** de l'action :
Ex. *Tous les matins, il se repassait ses plans de meurtre et d'escroquerie.*
– le **moment** de l'action :
Ex. *Le lendemain de son anniversaire, il partit.*

2 La classe grammaticale du complément circonstanciel de temps

Les compléments circonstanciels de temps appartiennent à des **classes grammaticales** variées :

Groupe nominal	**Ex.** *Le **lendemain** de son anniversaire, il partit.* ***Après** son anniversaire, il partit.*
Adverbe	**Ex.** *Il avait **maintenant** environ trente mille dollars de retard.*
Groupe infinitif	**Ex.** *Après **avoir réfléchi**, il prit une décision.*
Pronom	**Ex.** *Après **cela**, il ne lui restait plus qu'à partir.*
Forme verbale en *-ant*	**Ex.** ***Ayant réfléchi**, il décida de quitter la ville.*
Proposition subordonnée circonstancielle	**Ex.** ***Quand** le jour de son anniversaire **arriva**, il prit une décision.*

3 Les subordonnées circonstancielles de temps

Elles se classent selon qu'elles expriment :

	Mots subordonnants	Exemples
La **simultanéité** de l'action de la principale et de la subordonnée.	*comme, pendant que, alors que, lorsque…*	***Lorsque** ce fut le jour de son anniversaire, il prit une décision.*
La **postériorité** de l'action de la principale par rapport à la subordonnée.	*après que, dès que…* (+ verbe à l'**indicatif**)	***Après qu**'il eut fêté son anniversaire, il partit.*
L'**antériorité** de l'action de la principale par rapport à la subordonnée.	*avant que…* (+ verbe au **subjonctif**)	***Avant qu**'il ne passe à l'action, il peaufine son plan.*

À vos marques !

1 **Vérifiez** que vous savez :
– repérer les **mots** et **expressions** donnant une **indication de temps** ;
– préciser leur **fonction grammaticale** (complément de temps, autre complément).

a. Quand il se réveilla, la ville était encore plongée dans l'obscurité.

b. Cette nuit encore, il avait eu du mal à dormir : un mauvais pressentiment.

c. C'était le moment de passer à l'heure d'hiver et ce changement le troublait toujours.

d. À 7 h 30, après avoir déposé sa sœur à l'école, il se dirigea vers l'arrêt du car.

e. Ensuite, avant qu'il ne pénètre dans le car, en voulant attraper son sac, il se rendit compte qu'il l'avait oublié.

2 **Précisez** la fonction des indicateurs de temps soulignés : compléments circonstanciels, sujets, compléments d'objet.

Le jour vint ; ma maîtresse s'esquiva.

La journée me parut d'une longueur effroyable. Le soir arriva enfin. Les choses se passèrent comme la veille, et la seconde nuit n'eut rien à envier à la première. La marquise était de plus
5   en plus adorable. Ce manège se répéta pendant assez longtemps encore. Comme je ne dormais pas la nuit, j'avais tout le jour une espèce de somnolence qui ne parut pas de bon augure à mon
10   oncle. Il se douta de quelque chose ; il écouta probablement à la porte, et entendit tout ; car un beau matin il entra dans ma chambre si brusquement, qu'Antoinette eut à peine le temps de remonter à sa place.

Théophile Gautier, _Omphale_, 1834.

Aide • Le **complément circonstanciel** est généralement déplaçable ou supprimable et possède une valeur (lieu, temps...) (→ CHAPITRE 18).

• Le **complément d'objet direct** est essentiel et dépend d'un verbe transitif (→ CHAPITRE 16).

• Le **sujet** est essentiel et commande l'accord du verbe (→ CHAPITRE 15).

Ex. Il dort la nuit. (CCT) / _Il préfère la nuit._ (COD de préfère) / _La nuit est belle._ (sujet de _est_)

---

3 **Dites** si les groupes soulignés expriment la **durée**, le **moment** ou la **fréquence**.

Vanina se rend à Rome pour rencontrer son futur époux, Don Livio.

Une heure après, elle était en route pour Rome. Depuis longtemps son père la pressait de revenir. Pendant son absence, il avait arrangé son mariage avec le prince Livio Savelli. À peine
5   Vanina fut-elle arrivée, qu'il lui en parla en tremblant. À son grand étonnement, elle consentit dès le premier mot. Le soir même, chez la comtesse Vitteleschi, son père lui présenta presque officiellement don Livio ; elle lui parla beaucoup.
10   [...] Vanina pensa qu'en lui faisant d'abord tourner la tête, elle en ferait un agent commode. Comme il était neveu de monsignor Savelli-Catanzara, gouverneur de Rome et ministre de la police, elle supposait que les espions n'ose-
15   raient le suivre.

Après avoir fort bien traité, pendant quelques jours, l'aimable don Livio, Vanina lui annonça que jamais il ne serait son époux ; il avait, suivant elle, la tête trop légère.

Stendhal, _Vanina Vanini_, 1829.

4 **Relevez** les **compléments circonstanciels de temps** dans le texte suivant et **donnez** leur **classe grammaticale**.

Emprisonné depuis plusieurs années au château d'If, sans en connaître le motif, Edmond Dantès se laisse mourir de faim et croit entendre des bruits...

[...] Edmond écoutait toujours ce bruit. Ce bruit dura trois heures à peu près, puis Edmond entendit une sorte de croulement, après quoi le bruit cessa.
5   Quelques heures après, il reprit plus fort et plus rapproché. Déjà Edmond s'intéressait à ce travail qui lui faisait société ; tout à coup le geôlier entra.

Depuis huit jours à peu près qu'il avait résolu de mourir, depuis quatre jours qu'il avait com-
10   mencé de mettre ce projet à exécution, Edmond n'avait point adressé la parole à cet homme, ne lui répondant pas quand il lui avait parlé pour lui demander de quelle maladie il croyait être atteint, et se retournant du côté du mur quand
15   il en était regardé trop attentivement.

Alexandre Dumas, _Le Comte de Monte-Cristo_, 1844.

5 **Précisez** si l'action soulignée est **antérieure**, **simultanée** ou **postérieure** à l'action de la principale.

a. <u>Dès qu'il se réveilla</u>, Arthur pensa à son devoir de français.

b. <u>Pendant qu'il prenait son petit déjeuner</u>, il imaginait les étapes de son récit.

c. <u>Après qu'il eut fait sa toilette</u>, il prit son cahier.

d. <u>Comme il notait ses premières idées</u>, il en concevait d'autres rapidement.

e. Il fallait absolument finir <u>avant qu'il soit l'heure de prendre le car</u>.

f. <u>Dès qu'il eut fini</u>, sa mère l'appela pour aller à l'école.

6 **Replacez** dans le texte suivant les **indicateurs de temps** proposés.

Liste : *ensuite – avant l'arrivée de son père – chaque jour – Le lendemain – bientôt (2 fois) – Un jour – vers les quatre heures – Dès qu'il était sorti.*

Après avoir suivi son père, don Asdrubale, Vanina fait la connaissance d'une inconnue, Clémentine.

Vanina remarqua que **❶** ...., **❷** ...., son père s'enfermait dans son appartement, et **❸** .... allait vers l'inconnue ; il redescendait **❹** ...., et montait en voiture pour aller chez la comtesse Vitteleschi. **❺** ...., Vanina montait à la petite terrasse, d'où elle pouvait apercevoir l'inconnue. [...] **❻** .... elle vit l'inconnue plus distinctement : ses yeux bleus étaient fixés dans le ciel ; elle semblait prier. **❼** .... des larmes remplirent ses beaux yeux ; la jeune princesse eut bien de la peine à ne pas lui parler. **❽** .... Vanina osa se cacher sur la petite terrasse **❾** .... .

D'après Stendhal, *Vanina Vanini*, 1829.

7 Dans les proverbes suivants, **précisez** la **classe grammaticale** des **compléments circonstanciels de temps** en gras.

a. **Quand on parle du loup**, on en voit la queue.

b. Tel qui rit **vendredi**, **dimanche** pleurera.

c. Il ne faut pas se dépouiller **avant de se coucher**.

d. Pour vivre **longtemps**, il faut être vieux **de bonne heure**.

e. L'appétit vient **en mangeant**.

f. Ne remets pas au lendemain ce que tu peux faire **le jour même**.

g. **En avril**, ne te découvre pas d'un fil ; **en mai**, fais ce qu'il te plaît.

8 Parmi les **mots subordonnants** suivants, **relevez** uniquement ceux qui expriment le temps et **précisez** la valeur apportée (antériorité / postériorité / simultanéité ou fréquence / date / durée).

bien que – toutes les fois que – puisque – une fois que – après que – à chaque fois que – si bien que – avant que – quoique – pendant que – lorsque – dès que – alors que – comme.

9 **1.** Dans le texte suivant, **relevez** les **compléments circonstanciels de temps** et **précisez** leur **classe grammaticale**.
2. **Conjuguez** les verbes entre parenthèses au **passé simple**, à l'**imparfait** ou au **plus-que-parfait** en fonction de la nuance exprimée.

Claude Gueux, incarcéré pour vol, s'inquiète de l'absence de son coprisonnier et ami Albin.

Tous les soirs, depuis l'explication que lui (*donner*) le directeur, il (*faire*) une espèce de chose folle qui (*étonner*) de la part d'un homme aussi sérieux. Au moment où le directeur, ramené à
5 heure fixe par sa tournée habituelle, (*passer*) devant le métier de Claude, Claude (*lever*) les yeux et le (*regarder*) fixement, puis il lui (*dire*) d'un ton plein d'angoisse et de colère, qui (*tenir*) à la fois de la prière et de la menace, ces deux
10 mots seulement : Et Albin ? Le directeur (*faire*) semblant de ne pas entendre ou (*s'éloigner*) en haussant les épaules. [...]

Une autre fois, un dimanche, comme il (*se tenir*) dans le préau, assis sur une pierre, les cou-
15 des sur les genoux et son front dans ses mains, immobile depuis plusieurs heures dans la même attitude, le condamné Faillette (*s'approcher*) de lui, et lui (*crier*) en riant :
– Que diable fais-tu donc là, Claude ?
20 Claude (*lever*) lentement sa tête sévère et (*dire*) :
– *Je juge quelqu'un.*

Un soir enfin, le 25 octobre 1831, au moment où le directeur (*faire*) sa ronde, Claude (*briser*) sous son pied avec bruit un verre de montre qu'il
25 (*trouver*) le matin dans un corridor.

D'après Victor Hugo, *Claude Gueux*, 1834.

Aide Dans un récit au passé (→ CHAPITRES 2 ET 4) :
– le **passé simple** est utilisé pour les actions principales, les actions ponctuelles qui n'ont lieu qu'une fois ;
– l'**imparfait** est employé pour les actions secondaires (cadre du récit) ou qui se répètent ;
– le **plus-que-parfait** est utilisé pour les actions antérieures.

10 **Remplacez** les compléments circonstanciels soulignés par des **propositions subordonnées** conjonctives temporelles de même sens. (Faites attention aux temps et aux modes.)

a. <u>Dès son réveil</u>, elle donnait le biberon à son bébé.

b. <u>À chaque mouvement de tête</u>, elle lui remettait la tétine dans la bouche.

c. Elle ne le lâchait pas du regard, pas <u>avant d'avoir fini tout le lait</u>.

d. <u>Une fois le biberon terminé</u>, elle lui faisait faire son rot.

e. <u>Pendant cette longue attente</u>, elle lui tapotait et lui caressait le dos.

f. <u>Après l'avoir changé</u>, elle pouvait enfin le recoucher.

ORTHOGRAPHE

11 **Complétez** les phrases suivantes avec *quand*, *quant* ou *qu'en*.

a. « .... est-il de tes bonnes résolutions ? » me demandait ma mère, ... je négligeais de ranger mes affaires.

b. « .... même, fais un effort ! » ajoutait-elle.

c. « Ce n'est .... ayant tout rangé que tu pourras aller jouer. .... chaque chose sera à sa place, tu pourras sortir », poursuivait-elle.

d. .... à moi, soucieux de bien faire, j'obéissais immédiatement.

> **Aide •** *Quand*, conjonction de subordination, peut être remplacée par *lorsque*.
> • *Quant à* (*moi*), locution prépositive, peut être remplacée par *pour (ma) part*.
> • *Qu'en* peut être décomposé en *que + en*.

ORTHOGRAPHE

12 **Conjuguez** les verbes entre parenthèses **au mode** et **au temps** qui conviennent.

a. Après qu'il (*revenir*) de la piscine, il se met à étendre ses affaires de bain sur le fil.

b. À mesure qu'il (*étendre*) le linge, le ciel s'obscurcit.

c. Il faut vite tout mettre à l'abri avant que la pluie se (*mettre*) véritablement à tomber.

d. Heureusement, il ne tombe que quelques gouttes jusqu'à ce qu'il (*finir*) de tout ranger.

e. Après qu'il (*ranger*) tout, il décide d'aller courir, avant que l'orage (*apparaître*).

---

13 **1. Relevez** les mots et expressions donnant une **indication temporelle**.
2. Précisez leur **classe grammaticale** et leur **fonction**.

Demain dès l'aube...

Demain, dès l'aube, à l'heure où blanchit la campagne,
Je partirai. Vois-tu, je sais que tu m'attends.
J'irai par la forêt, j'irai par la montagne.
Je ne puis demeurer loin de toi plus longtemps.

5 Je marcherai, les yeux fixés sur mes pensées,
Sans rien voir au-dehors, sans entendre aucun bruit,
Seul, inconnu, le dos courbé, les mains croisées,
Triste, et le jour pour moi sera comme la nuit.

Je ne regarderai ni l'or du soir qui tombe,
10 Ni les voiles au loin descendant vers Harfleur,
Et, quand j'arriverai, je mettrai sur ta tombe
Un bouquet de houx vert et de bruyère en fleur.

Victor Hugo, *Les Contemplations*, IV, 1847.

---

14 À l'aide des **indicateurs de temps** que vous soulignerez, **retrouvez** l'ordre chronologique du texte suivant.

a. Ensuite de quoi il se mit à manier le poignet d'avant en arrière et d'arrière en avant.

b. Camus, qui était descendu sur la fourche inférieure et serrait le fût de l'arbre entre ses genoux, commença par marquer avec la lame de son couteau la place à entailler et à creuser d'abord une légère rainure où la scie s'engagerait.

c. Quand il ne resta plus qu'un centimètre et demi à raser, ils essayèrent, en s'appuyant dessus, prudemment, puis plus fort, la solidité de la branche.

d. Gambette, pendant ce temps, était monté sur l'arbre et surveillait l'opération. Quand Camus fut fatigué, son complice le remplaça.

e. Au bout d'une demi-heure, le couteau était chaud à n'en plus pouvoir toucher les lames. Ils se reposèrent un moment, puis ils reprirent leur travail.

f. Deux heures durant, ils se relayèrent dans ce maniement de scie. Leurs doigts à la fin étaient raides, leurs poignets engourdis, leur cou cassé, leurs yeux troubles et pleins de larmes, mais une flamme inextinguible les ranimait, et la scie grattait encore et rongeait toujours, comme une impitoyable souris.

D'après Louis Pergaud, *La Guerre des boutons*,
© Mercure de France, 1912.

À vos plumes !

15 1. **Repérez** les mots et expressions qui ancrent le texte dans une époque donnée.
2. **Transposez**-le à votre époque en ajoutant des **compléments circonstanciels de temps** que vous soulignerez.

Un cheval s'était arrêté devant la maison. Déjà le cavalier frappait à la porte à grands coups de poing autoritaires.

« Courrier du roi, annonça-t-il à Pauline, un
5 rien arrogant. Préviens ton maître que je veux le voir. »

Lorsque le chevalier entra dans la cuisine poussé par Pauline, l'homme resta un instant sans voix : un vieillard aux longs cheveux blancs,
10 vêtu à la mode désuète du roi Louis XIII, sur une chaise à roulettes, voilà qui n'était pas commun. Il salua de son large chapeau à plumes, puis lui tendit une lettre.

Le chevalier la soupesa, la retourna, regarda
15 le sceau, tardant à l'ouvrir.

Lettre de grâce ou lettre de cachet ? se demanda-t-il.

Pardon ou aller simple pour la Bastille ?

Les mains tremblantes, il brisa le sceau de cire
20 et déplia deux feuillets...

Annie Jay, *Complot à Versailles*, © Hachette Livre, 1993.

FRANÇAIS → HISTOIRE

16 À partir de cet emploi du temps minimaliste et de votre livre d'histoire, **rédigez** un **paragraphe narratif** rendant compte de la journée type du Roi-Soleil Louis XIV. Vous utiliserez des **indicateurs de temps variés**.

7 h 30 : éveil
8 h 15 / 8 h 30 : petit lever et grand lever
10 h : messe
11 h : conseil ou audiences particulières
13 h : dîner au petit couvert
14 h : promenade ou chasse
18 h à 20 h : soirées d'appartement ou travail
22 h : souper au grand couvert
23 h : grand et petit coucher

17 **Transposez** la bande dessinée ci-dessous en un texte narratif. Vous **utiliserez** des **indicateurs de temps** pour marquer les différentes étapes du récit et des **indicateurs de lieu** pour évoquer le cadre.

Pour créer une encre invisible, pressez le jus d'un citron et écrivez avec. Laissez sécher. Puis, tenez le papier au-dessus d'une source de chaleur, vous verrez alors apparaître votre message secret...

La Guerre des boutons en BD, t. 1 « Le trésor »,
scénario de Mathieu Gabella, dessins de Valérie Vernay,
© Éditions Petit à Petit, 2006.

ACTIVITÉ   J'observe...

Zadig est accusé d'avoir volé la chienne de la reine : il l'a en effet décrite sans l'avoir vue ! Il doit donc expliquer comment il a deviné certaines caractéristiques physiques de l'animal...

1. allusions à d'autres personnages du conte.

2. *éminences* : tas.

Voici ce qui m'est arrivé. Je me promenais vers le petit bois, où j'ai rencontré depuis le vénérable eunuque[1] et le très illustre grand veneur[1]. J'ai vu sur le sable les traces d'un ani-
5 mal, et j'ai jugé aisément que c'étaient celles d'un petit chien. Des sillons légers et longs, imprimés sur de petites éminences[2] de sable, entre les traces des pattes, m'ont fait connaître que c'était une chienne dont les mamelles
10 étaient pendantes, et qu'ainsi elle avait fait des petits il y a peu de jours. D'autres traces en un sens différent, qui paraissaient toujours avoir rasé la surface du sable à côté des pattes de devant, m'ont appris qu'elle avait les oreilles
15 très longues ; et, comme j'ai remarqué que le sable était toujours moins creusé par une patte que par les trois autres, j'ai compris que la chienne de notre auguste reine était un peu boiteuse, si je l'ose dire.

Voltaire, *Zadig*, chap. III, 1745-1746.

1 Repérez les étapes du raisonnement de Zadig : combien d'observations a-t-il faites pour être en mesure de donner une description de la chienne de la reine ?

2 Quelles conclusions Zadig tire-t-il concernant le physique de la chienne ?

3 Quels faits lui permettent de parvenir à ces conclusions ?

4 Relevez trois mots-outils qui font le lien entre les faits et les conclusions de Zadig.

5 Récrivez le passage surligné en orange en commençant par :
J'ai compris que la petite chienne avait les oreilles très longues car...

6 *[...] j'ai remarqué que le sable était toujours moins creusé par une patte que par les trois autres⬚, j'ai compris que la chienne de notre auguste reine était un peu boiteuse [...].*
Peut-on introduire la seconde proposition par : *parce que – si bien que* ?

LEÇON **Je retiens...**

❶ Le rapport logique cause-conséquence

Il pleut.   La chaussée est mouillée.

fait 1   fait 2

→ Le fait 1 est la **cause** du fait 2.   → Le fait 2 est la **conséquence** (résultat) du fait 1.

Ex. *La chaussée est mouillée* parce qu'il pleut.   **Ex.** *Il pleut,* si bien que la chaussée est mouillée.
cause   conséquence

RAPPEL Une **cause** a toujours lieu **avant** sa **conséquence**.

❷ L'expression de la cause

Dans la phrase, la **cause** s'exprime de différentes manières :

Un complément circonstanciel de cause (→ CHAPITRE 18)	– un groupe nominal	à cause de, grâce à, par, en raison de, du fait de, faute de…	*Grâce aux empreintes, Zadig a deviné qu'il s'agissait d'un chien.*
	– un participe présent ou un gérondif	forme verbale en -ant	*En observant les empreintes, Zadig a aussi deviné sa taille.*
	– un groupe infinitif	forme verbale à l'infinitif introduite par pour, faute de…	*Pour avoir décrit la chienne si précisément, Zadig a été accusé de vol.*
	– une proposition subordonnée (→ CHAPITRE 14)	parce que, puisque, étant donné que… (+ indicatif)	*Les mamelles de la chienne pendaient parce qu'elle venait d'avoir des petits.*
Une proposition coordonnée (→ CHAPITRES 8 et 14)		car, en effet	*Ses oreilles traînaient par terre car elles étaient très longues.*

❸ L'expression de la conséquence

Dans la phrase, la **conséquence** s'exprime de différentes manières :

Un complément circonstanciel de conséquence (→ CHAPITRE 18) : une proposition subordonnée (→ CHAPITRE 14)	si bien que, de sorte que, si… que, tant… que, tellement… que, au point que… (+ indicatif)	*Zadig a observé les empreintes de la chienne, si bien qu'il a deviné qu'elle boitait.*
Une proposition coordonnée (→ CHAPITRES 8 et 14)	donc, ainsi, par conséquent, et, aussi, c'est pourquoi…	*Zadig a observé les empreintes de la chienne, c'est pourquoi il a deviné qu'elle boitait.*

ATTENTION On peut choisir d'exprimer un rapport de cause-conséquence entre deux faits en mettant en relief soit la cause, soit la conséquence :

Ex.   *Il pleut.*   *Je prends mon parapluie.*
fait 1 (cause)   fait 2 (conséquence)
Expression de la cause   **Expression de la conséquence**

*Je prends mon parapluie **puisqu'**il pleut.*   *Il pleut, **si bien que** je prends mon parapluie.*
*Je prends mon parapluie **car** il pleut.*   *Il pleut, **donc** je prends mon parapluie.*
*Je prends mon parapluie **à cause de** la pluie.*

À vos marques !

1 **Vérifiez** que vous savez repérer :
– une **cause** et une **conséquence** ;
– les mots qui les introduisent.

Gulliver a fait naufrage chez les Lilliputiens.

Je commençais à sentir les tortures de la faim,
car j'étais resté sans manger la moindre bouchée
plusieurs heures avant mon départ du navire, et
j'étais tellement harcelé par cette exigence de
5 la nature, que je ne pus m'abstenir de traduire
mon impatience [...] en portant plusieurs fois le
doigt à la bouche pour montrer le besoin que
j'avais de nourriture.

Jonathan Swift, *Premier Voyage de Gulliver,
Voyage à Lilliput*, I, © Gallimard Jeunesse, 1997.

Lithographie de Carl Offterdinger (1829-1889)
pour le *Premier voyage de Gulliver* de Jonathan Swift,
(collection privée).

2 **Identifiez** la **cause** dans chaque phrase
en repérant le fait qui s'est déroulé **en
premier**.

a. Comme il paraît abandonné, nous ramenons
le chien à la maison.

b. Il tremble beaucoup car il a peur.

c. On le cajole de sorte qu'il est un peu plus rassuré.

d. Il est affectueux si bien que nous voulons le
garder.

e. En raison de sa taille, nous construisons une
grande niche.

f. Nous avons un grand jardin, donc il pourra
gambader en toute tranquillité.

3 **Mêmes consignes** que dans l'EXERCICE 2
avec les phrases suivantes.

a. Nous décidâmes de partir en randonnée car
le temps était splendide.

b. Nous marchions vite ce jour-là si bien que
nous mîmes peu de temps à arriver au sommet.

c. Comme la fonte des neiges se terminait, l'eau
coulait à flots dans les ruisseaux.

d. Nous prîmes le temps de nous baigner puisque nous étions en avance sur notre programme.

e. Nous avions préparé un repas, de sorte que
nous pique-niquâmes sur place.

f. Cependant nous dûmes partir précipitam-
ment en raison de l'orage qui menaçait au loin.

FRANÇAIS → HISTOIRE

4 1. **Reliez** de façon logique les deux colonnes.
2. **Précisez** s'il s'agit d'exprimer une **cause** ou une **conséquence**.

a. ... le peuple meurt de faim et le pays s'appauvrit.	**1.** ... **parce qu'**il est au-dessus des hommes.
b. ... la France se développe économiquement.	**2.** ... **si bien qu'**il est le maître absolu et ne rend de comptes à personne.
c. Le soleil est l'emblème de Louis XIV...	**3.** ... **donc** l'attaquer, c'est commettre un sacrilège.
d. Le roi est censé tenir son pouvoir de Dieu, ...	**4. Grâce** au ministre Colbert, ...
e. Le roi est considéré comme sacré, ...	**5.** ... **qu'**il veut faire de Versailles le plus beau palais du monde.
f. Le rayonnement de Louis XIV est **si** grand ...	**6. En raison des** guerres nombreuses, ...

5 **Remettez** dans l'**ordre** la suite du texte de Voltaire (→ ACTIVITÉ p. 154).

Aidez-vous des **connecteurs** en gras, de la ponctuation et des substituts soulignés.

Zadig se défend à présent d'avoir volé le cheval du roi.

a. **et** j'ai connu que ce cheval y avait touché,

b. Quant à son mors, il doit être d'or à vingt-trois carats :

c. **car** il <u>en</u> a frotté les bossettes¹ contre une pierre que j'ai reconnue être une pierre de touche² et dont j'ai fait l'essai.

d. J'ai jugé enfin, par les marques que ses fers ont laissées sur des cailloux d'une autre espèce,

e. qu'<u>il</u> était ferré d'argent à onze deniers de fin³.

f. et qu'**ainsi** <u>il</u> avait cinq pieds de haut.

g. J'ai vu sous les arbres, qui formaient un berceau de cinq pieds de haut, les feuilles des branches nouvellement tombées,

D'après Voltaire, Zadig, chap. III, 1745-1746.

1. *bossettes* : ornements du mors du cheval.
2. *pierre de touche* : pierre servant à estimer un métal précieux.
3. *argent à onze deniers de fin* : argent assez pur, de bonne qualité.

> **Aide** Pour les **connecteurs** (→ CHAPITRE 8).
> Pour les **substituts** (→ CHAPITRE 10).

FRANÇAIS → HISTOIRE

6 **Complétez** les phrases suivantes avec un **connecteur** exprimant la **cause**.

Liste : *à cause de – grâce à (2 fois) – en raison de – car – du fait de – en effet.*

a. Le XVIIIᵉ siècle en Europe est appelé « le siècle des Lumières » .... des idées nouvelles qui voient le jour.

b. Les penseurs de cette époque sont nommés « les philosophes des Lumières » .... ils veulent « éclairer toutes choses à la lumière de la raison ».

c. .... la censure, certaines œuvres paraissent à l'étranger ou de façon anonyme.

d. Les idées des philosophes se répandent dans toute l'Europe .... aux voyages et aux échanges.

e. .... aux salons parisiens, tel celui de Mme Geoffrin, les écrits de Montesquieu, de Voltaire ou de Rousseau sont largement diffusés.

f. Les idées touchent aussi l'opinion publique .... de nombreuses gazettes et affiches sont publiées.

g. .... philosophes des Lumières, de nombreux préjugés et certaines injustices sont dénoncés.

7 **Relevez** dans le texte suivant **trois propositions subordonnées**, un **groupe infinitif** et un **groupe nominal** qui établissent un rapport de **cause**.

Tout m'a tourné jusqu'ici de façon bien étrange. J'ai été condamné à l'amende pour avoir vu passer une chienne ; j'ai pensé être empalé pour un griffon ; j'ai été envoyé au supplice parce que j'avais fait des vers à la louange du roi ; j'ai été sur le point d'être étranglé parce que la reine avait des rubans jaunes ; et me voici esclave avec toi parce qu'un brutal a battu sa maîtresse.

Voltaire, Zadig, chap. X, 1745-1746.

8 **Imaginez** la suite des phrases en **employant** un des **connecteurs** proposés exprimant la **conséquence**.

Liste : *ainsi – par conséquent – et – c'est pourquoi.*

a. Notre société de consommation produit beaucoup de déchets ....

b. Dans nos poubelles, on trouve des déchets variés (papier, verre, plastiques) ....

c. Les gens ont tendance à jeter leurs déchets n'importe où ....

d. L'opinion publique prend conscience de la nécessité d'agir ....

9 **Complétez** les phrases suivantes par une **expression de cause** en respectant la classe grammaticale demandée.

a. .... j'ai étudié cette année un recueil du poète Victor Hugo. (groupe nominal)

b. .... je me suis familiarisé avec le romantisme. (gérondif)

c. Victor Hugo était un écrivain engagé .... (proposition subordonnée)

d. Hugo a été exilé .... (proposition coordonnée)

e. .... l'écrivain français est devenu un écrivain populaire. (groupe infinitif)

10 **Transformez** la proposition coordonnée en une **proposition subordonnée de conséquence** introduite par *de sorte que, si bien que, si... que.*

a. Le nombre de familles d'accueil est limité, <u>c'est pourquoi une partie des élèves seront logés en auberge de jeunesse</u>.

b. Les cours auront lieu le matin, <u>donc les visites culturelles se dérouleront l'après-midi</u>.

c. La ville est grande ; <u>aussi les élèves seront-ils accompagnés d'un adulte pour les visites</u>.

11 **Remplacez**, dans les phrases suivantes, le GN souligné par une **proposition subordonnée de cause** introduite par *parce que*, *puisque* ou *étant donné que*.

Ex. *En raison du mauvais temps, nous ne partirons que demain.*
→ *Nous ne partirons que demain* ***parce que*** *le temps est mauvais.*

a. Le voyage en Espagne aura lieu en partie sur les vacances scolaires en raison de sa durée de trois semaines.

b. Le départ aura lieu à 7 heures du matin du fait de la longueur du voyage en car.

c. Faute de halte pour le déjeuner, les élèves devront prévoir un pique-nique.

> **Aide** Une **proposition subordonnée** (→ CHAPITRE 14) doit comporter un sujet et un verbe conjugué, introduits par un mot subordonnant.

12 **1. Complétez** les phrases par un mot exprimant la **cause** ou la **conséquence**.
2. Précisez s'il s'agit d'une **cause** ou d'une **conséquence**, ainsi que la **classe grammaticale** du groupe de mots souligné.

a. Un soir, ... je m'ennuyais, je pris un livre dans la bibliothèque.

b. J'hésitais à le lire .... il était assez épais.

c. Cependant la couverture me plut .... je me mis à lire tout de même.

d. C'était un roman historique .... je pouvais aussi m'instruire.

e. Finalement, je le trouvai .... passionnant .... je le lus sans m'arrêter.

f. .... ce roman historique, j'appris beaucoup de choses .... je décidai de faire un exposé en classe.

13 **Corrigez** les phrases de Benjamin : il a confondu l'expression de la **cause** et l'expression de la **conséquence**.

a. Une pluie torrentielle est tombée sur la ville car une partie des habitations se retrouvent sous l'eau.

b. Les maisons sont inondées si bien que le fleuve est sorti de son lit.

c. Chez nous, l'eau est tant montée qu'elle a atteint le premier étage.

d. Les pompiers ne sont pas venus tout de suite parce qu'ils étaient débordés.

e. Nous n'avons pas pu partir grâce aux routes coupées.

FRANÇAIS → HISTOIRE

14 **Transformez**, dans chacune des phrases suivantes, le **rapport de cause** en **rapport de conséquence**.

Ex. *Le commerce s'accroît* ***parce que*** *les marchandises circulent.* (cause)
→ *Les marchandises circulent* ***si bien que*** *le commerce s'accroît.* (conséquence)

a. Au XIXe siècle, le chemin de fer s'est développé car la machine à vapeur a été inventée.

b. Les modes de vie ont évolué très vite car le chemin de fer a permis les échanges de marchandises et la circulation des personnes.

c. Les voyages entre Paris et Lyon, par exemple, prenaient moins de temps parce que le train allait plus vite que la diligence.

d. Comme les marchandises étaient transportées plus vite, l'économie de la fin du XIXe siècle a connu un véritable essor.

e. L'industrie sidérurgique s'est beaucoup développée parce que le besoin en fer s'est accru.

> **Aide** Pour inverser le rapport cause-conséquence, il faut changer le **mot de liaison** (*car, parce que* → *donc, si bien que, de sorte que, c'est pourquoi, aussi...*), et parfois l'**ordre des propositions**.

15 **Précisez** pour chacune des phrases si le mot *comme* introduit une subordonnée de **cause**, de **temps** ou de **comparaison**.

a. **Comme** notre père travaillait le mercredi, il nous envoyait chez la voisine.

b. Cette grand-mère nous aimait **comme** elle avait aimé ses enfants.

c. **Comme** nous nous installions confortablement, elle allait chercher un livre.

d. **Comme** elle nous faisait le récit d'histoires effrayantes, nous finissions, fascinés, par nous tenir tranquilles.

e. **Comme** nous ne voulions pas être privés de ce divertissement, nous faisions toujours semblant de nous ennuyer à la maison !

f. Cette femme cultivée était passionnée de lecture **comme** je le suis aujourd'hui.

> **Aide** Le mot *comme* peut exprimer :
> – une comparaison (→ CHAPITRE 25) : *Il travaille dur* ***comme*** *son frère.* (= de la même manière que)
> – une cause (→ CHAPITRE 20) : ***Comme*** *je pars, je te laisse ma chambre.* (= parce que)
> – un rapport temporel (→ CHAPITRE 19) : ***Comme*** *j'étais enfant, j'adorais nager.* (= quand)

16 1. **Établissez** un rapport logique de **cause** ou de **conséquence** entre les deux propositions indépendantes juxtaposées. (Vous pouvez changer leur ordre.)

2. **Précisez** à chaque fois si vous avez exprimé la cause ou la conséquence.

a. J'ai décidé cette année de faire du théâtre. Je veux vaincre ma timidité.

b. J'ai toujours tremblé à l'idée de monter sur les planches. Je n'ai jamais osé me lancer.

c. Mon rêve est de jouer Cyrano de Bergerac. Je trouve ce personnage extraordinaire.

d. Lucie fait du théâtre depuis trois ans. Elle m'a convaincu de venir avec elle.

e. Elle est merveilleuse. Tout le monde la pousse à en faire son métier.

f. Moi, je resterai amateur. Je veux plutôt me destiner à des études de médecine.

ORTHOGRAPHE

17 **Complétez** les phrases suivantes par *parce que* ou *par ce que*.

a. Il se plaint .... il a beaucoup de travail.

b. Si l'on en juge .... il dit, les cours sont assez difficiles dans cette matière.

c. J'ai été étonné .... j'ai vu.

d. Je ne t'ai pas appelée .... je ne savais pas que tu étais rentrée.

e. Je connais la région .... j'ai pu lire dans les guides touristiques.

f. Je connais bien la ville .... j'y venais lorsque j'étais petite.

Aide *Parce que* peut se remplacer par « puisque », et *par ce que* par « par la chose que... ».

À vos plumes !

18 L'inspecteur Finefleur mène l'enquête sur le vol d'un objet de valeur. Il fait des observations puis des déductions sur ce qui a dû se passer à l'aide des indices qu'il peut voir.

Écrivez ses déductions à l'aide de compléments circonstanciels de cause et de conséquence.

*Ex. Les traces de pas n'apparaissent que dans un sens, c'est **pourquoi** l'assassin n'a pas pu repasser par le même chemin. Le coupable a fouillé cette armoire **car** les draps sont légèrement froissés…*

19 **Imaginez** un texte promotionnel pour accompagner une affiche publicitaire vantant les mérites d'un produit alimentaire. Vous **utiliserez** des **compléments circonstanciels de cause** et de **conséquence** pour construire votre publicité.

*Ex. **Grâce à** notre chocolat, vous verrez grandir vos enfants !*
*Avec Crêmefleur, vos plats seront **si** légers **que** vous pourrez en manger à volonté !*

20 **Observez** chaque personnage de ce tableau : **évoquez** ce qu'ils font et leurs réactions. Vous aurez soin d'employer des **compléments circonstanciels de cause** et de **conséquence** dans votre analyse.

Un jeune homme riche se rend à la foire. Deux belles femmes l'appâtent et le conduisent auprès d'une vieille femme, une diseuse de bonne aventure…

Georges de La Tour (1593-1652), ►
La Diseuse de bonne aventure,
vers 1630 (Metropolitan
Museum of Art, New York).

Le récit d'une aventure

Gulliver chez les Lilliputiens

Gulliver après un naufrage s'échoue sur une terre inconnue nommée Lilliput.

Je m'étendis sur l'herbe qui était douce et unie et j'y dormis plus profondément qu'il ne me semble avoir dormi de ma vie, et cela, calculai-je, durant plus de neuf heures, car lorsque je m'éveillai le jour venait de poindre. J'essayai alors de me lever, mais ne pus faire le moindre mouvement; comme j'étais couché sur le dos, je m'aper-
5 çus que mes bras et mes jambes étaient solidement fixés au sol de chaque côté, et que mes cheveux, qui étaient longs et épais, étaient attachés au sol de la même façon. Je sentis de même tout autour de mon corps de nombreuses et fines liga-tures[1] m'enserrant depuis les aisselles jusqu'aux cuisses.

Je ne pouvais regarder qu'au-dessus de moi; le soleil se mit à chauffer très fort
10 et la lumière vive blessait mes yeux. J'entendis un bruit confus autour de moi, mais, dans la position où j'étais, je ne pouvais voir rien d'autre que le ciel. Au bout d'un instant, je sentis remuer quelque chose de vivant sur ma jambe gauche, puis cette chose avançant doucement sur ma poitrine arriva presque jusqu'à mon menton; infléchissant alors mon regard aussi bas que je pus, je découvris que c'était une
15 créature humaine, haute tout au plus de six pouces[2], tenant d'une main un arc et de l'autre une flèche et portant un carquois sur le dos.

Dans le même temps, je sentis une quarantaine au moins d'êtres de la même espèce ou qui me parurent tels, grimpant derrière le premier. J'éprouvai la plus inimaginable surprise et poussai un cri si étourdissant qu'ils s'enfuirent tous épou-
20 vantés. Quelques-uns d'entre eux, comme je l'appris par la suite, se blessèrent en tombant pour sauter plus vite à terre du haut de mes côtes.

1. *ligatures*: liens.
2. *six pouces*: 2,7 cm.

Jonathan Swift, *Premier Voyage de Gulliver, Voyage à Lilliput*,
© Gallimard Jeunesse, 1997.

→ CHAPITRE **18** La fonction complément circonstanciel
→ CHAPITRE **19** L'expression du temps
→ CHAPITRE **20** L'expression de la cause et de la conséquence

QUESTIONS

Un réveil étonnant

(premier paragraphe)

1. Qui raconte l'histoire ? Justifiez votre réponse en citant le texte.

2. a. Quel est le système de temps utilisé ?
Dites quels sont les principaux temps utilisés. (→ Aide 1)

b. Quelle expression montre que Gulliver évoque un souvenir ?

3. a. Relevez deux compléments circonstanciels, dont vous donnerez la valeur et la classe grammaticale, permettant de préciser où se trouve Gulliver et combien de temps il a dormi.

b. Relevez l'expression permettant à Gulliver de déduire ce laps de temps et précisez s'il s'agit de l'expression de la cause ou de la conséquence.

4. *comme j'étais couché sur le dos... depuis les aisselles jusqu'aux cuisses.* (l. 4-8)

a. Dans quelle posture se retrouve Gulliver et de quelle manière est-il attaché ?

b. Relevez les compléments circonstanciels précisant comment Gulliver est immobilisé. Donnez leur valeur.

> **Aide 1** Le récit peut être mené au **passé** ou au **présent** (→ CHAPITRES **2** et **3**).

La découverte des créatures (deuxième paragraphe)

5. *Au bout d'un instant, je sentis remuer... presque jusqu'au menton.* (l. 11-13)

a. Relevez dans ce passage les compléments circonstanciels.

b. Précisez l'expression exacte qui fait avancer le récit et qui montre la progression des créatures sur le corps de Gulliver.

6. Quels sont les deux sens permettant à Gulliver de découvrir les créatures ? Relevez les deux verbes justifiant votre réponse.

7. Comment le narrateur nomme-t-il les êtres qu'il découvre ? Quelles impressions suscitent ces dénominations ? (→ Aide 2)

8. Quelle est la réaction de Gulliver face à cette découverte ?

9. Donnez la classe grammaticale et la fonction de la proposition : « *...si étourdissant **qu'ils s'enfuirent tous épouvantés**.* » (l. 19-20)

> **Aide 2** Pour repérer les **substituts nominaux** (→ CHAPITRE **10**).

RÉÉCRITURE

■ Récrivez la phrase des lignes 1 à 3 (*Je m'étendis sur l'herbe... le jour venait de poindre*) en remplaçant *je* par *nous*. Faites toutes les modifications nécessaires.

RÉDACTION

■ Racontez la suite de l'aventure de Gulliver : la défense de Gulliver contre l'attaque des Lilliputiens, la réaction du héros face à ces créatures et ce monde irréel, les premiers échanges entre le voyageur et les Lilliputiens...

Aide pour la rédaction

Le sujet de rédaction propose une suite de texte.
Pour réussir cette suite, aidez-vous du texte de Jonathan Swift et demandez-vous :

– *À quelle personne et à quel temps dois-je rédiger mon récit ?*
– *Quel est le profil des personnages proposés dans le texte (petits, armés et méfiants) ?*
– *Par quels moyens grammaticaux puis-je marquer l'évolution de mon récit, les lieux, mais aussi préciser les autres circonstances des actions ou des attitudes des personnages ?*
– *Comment puis-je utiliser l'expression de la cause et de la conséquence pour exposer les raisons de la présence de Gulliver, ses intentions, celles des Lilliputiens et les conséquences de la présence du héros ?*

ÉVALUATION **7**

ACTIVITÉ *J'observe...*

Claude Gueux, honnête ouvrier, commet un vol pour nourrir sa famille. Il est interné à la prison de Clairvaux.

1. *naguère* (« il n'y a guère ») : il y a peu de temps.

Claude Gueux, honnête ouvrier naguère¹, voleur désormais, était une **figure** digne et grave. Il avait le front haut, déjà ridé quoique jeune encore, quelques cheveux gris perdus dans les touffes noires, l'œil doux et fort puissamment
5 enfoncé sous une arcade sourcilière bien modelée, les narines ouvertes, le menton avancé, la lèvre dédaigneuse. C'était une **belle** tête. On va voir ce que la société en a fait.

[...]

Au bout de quelques mois, Claude s'acclimata à l'air **de la prison** et parut
10 ne plus songer à rien. Une certaine **sérénité** sévère, propre à son caractère, avait repris le dessus.

Au bout du même espace de temps à peu près, Claude avait acquis un ascendant singulier sur tous ses compagnons. Comme par une sorte de convention tacite², et sans que personne sût pourquoi, pas même lui, tous ces hommes le

2. *tacite* : non exprimée, sous-entendue.
15 consultaient, l'écoutaient, l'admiraient et l'imitaient, ce qui est le dernier degré ascendant de l'admiration. Ce n'était pas une médiocre **gloire** d'être obéi par toutes ces natures désobéissantes. Cet empire lui était venu sans qu'il y songeât. Cela tenait au **regard** qu'il avait dans les yeux. L'œil de l'homme est une fenêtre par laquelle on voit les pensées qui vont et viennent dans sa tête.

Victor Hugo, *Claude Gueux*, 1834.

1 Qui est Claude Gueux ? Relevez dans la première phrase les expressions qui le caractérisent.

2 **a.** À quelle classe grammaticale appartiennent les mots complétés par les adjectifs surlignés en orange ?
b. Si vous supprimiez ces adjectifs, le texte obtenu serait-il aussi précis ?

3 Recopiez, puis complétez le tableau suivant en relevant les éléments du texte.

Déterminant	Nom	Expansion(s)
	figure (l. 2)	
		belle (l. 7)
		de la prison (l. 9)
	sérénité (l. 10)	
	gloire (l. 16)	
	regard (l. 18)	

4 *Claude Gueux, honnête ouvrier naguère, voleur désormais, était une figure digne et grave.* Récrivez cette phrase en remplaçant *Claude Gueux* par *Claude Gueux et Albin*.

LEÇON *Je retiens...*

① Les éléments essentiels du groupe nominal

● Un **groupe nominal** est un ensemble de mots **organisé autour d'un nom**, qui sert de noyau.

● Le groupe nominal minimal est composé :
– d'un **nom** (nom propre ou nom commun) ;
– et souvent d'un **déterminant** (→ CHAPITRE 12).

Ex. *Claude Gueux – un ouvrier – quelques cheveux.*

② Les expansions du nom

D'autres éléments ne sont **pas essentiels** au groupe nominal, mais permettent d'enrichir son sens : ce sont les **expansions du nom**.

Fonctions grammaticales	Classes grammaticales	Exemples
Épithète du nom	**Adjectif qualificatif, participe passé employé comme adjectif, adjectif verbal**, placé avant ou après le nom. (Ils s'accordent en genre et en nombre avec le nom.) (→ CHAPITRE 35) **ATTENTION** L'adjectif peut être suivi d'un complément de l'adjectif.	*honnête ouvrier, une figure digne, le menton avancé* *un homme digne de confiance*
Complément du nom	**Groupe nominal** introduit par une préposition (*à, de, en...*)	*l'air de la prison*
	Infinitif ou groupe infinitif introduit par une préposition (*à, de...*)	*la gloire d'être obéi*
	Proposition subordonnée relative introduite par *qui, que, dont, où, lequel...* (→ CHAPITRE 23)	*les pensées qui vont et viennent dans sa tête*

REMARQUE Dans un groupe nominal, plusieurs expansions peuvent s'emboîter.

Ex. *L'œil de l'homme est une **fenêtre** [par laquelle on voit*

*les **pensées** [qui vont et viennent dans sa **tête**]].*

③ L'apposition

L'**apposition** est un cas particulier. Elle se rapporte au nom. Mais, par sa construction, elle est détachée du groupe nominal. On peut la **déplacer** dans la phrase et la **supprimer**.

Adjectif qualificatif, participe passé employé comme adjectif, adjectif verbal. (Ils s'accordent en genre et en nombre avec le nom.) (→ CHAPITRE 35)	**Ex.** *Discret, Claude parlait peu.* *Habitué à la prison, il ne songeait plus à rien.* *Il était obéi par des natures frondeuses, désobéissantes.*
Participe présent	**Ex.** *Parlant peu, il s'imposait par sa prestance.*
Verbe à l'infinitif	**Ex.** *Son rêve, s'enfuir, était impossible.*
Groupe nominal	**Ex.** *Claude Gueux, honnête ouvrier naguère, voleur désormais...*

À vos marques !

1 **Vérifiez** que vous savez repérer :
– les **groupes nominaux** ;
– les **noms noyaux** de ces groupes ;
– leurs **déterminants** et leurs éventuelles **expansions**.

C'était un chat noir, – un très gros chat, – au moins aussi gros que Pluton, lui ressemblant absolument, excepté en un point. Pluton n'avait pas un poil blanc sur tout le corps ; celui-ci por-
5 tait une éclaboussure[1] large et blanche, mais d'une forme indécise, qui couvrait presque toute la région de la poitrine.

> E. A. Poe, *Nouvelles Histoires extraordinaires*,
> « Le chat noir », trad. Ch. Baudelaire, 1857.

1. *éclaboussure* : tache.

2 **1. Dans les groupes nominaux** proposés, **encadrez** le **nom noyau**, **soulignez** le **déterminant** et **entourez** les **expansions** du nom.
2. Intégrez ces groupes nominaux à une phrase de votre invention.
a. *Le mois de décembre.*
b. *Cette superbe matinée de mai.*
c. *Quatre feuilles bleues de papier cartonné.*
d. *Quelques fines gouttelettes d'eau.*
e. *Une table polie en ébène.*
f. *Des meubles en rotin qu'il apprécie beaucoup.*
g. *Un ancien fer à repasser tout rouillé.*

> **Aide** Un **groupe nominal** peut avoir une organisation complexe et **emboîter** des **expansions du nom** les unes dans les autres.
> *Ex. la terrible **soirée** de ce glacial **mois** de décembre qu'il n'oubliera jamais.*

3 **Relevez** les **expansions** des noms noyaux en gras et **donnez** leur **fonction**.
a. Le **code** civil est un **recueil** de textes juridiques, promulgué le 21 mars 1804 par Napoléon.
b. Il rassemble les **lois** et les **droits** civils qui régissent la **vie** des Français.
c. On retrouve, dans cet ouvrage, les **idées** de la Révolution française.
d. Il définit précisément les **droits** du propriétaire et fonde la **famille** moderne.
e. Grâce à ce texte, un **contrat** de mariage établi devant notaire permet de noter les **biens** des deux époux.
f. L'homme disposait d'une **autorité** absolue sur sa **femme** et sur ses **enfants** qui lui devaient honneur et respect.
g. **Résultat** d'un long **travail** de réflexion, ce texte a été diffusé dans l'**Europe** conquise par Napoléon et adopté par de nombreux **pays**.

4 **Relevez** les **adjectifs épithètes** et **précisez** à quel(s) nom(s) ils se rapportent.

Un tiède soleil d'automne tombait dans la cour de la ferme, par-dessus les grands hêtres des fossés. Sous le gazon tondu par les vaches, la terre, imprégnée de pluie récente, était moite, enfon-
5 çait sous les pieds avec un bruit d'eau ; et les pommiers chargés de pommes semaient leurs fruits d'un vert pâle, dans le vert foncé de l'herbage.

Quatre jeunes génisses paissaient, attachées en ligne, et meuglaient par moments vers la mai-
10 son ; les volailles mettaient un mouvement coloré sur le fumier, devant l'étable, et grattaient, remuaient, caquetaient, tandis que les deux coqs chantaient sans cesse, cherchaient des vers pour leurs poules qu'ils appelaient d'un gloussement
15 vif. [...]

Une paysanne sortit de la maison. Son corps osseux, large et plat, se dessinait sous un caraco de laine qui serrait la taille. Une jupe grise, trop courte, tombait jusqu'à la moitié des jambes,
20 cachées en des bas bleus, et elle portait aussi des sabots pleins de paille.

> Guy de Maupassant, *La Maison Tellier*,
> « Le vieux », 1881.

5 **Relevez** les **propositions subordonnées relatives** et **précisez** à chaque fois quel **nom** elles complètent.

Le narrateur François Seurel, fils de l'instituteur, décrit sa maison d'enfance, l'école Sainte-Agathe.

Une longue maison rouge, avec cinq portes vitrées, sous des vignes vierges, à l'extrémité du bourg ; une cour immense avec préaux et buanderie, qui ouvrait en avant sur le village par un
5 grand portail ; sur le côté nord, la route où donnait une petite grille et qui menait vers la gare, à trois kilomètres ; au sud et par-derrière, des champs, des jardins et des prés qui rejoignaient les faubourgs... tel est le plan sommaire de cette
10 demeure où s'écoulèrent les jours les plus tourmentés et les plus chers de ma vie – demeure d'où partirent et où revinrent se briser, comme des vagues sur un rocher désert, nos aventures.

Alain-Fournier, *Le Grand Meaulnes*, 1913, © Fayard.

Aide Pour les **propositions subordonnées relatives** (→ CHAPITRE 23).

6 **Relevez** les éléments en **apposition** et **précisez** leur **classe grammaticale**.

La ferme est vaste, un vieux bâtiment dans une cour à pommiers, entourée de quatre rangs de hêtres qui bataillent toute l'année contre le vent de mer.
5 Nous entrons dans la cuisine où flambe un beau feu en notre honneur.

Notre table est mise tout contre la haute cheminée où tourne et cuit, devant la flamme claire, un gros poulet dont le jus coule dans un plat
10 de terre.

La fermière alors nous salue, une grande femme muette, très polie, tout occupée des soins de la maison, la tête pleine d'affaires et de chiffres, prix des grains, des volailles, des moutons, des
15 bœufs. C'est une femme d'ordre, rangée et sévère, connue à sa valeur dans les environs.

Au fond de la cuisine s'étend la grande table où viendront s'asseoir tout à l'heure les valets de tout ordre, charretiers, laboureurs, goujats, filles
20 de ferme, bergers [...]. Puis, quand tout son personnel sera repu, madame Picot prendra, seule, son repas rapide et frugal sur un coin de table, en surveillant la servante.

Guy de Maupassant, *Les Bécasses*, 1885.

7 **Précisez** la **fonction** des groupes de mots soulignés (complément du nom, complément de l'adjectif, COD, sujet, complément d'agent).

Les oyats sont des plantes qui possèdent un important appareil souterrain, composé de tiges souterraines ou rhizomes, et d'un réseau dense de racines. Quand la plante est recouverte de
5 sable, elle réagit en émettant de nouveaux rhizomes, sur lesquels apparaissent de nouvelles touffes de feuilles. Cependant, les oyats ne résistent pas à la mise à nu de leur appareil souterrain.

Sciences de la Vie et de la Terre, 4e © Hatier, 1998.

Aide Il ne faut pas confondre la fonction **complément du nom** qui complète un **nom** avec d'autres fonctions qui complètent un **verbe** (sujet, COD, COI, complément d'agent) ou un **adjectif** (complément de l'adjectif).
Ex. L'arrivée de fortes pluies nous a surpris. (complément du nom)
De fortes pluies se sont abattues sur la région. (sujet)
Nous avons subi de fortes pluies. (COD)
Il est sûr de lui. (complément de l'adjectif)

8 **Repérez** les **compléments du nom** et **précisez** leur **classe grammaticale**.

a. Les lois relatives aux droits et libertés des communes, des départements et des régions ont apporté plusieurs innovations.
b. Les lois d'autrefois leur donnaient moins de responsabilité.
c. Désormais, les communes, les départements et les régions sont responsables de la gestion de leurs affaires.
d. L'idée de donner une telle autonomie à ces collectivités déplaît à certaines personnes.

9 Dans le texte suivant, **supprimez** toutes les **expansions du nom**. Que pensez-vous du texte ainsi obtenu ?

Des courants d'air électriques

Ces violents courants d'air provoquent la formation, à l'intérieur du nuage, de vapeur d'eau, de grêlons et de fragments de glace qui se heurtent. L'air est chargé d'électricité. Ces
5 courants d'air créent une séparation des charges électriques. Les plus lourdes, chargées d'électricité négative, vont vers le bas du nuage et les plus légères, chargées positivement, sont attirées vers le sommet.

Mon Quotidien, jeudi 12 septembre 2002, n° 1959.

10 **1. Donnez** la **classe grammaticale** et la **fonction** précise des expansions soulignées.

2. Précisez le **mot** qu'elles déterminent.

Le dormeur du val

C'est un trou <u>de verdure</u> <u>où chante une rivière</u>
Accrochant follement aux herbes des haillons[1]
<u>D'argent</u>; où le soleil, de la montagne <u>fière</u>,
Luit : c'est un <u>petit</u> val <u>qui mousse de rayons</u>.

5 Un soldat <u>jeune</u>, <u>bouche ouverte</u>, <u>tête nue</u>,
Et la nuque baignant dans le <u>frais</u> cresson <u>bleu</u>,
Dort ; il est étendu dans l'herbe, sous la nue,
<u>Pâle</u> dans son lit <u>vert</u> <u>où la lumière pleut</u>.

Les pieds dans les glaïeuls, il dort. <u>Souriant comme</u>
10 <u>Sourirait un enfant malade</u>, il fait un somme :
Nature, berce-le chaudement : il a froid.

Les parfums ne font pas frissonner sa narine ;
Il dort dans le soleil, <u>la main sur sa poitrine</u>,
<u>Tranquille</u>. Il a deux trous <u>rouges</u> au côté <u>droit</u>.

Arthur Rimbaud, *Poésies*, 1870.

1. *haillons* : vieux lambeaux d'étoffe servant de vêtements.

---

11 **Reconstituez** le texte d'origine en rétablissant les **expansions du nom**.

Liste : *du sein – merveilleuse – relevée sur le front – rapprochée de la hanche – deux premiers – du corps – qui couvrait la partie inférieure du corps – calme et sévère – grecques – dont il me souvienne.*

Accompagné de son hôte, M. de Peyrehorade, le narrateur découvre avec admiration une statue de Vénus.

C'était bien une Vénus, et d'une **1** .... beauté. Elle avait le haut **2** .... nu, comme les Anciens représentaient d'ordinaire les grandes divinités ; la main droite, levée à la hauteur **3** ...., était tournée, la paume en dedans, le pouce et les **4** .... doigts étendus, les deux autres légèrement ployés. L'autre main, **5** ...., soutenait la draperie **6** .... . [...]

La chevelure, **7** ...., paraissait avoir été dorée autrefois. La tête, petite comme celle de presque toutes les statues **8** ...., était légèrement inclinée en avant. Quant à la figure, jamais je ne parviendrai à exprimer son caractère étrange, et dont le type ne se rapprochait de celui d'aucune statue antique **9** .... . Ce n'était point cette beauté **10** .... des sculpteurs grecs, qui, par système, donnaient à tous les traits une majestueuse immobilité.

D'après Prosper Mérimée, *La Vénus d'Ille*, 1837.

ORTHOGRAPHE

12 **Soulignez**, dans le texte suivant, les **noms** auxquels se rapportent les **adjectifs épithètes** entre parenthèses et **accordez**-les.

De l'autre côté du fleuve, sur le chemin de halage, une (*long*) file d'équipages s'alignait. Les fiacres alternaient avec de (*fin*) voitures de gommeux[1] : les uns (*lourd*), au ventre (*énorme*) écrasant les ressorts, (*attelé*) d'une rosse[2] au cou tombant, aux genoux (*cassé*) ; les autres (*svelte*), (*élancé*) sur des roues (*mince*), avec des chevaux aux jambes (*grêle*) et (*tendu*), au cou (*dressé*), au mors (*neigeux*) d'écume, tandis que le cocher, (*gourmé*)[3] dans sa livrée[4], la tête (*raide*) en son (*grand*) col, demeurait les reins (*inflexible*) et le fouet sur un genou.

[...]

Là-bas, en face, l'inévitable Mont-Valérien étageait dans la lumière (*cru*) ses talus (*fortifié*)[...].

D'après Guy de Maupassant, *La Maison Tellier*, « La femme de Paul », 1881.

1. *gommeux* : jeune homme à l'élégance tapageuse et ridicule.
2. *rosse* : mauvais cheval.
3. *gourmé* : dont le maintien est raide.
4. *livrée* : habit que portaient les domestiques.

Aide Pour l'**accord des adjectifs** (→ CHAPITRE 35).

ORTHOGRAPHE

13 **Récrivez** ce passage en remplaçant *le cheval* et *la vieille bête* par *les bêtes*.

Coco, un vieux cheval blanc, subit les mauvais traitements d'Isidore Duval, un goujat[1], qui cherche à s'en débarrasser.

Le cheval, le voyant partir, hennit pour le rappeler ; mais le goujat se mit à courir, le laissant seul, tout[2] seul, dans son vallon, bien attaché, et sans un brin d'herbe à portée de la mâchoire.

5 Affamé, il essaya d'atteindre la grasse verdure qu'il touchait du bout de ses naseaux. Il se mit sur les genoux, tendant le cou, allongeant ses grandes lèvres baveuses. Ce fut en vain. Tout le jour, elle s'épuisa, la vieille bête, en efforts inutiles, en efforts terribles. La faim la dévorait, rendue plus affreuse par la vue de toute la verte nourriture qui s'étendait par l'horizon.

Guy de Maupassant, *Les Contes de la Bécasse*, « Coco », 1883.

1. *goujat* (dans le parler normand) : petit domestique qui garde les bestiaux.
2. *tout* est ici adverbe, donc invariable.

14 **Remplacez** la subordonnée relative par un **adjectif** de sens équivalent.

a. Un jeune homme qui se met facilement en colère : ira....

b. Un héros qu'on ne peut pas vaincre : inv....

c. Un événement qui aura lieu après : post....

d. Un voyage qui se fait de jour : di....

15 **Remplacez** les **adjectifs épithètes** par des **compléments du nom** de même sens.

Ex. *Un repas festif → un repas de fête.*

un temps printanier – une élection présidentielle – une fête nocturne – une tenue estivale – une empreinte digitale – un chemin forestier – une rue piétonnière – une attitude infantile.

16 **1. Remplacez** les **compléments du nom** par des **adjectifs épithètes** de même sens.

2. Écrivez une phrase avec le **groupe nominal** obtenu.

a. *Un voyage en mer.*

b. *Une attestation pour l'école.*

c. *Une minerve pour le cou.*

d. *Une élongation des muscles.*

e. *La tendresse d'une mère.*

f. *Une vie d'étudiant.*

g. *Des amateurs de sport.*

h. *Un incendie de forêt.*

i. *Une randonnée à pied.*

j. *Un arrêté du préfet.*

k. *Un temps d'automne.*

j. *Une rue pour piétons.*

À vos plumes !

17 **Complétez** les groupes nominaux par des **compléments du nom** de la classe grammaticale demandée entre parenthèses.

a. Les rues .... (groupe nominal) sont remarquables par la beauté .... (groupe nominal).

b. Chacune d'.... (pronom) aligne des petits bijoux .... (nom).

c. Certaines demeures .... (proposition subordonnée relative) donnent l'impression de .... (groupe infinitif).

d. D'autres, petites et larges, illustrent le style .... (groupe nominal).

e. Ainsi les modèles .... (adverbe) se mêlent agréablement à ceux .... (adverbe).

> **Aide** Un **adverbe** peut être **complément du nom**.
> *Ex. Mes souvenirs d'alors (adverbe) ont disparu.*

18 **Rédigez** une **description** du tableau ci-contre en insistant sur la façon dont le personnage est représenté avec les objets symboliques suivants : ❶ le sceptre, ❷ l'épée, ❸ la fleur de lys, ❹ le manteau, ❺ la main de justice, ❻ la couronne.

Chacun de ces objets devra être précisé par diverses **expansions du nom**.

Hyacinthe Rigaud (1659-1743), *Louis XIV, roi de France*, 1701 (Musée du Louvre, Paris).

22 Les degrés de l'adjectif

ACTIVITÉ *J'observe...*

Déjà au XVIIIe siècle, Louis Leclerc de Buffon s'inquiétait de la disparition de certaines espèces animales.

1. *mahmout*: orthographe ancienne pour *mammouth*.

Le prodigieux *mahmout*[1], animal quadrupède, dont nous avons souvent considéré les ossements énormes avec étonnement, et que nous avons jugé six fois au moins plus grand que le plus fort éléphant, n'existe plus nulle part ; et cependant on a trouvé de ses dépouilles en plusieurs endroits éloignés les uns des
5 autres, comme en Irlande, en Sibérie, à la Louisiane, etc. Cette espèce était certainement la première, la plus grande, la plus forte de tous les quadrupèdes : puisqu'elle a disparu, combien d'autres plus petites, plus faibles et moins remarquables ont dû périr aussi sans nous avoir laissé ni témoignages ni renseignements sur leur existence passée ?
10 combien d'autres espèces s'étant dénaturées, c'est-à-dire, perfectionnées ou dégradées par les grandes vicissitudes[2] de la terre et des eaux, par l'abandon ou la culture de la Nature, par la longue influence d'un climat devenu contraire ou favorable, ne sont plus les mêmes qu'elles
15 étaient autrefois ? et cependant les animaux quadrupèdes sont, après l'homme, les êtres dont la nature est la plus fixe et la forme la plus constante.

2. *vicissitudes*: changements.

Louis Leclerc de Buffon, *Histoire naturelle*, tome IX, 1761.

Louis Carrogis dit Carmontelle (1717-1806), *Monsieur de Buffon*, 1769 (Musée Condé, Chantilly).

1 **a.** À quel animal le *mahmout* est-il comparé au début de l'extrait ? Relevez la phrase qui le précise.
b. Sur quelle caractéristique porte la comparaison ?
c. Quel degré est mis en valeur : l'infériorité ou la supériorité du *mahmout* ?

2 Analysez les adjectifs surlignés en orange en complétant le tableau suivant selon le modèle proposé :

	Adverbe	Adjectif	Nom	Degré
Ex.	*Le plus*	*fort*	*éléphant*	supériorité

3 *Cette espèce [...] la plus forte de tous les quadrupèdes.*
a. La supériorité ici exprimée est-elle valable dans tous les cas (absolue) ou particulière à certaines espèces (relative) ? Quel groupe de mots le précise ?
b. Quelle est la classe grammaticale de ce groupe de mots ?

4 *Cette espèce était certainement la première, la plus grande, la plus forte de tous les quadrupèdes.* Récrivez cette phrase en remplaçant *cette espèce* par *ces espèces*.

❶ Le comparatif

● Le **degré d'intensité** d'un adjectif peut être modifié grâce à une comparaison avec un autre élément.

Ex. *Le mahmout est* plus *grand* que *les autres quadrupèdes.*

● Il existe trois sortes de **comparatifs** :

Le **comparatif** d'infériorité	*moins... (que)*	**Ex.** *Ils ont disparu car le climat leur était* **moins** favorable *qu'avant.*
Le **comparatif** d'égalité	*aussi... (que)*	**Ex.** *D'autres espèces sont* **aussi** menacées *que celle-ci.*
Le **comparatif** de supériorité	*plus... (que)*	**Ex.** *Cet animal est six fois* **plus** grand *que le plus fort éléphant.*

● Le **complément du comparatif**, quand il est exprimé, est introduit par *que* et peut appartenir à différentes classes grammaticales.

– Groupe nominal : *Cet animal est six fois plus grand* que le plus fort **éléphant**.

– Pronom : *Cet animal est six fois plus grand* que **lui**.

– Adverbe : *Ils ont disparu car le climat leur était moins favorable* qu'**avant**.

– Adjectif : *Cet animal est aussi grand* que **puissant**.

– Proposition subordonnée : *Cet animal est six fois plus grand* que ne l'**est** le plus fort éléphant.

❷ Le superlatif

● Le **degré d'intensité** d'un adjectif peut aussi être modifié grâce un adverbe placé devant l'adjectif. L'intensité peut être faible, moyenne ou forte :

Ex. *Le climat leur était* **un peu, assez, plutôt, très, trop** défavorable.
Le degré d'intensité le plus fort est appelé **superlatif**.

● Il existe deux sortes de superlatifs :

Le **superlatif relatif** Il peut être suivi d'un complément introduit par *de, d'entre, parmi*	– *le plus...* (supériorité) – *le moins...* (infériorité)	*Cette espèce est* **la plus** forte *de tous les quadrupèdes.*
Le **superlatif absolu** Il peut être exprimé par : – un adverbe placé devant l'adjectif – un suffixe ou un préfixe ajouté à l'adjectif	– *très..., extrêmement..., fort..., totalement..., entièrement...* – **archi**fin, grand**issime**...	– *Cette espèce est* **très** fragile. – *Certaines espèces en voie d'extinction sont* rar**issimes**.

ATTENTION Certains adjectifs changent de forme au comparatif et au superlatif.

Adjectif	Comparatif de supériorité	Superlatif relatif
bon	*meilleur*	*le meilleur*
mauvais	*pire*	*le pire*
petit	*moindre*	*le moindre*

À vos marques !

1 **Vérifiez** que vous savez repérer:
– le degré d'**intensité** d'un adjectif;
– les adjectifs au **comparatif**;
– les adjectifs au **superlatif**.

Je rencontrai dans mes voyages un vieux bramin[1], homme fort sage, plein d'esprit, et très savant; de plus, il était riche, et, partant, il en était plus sage encore: car, ne manquant de rien,
5 il n'avait besoin de tromper personne. Sa famille était très bien gouvernée par trois belles femmes qui s'étudiaient à lui plaire; et, quand il ne s'amusait pas avec ses femmes, il s'occupait à philosopher.
10 Près de sa maison, qui était belle, ornée et accompagnée de jardins charmants, demeurait une vieille indienne, bigote, imbécile et assez pauvre.

Voltaire, *Histoire d'un bon bramin*, 1761.

1. *bramin*: variante, au XVIIIᵉ siècle, du brahmane,
membre de la première des grandes castes en Inde.

---

2 **Relevez** les compléments des comparatifs. **Précisez** leur classe grammaticale.
a. Une route est plus étroite qu'une avenue.
b. Zoé semble plus timide qu'effacée.
c. Il me paraît plus agréable qu'autrefois.
d. Le temps est plus tempéré que je ne l'aurais imaginé.
e. Ce gâteau est meilleur que celui d'hier.
f. Son tableau est moins beau que le mien.
g. Clémence est aussi douce que délicate.

3 **Dites** si les **adverbes** en gras **introduisent** ou non un **adjectif** au **comparatif** ou au **superlatif**. **Précisez** alors l'intensité exprimée.
a. Ses yeux n'avaient **plus** de cils.
b. Son visage était flétri par les fatigues de l'âge et **plus** encore par ses pensées.
c. Elle est bien **moins** élégante que sa sœur.
d. Au **moins** est-elle bien habillée.
e. Elle s'inquiétait d'autant **moins** qu'elle était sûre d'être **très** bien accueillie.
f. Elle se sentait **plus** admirée qu'avant.
g. **Aussi** décida-t-elle de s'avancer dans la foule.
h. Elle était **aussi** élégante qu'une princesse.

4 **Relevez** les adjectifs au **comparatif** et **précisez** s'ils expriment **une infériorité**, **une supériorité** ou **une égalité**.

Dans l'espèce humaine l'influence du climat ne se marque que par des variétés assez légères, parce que cette espèce est une, et qu'elle est très distinctement séparée de toutes les autres espèces
5 [...]. Dans les animaux, au contraire, l'influence du climat est plus forte et se marque par des caractères plus sensibles, parce que les espèces sont diverses et que leur nature est infiniment moins perfectionnée, moins étendue que celle de
10 l'homme. Non seulement les variétés dans chaque espèce sont plus nombreuses et plus marquées que dans l'espèce humaine, mais les différences mêmes des espèces semblent dépendre des différents climats. [...]
15 [...] Dans les pays chauds, les animaux terrestres sont plus grands et plus forts que dans les pays froids et tempérés; ils sont aussi plus hardis, plus féroces; toutes leurs qualités naturelles semblent tenir de l'ardeur du climat.

Louis Leclerc de Buffon, *Histoire naturelle*, tome IX, 1761.

Aide Le **complément du comparatif** peut être sous-entendu.
Ex. Joséphine est plus courageuse de jour en jour.

5 **1. Relevez** les groupes adjectivaux au **superlatif**.
2. Soulignez l'adverbe qui marque l'**intensité**.

Maintenant Mère quand j'ai lu ce que tu as écrit à propos de Carl [Edgar] et de Bill [Smith] ça m'a mis terriblement en colère. Je voulais t'écrire tout de suite pour te dire ce que je pensais.
5 Mais j'ai attendu d'être plus calme. Mais n'ayant jamais rencontré Carl et ne connaissant Bill que superficiellement tu *as été* rudement injuste. Carl est un *Prince* et à peu près le Chrétien le plus sincère et le plus authentique que j'aie
10 jamais connu et il a eu une meilleure influence sur moi que n'importe qui de ma connaissance. Il n'a pas tout le temps la religion à la bouche comme un Peaslee mais c'est un Chrétien profondément sincère et un gentleman.

Ernest Hemingway, *Lettres choisies, 1917-1961*,
trad. M. Arnaud, © Gallimard, 1986,
pour la traduction française.

6 1. **Relevez** les adjectifs employés avec un degré d'intensité. **Précisez** ce degré et **relevez** les adverbes qui le marquent.
2. Quelle **impression** se dégage de ce portrait ?

Eugénie Grandet a un faible pour un jeune homme, prénommé Charles, mais elle se trouve trop laide.

– Je ne suis pas assez belle pour lui. [...] Eugénie appartenait bien à ce type d'enfants fortement constitués, comme ils le sont dans la petite bourgeoisie, et dont les beautés paraissent vulgaires.
5 [...] Les traits de son visage rond, jadis frais et rose, avaient été grossis par une petite vérole assez clémente pour n'y point laisser de traces, mais qui avait détruit le velouté de la peau, néanmoins si douce et si fine encore que le pur baiser de sa
10 mère y traçait passagèrement une marque rouge. Son nez était un peu trop fort, mais il s'harmonisait avec une bouche d'un rouge de minium[1], dont les lèvres à mille raies étaient pleines d'amour et de bonté. [...] Aussi se dit-elle en se
15 mirant, sans savoir ce qu'était l'amour : « Je suis trop laide, il ne fera pas attention à moi. »

Honoré de Balzac, *Eugénie Grandet*, 1833.

1. *minium* : oxyde de plomb, poudre de couleur rouge.

7 1. **Relevez**, dans le texte suivant, les adjectifs au **superlatif**.
2. **Précisez** leur **complément**, lorsqu'ils en ont, et **donnez** leur **classe grammaticale**.

Charles Baudelaire écrit à sa mère.

Jeudi 9 juillet 1857.

Je vous assure que vous ne devez avoir aucune inquiétude à mon égard ; mais c'est vous qui m'en causez et des plus vives, et certainement ce n'est pas la lettre que vous m'avez envoyée, toute
5 pleine de désolation, qui est faite pour les calmer. Si vous vous abandonnez ainsi, vous tomberez malade, et ce sera alors le pire des malheurs et pour moi la plus insupportable des inquiétudes. Je veux que non seulement vous cherchiez des
10 divertissements, mais je veux encore que vous ayez des jouissances nouvelles. – Je trouve décidément que Mme Orfila est une femme raisonnable.

Quant à mon silence, n'en cherchez pas la raison ailleurs que dans une de ces langueurs qui,
15 à mon grand déshonneur, s'emparent quelquefois de moi, et m'empêchent non seulement de me livrer à aucun travail mais même de remplir les plus simples des devoirs.

Charles Baudelaire, *Correspondance*, 1857.

8 1. **Précisez** si les adjectifs en gras sont au **superlatif** ou au **comparatif**.
2. Quel **degré d'intensité** est exprimé ?

Eugénie vient de découvrir une lettre de celui qu'elle aime, Charles, destinée à une femme, Annette.

À chaque phrase, son cœur se gonfla davantage et l'ardeur piquante qui anima sa vie pendant cette lecture lui rendit encore **plus friands** les plaisirs du premier amour.
5 « [...] Oui, ma pauvre Anna, j'irai chercher la fortune sous les climats **les plus meurtriers**. [...] »

« [...] Depuis ce matin, j'ai froidement envisagé mon avenir. Il est **plus horrible** pour moi que pour tout autre, moi choyé par une mère qui
10 m'adorait, chéri par **le meilleur** des pères, et qui, à mon début dans le monde, ai rencontré l'amour d'une Anna ! Je n'ai connu que les fleurs de la vie : ce bonheur ne pouvait pas durer. J'ai néanmoins, ma chère Annette, plus de courage qu'il
15 n'était permis à un insouciant jeune homme d'en avoir, surtout à un jeune homme habitué aux cajoleries de **la plus délicieuse** femme de Paris. »

Honoré de Balzac, *Eugénie Grandet*, 1833.

9 **Relevez** dans le texte suivant les adjectifs employés avec un **degré d'intensité** et **précisez** ce degré.

Il y avait en Westphalie, dans le château de monsieur le baron de Thunder-ten-tronckh, un jeune garçon à qui la nature avait donné les mœurs les plus douces. Sa physionomie annon-
5 çait son âme. Il avait le jugement assez droit, avec l'esprit le plus simple ; c'est, je crois, pour cette raison qu'on le nommait Candide. [...]

Monsieur le baron était un des plus puissants seigneurs de la Westphalie, car son château avait
10 une porte et des fenêtres. Sa grande salle même était ornée d'une tapisserie. [...]

Madame la baronne, qui pesait environ trois cent cinquante livres, s'attirait par là une très grande considération, et faisait les honneurs de
15 la maison avec une dignité qui la rendait encore plus respectable. [...]

Pangloss enseignait la métaphysico-théologo-cosmolonigologie. Il prouvait admirablement qu'il n'y a point d'effet sans cause, et que, dans
20 ce meilleur des mondes possibles, le château de monsieur le baron était le plus beau des châteaux, et madame la meilleure des baronnes possibles.

Voltaire, *Candide*, 1759.

10 **Identifiez** dans chacun de ces extraits de fable le **degré d'intensité** de l'adjectif en gras.

a. Capitaine Renard allait de compagnie
Avec son ami Bouc des plus haut encornés.

(« Le Renard et le Bouc »)

b. – Ami, reprit le Coq, je ne pouvais jamais
Apprendre une plus **douce** et **meilleure** nouvelle
Que celle
De cette paix. (« Le Coq et le Renard »)

c. La fourmi n'est pas prêteuse :
C'est là son **moindre** défaut.

(« La Cigale et la Fourmi »)

d. La raison du plus **fort** est toujours la **meilleure** :
Nous l'allons montrer tout à l'heure.

(« Le Loup et l'Agneau »)

e. « Ils sont trop **verts**, dit-il, et bons pour des
[goujats. »

(« Le Renard et les Raisins »)

f.   C'est un point qu'il leur faut laisser,
Et ne pas ressembler à l'âne de la Fable,
    Qui pour se rendre plus **aimable**
Et plus **cher** à son maître alla le caresser.

(« L'Âne et le petit Chien »)

g. Il faut, autant qu'on peut, obliger tout le monde :
On a souvent besoin d'un plus **petit** que soi.

(« Le Lion et le Rat »)

h. La seconde, par droit, me doit échoir encor :
Ce droit, vous le savez, c'est le droit du plus **fort**.

(« La Génisse, la Chèvre et la Brebis, en société avec le Lion »)

Jean de La Fontaine, *Fables*, 1668.

11 **1. Relevez** les adjectifs qui expriment un degré d'intensité. **Précisez** à chaque fois quelle est l'intensité exprimée.
2. Quelle impression l'auteur cherche-t-il à susciter en faisant un tel autoportrait ?

Au physique, je suis de taille moyenne, plutôt petit. J'ai des cheveux châtains coupés court afin d'éviter qu'ils ondulent, par crainte aussi que ne se développe une calvitie menaçante.
5 Autant que je puisse en juger, les traits caractéristiques de ma physionomie sont : une nuque très droite, tombant verticalement comme une muraille ou une falaise, marque classique (si l'on en croit les astrologues) des personnes nées sous
10 le signe du Taureau ; un front développé, plutôt bossué, aux veines temporales exagérément noueuses et saillantes. […] Mes yeux sont bruns, avec le bord des paupières habituellement enflammé ; mon teint est coloré ; j'ai honte d'une
15 fâcheuse tendance aux rougeurs et à la peau luisante. Mes mains sont maigres, assez velues, avec des veines très dessinées ; mes deux majeurs, incurvés vers le bout, doivent dénoter quelque chose d'assez faible ou d'assez fuyant dans mon
20 caractère.

Ma tête est plutôt grosse pour mon corps ; j'ai les jambes un peu courtes par rapport à mon torse, les épaules trop étroites relativement aux hanches. […]

Michel Leiris, *L'Âge d'homme*, 1922, © Gallimard.

ORTHOGRAPHE

12 **Orthographiez** comme il convient le mot entre parenthèses. **Précisez** s'il s'agit de l'**adjectif** ou de l'**adverbe**.

a. Elle est (*fort*) surprise de ses performances.
b. Elle n'est pas aussi (*fort*) qu'elle l'avait espéré.
c. Il semble (*fort*) délicat d'envisager de sortir par ce temps.
d. Ce genre d'ouvrage est (*fort*) peu courant dans les bibliothèques.
e. Nous sommes tous assez (*fort*) pour porter ces sacs.
f. Les femmes les plus (*fort*) ont été appelées pour soulever ces poids.

> **Aide** • En tant qu'**adverbe**, *fort* reste **invariable** et complète un adjectif, un adverbe ou un verbe.
>
> • En tant qu'**adjectif**, il s'**accorde** en genre et en nombre avec le mot auquel il se rapporte (➔CHAPITRE 35).

13 **Remplacez** les pointillés par un **adverbe** marquant l'**intensité** demandée entre parenthèses.

a. En Auvergne, dans la chaîne des puys, on trouve une .... (superlatif absolu) grande variété de volcans : des cratères .... (superlatif absolu) marqués, comme le Puy Pariou, les puys de la Vache et de Lassolas, qui sont .... (superlatif relatif) nombreux, mais aussi quelques dômes, mis en place lors d'éruptions .... (comparatif de supériorité) explosives, comme le Sarcoui et le puy de Dôme.

b. La morphologie du puy de Dôme et celle du puy de Lassolas sont donc .... (superlatif absolu) différentes.

c. Le puy de Dôme est .... (superlatif relatif) haut volcan de cette chaîne des Puys et se dresse à 1 465 m.

d. Son cratère est .... (comparatif d'infériorité) apparent que celui du puy de Lassolas qui s'ouvre au milieu d'un cône résultant de l'accumulation de .... (superlatif absolu) importantes projections.

e. Ses dernières éruptions effusives sont .... (comparatif de supériorité) anciennes et surtout .... (comparatif de supériorité) explosives.

14 **Accordez**, dans les extraits de sonnets suivants, les **adjectifs** entre parenthèses et **précisez** leur **degré**.

Extrait 1

Les êtres les plus (*beau*), on voudrait qu'ils engendrent
Pour que jamais la Rose de la beauté ne meure ;
Que, lorsque le plus (*mûr*) avec le temps succombe,
En son tendre héritier son souvenir survive ;
5 Mais toi qui n'es fiancé qu'à tes yeux brillants,
Tu nourris cette flamme, ta vie, de ta substance,
Créant une famine où l'abondance règne,
Trop (*cruel*) ennemi envers ton cher toi-même.

Extrait 2

Lorsque dans les chroniques des siècles abolis
Je lis les descriptions des plus (*charmant*) des êtres,
Dont la beauté peut embellir des vers anciens
Célébrant dames mortes et gracieux chevaliers,
5 Lors, au blason de la beauté la plus (*exquis*),
Louant la main, le pied, le front, les yeux, les lèvres,
Je vois que d'une antique plume on voulut peindre
Cette même beauté qui est vôtre à présent.

D'après William Shakespeare, « Sonnets »
dans *Tragicomédies* II, trad. R. Ellrodt,
© Éditions Robert Laffont, coll. « Bouquins », 2002.

À vos plumes !

15 1. À partir des préfixes et des adjectifs suivants, **formez** des **superlatifs absolus**.
2. Puis, **utilisez**-en cinq dans une **phrase de votre choix**.

Préfixes	Adjectifs	
archi-	naturel	fin
extra-	nerveux	fort
super-	sensible	baissé
hyper-	connu	aigu
ultra-	faux	moderne
sur-	léger	célèbre

16 En vous inspirant du texte de Michel Leiris de l'exercice 11, **rédigez** votre **autoportrait** ou le **portrait** de quelqu'un qui vous est proche.
Vous **utiliserez** un maximum d'**adjectifs** à **divers degrés d'intensité** que vous soulignerez.

17 **Complétez** les phrases suivantes avec un **complément** appartenant à la classe grammaticale indiquée entre parenthèses.

a. Ce voyage fut plus fatigant que ....
(proposition subordonnée).

b. Le temps était plus grisâtre que ....
(groupe nominal).

c. Mais Paul était moins inquiet que ....
(pronom personnel).

d. Il avait des valises plus légères que ....
(pronom possessif).

e. Pour ma part, j'étais aussi désemparé qu'....
(adverbe).

f. Dans les couloirs, les gens aussi déplaisants que .... (adjectif) ne cessaient de me bousculer.

g. Le train roulait à une allure plus lente que ....
(groupe nominal).

h. L'arrivée plus tardive que .... (propositions subordonnée) désorganisa tout mon emploi du temps.

ACTIVITÉ *J'observe...*

Le jeune d'Artagnan arrive à Paris et vient se présenter à M. de Tréville qui dirige les mousquetaires du Roi.

M. de Tréville était pour le moment de fort méchante humeur ; néanmoins il salua poliment le jeune homme, qui s'inclina jusqu'à terre, et il sourit en recevant son compliment, dont l'accent béarnais lui rappela à la fois sa jeunesse et son pays, double souvenir qui fait sourire l'homme à tous les âges. Mais, se rapprochant presque aussitôt de l'antichambre et faisant à d'Artagnan un signe de la main, comme pour lui demander la permission d'en finir avec les autres avant de commencer avec lui, il appela trois fois, en grossissant la voix à chaque fois, de sorte qu'il parcourut tous les tons intervallaires entre l'accent impératif et l'accent irrité :

– Athos ! Porthos ! Aramis !

Les deux mousquetaires **avec lesquels nous avons déjà fait connaissance, et qui répondaient aux deux derniers de ces trois noms,** quittèrent aussitôt les groupes **dont ils faisaient partie** et s'avancèrent vers le cabinet, **dont la porte se referma derrière eux dès qu'ils en eurent franchi le seuil.**

Alexandre Dumas, *Les Trois Mousquetaires*, 1844.

1 **a.** Relevez les groupes qui complètent les noms surlignés en orange.
b. Par quels mots sont-ils introduits ?

2 **a.** Qu'apprend-on au sujet du jeune d'Artagnan ?
b. Que révèle la réaction de M. de Tréville ?

3 **a.** Observez les groupes de mots en gras dans le dernier paragraphe.
b. La phrase garde-t-elle un sens si on les supprime ?
c. Quelles informations importantes perd-on en les supprimant ?

LEÇON *Je retiens...*

❶ Le rôle de la subordonnée relative

La subordonnée relative fait partie des **expansions du nom** : elle complète le nom, le précise.

Ex. *Le jeune* **homme** | *dont l'accent fait sourire M. de Tréville* | *est d'Artagnan.*

❷ La construction de la subordonnée relative

● La subordonnée relative est introduite par un **pronom relatif** :

Pronoms relatifs simples	*qui, que, quoi, dont, où*

Pronoms relatifs composés	*auquel, lequel, duquel…*

● Le pronom relatif reprend le nom complété (l'antécédent).

Ex. *M. de Tréville reçoit* **d'Artagnan***. D'Artagnan s'incline jusqu'à terre.*
→ *M. de Tréville reçoit* d'Artagnan **qui** *s'incline jusqu'à terre.*

● Le choix de ce pronom dépend de la fonction qu'il occupe dans la subordonnée.
Voici les principales fonctions :

PRONOMS RELATIFS	FONCTIONS	EXEMPLES
qui	sujet	*Il reçoit d'Artagnan* **qui** *s'incline jusqu'à terre.* (*qui*, sujet du verbe *s'incliner*)
que	complément d'objet direct	*Il apprécie le compliment* **que** *lui fait d'Artagnan.* (*que*, COD du verbe *faire*)
dont	complément d'objet indirect	*Le jeune homme* **dont** *on parle est d'Artagnan.* (*dont*, COI du verbe *parler*)
	complément du nom	*Le jeune homme* **dont** *il reconnaît l'accent vient de Gascogne.* (*dont*, complément du nom *accent*)
où	complément circonstanciel de lieu	*D'Artagnan arrive à Paris* **où** *il fait la connaissance des trois mousquetaires.* (*où*, CCL de la proposition)
	complément circonstanciel de temps	*Il se souvient du jour* **où** *il s'est présenté chez les mousquetaires du Roi.* (*où*, CCT de la proposition)

ATTENTION • Les pronoms relatifs composés *lequel, auquel, duquel*, s'accordent avec le nom qu'ils reprennent.

Ex. *D'Artagnan rencontre* les mousquetaires **auxquels** *il est présenté.*

• Pour trouver la fonction du pronom relatif, il suffit de remplacer le pronom par son antécédent et d'analyser la proposition obtenue.

Ex. *Le jeune homme* | **dont** *on parle* | *est d'Artagnan.*

→ *On parle* de d'Artagnan.

→ Si *de d'Artagnan* est COI de *parler* dans la proposition transformée, alors *dont* est COI de *parler* dans la proposition d'origine.

À vos marques !

1 **Vérifiez** que vous savez repérer des **propositions subordonnées relatives** dans une phrase.

D'Artagnan, furieux, avait traversé l'antichambre en trois bonds et s'élançait sur l'escalier, dont il comptait descendre les degrés quatre à quatre, lorsque, emporté par sa course, il alla donner tête
5 baissée dans un mousquetaire qui sortait de chez M. de Tréville par une porte de dégagement [...].

Alexandre Dumas, Les Trois Mousquetaires, 1844.

2 **Insérez**, dans les extraits du texte, les **propositions subordonnées relatives** proposées. (*Attention* : elles ne sont pas toujours dans l'ordre.)

a. Propositions relatives : *qui, après avoir attiré toute la poussière, s'envolait dans le vent chaud – qui poussaient aux murs de cristal.*

Ils habitaient une maison en piliers de cristal sur la planète Mars, au bord d'une mer vide et, tous les matins, on pouvait voir Mrs. K. manger les fruits d'or, ou nettoyer la maison avec des poignées de poudre magnétique.

b. Proposition relative : *qu'il effleurait de la main comme on joue d'une harpe.*

L'après-midi, [...] on voyait Mr. K. lui-même, dans sa chambre, lire un livre de métal aux hiéroglyphes saillants.

c. Propositions relatives : *où les ancêtres avaient jeté dans la bataille des nues d'insectes métalliques et d'araignées électriques – où la mer roulait des vapeurs rouges sur ses rives – qui racontait des histoires évoquant le temps.*

Et, du livre, au toucher de ses doigts s'élevait une voix chantante, une douce voix ancienne.

D'après Ray Bradbury, Chroniques martiennes,
trad. H. Robillot, © Denoël et agence Bradley, 1955.

3 **Replacez** dans le texte suivant les **subordonnées relatives** qui conviennent.

Liste : *qui était très doux et très poivré – qui s'en allait – qui sentait le camphre et le poivre – qui apportait du bois des Antilles – qui s'appelait les Îles Sous le Vent.*

Non... Il y a longtemps que cette envie m'a pris... Bien avant qu'il vienne... J'avais peut-être dix-sept ans... et un matin, là, devant le bar, un grand voilier s'est amarré... C'était un trois-mâts
5 franc[1] **1** ...., du bois noir dehors et doré dedans, **2** .... . Il arrivait d'un archipel **3** .... J'ai bavardé avec les hommes de l'équipage quand ils venaient s'asseoir ici ; ils m'ont parlé de leur pays, ils m'ont fait boire du rhum de là-bas, du
10 rhum **4** .... . Et puis un soir, ils sont partis. Je suis allé sur la jetée, j'ai regardé le beau trois-mâts **5** .... Il est parti contre le soleil, il est allé aux Îles Sous le Vent... Et c'est ce jour-là que ça m'a pris.

D'après Marcel Pagnol, Marius, acte II, scène 5
(première représentation en 1929), © Éd. Bernard de Fallois.
http:// marcel-pagnol.com

1. *un trois-mâts franc :* un bateau à voiles.

4 **Relevez** les **propositions subordonnées relatives** complétant les GN soulignés.

Ce fut une nuit terrible. Les rêves dont je m'étais nourri, et dans lesquels je m'étais si longtemps complu, s'étaient transformés en un véritable enfer.
5 Une aube sombre et pluvieuse vint enfin révéler à mes yeux meurtris par l'insomnie l'église d'Ingolstadt, son blanc clocher et son horloge qui indiquait six heures. Le concierge vint ouvrir la grille de la cour. Je sortis aussitôt de mon refuge
10 et me mis à marcher à pas rapides, fuyant le monstre que je redoutais de voir apparaître à chaque coin de rue. [...]

Je parcourais les rues, sans avoir conscience de l'endroit où je me trouvais, ni de ce que je faisais.
15 [...]

Je finis ainsi par me trouver face à l'auberge devant laquelle faisaient généralement halte les diligences et autres attelages.

Mary W. Shelley, Frankenstein ou le Prométhée moderne,
trad. J. Ceurvorst, © Marabout, pour la traduction,
© Hachette Livre, 1996.

5

Associez la proposition principale à la proposition subordonnée relative qui la complète. (Aidez-vous des accords.)

Proposition principale	Proposition subordonnée relative
a. J'imagine souvent un monde	**1.** que libéreraient des plantes exotiques.
b. Nous cultiverions des jardins	**2.** qui serait baignée de soleil.
c. Nous habiterions une maison	**3.** où nous trouverions toute la nourriture nécessaire.
d. Les pièces seraient embaumées par des parfums	**4.** avec laquelle nous nous réveillerions tous les matins.
e. Les horloges donneraient de la musique	**5.** dont je rêve souvent.
f. C'est le monde	**6.** dans lequel nous serions toujours heureux.

6

1. Relevez les propositions subordonnées relatives puis **récrivez** le poème sans ces propositions.

2. Le poème garde-t-il un sens ?

Clotilde

L'anémone et l'ancolie
Ont poussé dans le jardin
Où dort la mélancolie
Entre l'amour et le dédain

5 Il y vient aussi nos ombres
Que la nuit dissipera
Le soleil qui les rend sombres
Avec elles disparaîtra

Les déités[1] des eaux vives
10 Laissent couler leurs cheveux
Passe il faut que tu poursuives
Cette belle ombre que tu veux

　　　Guillaume Apollinaire, *Alcools*, © Gallimard, 1913.

1. *déités* : divinités mythiques.

7

Reliez les deux propositions indépendantes pour obtenir une seule phrase à l'aide du **pronom relatif** proposé entre parenthèses.

Ex. *La maison est en bois. Nous avons acheté cette maison.* → *La maison que nous avons achetée est en bois.*

a. Le spectacle est passionnant. Tu m'as parlé de ce spectacle. (*dont*)

b. Le cirque vient d'une région du sud de la Chine. Je suis natif de cette région. (*d'où*)

c. Le numéro de voltige est époustouflant. Les trapézistes ont présenté ce numéro. (*que*)

d. Le chapiteau est resté silencieux. Le chapiteau débordait pourtant de spectateurs. (*qui*)

e. Le dompteur a fait frissonner la foule des spectateurs. Le numéro du dompteur était impressionnant. (*dont*)

f. Les jongleurs ne manquaient pas de talent. Les spectateurs ont applaudi les jongleurs. (*que*)

8

Complétez les phrases avec un **groupe nominal antécédent**. (Aidez-vous du sens et des accords.)

a. .... que nous avons écrites ont été publiées.

b. .... sur lesquelles nous nous sommes appuyées sont vraies.

c. .... qui nous a aidés à écrire est très connu.

d. .... à qui nous les avons lues ont été intéressés.

e. .... où nous avons situé nos histoires sont ceux du monde entier.

f. .... dont nous nous souviendrons toujours, est très enrichissante.

g. .... que nous avons composés seront publiés.

9

Relevez les propositions subordonnées relatives et leurs **antécédents**.

Après la bataille

Mon père, ce héros au sourire si doux,
Suivi d'un seul housard[1] qu'il aimait entre tous
Pour sa grande bravoure et pour sa haute taille,
Parcourait à cheval, le soir d'une bataille,
5 Le champ couvert de morts sur qui tombait la nuit.
Il lui sembla dans l'ombre entendre un faible bruit.
C'était un Espagnol de l'armée en déroute
Qui se traînait sanglant sur le bord de la route,
Râlant, brisé, livide, et mort plus qu'à moitié,
10 Et qui disait : « À boire ! à boire par pitié ! »
Mon père, ému, tendit à son housard fidèle
Une gourde de rhum qui pendait à sa selle,
Et dit : « Tiens, donne à boire à ce pauvre blessé. »
Tout à coup, au moment où le housard baissé
15 Se penchait vers lui, l'homme, une espèce de maure[2],
Saisit un pistolet qu'il étreignait encore,
Et vise au front mon père en criant : « Caramba ! »
Le coup passa si près que le chapeau tomba
Et que le cheval fit un écart en arrière.
20 « Donne-lui tout de même à boire », dit mon père.

　　　Victor Hugo, *La Légende des siècles*, 1850.

1. *housard* : soldat de la cavalerie légère.
2. *maure* : terme médiéval désignant un conquérant musulman de l'Espagne, venu d'Afrique du Nord.

10 **Complétez** les phrases suivantes par des propositions subordonnées relatives.

a. Le pouvoir législatif est le pouvoir **qui** ....

b. L'Assemblée nationale et le Sénat sont des assemblées **par lesquelles** ....

c. L'hémicycle est l'endroit **où** ....

d. Le réquisitoire est la requête **que** ....

e. La plaidoirie est le discours grâce **auquel** ....

f. Le code civil est le livre **dont** ....

11 **Complétez** les phrases suivantes par un pronom relatif à la forme composée.

a. L'ami, avec .... j'ai passé une partie de mes vacances, est dans mon collège.

b. Je n'ai pas lu les histoires .... tu fais référence.

c. La préfecture .... je dépends est ouverte.

d. Les villes par .... je suis passé sont sur le même fuseau horaire.

e. Les correspondants .... nous avons écrit nous ont répondu.

> **Aide** Les **pronoms relatifs composés** s'accordent avec le nom ou groupe nominal antécédent.
> *Ex. Les amies avec **lesquelles** tu es allée au cinéma sont toutes dans ton collège.*

12 **Donnez** la fonction grammaticale des pronoms relatifs en gras.

De l'autre côté de la Morelle, vivait un grand garçon, **que** l'on nommait Dominique Penquer. Il n'était pas de Rocreuse. Dix ans auparavant, il était arrivé de Belgique, pour hériter d'un oncle,
5 **qui** possédait un petit bien, sur la lisière même de la forêt de Gagny, juste en face du moulin, à quelques portées de fusil. [...] On le vit cultiver son bout de champ, récolter quelques légumes **dont** il vivait. Il pêchait, il chassait ; plusieurs
10 fois, les gardes faillirent le prendre et lui dresser des procès-verbaux. Cette existence libre, **dont** les paysans ne s'expliquaient pas bien les ressources, avait fini par lui donner un mauvais renom. On le traitait vaguement de braconnier. En tout
15 cas, il était paresseux, car on le trouvait souvent endormi dans l'herbe, à des heures **où** il aurait dû travailler. La masure **qu'**il habitait, sous les derniers arbres de la forêt, ne semblait pas non plus la demeure d'un honnête garçon.

Émile Zola, *Les Soirées de Médan*,
« L'attaque du moulin », 1880.

13 **Dites** si les propositions soulignées sont des **subordonnées relatives**.

Certains prétendent <u>qu'un esclave ne rapporte jamais à son maître l'argent</u> <u>qu'il lui a coûté</u>. Dans ce cas, pourquoi ces messieurs continuent-ils à acheter des esclaves ? Ce n'est pas logique. Ceux
5 <u>qui disent cela</u> sont, bien sûr, les premiers à défendre le commerce des esclaves.

En fait, rien n'est plus faux. Quatre-vingt-dix pour cent de la main-d'œuvre qualifiée des Caraïbes est assurée par les esclaves noirs, et la
10 plupart rapportent au moins deux livres par jour à leur maître. J'ai connu beaucoup d'esclaves <u>que leurs maîtres n'auraient pas cédés pour mille livres</u>.

Plusieurs « messieurs » <u>qui ne nourrissaient</u>
15 <u>ni n'habillaient leurs esclaves</u> ont offert cent livres à mon maître pour m'avoir ; il a toujours refusé de me vendre. <u>Chaque fois qu'on lui faisait une offre</u>, je redoublais de zèle pour éviter de tomber entre leurs mains. Beaucoup de ces
20 propriétaires trouvaient scandaleux <u>que mon maître nourrisse si bien ses esclaves</u>. Il leur répondait <u>que, bien nourris, ils avaient meilleure allure et travaillaient davantage</u>.

Olaudah Equiano, *Le Prince esclave*,
adapt. A. Cameron, trad. A. Bataille,
© 1995 by Ann Cameron, © Rageot, 2002.

> **Aide** Il ne faut pas confondre :
> – le pronom relatif *que* qui introduit une relative et qui reprend un **nom** ;
> – la conjonction *que* qui introduit une complétive (→ CHAPITRES 14 et 16), complément d'un **verbe**.
> *Ex. Il a perdu la <u>clef</u> **que** (pronom relatif) je lui avais confiée. Il <u>a voulu</u> **que** (conjonction) je lui confie la clef.*

ORTHOGRAPHE

14 **Complétez** les phrases suivantes par les homonymes *ou* / *où*.

a. J'hésite : me lancer dans une carrière de médecin .... devenir musicien.

b. Je fais des rêves .... je me vois chanter sur scène.

c. Les concerts .... je suis allé m'ont beaucoup marqué.

d. C'est un métier .... l'on doit être passionné.

e. J'aimerais travailler à l'opéra .... faire partie d'un chœur.

f. La musique est un art .... domine la sensibilité.

15 **Accordez** le **participe passé** entre parenthèses. Attention au **pronom relatif COD** !

a. Les recueils qu'Arthur Rimbaud a (*publié*) sont peu nombreux.

b. Pourtant, tout le monde connaît les vers qu'il a (*composé*).

c. Il les écrivait en pensant à la vie monotone qu'il avait (*fui*).

d. Il savourait la vie de bohème et le chemin aventureux qu'il avait (*choisi*).

e. « Ma bohème » ou « Le Dormeur du val » sont des poèmes que tout le monde a (*récité*) à l'école.

> **Aide** Pour l'accord du **participe passé** (→ CHAPITRE 36).

16 **Repérez** l'**antécédent** de chaque proposition subordonnée soulignée puis **conjuguez** le verbe de la relative.

Les Micoulin et les Rostand partent pique-niquer.

L'étroite plage <u>où l'on</u> (*aborder*, passé simple) se trouvait à l'entrée d'une gorge, et l'on s'installa au milieu des pierres, sur une bande de gazon brûlé, <u>qui</u> (*devoir*, imparfait) <u>servir de table</u>.

5 C'était toute une histoire que cette bouillabaisse en plein air. D'abord, Micoulin rentra dans la barque et alla seul retirer ses jambins[1], <u>qu'il</u> (*placer*, plus-que-parfait) <u>la veille</u>. Quand il revint, Naïs avait arraché des thyms, des lavandes, un

10 tas de buissons secs suffisants pour allumer un grand feu. Le vieux, ce jour-là, devait faire la bouillabaisse, la soupe au poisson classique, <u>dont les pêcheurs du littoral</u> (*se transmettre*, présent de l'indicatif) <u>la recette de père en fils</u>. C'était une bouil-

15 labaisse terrible, fortement poivrée, terriblement parfumée d'ail écrasé. Les Rostand s'amusaient beaucoup de la confection de cette soupe.

D'après Émile Zola, *Naïs Micoulin*, 1884.

1. *jambins* (provençal) : casiers utilisés pour la pêche.

À vos plumes !

17 **Recopiez** et **complétez** ces descriptions de paysages (→ EXERCICE 2) en l'enrichissant de **propositions subordonnées relatives** dont vous varierez les pronoms relatifs.

Texte 1

Quand on arrivait sur la planète Ira, on pouvait voir de grandes forêts d'arbres multicolores dans lesquelles pendaient des objets de toutes sortes. Il fallait les cueillir avec précaution car les

5 multiples cristaux de verre qui entouraient ces objets coupaient comme des couteaux…

Texte 2

Au XVIIIe siècle, le surintendant Fouquet fit construire le château de Vaux-le-Vicomte. Ce chef-d'œuvre de l'architecture classique accueillit dans ses murs et sur les allées de son célèbre

5 jardin à la française des artistes aussi renommés que La Fontaine ou Molière.

Quand on franchit les grilles du château, on découvre un bâtiment aux proportions élégantes qui se reflète dans des miroirs d'eau. La visite

10 débute par les intérieurs…

18 **Repérez** les **subordonnées relatives** dans ces vers. À votre tour **écrivez** un **poème** dont tous les vers commenceront par *Il y a*. Vous y **insérerez** des subordonnées relatives variées.

Apollinaire écrit à Lou, la femme qu'il aime, dans le train qui le conduit au front.

Il y a

Il y a des petits ponts épatants
Il y a mon cœur qui bat pour toi
Il y a une femme triste sur la route
Il y a un beau petit cottage dans un jardin
5 Il y a six soldats qui s'amusent comme des fous
Il y a mes yeux qui cherchent ton image
[…]
Il y a un poète qui rêve au ptit Lou
Il y a un ptit Lou exquis dans ce grand Palais
10 Il y a une batterie dans une forêt
Il y a un berger qui paît ses moutons
Il y a ma vie qui t'appartient
Il y a mon porte-plume réservoir qui court qui court
15 […]

Guillaume Apollinaire, *Poèmes à Lou* (posthumes),
© Gallimard, 1955 (v. 1 à 6 et 9 à 14).

L'expression des sentiments

La nuit. Cauchemar

Voici le début de la nouvelle.

J'aime la nuit avec passion. Je l'aime comme on aime son pays ou sa maîtresse, d'un amour instinctif, profond, invincible. Je l'aime avec tous mes sens, avec mes yeux qui la voient, avec mon odorat qui la respire, avec mes oreilles qui en écoutent le silence, avec toute ma chair que les ténèbres caressent. Les alouettes chantent dans
5 le soleil, dans l'air bleu, dans l'air chaud, dans l'air léger des matinées claires. Le hibou fuit dans la nuit, tache noire qui passe à travers l'espace noir, et, réjoui, grisé par la noire immensité, il pousse son cri vibrant et sinistre.

Le jour me fatigue et m'ennuie. Il est brutal et bruyant. Je me lève avec peine, je m'habille avec lassitude, je sors avec regret, et chaque pas, chaque mouvement,
10 chaque geste, chaque parole, chaque pensée me fatigue comme si je soulevais un écrasant fardeau.

Mais quand le soleil baisse, une joie confuse, une joie de tout mon corps m'envahit. Je m'éveille, je m'anime. À mesure que l'ombre grandit, je me sens tout autre, plus jeune, plus fort, plus alerte, plus heureux. Je la regarde s'épaissir, la grande
15 ombre douce tombée du ciel : elle noie la ville, comme une onde insaisissable et impénétrable, elle cache, efface, détruit les couleurs, les formes, étreint les maisons, les êtres, les monuments de son imperceptible toucher.

Alors j'ai envie de crier de plaisir comme les chouettes, de courir sur les toits comme les chats ; et un impétueux, un invincible désir d'aimer s'allume dans mes
20 veines.

Je vais, je marche, tantôt dans les faubourgs assombris, tantôt dans les bois voisins de Paris, où j'entends rôder mes sœurs les bêtes et mes frères les braconniers.

Ce qu'on aime avec violence finit toujours par vous tuer. Mais comment expliquer ce qui m'arrive ? Comment même faire comprendre que je puisse le raconter ?
25 Je ne sais pas, je ne sais plus, je sais seulement que cela est. – Voilà.

Guy de Maupassant, *Scènes de la vie parisienne*, 1887.

QUESTIONS

Un début de nouvelle original

1. À quelle personne ce début de nouvelle est-il mené ? À quel temps ? (→ Aide 1)

2. Dans quelle ville le narrateur vit-il ? Justifiez votre réponse.

3. a. De quel sentiment le narrateur nous fait-il part dès le début de cette nouvelle ?

b. Relevez les trois adjectifs qui qualifient ce sentiment. Quelle est leur fonction ?

c. Relevez une comparaison qui souligne la force de ce sentiment. (→ Aide 2)

4. a. Quels sens sont évoqués dans le premier paragraphe ? (→ Aide 3)

b. Quelles expansions les précisent ? Relevez-les et précisez leur classe grammaticale.

Une perception paradoxale du jour

5. Dans le 1er paragraphe, quel animal est associé au jour ?

6. Relevez les adjectifs épithètes du mot *air*. Quelle image du jour nous donnent-ils ?

7. Dans le 2e paragraphe, quels champs lexicaux sont associés au jour ? Quelle connotation est alors apportée ? (→ Aide 4)

Une évocation poétique et inquiétante de la nuit

8. À quel animal la nuit est-elle associée dans le 1er paragraphe ? Relevez trois appositions caractérisant cet animal.

9. a. *je me sens tout autre, plus jeune, plus fort, plus alerte, plus heureux* (l. 13-14) : à quel degré les adjectifs sont-ils présentés ?

b. Quel effet la nuit produit-elle sur le narrateur ?

10. a. Dans le 3e paragraphe, à quel élément la nuit est-elle comparée ?

b. *elle cache, efface, détruit…* (l. 16) : qui le pronom *elle* désigne-t-il ? Quelle figure de style est ici utilisée ? (→ Aide 5)

11. Quelle est la fonction du pronom relatif surligné (l. 22) ?

12. a. À quelle autre image la nuit est-elle associée dans le dernier paragraphe ?

b. Quel type de phrase, dans ce même paragraphe, souligne l'inquiétude et l'incompréhension du narrateur ? (→ Aide 6)

Aide 1 Le système de temps dépend du type d'énoncé (→ CHAPITRE 1). Pour la valeur des temps (→ CHAPITRES 2 et 3).

Aide 2 Pour identifier une comparaison (→ CHAPITRE 25).

Aide 3 Le vocabulaire des sensations peut faire référence à chacun des cinq sens : la vue, l'ouïe, le goût, l'odorat et le toucher.

Aide 4 Le **champ lexical** regroupe tous les mots évoquant un **même thème** (→ CHAPITRE 26). Pour les connotations (→ CHAPITRE 28).

Aide 5 Pour identifier une figure de style (→ CHAPITRE 25).

Aide 6 On distingue quatre types de phrases : la phrase déclarative, interrogative, injonctive et exclamative (→ CHAPITRE 13).

RÉÉCRITURE

■ Récrivez la dernière phrase du premier paragraphe (*Le hibou… sinistre.*) en mettant *le hibou* au pluriel.

RÉDACTION

■ À l'inverse du narrateur, vous aimez le jour et détestez la nuit. Rédigez votre texte en vous inspirant de la structure du texte de Maupassant. Vous veillerez à utiliser de nombreuses expansions du nom que vous soulignerez et des figures de style.

Aide à la rédaction

Le sujet vous propose d'imiter le texte en changeant de point de vue.

Avant de commencer, répondez aux questions suivantes :

– *À quelle personne dois-je rédiger mon texte ?*

– *Quel temps dois-je utiliser ?*

– *Quels éléments seront obligatoirement présents dans ma rédaction ?*

– *Quels sentiments dois-je exprimer ?*

ÉVALUATION 8

Amaranth Roslyn Ehrenhalt, *Verse V* (1996),
aquarelle, gouache, acrylique sur papier, 76 x 56 cm (collection particulière).

Partie 3

Vocabulaire, orthographe, conjugaison

Chaque texte, chaque discours est constitué de phrases, elles-mêmes constituées de **mots** : les mots sont donc les plus petits éléments du texte ou du discours. Enrichir son **vocabulaire**, améliorer son **orthographe**, maîtriser la **conjugaison** des verbes : toutes ces activités permettent de mieux comprendre les textes, de bien choisir les mots pour parler et écrire.

Vocabulaire

Orthographe

Conjugaison

24 Les relations lexicales

J'observe...

Les éléphants

[...] Mais, tandis que tout dort aux mornes solitudes,
Les éléphants rugueux, voyageurs lents et rudes,
Vont au pays natal à travers les déserts.

D'un point de l'horizon, comme des masses brunes,
5 Ils viennent, soulevant la poussière, et l'on voit,
Pour ne point dévier du chemin le plus droit,
Sous leur pied large et sûr crouler au loin les dunes.

Celui qui tient la tête est un vieux chef. Son corps
Est gercé comme un tronc que le temps ronge et mine.
10 Sa tête est comme un roc, et l'arc de son échine
Se voûte puissamment à ses moindres efforts.

Sans ralentir jamais et sans hâter sa marche,
Il guide au but certain ses compagnons poudreux ;
Et, creusant par derrière un sillon sablonneux,
15 Les pèlerins massifs suivent leur patriarche.

L'oreille en éventail, la trompe entre les dents,
Ils cheminent, l'œil clos. Leur ventre bat et fume,
Et leur sueur dans l'air embrasé monte en brume ;
Et bourdonnent autour mille insectes ardents.

[...]

Leconte de Lisle, *Poèmes barbares*, 1862 (v. 14 à 32).

Gustave Moreau (1826-1898),
Éléphant sur le vif, 1881
(Musée Gustave Moreau, Paris).

1 **a.** *Les éléphants rugueux, voyageurs lents et rudes,*
Vont au pays natal à travers les déserts.
Dans le texte, relevez d'autres verbes utilisés pour évoquer le déplacement des éléphants.
b. Lequel de ces autres termes vous paraît plus précis que le verbe *aller* ?

2 **a.** Relevez le vers qui évoque le rythme auquel avance le chef des éléphants.
b. Observez et comparez les deux verbes à l'infinitif surlignés en orange.

3 **a.** Connaissez-vous d'autres mots ayant la même prononciation que les mots surlignés en violet ?
b. Leur orthographe diffère-t-elle ?

4 Avec quel autre mot est-il facile de confondre *embrasé* ?

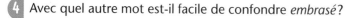

① Les synonymes et les antonymes

Les **synonymes**	Ils ont à peu près la **même signification**. Ils appartiennent à la **même classe grammaticale**. Ils peuvent appartenir à des **niveaux de langue différents**. Ils sont plus ou moins **précis** (spécifique, générique). *Ex.* *aller / cheminer* (verbes) – *morne* (adj. soutenu) / *triste* (adj. courant) – *animal* (nom générique) / *éléphant* (nom spécifique).
Les **antonymes**	Ils ont des **significations opposées**. Ils appartiennent à la **même classe grammaticale**. Ils sont souvent formés en ajoutant un **préfixe** (*in-, dé- / des-, mal...*). *Ex.* *se hâter / ralentir* (verbes) – *certain / **in**certain* (adjectifs) – *compagnon / adversaire* (noms).

② Les homonymes et les paronymes

Les **homonymes**	Ils ont la **même prononciation**. Ils s'écrivent généralement différemment. Ils ont des **significations différentes**. *Ex.* *bat / bât / bas.*
Les **paronymes**	Ils ont des **prononciations très proches**. On les confond souvent. Ils s'écrivent **différemment**. Ils ont des **significations différentes**. *Ex.* *embrassé / embrasé.*

UTILISER LE DICTIONNAIRE

ROBUSTESSE [ʀɔbystɛs] **n. f.** – 1852 ; de *robuste* ▪ Qualité de ce qui est robuste. ➤ **force, résistance, solidité.** *La robustesse d'une personne.* ➤ **vigueur.** — *Une voiture d'une robustesse remarquable.* ▪ **CONTR.** Fragilité.

ROC [ʀɔk] **n. m.** – XVᵉ s. ; forme masc. de *roche* ▪ **1** LITTÉR. Bloc ou masse de pierre dure formant une éminence sur le sol. ➤ **pierre, 1 rocher.** « *Oh ! que la mer est sombre au pied des rocs sinistres !* » **HUGO.** COUR. *Dur, ferme, insensible, solide comme un roc. C'est un roc !* « *j'ai vu l'ami Cinq-Mars ;* [...] *toujours ferme comme un roc. Ah ! voilà ce que j'appelle un homme !* » **VIGNY.** ▪ **2** Matière rocheuse et dure. *Corniche creusée, taillée dans le roc.* « *Le roc de l'île est de nature si dure que les plus puissants obus n'y causaient que des égratignures* » **GIDE.** LOC. *Bâtir sur le roc :* faire une œuvre durable. ▪ **HOM.** Rock, roque.

Petit Robert de la langue française, édition 2007.

▶ Le dictionnaire est une aide précieuse car il signale :
– la classe grammaticale des mots ;

Ex. *robustesse* est un nom féminin (n. f.).

– les synonymes les plus proches ;

Ex. *pierre* est synonyme de *roc.*

– les homonymes (HOM.) et les antonymes (CONTR.).

Ex. *fragilité* est l'antonyme de *robustesse.*
rock et *roque* sont des homonymes de *roc.*

ASTUCE Il existe des dictionnaires de synonymes, très utiles pour enrichir son vocabulaire et éviter les répétitions.

À vos marques !

1 **Vérifiez** que vous savez repérer :
– deux couples de **synonymes** ;
– un couple d'**antonymes** ;
– un couple d'**homonymes** ;
– un couple de **paronymes**.

Au cours des soirées données en son honneur, l'explorateur faisait souvent allusion à ses voyages au bout du monde. Son auditoire bouillait de l'entendre évoquer ses périples exotiques. Il
5 avait, en effet, le pouvoir de fasciner son public. Alors, il commençait par de courts récits saisissants : des cérémonies étranges où les hommes dansaient pour invoquer l'esprit de leurs ancêtres, des chasses périlleuses dans des forêts hostiles…
10 Immanquablement ces séances se terminaient par d'interminables discussions sur les coutumes ancestrales et les mœurs actuelles.

2 **Précisez** si les couples suivants sont des couples de **synonymes** acceptables.
(*Attention* : vérifiez le sens et la classe grammaticale !)
a. *tolérant – indulgent.*
b. *sombre – obscurité.*
c. *converser – discuter.*
d. *peur – angoisse.*
e. *gentillesse – cadeau.*
f. *vent – souffler.*
g. *boisson – breuvage.*
h. *surtout – particulièrement.*
i. *naturel – végétal.*

3 **Pour** chaque mot proposé, **donnez** un **antonyme.** (Attention, tous les antonymes ne se construisent pas à l'aide d'un préfixe.)
heureux – coudre – grand – une chance – solide – un ami – affronter – un creux – développer – jamais.

4 **1. Relevez,** dans chaque liste, le **mot qui ne contient pas** de **préfixe** indiquant qu'il est un antonyme.
2. Retrouvez les mots dont les autres termes de la liste sont les **antonymes.**
a. *dételer, désamorcer, déranger, désoler.*
b. *irréfléchi, irritable, irresponsable, irremplaçable.*
c. *imbiber, impossible, infaisable, incohérent.*
d. *amoral, apolitique, asymétrique, abordable.*
e. *illogique, illuminé, illégal, illimité.*
f. *malhonnête, malchanceux, malfaiteur, malin.*

5 **1. Pour** chacun des mots, **proposez** un **synonyme** ou une courte définition.
2. Modifiez son genre et parfois son orthographe pour obtenir un **homonyme,** puis **utilisez-**le dans une courte phrase. (Aidez-vous du dictionnaire.)

un crêpe – une fois – un cap – un enseigne – un voile – un cross – un cours – une butte – un pouce – une mer.

6 **Récrivez** le texte de cette **rédaction** en tenant compte des conseils du correcteur.

Pense à varier le vocabulaire pour éviter la répétition.

Comme toujours, Élisa commença par examiner la figure de son nouveau voisin. Niels venait d'arriver dans la région, de sorte que sa figure portait encore les marques des rigueurs de l'hiver scandinave. D'ailleurs, dès qu'elle commençait à lui parler de sa région natale, sa figure s'éclairait et sa parole se libérait. Inès, quant à elle, ne partageait pas la curiosité de sa sœur. Son opinion était déjà bien arrêtée : « Non mais franchement, quelle figure ! On dirait un clown ! » Élisa trouvait ce jugement hâtif et gardait en mémoire les traits fins de cette figure rare en Provence. Elle ignorait que sa propre figure avait laissé une marque indélébile dans l'esprit du jeune homme.

7 Dans le texte suivant, **relevez** deux adjectifs **synonymes** et trois noms **synonymes.**

Le narrateur suit son hôte qui a promis de lui apprendre à contrôler les esprits.

Après dîner, on propose une promenade à pied vers les ruines de Portici. Nous sommes en route, nous arrivons. Ces restes des monuments les plus augustes[1] écroulés, brisés, épars[2], couverts de
5 ronces, portent à mon imagination des idées qui ne m'étaient pas ordinaires. « Voilà, disais-je, le pouvoir du temps sur les ouvrages de l'orgueil et de l'industrie[3] des hommes. » Nous avançons dans les ruines, et enfin nous sommes parvenus,
10 presque à tâtons, à travers ces débris, dans un lieu si obscur qu'aucune lumière extérieure ne pouvait y pénétrer.

Jacques Cazotte, *Le Diable amoureux*, 1772.

1. *augustes* : sacrés.
2. *épars* : éparpillés.
3. *industrie* : habileté.

8 **Récrivez** le texte en remplaçant les mots soulignés par un **antonyme**.

M. Utterson se rend chez son ami le Dr Lanyon pour se renseigner sur l'étrange M. Hyde.

Il fut reçu par le maître d'hôtel solennel qui, le connaissant bien, l'introduisit sans plus attendre jusque dans la salle à manger où le Dr Lanyon était en tête à tête avec un verre de vin. C'était
5 un gentleman au visage <u>coloré</u> et à la chevelure <u>prématurément blanchie</u>. <u>Cordial</u>[1], <u>costaud</u>, <u>tiré à quatre épingles</u>, il avait des manières <u>joviales</u>[2] et <u>décidées</u>.

> R. L. Stevenson, *L'Étrange Cas du Dr Jekyll et de Mr Hyde*, 1886, trad. J.-P. Naugrette, © LGF, 1999.

1. *Cordial* : chaleureux.
2. *joviales* : joyeuses.

9 **Complétez** le poème suivant en utilisant l'**homonyme** qui convient. (Aidez-vous du titre du poème et des accords.)

Liste : *amer – amère – la mer* (3 fois) *– la mère – l'amer.*

Et la mer et l'amour…

Et **1** …. et l'amour ont **2** …. pour partage,
Et **3** …. est **4** …., et l'amour est **5** ….,
L'on s'abîme[1] en l'amour aussi bien qu'en **6** ….,
Car la mer et l'amour ne sont point sans orage.

5 Celui qui craint les eaux, qu'il demeure au rivage,
Celui qui craint les maux qu'on souffre pour aimer,
Qu'il ne se laisse pas à l'amour enflammer,
Et tous deux ils seront sans hasard de naufrage.

7 …. de l'amour eut la mer pour berceau,
10 Le feu sort de l'amour, sa mère sort de l'eau,
Mais l'eau contre ce feu ne peut fournir des armes.
[…]

> D'après Pierre de Marbeuf, *Recueil de vers*, 1628.

1. *L'on s'abîme* : l'on se perd dans les profondeurs.

10 **Choisissez** l'**homonyme** qui convient.

Le narrateur observe les objets qui se trouvent dans sa chambre.

Il y avait en premier (*lieu / lieue*) cette lithographie macabre[1] de Calame[2]. Elle formait une simple (*tâche / tache*) noire sur le (*mûr / mur*) blanc, mais mon œil intérieur en distinguait les moin-
5 dres détails. C'est une lande sauvage et désolée, au cœur de la nuit. Au milieu, au premier plan, se dresse un (*chaîne / chêne*) fantomatique. Un vent farouche souffle, dont la force géante repousse toujours (*ver / verre / vers*) la gauche les
10 branches dentelées, maigrement recouvertes de feuilles rabougries. Une traînée de nuages informes dérive dans un ciel de désastre ; la pluie violente qui (*ballet / balais / balaie*) la (*plaine / pleine*) tombe presque parallèlement à l'horizon.

> D'après Fitz James O'Brien, *La Chambre perdue*, 1858, trad. J. Papy, © Street & Smith. Pub. Inc., 1941.

1. *lithographie macabre* : gravure qui rappelle la mort.
2. *Calame* : paysagiste suisse du XIXᵉ siècle.

11 Dans les phrases suivantes, **vérifiez** que le mot souligné est celui qui convient. Sinon, **remplacez**-le par un **paronyme**.

a. L'homme suspecté est jugé pour vol avec <u>effraction</u>.
b. Le juge demande un <u>compliment</u> d'enquête.
c. Il veut être certain des circonstances dans lesquelles l'homme a fait <u>irruption</u> chez sa victime.
d. De même, il se demande s'il n'y a pas eu <u>collision</u> pour préparer ce méfait.
e. Dans ce cas, cela n'<u>enduirait</u> pas un verdict clément.
f. Le juré fait une <u>préposition</u> pour ajourner la séance.
g. <u>Distrait</u>, l'accusé ne semble même pas prêter <u>intention</u> à ce qui est dit dans la salle.
h. Après un mois de débats, le verdict est maintenant <u>éminent</u>.

12 **Expliquez** le jeu sur les mots qui caractérise les titres des romans policiers de la série ***Le Poulpe***.

La petite écuyère a cafté – Arrêtez le carrelage – La pieuvre par neuf – Les sectes mercenaires – La dingue aux marrons – Le carnaval de Denise.

À votre tour, créez des titres de romans policiers ou fantastiques basés sur la **paronymie**.

25 Les figures de style

ACTIVITÉ *J'observe...*

Hugues Merle (1823-1881), *Une mendiante*,
1861 (Musée d'Orsay, Paris).

Cette fille au doux front a cru peut-être, un jour,
Avoir droit au bonheur, à la joie, à l'amour.
Mais elle est seule, elle est sans parents, pauvre fille !
Seule ! – n'importe ! elle a du courage, une aiguille !
5 Elle travaille, et peut gagner dans son réduit,
En travaillant le jour, en travaillant la nuit,
Un peu de pain, un gîte, une jupe de toile.
Le soir, elle regarde en rêvant quelque étoile,
Et chante au bord du toit tant que dure l'été.
10 Mais l'hiver vient. Il fait bien froid, en vérité,
Dans ce logis mal clos tout en haut de la rampe ;
Les jours sont courts, il faut allumer une lampe ;
L'huile est chère, le bois est cher, le pain est cher.
Ô jeunesse ! printemps ! aube ! en proie à l'hiver !
15 La faim passe bientôt sa griffe sous la porte,
Décroche un vieux manteau, saisit la montre, emporte
Les meubles, prend enfin quelque humble bague d'or ;
Tout est vendu ! L'enfant travaille et lutte encor ;
Elle est honnête ; mais elle a, quand elle veille,
20 La misère, démon, qui lui parle à l'oreille.
L'ouvrage manque, hélas ! cela se voit souvent.
Que devenir ? Un jour, ô jour sombre ! elle vend
La pauvre croix d'honneur de son vieux père, et pleure ;
Elle tousse, elle a froid. Il faut donc qu'elle meure !
25 À dix-sept ans ! grand Dieu ! mais que faire ?...

Victor Hugo, *Les Contemplations*, « Melancholia », 1856.

1 a. Quelle saison a choisie Hugo pour imager la jeunesse (v. 14) ?
Quel est le point commun entre cette saison et la jeunesse ?
Quel autre mot l'auteur utilise-t-il dans le vers pour évoquer la jeunesse ?
b. Récrivez le vers en utilisant le mot *comme* pour mettre en relation la jeunesse
et la saison.
c. Dans le même vers, quel mot s'oppose à cette saison ?

2 Repérez le vers qui décrit l'immeuble dans lequel vit la jeune fille.
Quel terme remplace l'escalier ?
Ce mot est-il un synonyme exact ou désigne-t-il une partie seulement de l'escalier ?

3 Repérez le sujet des verbes surlignés en violet (v. 15 à 17).
Les actions sont-elles accomplies par un être humain ?
La situation est-elle réaliste ou est-ce une image ?

1 Les principales figures de style

La **comparaison**	Elle met en relation deux mots ou groupes de mots, le **comparé** (= élément qui est comparé) et le **comparant** (= élément grâce auquel on compare), à l'aide d'un **outil de comparaison** (*comme, tel que, pareil à*; *ressembler à...*). Elle établit un point commun entre le comparé et le comparant. **Ex.** *La jeunesse est **comme** le printemps de la vie.* comparé mot outil comparant
La **métaphore**	Elle met en relation le **comparé** et le **comparant** mais **sans** utiliser d'**outil de comparaison**. Elle établit un point commun entre le comparé et le comparant. **Ex.** *la jeunesse, **printemps de la vie**.* comparé comparant **ATTENTION** Certaines métaphores n'expriment que le comparé. C'est au lecteur d'interpréter l'image pour retrouver le comparant. **Ex.** *Le printemps de la vie.* (= la jeunesse)
La **personnification**	Elle attribue des idées ou des comportements humains à des animaux, des objets ou des notions abstraites. **Ex.** *La faim [...] **saisit la montre, emporte les meubles**.* (notion abstraite) (comportements humains)
La **métonymie**	Elle consiste à remplacer un mot par un autre mot qui lui est lié par un rapport logique : la partie pour le tout, le contenant pour le contenu, la matière pour l'objet... **Ex.** *ce logis mal clos tout en haut de la **rampe**.* (= l'escalier de l'immeuble)
L'**antithèse**	Elle oppose deux mots ou groupes de mots de sens contraire. **Ex.** *Ô **jeunesse**! **printemps**! aube! en proie à l'**hiver**!*

2 L'interprétation des figures de style

● Les figures de style **enrichissent** le texte car :

– en s'écartant du langage de tous les jours, elles surprennent et séduisent le lecteur ;

– elles rajoutent du sens au texte.

● Pour repérer et expliquer ces enrichissements, il faut savoir **interpréter** les figures de style :
– comprendre le point commun entre comparant et comparé dans les métaphores et les comparaisons ;

Ex. *la jeunesse, printemps de la vie.*

 *La jeunesse* et *le printemps* ont en commun l'idée de début, de commencement, mais aussi de fraîcheur, de croissance...

– comprendre l'effet d'une personnification.

Ex. *La faim saisit la montre, emporte les meubles...*

→ *La faim* est présentée comme responsable du dénuement de la jeune fille.

À vos marques !

1 **Vérifiez** que vous savez repérer parmi les éléments soulignés :
– une **comparaison** ;
– une **métaphore** ;
– une **personnification** ;
– une **métonymie** ;
– une **antithèse**.

La beauté

Je suis <u>belle, ô mortels ! Comme un rêve de pierre,</u>
Et mon sein, où chacun s'est meurtri tour à tour,
Est fait pour inspirer au poète un amour
Éternel et muet ainsi que la matière.

5 Je trône dans l'azur comme un sphinx incompris ;
J'unis un cœur de neige à la blancheur des cygnes ;
<u>Je hais</u> le mouvement qui déplace les lignes,
Et <u>jamais je ne pleure et jamais je ne ris.</u>

Les poètes, devant mes grandes attitudes,
10 Que j'ai l'air d'emprunter aux plus fiers monuments,
Consumeront <u>leurs jours</u> en d'austères études ;

Car j'ai, pour fasciner ces dociles amants,
<u>De purs miroirs qui font toutes choses plus belles :</u>
Mes yeux, mes larges yeux aux clartés éternelles !

Charles Baudelaire, Les Fleurs du Mal, 1857.

2 **Précisez** si les figures de style soulignées dans le texte sont des **comparaisons** ou des **métaphores**. **Justifiez** votre réponse.

L'ancien combattant Chabert, soigné et vêtu élégamment, se rend à l'étude de maître Derville.

Il ne ressemblait pas plus au Chabert en vieux carrick, qu'un gros sou ne ressemble à une pièce de quarante francs nouvellement frappée. À le voir, les passants eussent facilement reconnu en
5 lui <u>l'un de ces beaux débris de notre ancienne armée,</u> un de ces hommes héroïques sur lesquels se reflète notre gloire nationale, et <u>qui la représentent comme un éclat de glace illuminé par le soleil semble en réfléchir tous les rayons.</u> Ces
10 vieux soldats sont tout ensemble <u>des tableaux et des livres.</u> Quand le comte descendit de sa voiture pour monter chez Derville, <u>il sauta légèrement comme aurait pu faire un jeune homme.</u>

Honoré de Balzac, Le Colonel Chabert, 1832.

3 **Relevez** trois **comparaisons** puis **remplissez** le tableau qui suit.

Mon bras pressait…

Mon bras pressait sa taille frêle
Et souple comme le roseau ;
Ton sein palpitait comme l'aile
    D'un jeune oiseau.

5 Longtemps muets, nous contemplâmes
Le ciel où s'éteignait le jour.
Que se passait-il dans nos âmes ?
    Amour ! Amour !

Comme un ange qui se dévoile,
10 Tu me regardais dans ma nuit,
Avec ton beau regard d'étoile
    Qui m'éblouit.

Victor Hugo, Les Contemplations, 1856.

Comparé	Outil de comparaison	Comparant	Analyse

4 **Relevez** trois **métaphores** dans l'extrait suivant, puis **remplissez** le tableau.

Dans une lettre adressée à son ami Hans, Conrad évoque son enfance en Allemagne.

Puis vint le printemps et la campagne entière ne fut plus qu'une immense fleur. Te souviens-tu de Remstal ? Les milliers de cerisiers en fleur ? Et le lac de Constance ? Et Heidelberg et Rottenburg ?
5 Te souviens-tu de Greglingen et de l'autel de Riemenschneider ? Et Birnau ? Et la Wies ? Te rappelles-tu le lac Mummel – un œil bleu dans la Forêt-Noire ? […].

La beauté régnait – règne toujours – entre le
10 Main et le Rhin, le Neckar et le Danube. Ce fut l'époque la plus heureuse de ma vie, un cadeau des dieux cruels.

Fred Uhlman, La Lettre de Conrad, 1985,
trad. B. Gartenberg, © Stock, 1986, 2000.

Comparé	Comparant	Analyse

5 **1. Utilisez** chaque **GN** dans une courte phrase où il sera une **métonymie**.
2. Expliquez le sens de chaque métonymie.

a. *un verre.*   **c.** *une terrine.*   **e.** *l'Élysée.*
b. *la tombe.*   **d.** *les gradins.*   **f.** *une voile.*

6 **Indiquez** sur quels éléments portent les **personnifications** dans ce poème. **Justifiez** vos réponses.

Sonnet

Je vais faire un sonnet ; des vers en uniforme
Emboîtant bien le pas, par quatre, en peloton,
Sur du papier réglé, pour conserver la forme,
Je sais ranger les vers et les soldats de plomb.

5 Je vais faire un sonnet ; jadis, sans que je dorme,
J'ai mis des dominos en file, tout au long,
J'ai suivi mainte allée épinglée où chaque orme[1]
Rêvait d'être de zinc et posait en jalon[2].

Je vais faire un sonnet ; et toi, viens à mon aide,
10 Que ton compas m'inspire, ô muse[3] d'Archimède,
Car l'âme d'un sonnet c'est une addition. [...]

Tristan Corbière, Les Amours jaunes, 1873 (v. 1 à 11).

1. *orme*: grand arbre.
2. *posait en jalon*: était régulièrement aligné avec les autres.
3. *muse*: déesse artistique (incarne souvent l'inspiration poétique).

7 **Relevez** dans ce texte quatre **antithèses**. Quel aspect du personnage mettent-elles en évidence ?

Un lord attire l'attention des nobles de Londres.

Son œil se promenait sur la gaieté générale répandue autour de lui, avec cette indifférence qui dénotait[1] que la partager n'était pas en son pouvoir. On eût dit que le sourire gracieux de la
5 beauté savait seul attirer son attention, et encore n'était-ce que pour le détruire sur ses lèvres charmantes, par un regard, et glacer d'un effroi secret un cœur où jusqu'alors l'idée du plaisir avait régné uniquement. Celles qui éprouvaient cette péni-
10 ble sensation de respect ne pouvaient se rendre compte d'où elle provenait. Quelques-unes, cependant, l'attribuaient à son œil d'un gris mort qui, lorsqu'il se fixait sur les traits d'une personne, semblait ne pas pénétrer, au fond des replis du cœur,
15 mais plutôt paraissait tomber sur la joue comme un rayon de plomb qui pesait sur la peau sans pouvoir la traverser. [...] Sa figure était régulièrement belle, nonobstant[2] le teint sépulcral[3] qui régnait sur ses traits, et que jamais ne venait ani-
20 mer cette aimable rougeur, fruit de la modestie, ou de fortes émotions qu'engendrent les passions.

John William Polidori, Le Vampire, 1819,
trad. H. Faber.

1. *dénotait*: montrait.
2. *nonobstant*: malgré.
3. *sépulcral*: qui rappelle la mort.

8 **Précisez** quelles sont les **figures de style** soulignées. **Justifiez** vos réponses.

Edwige, la dame du château, est inconsolable depuis la visite d'un étrange personnage.

L'étranger était <u>beau comme un ange</u>, mais comme un ange tombé ; il souriait doucement et regardait doucement, et pourtant ce regard et ce sourire <u>vous glaçaient de terreur</u> et vous ins-
5 piraient l'effroi qu'on éprouve en se penchant sur un abîme. Une grâce scélérate[1], une langueur perfide[2] comme celle du tigre qui guette sa proie, accompagnaient tous ses mouvements ; <u>il char-mait à la façon du serpent qui fascine l'oiseau.</u>
10 [...]

Il resta cette nuit, et encore <u>d'autres jours et encore d'autres nuits</u>, car la tempête ne pouvait s'apaiser, et le <u>vieux château s'agitait</u> sur ses fondements comme si la rafale eût voulu le déraci-
15 ner et faire tomber <u>sa couronne de créneaux</u> dans les eaux écumeuses du torrent.

Théophile Gautier, Contes fantastiques,
« Le Chevalier double », 1840.

1. *grâce scélérate*: élégance au service du crime.
2. *langueur perfide*: sorte d'abattement qui cache de mauvaises intentions.

À vos plumes !

9 **1. Complétez** les figures de style proposées.

2. Écrivez un court **portrait** en utilisant les figures de style que vous aurez créées.

a. une comparaison : *pâle comme ....*

b. une métaphore : *ses cheveux étaient ....*

c. une personnification : *son chien ....*

d. une métonymie pour évoquer les personnes qui l'admirent : *....*

e. une antithèse : *sa physionomie inspirait la confiance malgré ....*

> **Aide** Une **métonymie** permet souvent de désigner des **personnes** en évoquant le **lieu** où elles se trouvent.
>
> *Ex. La salle hurlait de joie.*
> (= les personnes réunies dans la salle)

ACTIVITÉ *J'observe...*

Le narrateur, né avec une cervelle en or, a causé la ruine de ses parents, qui ont souhaité le protéger du monde extérieur.

1. *esplanade*: terrain plat et dégagé.
2. *tâter le pouls*: examiner soigneusement.
3. *linceul*: drap mortuaire.

Un soir, en rentrant d'une promenade sur l'esplanade[1], je trouvai quatre gaillards, fort laids, en train d'inspecter la maison et de tâter le pouls[2] à nos pauvres meubles pour s'assurer de leur santé et de leur valeur. Ma mère pleurait dans un coin, accroupie sur un escabeau, la tête dans ses mains; mon père, pâle comme
5 un linceul[3] blanc, faisait visiter l'appartement à ces messieurs et se retournait de temps à autre pour essuyer une grosse larme honteuse. Je compris que j'assistais à une lugubre scène du drame de M. Loyal. Les hommes sortis avec une promesse de revenir le lendemain, nous restâmes seuls dans la chambre assombrie, et je n'entendis que des pleurs et des sanglots.

10 Mon père se leva et se promena quelques instants par la salle. « – Ah! Malheureux enfant! fit-il en s'arrêtant tout à coup, que de douleur tu nous vaux, et comment t'acquitteras-tu jamais envers moi des larmes que tu fais verser à ta mère! » Je voulus parler, les pleurs m'en empêchaient; – ma mère priait à voix basse dans un coin.

4. *fébrile*: fiévreux, tremblant.

15 Mon père reprit, en s'approchant de moi: « – Dire que nous mourons de misère à côté de cet or! » Et d'un geste fébrile[4], il appuya sa main sur mon front. De l'or!

Alphonse Daudet, *L'Homme à la cervelle d'or*, 1860.

1 **a.** Quel est le sentiment qui anime les parents du narrateur?
   b. Quels sont les mots du texte qui vous ont permis de répondre?

2 **a.** Pourquoi des hommes viennent-ils estimer les meubles et inspecter la maison?
   b. Relevez les mots du texte qui rappellent la cause de cette visite.

3 **a.** Relevez une comparaison qui concerne l'apparence du père.
   b. À quel thème renvoie cette comparaison? Relevez dans le texte deux autres mots évoquant ce thème.

1 Définition

Un **champ lexical** est un ensemble de mots qui se rapportent à un **même thème**.
Ces mots peuvent appartenir à différentes classes grammaticales (→ FICHE MÉTHODE 1).

Ex. champ lexical du malheur : *pleurait* (verbe) ; *pâle* (adjectif) ; *une grosse larme honteuse* (GN).

2 Le rôle des champs lexicaux

Le champ lexical **dominant**	Il rend le texte **cohérent** autour d'un **thème principal**. Il répond souvent à la question : *De quoi parle le texte ?* *Ex.* « que de _douleur_ tu nous vaux, et comment t'acquitteras-tu jamais envers moi des _larmes_ que tu fais verser à ta mère ! » Je voulus parler, les _pleurs_ m'en empêchaient... (champ lexical du malheur)
Le champ lexical **associé**	Il introduit un **second thème** pour créer une **association d'idées**. Il est associé au champ lexical dominant pour enrichir le sens du texte. *Ex.* « _Malheureux_ enfant ! fit-il en s'arrêtant tout à coup, que de _douleur_ tu nous **vaux**, et comment t'**acquitteras**-tu jamais envers moi des _larmes_ que tu fais verser à ta mère ! » Je voulus parler, les _pleurs_ m'en empêchaient ; « – Dire que nous mourons de **misère** à côté de cet **or** ! » (champ lexical du _malheur_ associé à celui de l'**argent**)
Le champ lexical **imageant**	Il est **introduit par une figure de style** (→ CHAPITRE 25). Il devient un thème du texte **en développant l'idée** de la figure de style. Il est souvent introduit par une métaphore qu'il prolonge : on parle de **métaphore filée**. *Ex.* mon père, _pâle comme un **linceul**_ blanc, faisait visiter l'appartement ; j'assistais à une **lugubre** scène ; « – Dire que nous **mourons** de misère à côté de cet or ! » (La comparaison introduit le champ lexical de la mort.)

ATTENTION Le champ lexical ne doit pas être confondu avec d'autres ensembles de mots :
– la **famille de mots** : ensemble de mots formés autour d'un même radical ;
Ex. la famille du mot *mort* : *mortuaire, mourir, mourant...*
– le **champ sémantique** (→ CHAPITRE 29) : ensemble des significations d'un même mot ;
Ex. *argent* : métal précieux ; couleur grise brillante ; monnaie.
– les **connotations** (→ CHAPITRE 28) : idées associées à un mot.
Ex. *maison* n'est pas associé à une idée particulière alors que *masure* connote la pauvreté, la misère, le délabrement...

UTILISER LE DICTIONNAIRE

ORAGE	grain	nuage	éclater
ouragan	houle	orageux	sévir
tempête	mer démontée	à l'orage	gronder
cyclone	tonnerre	tempétueux	dévaster
trombe	éclair	mauvais temps	ravager
rafale	vent	mer grosse	balayer
bourrasque	grondement	menacer	signes précurseurs
tourmente	murmure	se déchaîner	signes avant-coureurs

▶ Le dictionnaire analogique permet de constituer des champs lexicaux pour enrichir ses textes. Voici l'article « orage » tiré d'un dictionnaire analogique. On y trouve des noms, des verbes, des adjectifs, des expressions se rapportant à l'orage.

Paul Rouaix, *Trouver le mot juste, Dictionnaire des idées suggérées par les mots*, © Armand Colin, 1897.

À vos marques !

1 **Vérifiez** que vous savez repérer le **champ lexical** de l'obscurité.

Le narrateur rentre chez lui après une soirée au théâtre.

Il faisait noir, noir, mais noir au point que je distinguais à peine la grande route, et que je faillis, plusieurs fois, culbuter dans le fossé. [...]

J'aperçus au loin la masse sombre de mon jar-
5 din, et je ne sais d'où me vint une sorte de malaise à l'idée d'entrer là-dedans. Je ralentis le pas. Il faisait très doux. Le gros tas d'arbres avait l'air d'un tombeau où ma maison était ensevelie.

J'ouvris ma barrière et je pénétrai dans la lon-
10 gue allée de sycomores[1], qui s'en allait vers le logis, arquée en voûte comme un haut tunnel, traversant des massifs opaques[2] et contournant des gazons où les corbeilles de fleurs plaquaient, sous les ténèbres pâlies, des taches ovales aux
15 nuances indistinctes.

> Guy de Maupassant, *Qui sait ?*, 1890.

1. *sycomores* : arbres.
2. *opaques* : qui ne laissent pas passer la lumière.

2 **Précisez** si les listes de mots suivantes sont des **champs lexicaux**.

a. *orage, éclair, foudroyer, tonnerre, vacarme.*

b. *écrivain, écriture, écrire, scripte.*

c. *récit, narrateur, raconter, histoire, focalisation.*

d. *flamme : production lumineuse d'un feu, passion amoureuse, drapeau étroit.*

e. *visage, bouche, yeux, sourcils, fossettes.*

f. *navire, naviguer, navigateur, navigation.*

g. *montagne, vallée, pic, sommet, versant.*

> **Aide** Une **famille de mots** est un ensemble de mots formés sur le même radical. Un **champ sémantique** regroupe toutes les significations d'un même mot (→ CHAPITRE 29).

3 **1. Identifiez** le **thème principal** du texte.
2. Précisez si le champ lexical souligné est **dominant**, **associé** ou **imageant**.

Pendant toute une journée d'automne, journée fuligineuse[1], sombre et muette, où les nuages pesaient lourds et bas dans le ciel, j'avais traversé seul et à cheval une étendue de pays
5 singulièrement <u>lugubre</u>, et enfin, comme les ombres du soir approchaient, je me trouvai en vue de la <u>mélancolique</u> maison Usher. Je ne sais comment cela se fit, – mais, au premier coup d'œil que je jetai sur le bâtiment, un sentiment
10 d'insupportable <u>tristesse</u> pénétra mon âme.

[...] je conduisis mon cheval vers le bord escarpé d'un noir et <u>lugubre</u> étang, qui, miroir immobile, s'étalait devant le bâtiment ; et je regardai, – mais avec un frisson plus pénétrant
15 encore que la première fois, – les images répercutées et renversées des joncs[2] grisâtres, des troncs d'arbres <u>sinistres</u>, et des fenêtres semblables à des yeux sans pensée.

C'était néanmoins dans cet habitacle de <u>mélancolie</u> que je me proposais de séjourner pendant
20 quelques semaines.

> E. A. Poe, *Nouvelles Histoires extraordinaires*,
> « La chute de la maison Usher », trad. Ch. Baudelaire, 1857.

1. *fuligineuse* : noirâtre.
2. *joncs* : plantes qui poussent dans les marais.

4 **Identifiez** et **relevez** le champ lexical **associé** à celui de la nuit.

La narratrice s'est déguisée en garçon pour s'enrôler dans l'armée.

J'aime beaucoup marcher seule la nuit dans la forêt ou dans les champs ; hier, j'ai poussé jusque très loin d'ici, et il était déjà minuit passé quand j'ai fait demi-tour pour rentrer chez moi.
5 Tout entière livrée à mes pensées, selon mon habitude, je marchais rapidement sans rien voir de l'endroit où j'étais ; soudain un gémissement étouffé qui paraissait sortir de terre a rompu le silence en même temps que le cours de mes rêve-
10 ries : je me suis arrêtée pour regarder autour de moi, attentive à chaque bruit, j'ai entendu de nouveau la plainte et je me suis vue à une dizaine de pas d'un cimetière : le gémissement venait de là.

> Nadejda Dourova, *Cavalière du tsar*, 1836,
> trad. P. Lequesne, © Éd. Viviane Hamy, 1995.

5 **Identifiez** la figure de style soulignée. **Relevez** le champ lexical **imageant** qui la prolonge.

L'Albatros

Dans l'immense largeur du Capricorne[1] au Pôle
    <u>Le vent beugle[2], rugit, siffle, râle et miaule</u>,
        Et bondit à travers l'Atlantique tout blanc
        De bave furieuse. Il se rue, éraflant
5   L'eau blême qu'il pourchasse et dissipe en buées ;
    Il mord, déchire, arrache et tranche les nuées[3]
Par tronçons convulsifs[4] où saigne un brusque éclair ;
    Il saisit, enveloppe et culbute dans l'air
Un tournoiement confus d'aigres cris et de plumes
10   Qu'il secoue et qu'il traîne aux crêtes des écumes,
    Et, martelant le front massif des cachalots,
    Mêle à ses hurlements leurs monstrueux sanglots.

Charles Leconte de Lisle, *Poèmes tragiques*, 1884.

1. *Capricorne* : tropique du Capricorne.
2. *beugle* : crie comme un bovin. 3. *nuées* : nuages.
4. *convulsifs* : agités de violentes secousses.

> **Aide** Une **figure de style** est un moyen de donner davantage d'effets au texte en jouant sur le sens des mots (comparaison, antithèse, personnification…) ou sur leur sonorité (→ CHAPITRE 25).

6 **Nommez** les **trois champs lexicaux** repérés dans le texte, puis **indiquez** lequel est **dominant**, lequel est **associé**, lequel est **imageant**.

La chevelure

Ô <u>toison</u>, <u>moutonnant</u> jusqu'sur l'encolure !
Ô <u>boucles</u> ! Ô **parfum** chargé de nonchaloir[1] !
Extase ! Pour peupler ce soir l'alcôve[2] obscure
Des souvenirs dormant dans cette <u>chevelure</u>,
5 Je la veux agiter dans l'air comme un mouchoir !

La langoureuse[3] Asie et la brûlante Afrique,
Tout un monde lointain, absent, presque défunt,
Vit dans tes profondeurs, forêt **aromatique** !
Comme d'autres esprits voguent sur la musique,
10 Le mien, ô mon amour ! nage sur ton **parfum**.

J'irai là-bas où l'arbre et l'homme, pleins de sève,
Se pâment[4] longuement sous l'ardeur des climats ;
<u>Fortes tresses</u>, <u>soyez la houle qui m'enlève</u> !
Tu contiens, <u>mer d'ébène</u>, un éblouissant rêve
15 De voiles, de <u>rameurs</u>, de <u>flammes</u>[5] et de <u>mâts</u>…

Charles Baudelaire, *Les Fleurs du Mal*, 1857.

1. *nonchaloir* : indifférence.
2. *alcôve* : renfoncement pour placer un lit.
3. *langoureuse* : mélancolique, amoureuse.
4. *se pâment* : se laissent aller. 5. *flammes* : petits drapeaux.

À vos plumes !

7 **Récrivez** le texte suivant en remplaçant le champ lexical de la **tempête** par celui du **beau temps**.

La lampe saisie par l'atmosphère humide grésillait et jetait des lueurs intermittentes, le vent poussait des soupirs d'orgue à travers les couloirs, et des bruits effrayants et singuliers se faisaient
5 entendre dans les chambres désertes.

Le temps était devenu mauvais, et de larges gouttes de pluie, poussées par la rafale, tintaient sur les vitres secouées dans leurs mailles de plomb. Quelquefois le vitrage semblait près de
10 ployer et de s'ouvrir, comme si l'on eût fait une pesée à l'extérieur. C'était le genou de la tempête qui s'appuyait sur le frêle obstacle.

Théophile Gautier, *Le Capitaine Fracasse*, 1863.

8 **1.** Dans les champs lexicaux proposés, **éliminez le mot qui ne convient pas**.
2. **Rédigez** un court portrait en associant un champ lexical de la série 1 à un autre de la série 2.

Série 1
a. *cheveux, front, épis, tresse.*
b. *pourpoint, casquette, bas, rubans.*
c. *robe, dentelles, couturière, ceinture.*
d. *osseux, maigre, pauvre, fragile.*
e. *gras, potelé, riche, rebondi.*

Série 2
1. *riche, prospérité, aisance, gentillesse.*
2. *cruel, violent, menace, sournois.*
3. *enfantin, jeunesse, frais, désobéissant.*
4. *malin, ruse, voleur, débrouillard.*
5. *se satisfaire, joie, ravi, espoir.*

9 **Écrivez** la suite du texte : les enfants entendent terrorisés l'homme au sable arriver dans la maison. Vous **utiliserez** le **champ lexical du bruit** proposé.

Liste : *grincements, coups frappés à la porte, souffle, cogner, toux rauque, cliquetis des serrures, éclats de voix.*

Dans ces soirées-là, ma mère était fort triste, et à peine entendait-elle sonner neuf heures, qu'elle s'écriait : « Allons, enfants, au lit… l'Homme au Sable va venir. Je l'entends déjà. » En effet, chaque
5 fois, on entendait des pas pesants retentir sur les marches ; ce devait être l'Homme au Sable.

E. T. A. Hoffmann, *L'Homme au sable*, 1816,
trad. Loève-Veimars, © Flammarion.

La poésie

Antoine-Louis Barye (1796-1875), *Lion se reposant* (Brooklyn Museum of Art, New York).

Soleil couchant

L'astre calme descend vers l'horizon en feu.
Aux vieux monts du Soudan qui, dans le crépuscule
Et le poudroiement d'or, s'estompent peu à peu,
– Amas de blocs géants où le fauve circule –
5 Là-haut, sur un talus voûtant un gouffre noir,
De ses pas veloutés foulant à peine l'herbe,
Secouant sa crinière à la fraîcheur du soir,
Lentement, un lion vient se camper[1], superbe !
De sa queue au poil roux il se fouette les flancs ;
10 Sous les taons, par moments, son pelage frissonne ;
Ses naseaux dans l'air frais soufflant deux jets brûlants.
Fier, solitaire, alors, songeant à sa lionne,
Dans sa cage à Paris exposée aux badauds[2]
Et qu'un bourgeois taquine avec son parapluie,
15 Il bâille et jette aux monts roulant leurs longs échos
Son vaste miaulement de vieux roi qui s'ennuie.

Jules Laforgue, *Les Complaintes*, 1885.

1. *se camper* :
s'installer, se
dresser.
2. *badauds* :
passants.

→ CHAPITRE **24** Les relations lexicales
→ CHAPITRE **25** Les figures de style
→ CHAPITRE **26** Le champ lexical

QUESTIONS

Le soleil couchant

1. Relevez les indications temporelles qui indiquent le moment de la journée.
(→ Aide 1)

2. Relevez le champ lexical des couleurs se référant à l'animal et celles utilisées pour le décor. Quelle remarque pouvez-vous faire ?

3. Quelle figure de style permet d'évoquer le soleil ?

L'animal royal

4. Relevez un terme générique désignant le lion.

5. Analysez la construction des vers 5 à 8 :
a. Relevez les compléments circonstanciels et donnez leur fonction. (→ Aide 2)
b. Relevez le sujet.
c. Dans quel ordre les éléments s'enchaînent-ils ?
d. Quel est l'effet produit ?

6. Relevez tous les substituts du nom *lion*. (→ Aide 3)

7. Relevez le champ lexical des caractéristiques physiques de l'animal.

8. Relevez les adjectifs qui qualifient le lion.
Isolez un couple d'adjectifs antonymes. (→ Aide 4)

9. a. Quelle figure de style désigne le lion à la fin du poème ?
b. Relevez le nom qui caractérise le rugissement du lion.
À quel autre animal est-il habituellement associé ? Quel est l'effet créé ?
c. Relevez le champ lexical de la lenteur, de l'ennui.
d. En vous appuyant sur vos réponses, l'image du lion vous semble-t-elle fidèle à la représentation traditionnelle de cet animal ?
Quel événement explique l'image du lion dans ce poème ?

Le contraste entre deux mondes

10. Relevez deux indications géographiques au début et à la fin du poème.

11. Où se trouve la lionne ? Le lieu est-il désigné précisément ?

12. Caractérisez le lieu où se trouve le lion et celui où se trouve la lionne : se ressemblent-ils ou s'opposent-ils ?

> **Aide 1** Pour les indicateurs **spatio-temporels**
> (→ CHAPITRE 6).

> **Aide 2** Pour la **fonction sujet** (→ CHAPITRE 15).
> Pour les **compléments circonstanciels**
> (→ CHAPITRE 18).

> **Aide 3** Les **substituts du nom** sont des pronoms ou des groupes nominaux qui reprennent le nom
> (→ CHAPITRE 10).

> **Aide 4** Ces **adjectifs** peuvent être directement accolés au nom (**épithète**), séparés du nom dans une construction détachée par une virgule (**apposition**) ou reliés au nom par un verbe d'état (**attribut du sujet**).

RÉÉCRITURE

■ Récrivez le passage des vers 5 à 11 (*Là-haut, sur un talus… soufflant deux jets brûlants*) en remplaçant *un lion* par *des lions*.

RÉDACTION

■ Imaginez l'émerveillement d'un passant devant la majesté de la lionne qu'il voit dans sa cage. Vous utiliserez le champ lexical de l'animal sauvage ainsi que deux figures de style différentes.

> **Aide à la rédaction**
> Le sujet vous propose d'écrire un texte mêlant description et expression des sentiments.
> Pour commencer, répondez aux questions suivantes.
> – *Qui est l'énonciateur de mon texte (= qui parle) ?*
> – *Quel système de temps dois-je utiliser ?*
> – *Quel aspect de l'animal dois-je mettre en valeur ?*

ÉVALUATION 9

27 Le vocabulaire du portrait

J'observe...

Vers la fin de 1814, Henri de Marsay n'avait donc sur terre aucun sentiment obligatoire et se trouvait libre autant que l'oiseau sans compagne. Quoiqu'il eût vingt-deux ans accomplis, il paraissait en avoir à peine dix-sept. Généralement, les plus difficiles de ses
5   rivaux le regardaient comme le plus joli garçon de Paris. De son père, lord Dudley, il avait pris les yeux bleus les plus amoureusement décevants ; de sa mère, les cheveux noirs les plus touffus ; de tous deux, un sang pur, une peau de jeune fille, un air doux et modeste, une taille fine et aristocratique, de fort belles mains.
10 [...]
Sous cette fraîcheur de vie, et malgré l'eau limpide de ses yeux, Henri avait un courage de lion, une adresse de singe. Il coupait une balle à dix pas dans la lame d'un couteau, montait à cheval de manière à réaliser la fable du centaure[1] ; conduisait avec grâce
15 une voiture à grandes guides ; était leste comme Chérubin[2] et tranquille comme un mouton ; mais il savait battre un homme du faubourg au terrible jeu de la savate ou du bâton ; puis, il touchait du piano de manière à pouvoir se faire artiste s'il tombait dans le malheur, et possédait une voix qui lui aurait valu de Barbaja[3] cin-
20 quante mille francs par saison. Hélas, toutes ces belles qualités, ces jolis défauts étaient ternis par un épouvantable vice : il ne croyait ni aux hommes ni aux femmes, ni à Dieu ni au diable.

Honoré de Balzac, *La Fille aux yeux d'or*, 1834-1835.

1. *centaure* : créature mythologique mi-homme, mi-cheval.
2. *Chérubin* : ange à l'origine ; c'est le nom d'un jeune page dans deux pièces de Beaumarchais et un opéra de Mozart.
3. *Barbaja* : administrateur des théâtres de Naples au XIXᵉ siècle.

1 Qui est le personnage décrit dans cet extrait ?

2 **a.** Délimitez le passage qui traite du physique du personnage.
b. Complétez ce tableau en relevant les adjectifs qui caractérisent les différentes parties de son physique.

Les yeux	Les cheveux	Les mains	La peau	La taille	L'air

3 **a.** Dans le deuxième paragraphe, relevez deux comparaisons et deux métaphores qui brossent le portrait moral du personnage.
b. Qu'apprend-on sur les habitudes du jeune homme ? Dressez la liste de ses activités.

4 En vous appuyant sur vos réponses, comment qualifieriez-vous la description dans son ensemble ?

5 Quelle attitude du jeune homme vient nuancer ce portrait ?

1 Le portrait physique

● Le **personnage**

Pour que l'image du personnage décrit se dessine clairement dans l'imagination du lecteur, le portrait doit être :

– **ordonné** : la description du personnage suit souvent un ordre cohérent (par exemple, *du lointain au proche, de l'impression d'ensemble au détail, de bas en haut, de haut en bas...*).

– **précis** : il requiert donc une grande richesse et une grande précision du vocabulaire.

La silhouette et le corps	La tête et le visage
– La **taille** : *long, immense...* (grand) ; *court, chétif, lilliputien* (petit)... – La **corpulence** : *squelettique, sec* (maigre), *gras, bedonnant, rondelet, ventru, bouffi, ventripotent* (gros)... – Les **proportions** : *colossal* (grand et fort), *râblé* (petit et puissant), *trapu* (petit et massif), *longiligne, élancé* (grand et mince)... – La **démarche** : *gracieuse, lourde...* – L'**allure** : *élégante, sportive, gauche...* – La **vigueur**, la **force** : *chétif, frêle, grêle / robuste, vigoureux...*	– La **forme du visage** : *ovale, rond, long, anguleux...* – Le **teint** : *blême, éclatant, rosé, rougeaud, frais, maladif...* – Les **cheveux** : *épais, bouclés, clairsemés, touffus, noirs, châtains, hirsutes, ébouriffés...* – Le **nez** : *droit, busqué, recourbé, en trompette, aquilin, aplati...* – Les **yeux** : *clairs, sombres, rieurs, tristes, pétillants / vif, vitreux* (éclat), *morne, perçant* (regard)... – La **bouche** : *large, souriante, aux commissures tombantes, aux lèvres pulpeuses...* – Le **menton** : *proéminent, en galoche...*

ATTENTION

● L'écriture d'un portrait nécessite de **varier** les tournures de phrases.

Ex. *Il avait les cheveux longs.* → *Il portait les cheveux longs. Ses cheveux lui tombaient aux épaules.* (pour éviter les répétitions des verbes *être* et *avoir*)

● Les portraits littéraires proposent souvent des **comparaisons** et des **métaphores** pour préciser les éléments du portrait (→ CHAPITRE 25).

Ex. *Des gouttelettes à son front semblaient une vapeur sur du marbre blanc.* (Flaubert)

● Les **attributs du personnage**

Le **costume** est souvent évoqué : il permet de caractériser son **époque**, son **milieu** social.

Costume d'homme	Costume de femme	Matières
– **Vêtements** : *habit, blouse, tunique, redingote, culotte, haut-de-chausses...* – **Accessoires** : *cravate, lavallière, montre de gousset, gants, canne...* – **Chapeau** : *feutre, tricorne...*	– **Vêtements** : *robe, jupe, caraco, tunique, jupon, crinoline, traîne...* – **Accessoires** : *châle, gants, mitaines, éventail, bijou, parure, ruban...* – **Chapeau** : *capeline, coiffe, béguin...*	*laine, toile, coton, soie, velours, cuir, dentelle, drap* (fin ou grossier), *brocard, broderie, voile, mousseline...*

2 Le portrait moral

● Les **traits de caractère**

Ils complètent le portrait physique. **Ex.** *Au fond, elle était* **sérieuse**.

● Le **portrait en action**

Les **faits** et **gestes** du personnage (habitudes et attitudes) laissent deviner son caractère ou son tempérament.

Ex. *Si elle* **riait** *toujours, c'était pour faire plaisir aux autres.* (Cette gaîté qui ne correspond pas au caractère du personnage témoigne de sa volonté d'être d'une compagnie agréable.)

À vos marques !

1 **Vérifiez** que vous savez repérer :
– le **portrait physique** (le personnage et ses caractéristiques physiques) ;
– le **portrait moral** (les traits de caractère, le portrait en action).

Voici le portrait de Félicité, l'héroïne du conte.

Elle se levait dès l'aube pour ne pas manquer la messe, et travaillait jusqu'au soir sans interruption ; puis le dîner étant fini, la vaisselle en ordre et la porte bien close, elle enfouissait la
5 bûche sous les cendres et s'endormait devant l'âtre, son rosaire à la main. Personne dans les marchandages, ne montrait plus d'entêtement. Quant à la propreté, le poli de ses casseroles faisait le désespoir des autres servantes. Économe,
10 elle mangeait avec lenteur, et recueillait du doigt sur la table les miettes de son pain, un pain de douze livres, cuit exprès pour elle, et qui durait vingt jours.

En toute saison elle portait un mouchoir d'in-
15 dienne fixé dans le dos par une épingle, un bonnet lui cachant les cheveux, des bas gris, un jupon rouge – et par-dessus sa camisole un tablier à bavette, comme les infirmières d'hôpital.

Son visage était maigre et sa voix aiguë. À vingt-
20 cinq ans, on lui en donnait quarante ; dès la cinquantaine, elle ne marqua plus aucun âge ; – et, toujours silencieuse, la taille droite et les gestes mesurés, semblait une femme en bois, fonctionnant d'une manière automatique.

Gustave Flaubert, « Un cœur simple »,
Trois contes, 1877.

2 **Cherchez** la définition de ces **traits de caractère** dans le dictionnaire. **Employez**-les dans une phrase de votre composition.

pusillanime – velléitaire – vaniteux – magnanime – obséquieux – timoré – hâbleur – mélancolique.

3 **Trouvez** un **mot équivalent** à chacun de ces **traits de caractère** appartenant au langage courant ou soutenu. Vous **emploierez** chaque terme trouvé dans une **phrase** de votre composition.

trouillard – vantard – radin – rigolo – sympa – nigaud – borné.

4 **Proposez**, pour chaque élément physique de la liste, une **comparaison inventive**, puis **intégrez**-les dans un **portrait** de votre composition.

silhouette – yeux – chevelure – teint – nez – sourire.

5 **1. Repérez** dans l'extrait le **portrait physique** et le **portrait moral** du personnage.
2. Pour le **portrait physique**, **relevez** les termes qui caractérisent la jeune fille avant quinze ans, et après quinze ans. Quel est l'effet produit ?

Françoise Merlier venait d'avoir dix-huit ans. Elle ne passait pas pour une des belles filles du pays, parce qu'elle était chétive. Jusqu'à quinze ans, elle avait même été laide. On ne pouvait pas
5 comprendre, à Rocreuse, comment la fille du père et de la mère Merlier, tous deux si bien plantés, poussait mal et d'un air de regret. Mais à quinze ans, tout en restant délicate, elle prit une petite figure, la plus jolie du monde. Elle avait des che-
10 veux noirs, des yeux noirs, et elle était toute rose avec ça ; une bouche qui riait toujours, des trous dans les joues, un front clair où il y avait comme une couronne de soleil. Quoique chétive pour le pays, elle n'était pas maigre, loin de là ; on vou-
15 lait dire simplement qu'elle n'aurait pas pu lever un sac de blé ; mais elle devenait toute potelée avec l'âge, elle devait finir par être ronde et friande comme une caille. Seulement, les longs silences de son père l'avaient rendue raisonna-
20 ble très jeune. Si elle riait toujours, c'était pour faire plaisir aux autres. Au fond, elle était sérieuse.

Émile Zola, *Les Soirées de Médan*,
« L'Attaque du moulin », 1880.

6 **Rédigez** un **portrait** en conservant uniquement les **éléments en gras** du texte.

La beauté remarquable de la femme **attira d'abord l'attention** de miss Nevil. **Elle paraissait avoir** une vingtaine d'années. **Elle était** grande, blanche, **les yeux** bleu foncé, **la bouche**
5 rose, **les dents** comme de l'émail. **Dans son expression on lisait** à la fois l'orgueil, l'inquiétude et la tristesse. **Sur la tête**, **elle portait** ce voile de soie noire […] qui sied si bien aux femmes. De longues nattes de **cheveux** châtains lui formaient
10 comme un turban autour de la tête. **Son costume était** propre, mais de la plus grande simplicité.

Prosper Mérimée, *Colomba*, 1840.

7 1. **Cherchez** la **définition** de ces mots dans le dictionnaire puis **classez**-les dans le tableau.
2. **Choisissez** un **terme** par colonne et **rédigez** un court **portrait**.

aquilin – svelte – rubicond – émacié – camus – pers – chassieux – hâve – dégingandé.

silhouette	visage	teint	nez	yeux

8 1. **Relevez** les éléments qui caractérisent le personnage de Madame Vauquer : sont-ils **péjoratifs** ou **mélioratifs** ?
2. **Récrivez** le texte en changeant le **vocabulaire** du portrait de façon à obtenir une image opposée du personnage.

Cette pièce est dans tout son lustre au moment où, vers sept heures du matin, le chat de madame Vauquer précède sa maîtresse ; saute sur les buffets, y flaire le lait que contiennent plusieurs
5 jattes couvertes d'assiettes, et fait entendre son *ronron* matinal. Bientôt la veuve se montre, attifée de son bonnet de tulle sous lequel pend un tour de faux cheveux mal mis, elle marche en traînassant ses pantoufles grimacées. Sa face vieillotte,
10 grassouillette, du milieu de laquelle sort un nez à bec de perroquet, ses petites mains potelées, sa personne dodue comme un rat d'église, son corsage trop plein et qui flotte, sont en harmonie avec cette salle où suinte le malheur […].

Honoré de Balzac, *Le Père Goriot*, 1835.

Aide Pour les connotations **mélioratives** et **péjoratives** (→ CHAPITRE 28).

9 1. **Dites** dans quel ordre est fait le portrait physique de la Princesse Éléonore Ravesta. (Plusieurs progressions peuvent se combiner.)
2. **Récrivez** ce **portrait** en faisant des phrases verbales : pensez à varier les tournures.

Je la regarde de tout près. Vingt-quatre ? vingt-cinq ans ? pas plus. Moyennement grande. Une manière à elle d'appuyer la hanche sur la jambe. Une pudeur indifférente dans le vêtement, comme
5 celle d'une belle fille nue. La lèvre toujours humide, attirante. Le nez un peu retroussé, comme celui de nos Parisiennes. De longs cils courbes : le cimeterre[1] biblique. Un front lumineux.

Albert T'Serstevens, *Taïa*,
© Albin Michel 1929 / Magnard 2001.

1. *cimeterre* : sabre recourbé.

10 1. **Relevez** les éléments du costume dans ce double **portrait**.
2. **Récrivez** le texte en vous documentant : la scène se passera au XVIIIe siècle dans les jardins du château de Versailles.

Le couple dépassa le bosquet et je pus les distinguer plus nettement. L'homme paraissait jeune, il portait un jean et un blouson de cuir brun. Il était coiffé d'une casquette de sport dont
5 la visière lui masquait le visage. La femme, quant à elle, était vêtue d'un tailleur pantalon noir, de coupe élégante. Sa veste était ouverte sur un pull à col roulé de laine écarlate. Ses mains étaient gantées de cuir et elle portait à l'épaule un sac
10 du même cuir sombre.

À vos plumes !

11 **Écrivez** un **portrait physique** du personnage représenté ci-dessous. Vous veillerez à l'**ordre du portrait**, à la **précision du vocabulaire** et à la **variété des tournures** de phrases.

Arthur Devis (1711-1787), *John Ward of Squerries* (collection particulière).

28 Les connotations

ACTIVITÉ *J'observe...*

Extrait 1

Le narrateur se promène en vélo quand son attention est attirée par une maison abandonnée.

Depuis trente ou quarante ans peut-être, la maison devait être inhabitée. Les briques des corniches et des encadrements, sous les hivers, s'étaient disjointes, envahies de mousses et de
5 lichens. Des lézardes coupaient la façade, pareilles à des rides précoces, sillonnant cette bâtisse solide encore, mais dont on ne prenait plus aucun soin. En bas, les marches du perron, fendues par la gelée, barrées par des orties et par
10 des ronces, étaient là comme un seuil de désolation et de mort. Et, surtout, l'affreuse tristesse venait des fenêtres sans rideaux, nues et glauques, dont les gamins avaient cassé les vitres à coups de pierre, toutes laissant voir le vide morne des
15 pièces, ainsi que des yeux éteints, restés grands ouverts sur un corps sans âme.

Extrait 2

Dix-huit mois plus tard, le narrateur se retrouve devant la même maison.

Ma surprise grandit encore, lorsque je jetai un regard autour de moi. On avait réparé la façade, plus de lézardes, plus de briques disjointes ; le perron, garni de roses, était redevenu
5 un seuil de bienvenue joyeuse ; et les fenêtres vivantes riaient maintenant, disaient la joie intérieure, derrière la blancheur de leurs rideaux.

Émile Zola, Angeline ou la maison hantée, 1898.

1 Comparez les deux descriptions de la maison : quelle impression générale se dégage de chacune d'elle ?

2 **a.** Complétez le tableau en relevant les mots et expressions qui permettent de décrire les éléments architecturaux suivants :

	Texte 1	Texte 2
Le perron		
Les fenêtres		

b. Quel extrait présente la maison de façon positive ? Lequel en donne une image négative ?

1 La dénotation et les connotations d'un mot

● La **dénotation** d'un mot est son sens littéral, tel qu'il est donné dans le dictionnaire.

Ex. Le mot *ride* dénote un petit sillon de la peau.

● Les **connotations** d'un mot sont les idées suggérées par le mot.

Ex. Le mot *ride* connote la vieillesse.

2 Les connotations méliorative et péjorative

● On dit qu'un mot possède :
– une connotation **méliorative** quand il contient un jugement **favorable** ;
– une connotation **péjorative** quand il contient un jugement **défavorable**.

	CONNOTATION PÉJORATIVE (−)	CONNOTATION NEUTRE	CONNOTATION MÉLIORATIVE (+)
Verbe	*bredouiller une tirade*	*réciter une tirade*	*déclamer une tirade*
Nom	*une **masure***	*une **maison***	*une **demeure***
Adjectif	*des couleurs **criardes***	*des couleurs **vives***	*des couleurs **éclatantes***

● Certains **suffixes** ou **préfixes** participent à la connotation d'un mot :
– Le suffixe *-issime*, les préfixes *archi-*, *extra-*, *super-*, *hyper-*... sont **mélioratifs**.

*Ex. grand**issime*** (de grand) – ***archi**célèbre* (de célèbre) – ***super**marché* (de marché).
– Les suffixes *-ard*, *-asse*, *-âtre*, *-aud*, *-ot*... sont **péjoratifs**.

*Ex. vant**ard*** (de vanter) – *fil**asse*** (de fil) – *jaun**âtre*** (de jaune) – *noir**aud*** (de noir) – *vieill**ot*** (de vieux).

ATTENTION Les images (comparaisons et métaphores) contribuent dans les textes à la présentation péjorative ou méliorative des êtres, des lieux ou des objets décrits (➔ CHAPITRE 25).

*Ex. L'affreuse tristesse venait des fenêtres [...] **ainsi que des yeux éteints, restés grands ouverts sur un corps sans âme**.* (comparaison)

UTILISER LE DICTIONNAIRE

LIS ou **LYS** [lis] n. m. — 1150 plur. de *lil* ; du latin *lilium* REM. L'orthogr. *lys* (XIVᵉ), inus. aux XVIIᵉ et XVIIIᵉ, a été reprise au XIXᵉ ■ **1** Plante herbacée vivace *(liliacées)*, à feuilles lancéolées et à grandes fleurs. *Lis commun, à fleurs blanches. Lis martagon. Bulbe de lis.* « *Les grands lys orgueilleux se balancent au vent* » VERLAINE. ■ **2** La fleur blanche du lis commun. *Le parfum des lis.* — POÉT. *Lis virginal. Blanc comme un lis, d'une blancheur de lis.* LOC. *Un teint de lis et de roses.* ◆ LITTÉR. *Le lis,* symbole de pureté, de candeur, de vertu. « *La blanche Ophélia flotte comme un grand lys* » RIMBAUD. — PAR MÉTAPH. « *Elle était, sans rien savoir encore, le lys de cette vallée où elle croissait pour le ciel* » BALZAC. ■ **3** BLAS. **FLEUR DE LYS, DE LIS :** figure héraldique formée de trois fleurs de lis schématisées et unies ; objet imitant cette figure. *La fleur de lys,* emblème de la royauté. [...]

Petit Robert de la langue française, édition 2007.

▸ Le dictionnaire donne la dénotation du mot : son ou ses sens littéraux (= plante / fleur / figure de blason).
Il fournit aussi des pistes pour en saisir les connotations : il évoque, par exemple, le sens littéraire du mot *lis* (pureté, candeur, vertu) ou le présente comme symbole (= royauté).

À vos marques !

1 **Vérifiez** que vous savez trouver la **dénotation** et la (ou les) **connotation(s)** d'un mot.

Mot	Dénotation	Connotation(s)
une rose		
rouge		
un serpent		
un livre		
blanc		
doré		
une limousine		

2 **Trouvez** la ou les **connotations** associées à ces termes. (Aidez-vous au besoin du dictionnaire.)

a. Animaux : *singe – aigle – lion – caméléon.*

b. Couleurs : *noir – vert – bleu.*

c. Plantes : *rose – chêne.*

d. Minéraux : *diamant – granit.*

3 **Classez** les mots des listes suivantes selon que leur **connotation** est **neutre**, **méliorative** ou **péjorative**. (Aidez-vous au besoin du dictionnaire.)

a. *pierre, caillasse, gemme, caillou.*

b. *embarcation, navire, coque de noix, radeau, nef.*

c. *bavardage, discussion, débat, joute verbale.*

d. *met, plat, brouet, tambouille.*

e. *toile, croûte, peinture, chef-d'œuvre.*

f. *rosse, monture, cheval, destrier, haridelle.*

4 **Ajoutez** des **suffixes** aux mots proposés pour obtenir des **termes péjoratifs**.

a. gris (un adjectif, un nom) : *gris....*

b. paille (un nom) : *paill....*

c. banlieue (un nom) : *banlieu....*

d. rêver (un verbe) : *rêv....*

e. pleurer (un verbe) : *pleur....*

f. rimer (un verbe) : *rim....*

g. tousser (un verbe) : *touss....*

h. pâle (un adjectif) : *pâl....*

> **Aide** Les **suffixes** qui permettent de créer des verbes à **connotation péjorative** sont :
> *-asser, -ailler, -icher, -ouiller...*

5 **Donnez** la **connotation** des termes soulignés. Cette description est-elle **péjorative** ou **méliorative** ?

Mais comme un intérieur prend à la longue la physionomie et peut-être la pensée de celui qui l'habite, le logis d'Octave s'était peu à peu attristé ; le damas des rideaux avait pâli et ne lais-
5 sait plus filtrer qu'une lumière *grise*. Les grands bouquets de pivoine se flétrissaient sur le fond moins blanc du tapis ; l'or des bordures encadrant quelques aquarelles et quelques esquisses de maîtres avait lentement rougi sous une implacable
10 poussière ; le feu découragé s'éteignait et fumait au milieu des cendres. La vieille pendule de Boule incrustée de cuivre et d'écaille verte retenait le bruit de son tic-tac, et le timbre des heures ennuyées parlait bas comme on fait dans une
15 chambre de malade ; les portes retombaient silencieuses, et les pas des rares visiteurs s'amortissaient sur la moquette ; le rire s'arrêtait de lui-même en pénétrant dans ces chambres mornes, froides et obscures, où cependant rien ne man-
20 quait du luxe moderne.

Théophile Gautier, *Avatar*, 1856.

6 **Relevez**, dans cette description, les **adjectifs** qui qualifient les éléments du décor. **Classez**-les selon que leur **connotation** est **neutre**, **méliorative** ou **péjorative**. Quelle connotation est la plus représentée dans le texte ?

Le soir, trois becs de gaz, enfermés dans des lanternes lourdes et carrées, éclairent le passage. Ces becs de gaz, pendus au vitrage sur lequel ils jettent des taches de clarté fauve, laissent tom-
5 ber autour d'eux des ronds d'une lueur pâle qui vacillent et semblent disparaître par instants. Le passage prend l'aspect sinistre d'un véritable coupe-gorge ; de grandes ombres s'allongent sur les dalles, des souffles humides viennent de la
10 rue ; on dirait une galerie souterraine vaguement éclairée par trois lampes funéraires. Les marchands se contentent, pour tout éclairage, des maigres rayons que les becs de gaz envoient à leurs vitrines [...]. Sur la ligne noirâtre des devantures, les
15 vitres d'un cartonnier flamboient : deux lampes [...] trouent l'ombre de deux flammes jaunes.

Émile Zola, *Thérèse Raquin*, 1867.

7 **Dites** lequel de ces portraits est **mélioratif**, lequel est **péjoratif**. **Relevez** les **mots connotés** mélioratively ou péjorativement pour justifier vos réponses.

Texte 1

C'était un homme dans toute la force et dans toute la fleur de la jeunesse, et dont les joues brillantes, la riche chevelure d'un blond vif, les favoris bien fournis, juraient avec les cheveux
5 grisonnants, le teint flétri et la rude physionomie du patron [...]. Du reste, la vigueur assez dégagée de ses formes, la netteté de ses sourcils bruns, la blancheur polie de son front, le calme de ses yeux limpides, la beauté de ses mains, et jusqu'à
10 la rigoureuse élégance de son costume de chasse, l'eussent fait passer pour un fort beau *cavalier*...

George Sand, *Indiana*, 1832.

Texte 2

Derrière le voyageur bizarre, à distance respectueuse, restait debout, auprès d'un entassement de malles, un petit groom, espèce de vieillard de quinze ans, gnome en livrée, ressemblant à ces
5 nains que la patience chinoise élève dans des potiches pour les empêcher de grandir ; sa face plate, où le nez faisait à peine saillie[1], semblait avoir été comprimée dès l'enfance, et ses yeux à fleur de tête avaient cette douceur que certains naturalis-
10 tes trouvent à ceux du crapaud. Aucune gibbosité[2] n'arrondissait ses épaules ni ne bombait sa poitrine ; cependant il faisait naître l'idée d'un bossu, quoiqu'on eût vainement cherché sa bosse.

Théophile Gautier, *Jettatura*, 1856.

1. *saillie* : partie qui dépasse.
2. *gibbosité* : bosse, difformité.

À vos plumes !

8 **1. Relevez** les **mots connotés mélioratively** et une **comparaison méliorative**.
2. Récrivez le portrait en inversant les connotations.

L'enfant revint, mais vivante, mais vibrante de gaieté. C'était elle, avec sa robe blanche, avec ses admirables cheveux blonds sur les épaules, et si belle, si rayonnante d'espoir, qu'elle était comme
5 tout un printemps qui portait en bouton la promesse d'amour, le long bonheur d'une existence.

Émile Zola, *Angeline ou la maison hantée*, 1898.

9 **Lisez** ce **portrait** du **célèbre** personnage de Flaubert, Emma Bovary, puis **récrivez**-le en ajoutant des éléments **mélioratifs** : expansions du nom, comparaisons...

Son cou sortait d'un col blanc, rabattu. Ses cheveux, dont les deux bandeaux noirs semblaient chacun d'un seul morceau, tant ils étaient lisses, étaient séparés sur le milieu de la tête par une
5 raie fine, qui s'enfonçait légèrement selon la courbe du crâne ; et, laissant voir à peine le bout de l'oreille, ils allaient se confondre par-derrière en un chignon abondant, avec un mouvement ondé vers les tempes, que le médecin de campa-
10 gne remarqua là pour la première fois de sa vie. Ses pommettes étaient roses. Elle portait, comme un homme, passé entre deux boutons de son corsage, un lorgnon d'écaille.

Gustave Flaubert, *Madame Bovary*, 1857.

10 **1. Lisez** la description du jardin qui fait suite au texte de l'activité (p. 202) : est-elle **méliorative** ou **péjorative** ? **Relevez** des mots ou expressions pour justifier votre réponse.
2. Imaginez que le narrateur revienne dix-huit mois plus tard et trouve le jardin transfiguré. **Écrivez** cette nouvelle description.

Puis, à l'entour, le vaste jardin était une dévastation, l'ancien parterre à peine reconnaissable sous la poussée des herbes folles, les allées disparues, mangées par les plantes voraces, les bosquets
5 transformés en forêts vierges, une végétation sauvage de cimetière abandonné dans l'ombre humide des grands arbres séculaires, dont le vent d'automne, ce jour-là, hurlant tristement sa plainte, emportait les dernières feuilles.

Émile Zola, *Angeline ou la maison hantée*, 1898.

ACTIVITÉ *J'observe...*

CHAPITRE PREMIER

Voyage d'un habitant du monde de l'étoile Sirius dans la planète de Saturne

Dans une de ces planètes qui tournent autour de l'étoile nommée Sirius, il y avait un jeune homme de beaucoup d'esprit, que j'ai eu l'honneur de connaître dans le dernier voyage qu'il fit sur notre petite fourmilière; il s'appelait Micromégas, nom qui convient fort à tous les grands. Il avait huit lieues de haut: j'entends, par huit lieues, vingt-quatre mille pas géométriques de cinq pieds chacun.

5   Quelques algébristes, gens toujours utiles au public, prendront sur-le-champ la plume, et trouveront que, puisque M. Micromégas, habitant du pays de Sirius, a de la tête aux pieds vingt-quatre mille pas, qui font cent vingt mille pieds de roi, et que nous autres, citoyens de la terre, nous n'avons guère que cinq pieds,
10 et que notre globe a neuf mille lieues de tour; ils trouveront, dis-je, qu'il faut absolument que le globe qui l'a produit ait au juste vingt et un millions six cent mille fois plus de circonférence que notre petite terre.

Voltaire, Micromégas, 1752.

Lithographie
de Luis Darocha, extraite
de *Micromégas* de Voltaire
édité par l'association
de femmes bibliophiles
« les Cent Une », 2000.

1 **a.** Comment le personnage de Micromégas se caractérise-t-il physiquement?
b. Que signifient les mots *lieue*, *pas* et *pied* dans la phrase surlignée en orange?
Cherchez dans un dictionnaire.
c. Calculez la taille du personnage.

2 Pour chacun des termes *lieue*, *pas* et *pied*, trouvez à l'aide du dictionnaire:
– un autre sens du mot que celui du texte;
– une expression imagée contenant ce mot.

3 **a.** Que signifie l'expression *prendre la plume* (l. 6-7)?
b. Trouvez un synonyme de cette expression et récrivez la phrase.
c. Utilisez le mot *plume* dans une phrase où il aura un autre sens.

LEÇON

① Définition du champ sémantique

● Un mot peut avoir **plusieurs sens** : tous ces sens constituent son **champ sémantique**. Ils figurent dans la définition du dictionnaire.

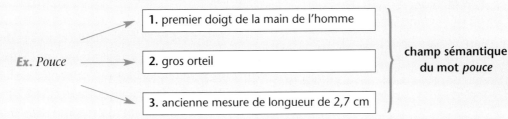

Ex. Pouce

1. premier doigt de la main de l'homme

2. gros orteil

3. ancienne mesure de longueur de 2,7 cm

} champ sémantique du mot *pouce*

● Le mot doit être observé dans son **contexte** pour comprendre quel sens il possède.

Ex. *Il s'était blessé au pouce* (= doigt) *de la main droite et sa joue présentait une cicatrice d'un pouce* (= unité de mesure) *et demi.*

② Les différents sens d'un mot

Sens propre	C'est le sens premier du mot.
	Ex. *pouce = le premier doigt de la main ou gros orteil.*

Sens figuré	C'est un sens imagé.
	Ex. *pouce = une ancienne mesure de longueur* (calculée sur la largeur du doigt).
	Il donne souvent lieu à des expressions.
	Ex. *manger sur le pouce = manger à la hâte.*

ATTENTION Le dictionnaire signale aussi un sens vieilli, technique, scientifique, familier ou argotique d'un mot.

Ex. *Loc. fam.* (= locution familière) : *se tourner les pouces* = rester sans rien faire.

UTILISER LE DICTIONNAIRE

LIEUE [ljø] **n. f.** – 1080 ; latin *leuca*, d'origine gauloise ■**1** Ancienne mesure itinéraire (env. 4 km). LOC. *À vingt, cent lieues à la ronde* : dans un large rayon. *Les bottes de sept lieues* (du Petit Poucet), qui permettaient de parcourir 7 lieues en une enjambée. *Être à cent* (à mille) *lieues de* (penser, imaginer qqch.) : être très loin de. *J'étais à cent lieues de le soupçonner.* ■**2** MAR. *Lieue marine* : vingtième partie du degré équinoxial qui vaut 3 milles marins ou 5 555,5 mètres. « *Vingt mille lieues sous les mers* », roman de J. Verne. ■ HOM. Lieu.

Petit Robert de la langue française, édition 2007.

▶ L'article du dictionnaire couvre tout le champ sémantique du mot :
– Le dictionnaire donne les différents sens d'un mot : ils sont numérotés en gras.
– Il précise aussi si le sens est figuré ou spécialisé : ici, le second sens appartient au vocabulaire de la marine.
– Il fournit enfin des expressions ou locutions qui utilisent le mot et les explique.

À vos marques !

1 **Vérifiez** que vous savez :
1. Constituer le **champ sémantique** d'un mot en repérant les différents sens de l'adjectif et du nom commun *fantastique*.

FANTASTIQUE [fãtastik] adj. et n. m. – XIVᵉ ; bas latin *phantasticus*, grec *phantastikos*, de *phantasia* → fantaisie, fantasque ■ **1** Qui est créé par l'imagination, qui n'existe pas dans la réalité. ➤ **fabuleux, imaginaire, irréel, mythique, surnaturel.** *Être, animal fantastique. « Nous vivions un grand roman de geste, dans la peau de personnages fantastiques »* CÉLINE. ◆ SPÉCIALT (1859) Où domine le surnaturel. *Histoire, conte, film fantastique. La « Symphonie fantastique », de Berlioz. « les tableaux fantastiques de Brueghel »* BAUDELAIRE. ■ **2** Qui paraît imaginaire, surnaturel. ➤ **bizarre, extraordinaire.** *« La fantastique beauté des Pyrénées, ces sites étranges »* MICHELET. ■ **3** (1833) COUR. Étonnant par son importance, par sa grandeur, etc. ➤ **énorme, étonnant, extravagant, formidable, incroyable, inouï, invraisemblable, sensationnel.** *Une réussite fantastique. Un luxe fantastique.* ◆ Excellent, remarquable. *Cette femme est absolument fantastique.* ➤ **épatant, formidable, génial, sensationnel.** *C'est vraiment fantastique !* ➤ FAM. 2 **super.** ■ **4** n. m. *Le fantastique :* ce qui est fantastique, irréel. *« Il me fallait le fantastique, le macabre »* BLOY. — (1859) Le genre fantastique dans les œuvres d'art, les ouvrages de l'esprit. *Le fantastique en littérature. « Tout le fantastique est rupture de l'ordre reconnu, irruption de l'inadmissible au sein de l'inaltérable légalité quotidienne »* CAILLOIS. ■ CONTR. Réel, vrai. Naturaliste, réaliste. Banal, ordinaire. Naturalisme, réalisme.

Petit Robert de la langue française, édition 2007.

2. Retrouvez le sens du mot dans le **contexte** d'une phrase.
a. Maupassant, Gautier, Villiers de l'Isle Adam, tous ces auteurs du XIXᵉ siècle ont exploité la veine du **fantastique**.
b. La mythologie grecque regorge de créatures **fantastiques** : le Minotaure, les gorgones, Cerbère…
c. J'ai vu hier soir un film vraiment **fantastique**. Il faut absolument que vous alliez le voir !
d. L'exposition ne désemplit pas. On fait la queue des heures pour la voir. C'est un succès **fantastique**.
e. Un volcan en éruption, des geysers d'eau brûlantes, des aurores boréales : la Terre nous offre des spectacles **fantastiques**.

2 **Constituez** le **champ sémantique** des mots suivants. (Aidez-vous du dictionnaire.)
a. *pièce.*
b. *frais.*
c. *sombre.*
d. *poli.*
e. *obscur.*
f. *culture.*
g. *démarche.*
h. *terrible.*

3 **1. Donnez** le sens des mots soulignés dans le texte suivant et **remplacez**-les par un **synonyme**.
2. Écrivez une phrase où chacun des mots étudiés aura **un autre sens**.

Le train traversait maintenant un paysage désolé de carrières abandonnées et de terres arides. Pierre, la gorge nouée par l'appréhension, n'y prêtait aucune attention. Il s'en fallut de peu
5 pour qu'il manque de descendre à la gare. Sa serviette sous le bras, il s'enfonça dans la ville : c'était une petite ville de province, une sous-préfecture riante et proprette. La municipalité y semait des jardinières avec prodigalité. Cet aspect coquet
10 lui donna du courage et c'est plein d'assurance qu'il poussa la porte de l'étude de notaire où il devait exercer son premier emploi.

> **Aide** Un **synonyme** est un mot de sens proche (→ CHAPITRE 24).

4 **Dites** si les mots soulignés sont employés au **sens propre** ou au **sens figuré**.
a. L'incendie gagnait du terrain et toute la colline maintenant s'embrasait.
b. Les premières notes de guitare embrasèrent la foule venue assister au concert.
c. Les gouttes de rosée accrochées aux herbes folles brillent dans le soleil matinal.
d. Victor Hugo perdit deux filles : l'une se noya et l'autre devint folle et mourut internée.
e. Ce jeune garnement ne brille ni par sa sagesse, ni par ses résultats scolaires.
f. Le matin, je me réveille difficilement : j'ai besoin d'un café fort pour émerger.
g. C'est la plus petite partie de l'iceberg qui émerge. La plus grosse partie se trouve sous le niveau de la mer.
h. La petite troupe suivit d'abord un chemin tortueux puis s'enfonça dans les bois.
i. L'idée qui l'avait d'abord effleuré fit son chemin, et le lendemain, il décida de mettre son plan diabolique à exécution.
j. Le jeune homme effleura le flanc du cheval qui tressaillit.
k. Le pré se trouve à cheval sur deux communes, à flanc de colline.

5 **Relevez** les mots du texte employés au sens figuré.

Le grand soleil de juillet tombait sur les ombrelles rouges, sur les toilettes claires, sur les visages joyeux, sur l'océan à peine remué par des ondulations. Quand on fut sorti du port, le petit bâtiment fit une courbe rapide, dirigeant son nez pointu sur la côte lointaine entrevue à travers la brume matinale.

À notre gauche s'ouvrait l'embouchure de la Seine, large de vingt kilomètres. De place en place les grosses bouées indiquaient les bancs de sable, et on reconnaissait au loin les eaux douces et bourbeuses du fleuve qui, ne se mêlant point à l'eau salée, dessinaient de grands rubans jaunes à travers l'immense nappe verte et pure de la pleine mer.

J'éprouve, aussitôt que je monte sur un bateau, le besoin de marcher de long en large, comme un marin qui fait le quart. Pourquoi ? Je n'en sais rien. Donc je me mis à circuler sur le pont à travers la foule des voyageurs.

Guy de Maupassant, Monsieur Parent,
« Découverte », 1884.

6 **Retrouvez** le sens propre des mots suivants dans le dictionnaire et **utilisez**-les dans une phrase de votre composition.

a. *glauque.*   **d.** *courrier.*
b. *formidable.*   **e.** *fureter.*
c. *charme.*   **f.** *fabuleux.*

7 **Trouvez** le sens figuré des noms d'animaux suivants.

a. *boa.*   **e.** *loup.*
b. *perroquet.*   **f.** *mouton.*
c. *poulet.*   **g.** *mouche.*
d. *canard.*   **h.** *vipère.*

8 **Déduisez** en fonction du contexte le sens qu'avaient autrefois les mots soulignés. (Au besoin, utilisez le dictionnaire.)

a. Alphonse se mit à genoux devant la comtesse et lui déclara sa <u>flamme</u>.
b. Son refus lui causa un <u>ennui</u> profond.
c. Il tomba malade et sa santé <u>débile</u> le tint au lit plusieurs mois.
d. Pour l'oublier il s'embarqua pour l'Amérique où il espérait que la <u>fortune</u> lui sourirait.
e. Le <u>commerce</u> des colons du nouveau monde lui redonna le goût de l'aventure.

Raoul Dufy (1877-1953), *La Plage de Sainte-Adresse*, 1902
(Musée national d'Art moderne
– Centre Georges Pompidou, Paris).

9 **Utilisez** ces mots dans deux phrases où ils auront un **sens différent** (ils changent de sens selon le niveau de langage).

a. *caisse.*   **e.** *manège.*
b. *pompe.*   **f.** *gueule.*
c. *trempe.*   **g.** *four.*
d. *gaffe.*   **h.** *bol.*

À vos plumes !

10 **1. Trouvez** un verbe courant synonyme de chacune de ces expressions.
2. Imaginez deux courts paragraphes qui reprendront une des phrases proposées :
– dans le premier paragraphe, l'expression sera prise au **sens figuré** ;
– dans le second, elle sera prise au **sens propre**.
(Vous pouvez modifier le sujet *il*).

a. Il dut faire des pieds et des mains pour obtenir ce qu'il convoitait.
b. Et c'est ainsi, qu'une fois de plus, il mit les pieds dans le plat.
c. Il jura que plus jamais il ne permettrait qu'on lui mît des bâtons dans les roues.
d. C'est avec l'énergie du désespoir qu'il se jeta dans la gueule du loup.
e. « Il ne faut pas vendre la peau de l'ours avant de l'avoir tué », déclara notre homme d'un ton sévère.
f. Une fois de plus, l'incorrigible bonhomme avait mis la charrue avant les bœufs.

Portraits mêlés

Tribunaux rustiques

La salle de la justice de paix de Gorgeville est pleine de paysans, qui attendent, immobiles le long des murs, l'ouverture de la séance.

Il y en a des grands et des petits, des gros rouges et des maigres qui ont l'air taillés dans une souche de pommiers. Ils ont posé par terre leurs paniers et ils restent
5 tranquilles, silencieux, préoccupés par leur affaire. Ils ont apporté avec eux des odeurs d'étable et de sueur, de lait aigre et de fumier. Des mouches bourdonnent sous le plafond blanc. On entend, par la porte ouverte, chanter les coqs.

Sur une sorte d'estrade s'étend une longue table couverte d'un tapis vert. Un vieux homme ridé écrit, assis à l'extrémité gauche. Un gendarme, raide sur sa chaise,
10 regarde en l'air à l'extrémité droite. [...]

M. le juge de paix entre enfin. Il est ventru, coloré, et il secoue, dans son pas rapide de gros homme pressé, sa grande robe noire de magistrat : il s'assied, pose sa toque sur la table et regarde l'assistance avec un air de profond mépris. [...]

Le greffier alors, levant son front chauve, bredouille d'une voix inintelligible :
15 « Madame Victoire Bascule contre Isidore Paturon. »

Une énorme femme s'avance, une dame de campagne, une dame de chef-lieu de canton, avec un chapeau à rubans, une chaîne de montre en feston sur le ventre, des bagues aux doigts et des boucles d'oreilles luisantes comme des chandelles allumées.

Le juge de paix la salue d'un coup d'œil de connaissance où perce une raillerie,
20 et dit :

« Madame Bascule, articulez vos griefs. »

La partie adverse se tient de l'autre côté. Elle est représentée par trois personnes. Au milieu, un jeune paysan de vingt-cinq ans, joufflu comme une pomme et rouge comme un coquelicot. À sa droite, sa femme toute jeune, maigre, petite, pareille à
25 une poule cayenne, avec une tête mince et plate que coiffe, comme une crête, un bonnet rose. Elle a un œil rond, étonné et colère, qui regarde de côté comme celui des volailles. À la gauche du garçon se tient son père, vieux homme courbé, dont le corps tortu disparaît dans sa blouse empesée, comme sous une cloche.

Guy de Maupassant, *Tribunaux rustiques*, 1884.

→ CHAPITRE 27 **Le vocabulaire du portrait**
→ CHAPITRE 28 **Les connotations**
→ CHAPITRE 29 **Le champ sémantique**

QUESTIONS

Un tribunal de campagne

1. Quelle est la forme de discours de l'extrait ? Justifiez votre réponse. (→ Aide 1)

2. Quels sont les personnages qui composent le tribunal ?

3. Relevez le champ lexical de la campagne. (→ Aide 2)

4. Quel est le sens du mot *affaire* dans le texte.
Faites une phrase où il aura un autre sens.

Une galerie de portraits

5. a. Repérez un passage où le narrateur dresse le portrait collectif des paysans.
b. Combien de portraits individuels dresse-t-il ensuite ?
Citez les personnages concernés.
c. Quel est l'intérêt de cette multiplication des portraits ?

6. Relevez deux expressions qui relèvent du portrait en action.

7. a. Dans le dernier paragraphe, quels indicateurs de lieu organisent les différents portraits ?
b. Quel est l'ordre adopté par le narrateur pour le portrait de la femme du paysan ? (→ Aide 3)

Le regard amusé du narrateur

8. a. Relevez les comparaisons qui imagent les portraits physiques du texte.
À quel champ lexical appartiennent-elles majoritairement ?
b. Laquelle est particulièrement péjorative ? Pourquoi ?

9. Trouvez deux adjectifs pour définir le personnage de Victoire Bascule.
Citez le texte pour justifiez votre choix.

10. *Il y en a des grands et des petits, des gros rouges et des maigres qui ont l'air taillés dans une souche de pommiers.* (l. 3-4)
a. À quelle classe grammaticale appartiennent d'habitude les mots soulignés ?
Et dans le texte ?
b. Sur quelle figure de style cette évocation du public repose-t-elle ? (→ Aide 4)

11. Relevez les termes péjoratifs se rapportant au juge, puis ceux associés au greffier. Quelle image le narrateur cherche-t-il à donner de la scène ?

Aide 1 Pour les **formes de discours**
(→ CHAPITRES 5 et 7).

Aide 2 Un **champ lexical** est l'ensemble des termes se rapportant à une même notion.
(→ CHAPITRE 26).

Aide 3 Pour les **indicateurs de lieu**
(→ CHAPITRE 6).

Aide 4 Pour les **figures de style** (→ CHAPITRE 25).

RÉÉCRITURE

▪ Récrivez le dernier paragraphe en inversant systématiquement le genre des personnages : *paysan* devient *paysanne*, *femme* devient *mari* et *père* devient *mère*. Faites les modifications orthographiques nécessaires.
Vous pourrez modifier le costume des personnages.

RÉDACTION

▪ Récrivez la scène en changeant de décor : elle se situe maintenant dans les beaux quartiers parisiens et le public, le plaignant et les accusés appartiennent à la bourgeoisie. Vous ferez toutes les modifications nécessaires : noms, caractéristiques physiques, costumes, réactions du juge…

Aide à la rédaction
Le sujet vous propose de récrire le texte en changeant le lieu. Pour vous aider, répondez aux questions suivantes :
Quel milieu social dois-je décrire ? Quels éléments du décor dois-je transformer ? Quels portraits dois-je récrire ?

30 L'orthographe et la formation des mots

Liste 1 : **régulier – réguler – régulariser – irrégulier – irrégulièrement – dérégler – réglette.**
a. Quel élément de base les mots ont-ils en commun ?
b. Précisez alors leurs préfixes et leurs suffixes.

Liste 2 : **front – chronologie.**
c. Quelle(s) lettre(s) muette(s) ces mots contiennent-ils ? Sachant qu'ils proviennent respectivement des mots *frontis* en latin et *chronos* en grec, que constatez-vous ?
d. Trouvez un mot de la famille de *front* vous aidant à l'orthographier correctement.

Liste 3 : **île – forêt.**
e. Quelle est la particularité orthographique de ces mots ? Sachant que le mot *île* provient du latin *insula* et que le mot *forêt* provient du bas latin *forestis*, que constatez-vous ?

LEÇON ▸ *Je retiens...*

❶ Les radicaux, les préfixes et les suffixes

● **En général**, les mots d'une même famille présentent la même particularité orthographique.
Ex. balle – ballon – déballer…

● La formation d'un mot par **préfixation** peut entraîner **une consonne double**.

Préfixe		Exemples
ad-	**ap-** devant *p*	*apporter*
	af- devant *f*	*affronter*
	as- devant *s*	*assoiffer*
	ac- devant *c*	*acclamer*

Préfixe		Exemples
in-	**im-** devant *m, b, p*	*immature*
	il- devant *l*	*illisible*
	ir- devant *r*	*irrégulier*

● La **suffixation** d'un mot en *-on* entraîne généralement le doublement du *n* :
Ex. exception → exceptionnel – raison → raisonnable – passion → passionné.

❷ Les lettres et les accents étymologiques

● Souvent **les lettres muettes à l'intérieur ou à la fin d'un mot** sont les vestiges d'un ancien mot latin (l'**étymon**). Un mot de la même famille peut aider à identifier cette lettre muette.

Ex. temps vient du latin *tempus* qui a donné *temporel, tempo, temporiser…*

● Les **graphies « ch / ph / rh / th / y »** se trouvent le plus souvent dans des **mots d'origine grecque**. Voici quelques exemples de préfixes et suffixes fréquents :

Préfixes	Exemples
ortho- (droit)	*orthopédie*
poly- (plusieurs)	*polygone*
chrono- (temps)	*chronomètre*

Suffixes	Exemples
-thèque (emplacement, coffre)	*médiathèque*
-graphe (écriture)	*orthographe*
-technique (art)	*polytechnique*

● La présence d'un **accent circonflexe** est parfois la **trace d'une lettre étymologique** qui a disparu : un *s*, présent en latin, que l'on retrouve dans certains dérivés.

Ex. hôpital → hospitaliser – hospitalité…

À vos marques !

1 **Vérifiez**, parmi les mots soulignés, que vous savez repérer ceux contenant :
– un **préfixe** ou un **suffixe** provoquant un doublement de consonne ;
– une **lettre muette**.

Le paysan a deux points d'appui : le champ qui le nourrit, le bois qui le cache.

Ce qu'étaient les forêts bretonnes, on se le figurerait difficilement ; c'étaient des villes. Rien de
5 plus sourd, de plus muet et de plus sauvage que ces inextricables enchevêtrements d'épines et de branchages ; ces vastes broussailles étaient des gîtes d'immobilité et de silence ; pas de solitude d'apparence plus morte et plus sépulcrale ; si l'on
10 eût pu, subitement et d'un seul coup pareil à l'éclair, couper les arbres, on eût brusquement vu dans cette ombre un fourmillement d'hommes.

Des puits ronds et étroits, masqués au-dehors par des couvercles de pierre et de branches, ver-
15 ticaux, puis horizontaux, s'élargissant sous terre en entonnoir, et aboutissant à des chambres ténébreuses, voilà ce que Cambyse trouva en Égypte et ce que Westermann trouva en Bretagne [...].

Cette vie souterraine était immémoriale en
20 Bretagne.

Victor Hugo, *Quatrevingt-Treize*, 1874.

2 **Identifiez** le **préfixe** et le **suffixe** des mots suivants.

déraisonnable – irréfléchi – arrangement – atterrir – insubmersible – immortel – attendrir – inondation – irresponsable – inoccupé – déboutonner – opposant – supportable – allumette.

3 Pour chacun des mots suivants, **trouvez deux mots de la même famille** contenant un préfixe et/ou un suffixe.

Ex. *son* → *sonneur / sonnette / sonate / résonance / sonore / consonance / résonner.*

battre – honneur – nom – trappe – souffle – tonner – souffrir – don – appeler – homme – nul.

> **Aide** Certaines familles de mots comportent parfois des variations orthographiques. L'Académie française a proposé d'en rectifier certaines. Elle recommande ainsi d'écrire *chariot* comme *charrette*, donc *charriot.*

4 Dans chacune des séries suivantes, **regroupez** les mots en **familles**.

a. *pinède, pain, pin, pacification, panification, paix.*

b. *affamer, fin, granulé, finale, faim, grain.*

c. *planification, plant, cognassier, plan, planter, coing.*

d. *rénale, digitale, doigt, rein.*

e. *vin, vanité, vain, vinification.*

5 **Trouvez** les **adjectifs** contenant le **préfixe négatif** *in*- qui correspondent aux définitions suivantes.

a. *que l'on ne peut toucher (palper).*

b. *que l'on ne peut admettre.*

c. *qui ne connaît pas ses lettres.*

d. *qui n'est pas régulier.*

e. *que l'on ne peut boire.*

f. *qui n'est pas légal.*

g. *qui ne respecte pas.*

h. *qui n'est pas mature.*

i. *qui n'est pas réel.*

j. *qui n'est pas lisible.*

k. *qui ne bouge pas.*

l. *que l'on ne peut accepter.*

6 **Donnez** le **verbe** contenant le **préfixe** *ad*- qui correspond aux définitions suivantes.

a. *rendre plus pauvre.*

b. *rendre plus souple.*

c. *rendre plus tendre.*

d. *rendre plus rond.*

e. *rendre plus sage.*

f. *rendre plus fin.*

g. *rendre plus long.*

h. *rendre plus grave.*

i. *rendre sourd.*

j. *rendre plus faible.*

k. *être en compagnie de.*

l. *porter vers.*

7 **Complétez** ces mots par **une** ou **deux consonnes**.

b/bb : a....aisser, a....aye.

c/cc : a....ompagner, a....ajou, a....limater, a....lamer, a....robate.

g/gg : a....loméré, a....ression, a....ravation.

l/ll : co....ocataire, co....aborer, co....ection, co....onie, sy....abe, sy....ogisme.

m/mm : i....aginer, co....ettre, a....ollir, a....aigrir, i....anquable, i....odéré, a....ener, e....agasiner.

n/nn : i....ommable, e....uager, e....ivrer, a....ormal, a....alphabète, a....oter, i....animé.

p/pp : a....ercevoir, a....lanir, a....liqué, a....orter, su....lique, ré....ique, su....ression, o....oser, a....itoyer.

r/rr : a....ôme, a....ondir, a....anger, co....uption, co....espondre.

t/tt : a....errir, a....ention, a....elier, a....endrir, a....énuer.

8 **Formez**, sur les adjectifs suivants, l'**adverbe en** *-ment* qui correspond.

sourd – intelligent – profond – prudent – bruyant – éperdu – pesant – fier – gracieux – familier – naturel – assidu – indifférent – impatient – hardi.

> **Aide** • En général, l'adverbe se forme sur l'adjectif, mis au féminin, auquel on ajoute le suffixe adverbial *-ment* (*heureux → heureuse → heureusement*), à l'exception des adjectifs terminés par une voyelle qui forment leur adverbe sur le masculin.
> *Ex. poli → poliment.*
> • Les adjectifs en *-ant* et *-ent* ont respectivement un adverbe en *-amment* et *-emment*.
> *Ex. savant → savamment ; apparent → apparemment.*

9 **Donnez** les **adjectifs** qui correspondent aux noms suivants.

sang – mois – forêt – pied – main – instinct – mort – sirop – front – hasard.

10 **Trouvez** l'**intrus** dans les listes suivantes pour repérer les faux amis.

a. *lard/larder – cauchemar/cauchemarder – dard/darder.*

b. *bris/briser – lit/aliter – abri/abriter.*

11 **1. Retrouvez** le mot qui a servi de **base** à la formation des mots suivants.
2. Entourez la (ou les) **consonne(s) muette(s) finale(s)**.

pulsation – réciter – poignée – regarder – tapissier – puisatier – débuter – bancal – débarrasser – drapier – dentiste – respecter – matelasser – comploter – mépriser – biaiser – fusiller – cacheter – persiller.

12 **Complétez** les noms suivants avec la **consonne muette finale** qui convient et **justifiez**-la en donnant un **mot dérivé.**

a. *outi.... – rabo.... – univer.... – bra.... .*

b. *maqui.... – écri.... – plom.... – concer.... .*

c. *clima.... – segmen.... – accro.... – paradi.... .*

d. *bour.... – ven.... – spor.... – refu.... .*

13 **Complétez**, s'il y a lieu, par une **lettre muette.**

Si j'ai éprouvé des moments d'ent....ousiasme, c'est à l'ar.... que je les dois ; et cependant quelle vanit....é que l'ar.... ! Vouloir peindre l'....omme dans un bloc de pierre ou l'âme dans des mo....s,
5 les sentimen....s par des son....s et la nature sur une toile vernie...

Je ne sais quelle puissance magique possède la musique ; j'ai rêvé des semaines entières au ryt....me cadencé d'un air ou aux larges contours
10 d'un c....œur majestueux ; il y a des son....s qui m'entrent dans l'âme et des voi.... qui me fondent en délices. J'aimais l'orc....estre grondant, avec ses flo....s d'....armonie, ses vibrations sonores et cette vigueur immense qui semble
15 avoir des muscles et qui meurt au bou.... de l'archet ; mon âme suivait la mél....odie déployant ses ailes vers l'infini et montant en sp....irales, pure et lente, comme un parfum vers le ciel.

D'après Gustave Flaubert, *Mémoires d'un fou*, 1838.

14 **Aidez Véronique à corriger sa dictée.**

Un lour silence s'abatit. Jocelyn, le regar fixe, essayait de trouver une solution. Une pensée s'échapa dans un murmure :
– Il nous faut de l'argen, à tout pris.
Dans l'après-midi de ce triste jour, Jocelyn vagabondait au hasar des ruelles, le regar à l'afu d'une idée, une occasion de trouver de quoi survivre. Quand soudin, au détour d'une rue, il évita de justesse un carosse orné de moulures dorées et d'armoiries surmontées d'une courone d'or. La voiture s'imobilisa. Sans réffléchir, Jocelyn bondit sur le marchepié, écarta le rideau de la fenêtre, passa le haut du cor dans l'abitacle et s'écria :
– Une pièce d'or et vous sauverez deux bons crétiens !

D'après Arthur Ténor, *Jeux de surprises à la cour du Roi-Soleil*, © Folio Junior, Gallimard Jeunesse.

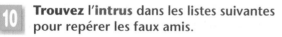

15 **Retrouvez** les **mots issus du grec** qui correspondent aux définitions de maladies suivantes. (Aidez-vous d'un dictionnaire.)

a. *le nez qui coule (rhino-:* nez*).*

b. *un mal de tête (céphalê-:* tête*).*

c. *un mal de gorge (pharunx:* gosier*).*

d. *une affection des yeux (ophtalmo-:* œil*).*

e. *une inflammation des oreilles (oto-:* oreille*).*

f. *un mal d'estomac (gastro-:* estomac*).*

g. *une maladie de peau (derma-:* peau*).*

h. *un écoulement de sang (hémo-:* sang*).*

─────── **R É É C R I T U R E** ───────

16 **Récrivez** le texte suivant en remplaçant *cette bâtisse* par *ce bâtiment*. **Faites toutes les transformations nécessaires.**

On sentait que cette bâtisse difforme avait été construite par l'homme, tant elle était laide, mesquine et petite. Peinte en rouge à la base, elle était formée d'un tréteau ayant pour pieds quatre
5 poteaux en bois totalement immobiles. Blanche aux extrémités, irrégulière dans son aspect, elle paraissait, malgré tout, longue, illimitée et imposante au spectateur. Illuminée de toutes parts, elle permettait à l'acteur de se mettre en valeur.

Dictée préparée

18 **1. Cherchez** des mots dérivés permettant de retenir la graphie (en gras) des mots suivants: *épais, gros, mort, lent, blancs, croissant, sur-humaine.*
2. Expliquez la **formation** des mots suivants: *bouffonnes, irrésistiblement, engraisser, déformations.*
3. Observez et **expliquez** les autres **difficultés** de la dictée.

Accords	*ces êtres énormes – les cheveux blancs – tous les êtres – les déformations... devenaient... risibles, cocasses...*
Confusions verbales (-é / -er)	*s'amuser – se montrer – à l'engraisser – à l'enluminer... / il a changé*
Homophones (c' / s', la / là, tant / temps)	*C'était / s'amuser la gueuse / celui-là tant il était devenu*
Mots à retenir	*soufflant – des gaietés – des perfidies – destruction – affaissement – frisson – cocasses – pitoyables*

17 **Orthographiez** les mots entre parenthèses comme il convient.

Pendant l'une de ses promenades en bord de Seine, le narrateur est abordé par un inconnu.

Je me levai et le suivis à l'autre bout du (b....teau): « Monsieur, reprit-il, quand l'(....iver) approche avec les (froi....s), la pluie et la neige, votre médecin vous dit chaque jour: "Tenez-vous
5 les (pie....s) bien (chau....s), gardez-vous des (re....roidissements), des (r....umes), des bronchites, des pleurésies." Alors vous prenez mille précautions, vous portez de la flanelle, des pardessus (épai....), des gros souliers, ce qui ne vous
10 empêche pas toujours de passer deux mois au (li....). Mais quand revient le (printem....) avec ses feuilles et ses fleurs, ses brises chaudes et (a....ollissantes), ses (ex....alaisons) des (cham....s) qui vous (a....ortent) des troubles vagues, des (a....endris-
15 sements) sans cause, il n'est personne qui vienne vous dire: "Monsieur, prenez garde à l'amour! Il est embusqué partout; il vous (gue....e) à tous les coins [...]. Il ne (pardo....e) pas, et fait (co....ettre) à tout le monde des bêtises (i....éparables)." »

D'après Guy de Maupassant, *La Maison Tellier*, « Au printemps », 1881.

Toine, en effet, était surprenant à voir, tant il était devenu **épais** et **gros**, rouge et soufflant. C'était un de ces êtres énormes sur qui la **mort** semble s'amuser, avec des ruses, des gaietés et
5 des perfidies bouffonnes, rendant irrésistiblement comique son travail **lent** de destruction. Au lieu de se montrer comme elle fait chez les autres, la gueuse[1], de se montrer dans les cheveux **blancs**, dans la maigreur, dans les rides,
10 dans l'affaissement **croissant** qui fait dire avec un frisson: « Bigre! comme il a changé! » elle prenait plaisir à l'engraisser, celui-là, à le faire monstrueux et drôle, à l'enluminer[2] de rouge et de bleu, à le souffler, à lui donner l'apparence
15 d'une santé **surhumaine**; et les déformations qu'elle inflige à tous les êtres devenaient chez lui risibles, cocasses, divertissantes, au lieu d'être sinistres et pitoyables.

Guy de Maupassant, *Toine*, 1886.

1. *gueuse*: misérable.
2. *enluminer*: colorer vivement.

Tu m'as prêté un disque. Je te l'ai rendu hier. Les chansons m'ont plu. C'est un CD deux titres. Je t'ai remercié.

a. Classez les phrases selon qu'elles contiennent le verbe *avoir* ou le verbe *être*.
b. Pour chaque forme en bleu, trouvez trois homophones (mots ayant la même prononciation).

LEÇON — *Je retiens...*

1 Les homophones du verbe *avoir*

Verbe *avoir*	Autres formes
(il) a – (tu) as (verbe *avoir* au présent) → on peut le remplacer par il *avait* – tu *avais*	*à* (préposition) → se trouve **devant un GN ou un infinitif**
(ils) ont → on peut le remplacer par ils *avaient*	*on* (pronom personnel) → on peut le remplacer par *il*
m'a – t'a (pronom personnel + verbe *avoir*) → peut se remplacer par *m'avait – t'avait* *m'ont – t'ont* (pronom personnel + verbe *avoir*) → on peut le remplacer par *m'avaient – t'avaient*	*ma – ta* (déterminant possessif) = *la mienne – la tienne* *mon – ton* (déterminant possessif) = *le mien – le tien*
l'a (pronom personnel + verbe *avoir*) → on peut le remplacer par *l'avait*	*la* (article défini) → se trouve **devant un nom** *la* (pronom personnel) → **remplace un nom** *là* (adverbe) → on peut le remplacer par *ici*

2 Les homophones du verbe *être*

Verbe *être*	Autres formes
(ils) sont (verbe *être* au présent)	*son* (déterminant possessif) = *le sien*
c'est (pronom démonstratif + verbe *être*) → on peut le remplacer par **cela était** *s'est* (pronom personnel + verbe *être*) → on peut le remplacer par *s'était*	*ces* (déterminant démonstratif) = *ceux-là, celles-là* *ses* (déterminant possessif) = *les siens* *(je / tu) sais – (il) sait* (verbe *savoir* au présent) → peut se remplacer par *je / tu savais – il savait*
(il) m'est (pronom personnel + verbe *être*) → on peut le remplacer par *s'était*	*mes* (déterminant possessif) = *les miens – les miennes* *mais* (conjonction de coordination) *(il) met – (je / tu) mets* (verbe *mettre* au présent)

3 Les confusions entre *être* et *avoir*

Verbe *avoir*	Verbe *être*	Autres formes
(j')ai (verbe *avoir* au présent) → peut se remplacer par *j'avais*	*(il) est – (tu) es* (verbe *être* au présent) → peut se remplacer par *il était, tu étais*	*et* (conjonction de coordination) → on peut le remplacer par *et puis*
(je) t'ai – (je) l'ai (pronom personnel + verbe *avoir*) → peut se remplacer par *t'avais – l'avais*	*(il) t'est – (tu) t'es / l'est – l'es* (pronom personnel + verbe *être*) → on peut le remplacer par *t'était – t'étais / l'était – l'étais*	*les* (article défini) → se trouve **devant un nom** *les* (pronom personnel) → **remplace un nom** *tes* (déterminant possessif) = *les tiens – les tiennes*

EXERCICES J'applique...

À vos marques !

1 **Vérifiez** que vous savez repérer :
– les différentes formes d'*être* et *avoir* ;
– leurs **homophones**.

Ma chère maman,

Merci de votre lettre. Elle m'a fait si grand plaisir. (Je ne sais plus écrire car j'ai une plume de stylo neuve qui ne s'est pas encore habituée à
5 mon écriture. J'ai cassé l'autre.) Excusez ces pattes de mouche.

Je vais bien, seulement je suis fatigué et je vais me reposer huit jours au Mans.

> Antoine de Saint-Exupéry, « Ma chère Maman »,
> in *Lettres d'écrivains*, © Gallimard, 2002.

2 **Choisissez** la **forme** qui convient parmi celles proposées entre parenthèses.

Le narrateur évoque, à la deuxième personne, la vie d'une enfant à la campagne au début du XXe siècle.

Tu (*est/ai/es/et*) l'aînée (*est/ai/es/et*) c'est toi qui t'occupes d'elles. Le plus souvent, la mère (*est/ai/es/et*) dehors, dans les champs, (*a/à*) travailler avec le père. Toi, rivée à la maison, très
5 tôt astreinte aux soins du ménage, aux multiples tâches liées (*a/à*) la vie de la ferme.

L'hiver venu, dans la petite usine d'un village proche la mère (*est/ai/es/et*) employée (*a/à*) monter des horloges. Quatre kilomètres le matin,
10 (*est/ai/es/et*) le soir, autant pour le retour. (*A/À*) pied. Presque toujours dans le froid, le brouillard (*est/ai/es/et*) la neige.

Le bruit de la lourde porte en bois massif, volontairement claquée, (*a/à*) charge de te tirer
15 du sommeil. Encore une demi-heure (*a/à*) paresser (*est/ai/es/et*) combien tu la savoures.

> D'après Charles Juliet, *Lambeaux*, © POL éditeur, 1995.

3 **Imaginez** une phrase contenant toutes les **formes** proposées.

a. *m'a – mais – t'a.*
b. *s'est – ses – met.*
c. *mon – ma – m'a.*
d. *m'ai – m'ont – mes.*
e. *t'es – et – t'as – ton.*
f. *l'ai – les – l'est.*

FRANÇAIS → MATHS

4 **Complétez** les problèmes suivants par *ont* / *on* ou *son* / *sont*.

a. Christina et Carole .... passionnées d'Internet. Au cours du mois de janvier elles se .... connectées pendant le même nombre d'heures. À la fin du mois de février Christina a doublé .... temps de connexion par rapport au mois précédent et Carole a augmenté .... temps de connexion de 6 heures. Elles arrivent encore au même nombre d'heure de connexion. Quel est leur nombre d'heures de connexion en janvier ?

b. À un examen les épreuves .... les coefficients suivants : 5 pour les arts plastiques, 3 pour le français et 2 pour les mathématiques. .... doit obtenir une moyenne au moins égale à 10 pour être reçu.
Aurélie a eu 12 en arts plastiques, 10 en français et 6 en mathématiques. Ces notes ....-elles suffisantes pour qu'elle réussisse .... examen ?

> D'après *Triangle 4e*, © Hatier, 2002.

5 **Complétez** les phrases suivantes par la forme qui convient : *la* / *l'a* / *là*.

a. .... rumeur court que cet automne -.... la grippe sévit à l'opéra. Même le grand ténor .... .

b. Derrière .... scène, les chanteurs enfiévrés se chauffent .... voix.

c. Sur scène, ... cantatrice qui .... attrapée la veille se met à chanter d'un air las.

d. Çà et .... des spectateurs éternuent couvrant ses « lalala ».

e. À .... fin du spectacle, ... salle .... quand même applaudie du bout des doigts.

f. Personne n'oubliera ce récital -.... !

g. .... presse s'est saisie de l'affaire : elle .... relatée en détails dans les journaux du lendemain.

Aide Le déterminant démonstratif peut être renforcé par les adverbes *-ci* ou *-là* (→ CHAPITRE 12).
Ex. Ce jour-là ; ces jours-ci.

6 **Complétez** le texte suivant par la forme qui convient : *mes / m'est / met(s) / mais*.

Quand Zébulon .... apparu pour la première fois, je n'en ai pas cru .... yeux : il n'avait pas l'allure d'un chien .... d'une pauvre créature misérable et famélique aux poils collés de boue.

5 – Que fais-tu Jacques ? s'est exclamée ma mère
– Je .... des croquettes dans l'écuelle, a répondu mon père, il .... rarement arrivé de voir une bête aussi affamée.

– Que les choses soient claires, annonça ma 10 mère, nous l'hébergeons pour cette nuit, ... il est hors de question que nous le gardions. Et gare à toi s'il .... des poils plein .... tapis !

Zébulon .... maman dans tous ses états depuis près de quinze ans pour le plus grand bonheur 15 de .... sœurs, mon père et moi.

7 **Complétez** les phrases suivantes par la forme qui convient : *ses / ces / c'est / s'est / sait / sais*.

a. .... au XVIIᵉ siècle, au théâtre que .... illustré le grand Molière.

b. .... parents veulent qu'il soit tapissier.

c. Son grand père qui l'emmène souvent au théâtre .... que le jeune garçon .... choisi une autre voie.

d. .... débuts sont difficiles : .... la faillite de l'Illustre théâtre qu'il dirige.

e. Il part alors en province. .... années de voyage vont forger son expérience.

f. Il .... entouré d'une troupe et revient à Paris présenter .... créations.

g. .... alors qu'il connaît enfin le succès.

h. .... comédies sont encore jouées aujourd'hui pour le plaisir de tous.

i. Comme beaucoup de collégiens je connais ses pièces les plus illustres et je .... même une scène de *L'Avare* par cœur.

8 **Complétez** les phrases suivantes par la forme qui convient : *tes / t'es / t'est / t'ai*.

a. Je .... couru après et tu .... sauvé !

b. Dans ta course, tu as perdu .... clés.

c. Tu as trébuché et tu .... éraflé les genoux.

d. Tu .... mis à pleurer et je .... consolé.

e. Heureusement, il ne .... pas venu à l'esprit de te venger !

f. Je .... aidé à te relever, puis je .... demandé pardon.

RÉÉCRITURE

9 **1. Récrivez** le texte à la **2ᵉ personne** du singulier.
2. Repérez dans le texte obtenu les formes d'*avoir* et *être* en les soulignant.
3. Repérez tous les **homophones** possibles de ces deux verbes.

Le narrateur est un esclave qui vient d'être affranchi.

Cet homme bienveillant m'a manifesté beaucoup d'affection. Il était désolé que je m'en aille. Il m'a pressé de rester aux Caraïbes. J'y avais bonne réputation, j'y réussirais, j'aurais bientôt des terres et des esclaves à moi.

5 Je l'ai remercié pour ses conseils et son amitié, mais je brûlais d'envie de retourner à Londres. Je lui ai demandé une lettre de références qu'il m'a écrite immédiatement, en louant mon honnêteté et mon ardeur au travail. [...] Le 26 juil- 10 let 1767, je suis monté à bord de l'*Andromaque*.

Olaudah Equiano, *Le Prince esclave*, adapt. A. Cameron, trad. A. Bataille, © Ann Cameron, 1995, © Rageot, 2002.

10 **Replacez** les formes **homophones** proposées dans le poème.

Liste : *ces* (2 fois) – *c'est* (2 fois) – *sait* – *sont* (2 fois) – *son* – *est* (2 fois) – *et*.

À Jeanne

❶ .... lieux **❷** .... purs ; tu les complètes.
Ce bois, loin des sentiers battus,
Semble avoir fait des violettes,
Jeanne, avec toutes tes vertus.

5 L'aurore ressemble à ton âge ;
Jeanne, il existe sous les cieux
On ne **❸** .... quel doux voisinage
Des bons cœurs avec les beaux lieux.
Tout ce vallon **❹** .... une fête
10 Qui t'offre **❺** .... humble bonheur ;
❻ .... un nimbe¹ autour de ta tête ;
❼ .... un éden² en ton honneur.

Tout ce qui t'approche désire
Se faire regarder par toi,
15 Sachant que ta chanson, ton rire,
❽ .... ton front, **❾** .... de bonne foi.

Ô Jeanne, ta douceur **❿** .... telle
Qu'en errant dans **⓫** .... bois bénis,
Elle fait dresser devant elle
20 Les petites têtes des nids.

D'après Victor Hugo, *Chansons des rues et des bois*, 1859.

1. *nimbe* : auréole. 2. *éden* : paradis.

11 **Récrivez** ces phrases au **système temps présent**. **Soulignez** les **homophones** dans les phrases obtenues.

a. La petite fille s'empara de la poupée. Elle la serrait de toutes ses forces. Elle l'avait trouvée sur un banc, là, abandonnée par quelque autre enfant.

b. Il m'était impossible de voir l'extérieur par la petite fenêtre de ma chambre. Alors je mis une chaise dessous, grimpai et me hissai à la force de mes bras. Je parvins à me glisser et à regarder au dehors, mais la hauteur du mur m'appris que toute tentative d'évasion m'était interdite.

c. C'était un vieil homme à barbe blanche. Ses yeux bleus brillaient derrière ses lunettes. Il s'était procuré de vieux livres dans ces boutiques qui font commerce d'ouvrages anciens et s'était mis en tête d'écrire l'histoire des indiens d'Amérique. Il savait le nom de toutes les nations indiennes et possédait une véritable coiffe de chef sioux.

> **Aide** Pour la conjugaison des verbes au **système temps présent**, le temps de base est le **présent**, les actions antérieures sont au **passé composé** (et à l'**imparfait**) et les actions postérieures au **futur simple** (→ CHAPITRE 3).

12 Aidez Damien à **corriger** sa **dictée**.

Tu as confondu des formes homophones dans ta dictée (12 fautes).

Le climat écossais ai changeant. Dans cette île[1], le soleil brille, puis soudain, ses la pluie ! A l'a fin du XIXᵉ siècle, des médecins on mis au point un traitement. Il consistait a projeter sur les patients un jet d'eau très chaude, puis très froide, puis très chaude, etc. En songeant au ciel britannique, ils l'on baptisé « la douche écossaise ». Ce traitement et aussi vivifiant… que désagréable. Et ces ce qu'ont a retenu dans l'expression « douche écossaise », car quelqu'un qui change sans cesse d'humeur, s'est tout aussi pénible : ne dit-ont pas de lui qu'il souffle le chaud est le froid ?

D'après *Géo Ado*, « Ces expressions qui font voyager », Jean-Marie Bretagne, n° 44, juillet-août 2006.

1. L'Écosse ne constitue pas une île à elle seule : c'est une partie de l'île de Grande-Bretagne avec le Pays de Galles et l'Angleterre.

Dictée préparée

13 **1. Relevez** les formes du verbe *avoir*.
2. Repérez les **homophones** des verbes *avoir* et *être*.
3. Observez et **expliquez** les autres **difficultés** de la dictée.

Accords	*des affaires étrangères –* *Ma situation n'est pas gaie*
Confusions verbales	*J'ai été arrêté – on m'a ramené –* *empilé avec des prisonniers*
Autres homophones	*où*
Mots à retenir	*dépôt – cellule*

8 juin 1871[1]

[…] J'ai été arrêté cette nuit à 11 h. On m'a conduit au Ministère des affaires étrangères, puis on m'a ramené au dépôt à minuit. J'ai couché dans un couloir, empilé avec des prisonniers, et
5 maintenant je suis dans une cellule, n° 24. Je pense être conduit à Versailles bientôt. […]

PS : Ma situation n'est pas gaie. Voilà où mène le cœur.

Gustave Courbet, cité dans *Lettres de peintres*, © Messidor, 1991.

1. Gustave Courbet, peintre, est arrêté alors qu'il participe à la Commune.

Recopiez ce tableau et cochez les cases selon le(s) rôle(s) que jouent les mots en gras.
Plusieurs solutions sont possibles.

	accompagne un nom	remplace un nom	fait partie du verbe pronominal	s'accorde en genre et en nombre	reste invariable
Ce roman les *passionne.*					
Il se *lit vite.*					
Il leur *a plu.*					
Ils ont prêté leurs *livres.*					
Tous *les élèves l'ont lu.*					
Ils ont tout *relu.*					
Elle est tout *émue.*					

LEÇON *Je retiens...*

① Les homophonies pronom/déterminant : *ce*, *se* et *leur*

Pronom (→ CHAPITRE 12)	**Déterminant** (→ CHAPITRE 23)
ce (pronom démonstratif) → généralement devant un verbe. Il est souvent élidé en *c'* *se* (pronom personnel réfléchi) → devant un verbe pronominal	*ce* (déterminant démonstratif) → devant un nom **ASTUCE** *ce* devient *ces* quand on met le nom au pluriel.
Ex. *Ce lion* se *lèche les babines.* Ce *doit être parce qu'il a vu une gazelle.*	
leur (pronom personnel) → remplace un nom. Il ne prend jamais de *s* et se place devant un verbe.	*leur(s)* (déterminant possessif) → devant un nom (= le leur) **ATTENTION** *leur* est au pluriel quand le nom est au pluriel, c'est-à-dire quand chaque possesseur possède plusieurs éléments déterminés. *Ex. Ils écoutent battre leur cœur.* (chacun n'a qu'un cœur) *Ils regardent leurs pieds.* (chacun a deux pieds)
Ex. Leur *professeur* leur *explique* leurs *fautes.*	

② Le mot *tout*

Pronom indéfini	**Déterminant indéfini**	**Adverbe**
tout – tous – toutes → remplace un nom	*tout (le) – toute (la) –* *tous (les) – toutes (les)* → devant un nom	*tout* → = entièrement, très. **ATTENTION** *tout* adverbe devrait être invariable ; mais pour des raisons de sonorités, on accorde *tout* devant un adjectif féminin commençant par une consonne ou un *h* aspiré. *Ex. Elle est tout orange.* *Elle est toute bleue.* *Elles sont toutes bleues.*
Ex. Tous *les élèves sont* tout *contents : ils ont* tous *la moyenne au contrôle.*		

À vos marques !

1 **Vérifiez** que vous savez distinguer :
– *ce* déterminant, *ce* pronom démonstratif et *se* pronom personnel réfléchi ;
– *leur(s)* déterminant possessif et *leur* pronom personnel ;
– *tout, tous, toute, toutes*, déterminant, pronom indéfini ou adverbe.

a. L'homme se découvrit à la lueur du réverbère malgré ce brouillard.

b. Leur maître leur montre une carte d'Europe.

c. Toute vérité n'est pas bonne à dire.

d. Tous les hommes sont égaux et ont tous le droit d'être instruits.

e. Elle s'approcha de moi tout émue.

2 **Justifiez l'emploi** de *se* ou *s'* en écrivant l'infinitif du verbe pronominal entre parenthèses.
Justifiez l'emploi de *ce* en relevant le nom que le déterminant accompagne ou le(s) terme(s) que le pronom remplace.

a. *Dracula* fait partie de .... genre de roman qui .... lit toujours avec plaisir.

b. Les frissons .... emparent de nous dès qu'on .... plonge dans la lecture de .... roman.

c. Le narrateur Jonathan Harker est .... type de personnage de littérature naïf qui .... retrouve malgré lui au cœur de l'épouvante.

d. Il est impossible qu'il .... en sorte sans .... perdre dans la folie.

e. Il .... confie dans un journal et dit .... qu'il a vécu et .... qu'il a surmonté.

f. Le narrateur reste prisonnier dans .... fameux château dont personne ne .... évade.

g. .... que j'ai préféré dans le roman sont les scènes où Dracula .... métamorphose en loup ou en chauve-souris.

3 **Choisissez** le terme qui convient : *ce/se/s'*.

Ménalque descend son escalier, ouvre sa porte pour sortir, il la referme : il (*s'/c'*) aperçoit qu'il est en bonnet de nuit ; et venant à mieux (*s'/c'*) examiner, il (*se/ce*) trouve rasé à moitié [...]. S'il marche
5 dans les places, il (*se/ce*) sent tout d'un coup rudement frappé à l'estomac ou au visage ; il ne soupçonne point (*se/ce*) que (*se/ce*) peut être, jusqu'à (*se/ce*) qu'ouvrant les yeux et (*se/ce*) réveillant, il (*se/ce*) trouve ou devant un limon
10 de charrette [...].

D'après Jean de La Bruyère, *Les Caractères*,
« De l'homme », 1688.

4 **Précisez** si *leur* est **pronom personnel** ou bien **déterminant possessif**. Vous relèverez le nom qui suit le déterminant possessif ou le mot que remplace le pronom personnel.

a. Les peintres cubistes ont eu **leur** heure de gloire au tournant du siècle.

b. Paul Cézanne, Georges Braque et Picasso **leur** permettent d'ouvrir une nouvelle voie.

c. **Leurs** toiles ne reflètent plus la réalité.

d. **Leurs** formes sont géométriques, **leurs** volumes simplifiés, **leurs** couleurs peu chatoyantes.

e. À l'époque, peu de personnes **leur** font confiance, rejetant **leurs** œuvres.

f. **Leur** inspiration **leur** vient entre autre, de l'art africain.

g. De nombreux musées aujourd'hui **leur** consacrent pourtant des rétrospectives.

> **Aide** Quand *leur* est pronom personnel, on peut le remplacer par *lui* (pronom de la 3e personne du singulier). Il ne prend jamais de *-s*.
> Ex. *Il **leur** parle* → *Il **lui** parle*.

5 **Complétez** les phrases avec *leur* ou *leurs* et **précisez** s'il s'agit d'un **pronom personnel** ou d'un **déterminant**.

a. .... rêve est enfin devenu réalité.

b. Ils partiront dans .... pays d'origine accompagné de .... parents adoptifs.

c. Ils retrouveront .... racines et feront connaissance avec la vie de .... ancêtres.

d. Il .... faudra du courage pour affronter .... vie passée.

e. La mairie .... offre une partie de .... voyage.

6 **Complétez** les phrases avec *leur* ou *leurs* et **choisissez** la bonne orthographe des mots entre parenthèses.

a. Les élèves de la 4ᵉ B ont décidé de chercher .... (*ancêtre/ancêtres*).

b. Les professeurs .... ont préparé de grands arbres généalogiques pour représenter .... (*famille/familles*).

c. .... (*tâche/tâches*) consiste à réunir le plus de membres de famille possible.

d. Cela ne .... est pas toujours facile car certaines branches de .... (*famille/familles*) .... sont inconnues.

e. Les mairies peuvent .... donner de précieux renseignements.

f. .... (*arbres généalogique/arbre généalogiques*), c'est aussi ce qui .... donne une identité.

7 **Complétez** les phrases suivantes avec le **déterminant indéfini** qui convient: *tout / tous / toute / toutes*.

a. Nous n'en sommes qu'aux .... premiers cartons mais j'ai déjà rangé .... mes affaires.

b. Cela m'a occupée .... la journée.

c. .... mes robes sont rangées, ... les boîtes de chaussures sont empilées.

d. Il ne me reste plus qu'à empaqueter .... mes vieilles poupées dont .... les habits sont délavés.

e. J'ai retrouvé .... mes jouets parmi .... ces vieilleries.

f. .... mon univers est là, dans .... ces cartons.

g. Quand .... le camion sera chargé, ... cet attirail partira pour notre nouvelle maison.

8 **Complétez** par *tout, tous, toute, toutes*, et **précisez** s'il s'agit d'un **adverbe**, d'un **déterminant indéfini** ou d'un **pronom indéfini**.

a. .... était calme ce matin-là. .... semblait dormir. .... les toits des maisons reflétaient la pâleur de la lune encore .... ronde.

b. J'avais veillé .... la nuit, ... émue de savoir que .... la maisonnée quitterait la petite ferme à l'aube.

c. .... était fini, nous partions .... pour une autre aventure.

d. Je devais dire adieu à .... cette campagne, à .... ces paysages que je connaissais par cœur, à .... les rivières dans lesquelles je me baignais.

e. .... cela me resterait en mémoire, je devais .... mémoriser pour garder encore dans mes rêves .... mon enfance.

9 **Complétez** le texte suivant par *tout, tous, toute* ou *toutes*.

Déclaration des droits de l'homme et du citoyen de 1789

ARTICLE IV – La liberté consiste à pouvoir faire .... ce qui ne nuit pas à autrui. [...]

ARTICLE V – [...] .... ce qui n'est pas défendu par la loi ne peut être empêché, et nul ne peut être contraint à faire ce qu'elle n'ordonne pas.

ARTICLE VI – La loi est l'expression de la volonté générale. .... les citoyens ont droit de concourir personnellement ou par leurs représentants à sa formation. Elle doit être la même pour ...., soit qu'elle protège, soit qu'elle punisse. .... les citoyens, étant égaux à ses yeux, sont également admissibles à .... dignités, places et emplois publics, selon leur capacité et sans autre distinction que celle de leurs vertus et de leurs talents.

ARTICLE VII – [...] mais .... citoyen appelé ou saisi en vertu de la loi doit obéir à l'instant; il se rend coupable par la résistance. [...]

ARTICLE IX – .... homme étant présumé innocent jusqu'à ce qu'il ait été déclaré coupable, s'il est jugé indispensable de l'arrêter, ... rigueur qui ne serait pas nécessaire pour s'assurer de sa personne doit être sévèrement réprimée par la loi. [...]

ARTICLE XVI – .... société dans laquelle la garantie des droits n'est pas assurée ni la séparation des pouvoirs déterminée, n'a point de Constitution.

10 **Aidez Hugo à corriger** son interrogation sur les **homophones**.

Attention aux homophones : 9 fautes

Ils se regroupèrent près du feu. Toutes la maisonnée s'endormait en écoutant le crépitement de flammes qui leurs rappelait que se feu ne s'éteignait jamais. Ils étaient tous fatigués de leur journée car ils avaient fait toute les moissons, mais ce soir-là, ils veilleraient pour célébrer, comme tout les ans, le changement des saisons. Ce soir-là, pour Flora, était exceptionnel. Elle devait leurs annoncer ses fiançailles. Elle prit une grande inspiration et ce lança. Ce qu'elle avait à leurs dire n'était pas chose facile : ce souvenaient-ils seulement de ce garçon ? Tous maintenant la regardaient car elle se leva soudain.

11 **Classez**, dans le tableau ci-dessous, les mots en gras des trois extraits (relevez, pour les déterminants, le nom qu'ils accompagnent).

Extrait 1

M. Trelawney, le docteur Livesey, et **tous** ces messieurs m'ayant demandé d'écrire **ce** que je sais de l'île au Trésor, du commencement à la fin, sans rien omettre, si **ce** n'est la position exacte
5 de l'île, et cela parce qu'il **s'**y trouve encore un trésor, je prends la plume en l'an de grâce 17..., et retourne à l'époque où mon père tenait l'auberge de l'Amiral-Benbow, et au jour où le vieux marin à la peau basanée et balafrée d'un coup de
10 sabre prit pour la première fois logement sous notre toit.

Extrait 2

Ses histoires étaient **ce** qui effrayait le plus son auditoire. C'étaient d'horribles histoires de pendaison, de tortures, de tempêtes [...]. Mon père prédisait toujours la ruine de son auberge, car,
5 disait-il, les gens finiraient par **se** lasser d'être tyrannisés et humiliés, pour aller ensuite grelotter dans **leurs** lits ; mais je crois que sa présence nous était plutôt profitable. Sur le moment, les gens avaient peur, mais avec un peu de recul,
10 cela ne **leur** déplaisait pas ; c'était une fameuse distraction dans **leur** vie si paisible [...].

Extrait 3

[...] **Ce** soir-là, il n'était nouveau pour personne, sauf pour le docteur Livesey, et je pus remarquer qu'il ne produisait pas sur lui un effet agréable [...]. Cependant, peu à peu, le capitaine
5 **s'**échauffa à sa propre musique et finalement il frappa sur la table d'une façon qui, pour nous **tous**, voulait dire : Silence ! [...]

« Silence, là-bas, dans l'entrepont !

– Est-**ce** à moi que **ce** discours **s'**adresse, mon-
10 sieur ? » fit le docteur.

Robert Louis Stevenson, L'Île au trésor,
trad. A. Bay © LGF, 1972, pour la traduction.

Déterminant			Pronom			
démonstratif	possessif	indéfini	démonstratif	personnel	personnel réfléchi	indéfini
		Ex. *tous* ces messieurs				

Dictée préparée

12 **1. Donnez** la classe grammaticale des mots surlignés.
2. Observez et **expliquez** les autres difficultés de la dictée.

Accords
Elle allait devant elle, éperdue – *Le frémissement nocturne* [...] *l'enveloppait*
Gérondif / Participe présent
en courant – *ne regardant plus rien* – *n'écoutant plus rien*
Mots à retenir
spectre – *fantômes* – *lorsque* – *frémissement* – *nocturne*

Les Thénardier envoient Cosette chercher de l'eau seule, la nuit, hors du village.

Devant elle le **spectre**[1] de la Thénardier ; derrière **tous** les **fantômes** de la nuit et des bois. **Ce** fut devant la Thénardier qu'elle recula. Elle reprit le chemin de la source et **se** mit à courir. Elle sortit du village en courant, elle
5 entra dans le bois en courant, ne regardant plus rien, n'écoutant plus rien. Elle n'arrêta sa course que lorsque la respiration lui manqua, mais elle n'interrompit pas sa marche. Elle allait devant elle, **éperdue**.

Tout en courant, elle avait envie de pleurer. Le **frémis-**
10 **sement** nocturne de la forêt **l'enveloppait tout** entière.

Victor Hugo, Les Misérables, livre III, chapitre V, 1862.

1. *spectre* : fantôme que l'on croit voir.

33 Les homophones (3)

a. Remplacez les termes en gras par des mots ou groupes de mots de même sens.

Quand vient-il ? **Où** vas-tu ? **Quant** à moi, je préfère partir.

Qu'en penses-tu ? Il **s'en** moque. J'irai à la mer **ou** à la montagne.

b. Mettez les phrases suivantes à la forme affirmative.

On n'avance <u>pas</u> ! Il **n'y** a <u>personne</u>. Il est parti **sans** écharpe **ni** bonnet.

LEÇON *Je retiens...*

❶ Les homophones et la négation

On	On n'
On (pronom personnel) → on peut le remplacer par *il* suivi d'un verbe à la forme affirmative	*On n'* (pronom personnel + négation) → on peut le remplacer par *il n'* suivi d'un verbe à la forme négative
Ex. On est venu. ([n] = liaison) / *On n'est pas venu.* (n' = négation : il n'est pas venu)	

Ni	N'y
Ni (conjonction de coordination) → on le trouve dans une phrase négative	*N'y* (négation + pronom) → *n'y* devient *y* à la forme affirmative
Ex. *Il n'ira* **ni** *au cinéma,* **ni** *à la piscine.* (= pas) / *Il* **n'y** *pense pas !* (→ *Il y pense !*)	

❷ Les mots-outils homophones

Ou	Où
Ou (conjonction de coordination) → on peut le remplacer par *ou bien*	*Où* (mot interrogatif ou pronom relatif) → il exprime une idée de lieu ou de temps
Ex. Où *vas-tu ?* (= dans quel lieu ?) / *À la piscine* **ou** *au cinéma ?* (ou bien)	

Sans	S'en
Sans (préposition) → il introduit un groupe nominal ou un groupe infinitif	*S'en* (pronom réfléchi + pronom adverbial ou pronom réfléchi + préposition) → il fait partie d'un verbe pronominal
Ex. *Il* **s'en** *va* (= s'en aller) **sans** *t'attendre* (= groupe infinitif introduit par *sans*).	

Quand	Qu'en	Quant (à)
Quand (mot subordonnant ou mot interrogatif) → il exprime une idée de temps → on peut le remplacer par *lorsque*	*Qu'en* (= *que* + *en*)	*Quant (à)* (= locution) → on peut le remplacer par *en ce qui concerne*
Ex. *Quant à Pierre, il affirme* **qu'en** *faisant des fiches, il gagne du temps* **quand** *il révise.* (= en ce qui concerne Pierre) (= que + en) (= au moment où)		

À vos marques !

1 **Vérifiez** que vous savez :
– repérer les **homophones** dans les phrases suivantes ;
– justifier leur orthographe.

a. Quand mes amis participent à un tournoi, où qu'ils aillent, je suis là.

b. On espère, qu'en 2009, quand ils seront prêts, ils pourront participer au championnat.

c. Cette équipe gagne toujours sans difficulté ni fatigue.

d. La douleur ? Les joueurs n'y prennent pas garde. On n'en voit aucun se plaindre.

e. Quant au soutien moral, qu'ils ne s'en fassent pas, je serai toujours là !

2 **Complétez** les phrases par *ou / où* et **précisez** à chaque fois si le mot peut être remplacé par *ou bien, à l'endroit où, au moment où*.

a. Les jeux vidéo sont-ils un loisir inoffensif .... dangereux ?

b. C'est la question que posent souvent les parents .... les professeurs.

c. « Tu es à un âge .... tu dois te défouler dehors ! »

d. Voilà ce que me disent les uns .... les autres.

e. Mes parents m'incitent toujours à sortir faire du sport .... lire un livre.

f. .... ont-ils vu que les jeux vidéo me rendaient insociable ?

3 **Complétez** les phrases par *ou / où*.

a. *Vendredi .... la Vie sauvage* est un roman d'aventures.

b. L'île .... Robinson et son chien Tenn échouent est déserte.

c. Robinson a le choix entre survivre .... se laisser mourir.

d. Le jour .... il rencontre son ami indien est un vendredi.

e. L'île .... se déroule l'histoire s'appelle Espéranza.

f. Est-ce la nature qui le domptera .... saura-t-il la maîtriser ?

g. Il ne pense qu'au jour .... il pourra partir.

4 **Complétez** les phrases par *ni / n'y*.

Le ciel se couvrait mais .... les badauds .... les chalands .... prêtaient attention. Au port, ... le vent .... la pluie n'empêchaient la sortie des bateaux. Les marins ne craignaient .... la houle .... la brume. .... étaient-ils pas habitués ? Il .... avait pas une mer qu'ils ne connaissaient ! Quitter cette ville portuaire, je .... avais jamais songé. Je ne voudrais vivre .... à la ville .... à la campagne.

5 **1. Remplacez** les expressions soulignées par le **pronom adverbial** *y*.
2. Mettez les phrases obtenues à la **forme négative**.

Ex. *Je me rends à la foire.*
→ *Je m'y rends.* → *Je **ne** m'y rends **pas**.*

a. Je reviendrai sûrement dans cette ville.

b. Les voyageurs ont rangé toutes leurs affaires dans le coffre.

c. Je m'intéressais à la leçon du professeur.

d. La houle fait bouger les bateaux dans le port.

e. Ai-je bien fait attention à fermer la porte ?

f. Les enfants prendront garde à ne pas marcher sur les fleurs.

6 **Complétez** les phrases par *on, on n'* ou *on ne*.

Le narrateur évoque le choix d'un dessert sur la carte d'un restaurant.

.... en prend jamais. C'est trop monstrueux, presque fade à force d'opulence sucrée. Mais voilà. .... a trop fait ces derniers temps dans le camaïeu raffiné, l'amertume ton sur ton. .... a poussé jusqu'à l'île flottante le léger vaporeux, l'insaisissable, et jusqu'à la coupelle aux quatre fruits rouges la luxuriance estivale mesurée. Alors, pour une fois, ... saute pas sur le menu la ligne réservée au banana-split.

D'après Philippe Delerm, *La Première Gorgée de bière et autres plaisirs minuscules*, « Un banana-split »
© Gallimard, 1997.

7 **Mettez** les phrases suivantes à la **forme négative** (*ne… pas, ne… jamais, ne… plus, ne… guère*). (Parfois, plusieurs solutions sont possibles.)

a. Adolescent, on apprend à être raisonnable.

b. On envisage notre avenir.

c. On a conscience de notre insouciance.

d. On a pensé à autre chose qu'au lendemain.

e. À l'adolescence, on imagine que l'on sera un jour responsable.

f. On est des enfants et on est des adultes.

g. On oublie cependant notre côté enfant.

8 **1. Remplacez** les pointillés par le pronom *il* et la **négation** si nécessaire.
2. Récrivez les phrases en remplaçant *il* par *on*.

a. …. arrive à peine qu'…. est déjà interrogé.

b. …. a juste le temps de recueillir ses idées et …. annone ses règles de grammaire.

c. …. interrompt pas le flot de mots qui se déversent : participe passé, COD, auxiliaire…

d. …. entend plus rien que ces paroles prononcées par chacun des élèves interrogés.

e. …. y passe un bon moment, …. y oublie le temps qui passe.

f. …. est jamais las de ces petits exercices de mémoire.

9 **Remplacez** les expressions soulignées par le pronom adverbial *en*.

Ex. *Que ferez-vous de ces vieux jouets ?*
→ *Qu'en ferez-vous ?*

a. Que penses-tu de ton emploi du temps ?

b. Que dites-vous de la note de vie scolaire ?

c. Que savez-vous du déroulement de l'élection ?

d. Que reste-t-il des bonnes résolutions ?

10 **Récrivez** les phrases suivantes en commençant par les **propositions** entre parenthèses.

a. En ville, on a autant de risques d'accidents que sur l'autoroute. (*Il faut savoir que…*)

b. En vacances, nous ne ferons rien du tout. (*Nous savons que…*)

c. En coupant cet arbre je sacrifie ma balançoire. (*Je sais que…*)

d. En toute franchise, tu nous avoues la vérité ! (*Il faut que…*)

e. En un instant, le feu pouvait se propager. (*Je ne réalisais pas que…*)

f. En voyant l'empreinte, je pouvais dire de quel animal il s'agissait. (*Rien que…*)

11 **Complétez** les phrases avec *quand, quant à, qu'en*.

a. Les problèmes ont commencé …. mon frère a ramené un chiot à la maison.

b. Ma mère s'est écrié : « …. feras-tu …. il sera grand ? »

c. Tu sais …. peu de temps, il va devenir adulte.

d. …. tu seras à l'école, qui s'occupera de lui ?

e. …. ton père, il refusera de s'en charger.

f. De plus, tu sais bien …. vacances, on ne pourra pas le prendre.

g. …. nous habiterons une maison, nous le prendrons avec nous.

12 **Conjuguez** les verbes suivants à la **3e personne** du **singulier** et du **pluriel** au **présent, passé composé** et **plus-que-parfait**.

s'en souvenir – s'en aller – s'en apercevoir.

13 **Remplacez** les expressions soulignées par le pronom adverbial *en*.

a. Il se repent tous les jours de ses erreurs.

b. Mon père se moque de son apparence.

c. On se délecte toujours autant de ces vieux films.

d. Marc se souvenait à peine de sa leçon.

e. Le coureur a battu son record, il se glorifie de cela.

f. L'animal s'est emparé du pain avec avidité.

g. Les feuilles se détachent de mon livre.

> **Aide** Le pronom adverbial *en* vient se placer après le pronom personnel réfléchi *se* du verbe pronominal.
> *Ex. Il se remet à peine de sa maladie. Il s'en remet à peine.*

14 **Complétez** les phrases avec *sans / s'en*.

a. C'est …. crier gare qu'il débarqua ; mais les manières, il …. moquait un peu.

b. …. préambule, il exposa le problème : il s'agissait d'un crime, …. aucun doute.

c. On …. était douté, mais tout le monde l'écoutait …. l'interrompre.

d. …. hésiter, il raconta son histoire : il …. souvenait parfaitement.

e. Il …. remettait à nous pour résoudre cette affaire …. bruit.

f. Il …. alla …. laisser son nom, mais c'était …. compter sur notre flair pour le retrouver.

g. …. notre perspicacité, il ne …. serait pas sorti.

15 **Choisissez** la bonne orthographe parmi les **homophones** proposés.

a. (Quand/Quant/Qu'en) j'ai un peu de temps libre, (ou/où) (quand/quant/qu'en) je me sens un peu nostalgique, j'écris.

b. Au moment (ou/où) je prends la plume, je plonge dans mon univers.

c. Je sais (quand/quant/qu'en) écrivant, je me sens mieux.

d. Je raconte mes peines (ou/où) mes déceptions (sans/s'en) oublier mes joies.

e. (Quand/Quant/Qu'en) bien même quelqu'un le lirait, c'est (sans/s'en) importance.

f. (Ni/N'y) mes parents, (ni/n'y) mes amis, (ni/n'y) ont accès.

g. (Quand/Quant/Qu'en) à mes frères, je veille à ce qu'ils (ni/n'y) touchent pas.

h. (On/On n') arrive pas facilement à m'arracher à ces moments d'intimité. (On/On n') est si bien, un peu seul.

16 **Complétez** les proverbes suivants avec *ni* [ni], **quand** [kã], **on** [ɔ̃], **ou** [u], **sans** [sã] et leurs **homophones**.

a. .... il .... en a plus,
Il y en a encore. [kã] [ni]

b. Homme .... abri, oiseau .... nid. [sã]

c. Ce que l'.... acquiert méchamment,
On le dépense sottement. [ɔ̃]

d. Ceux qui n'ont point d'affaires, ... font. [sã]

e. Affaire menée .... bruit,
Se fait avec plus de fruit. [sã]

f. .... on n'a pas ce que l'on aime,
Il faut aimer ce que l'.... a. [kã] [ɔ̃]

g. Il n'est meilleur ami .... parent que soi-même. [ni]

h. Le bonheur est là .... on le place. [u]

i. Il .... a guère de chagrins raisonnables. [ni]

j. .... le chat n'est pas au logis,
Les souris dansent. [kã]

k. En faisant, ... apprend. [ɔ̃]

Dictée préparée

17 **1. Relevez** les **homophones** du texte et **justifiez** leur orthographe.
2. Observez et **expliquez** les autres difficultés de la dictée.

Accords
gâteaux séparés – deux tartes aux fraises

Formes verbales en -é ou -er
chacun est destiné – elle doit changer – sont à porter

Mots à retenir
gâteaux – mille-feuille – comptoir – impatience – arrogance – modestie – sourcier – soumission

Des gâteaux séparés, bien sûr. Une religieuse au café, un paris-brest, deux tartes aux fraises, un mille-feuille. À part pour un **ou** deux, on sait déjà à qui chacun est destiné [...]. **On** égrène les noms **sans** hâte. De l'autre côté du comptoir, la vendeuse, la pince à gâteaux à la main, plonge avec soumission vers vos désirs ; elle ne manifeste même pas d'impatience **quand** elle doit changer de carton – le mille-feuille ne tient pas. [...]

[...] Les gâteaux du dimanche sont à porter comme on tient un pendule. Sourcier des rites minuscules, **on** avance **sans** arrogance, **ni** fausse modestie.

Philippe Delerm, *La Première Gorgée de bière et autres plaisirs minuscules*, « Le paquet de gâteaux du dimanche matin »
© Gallimard, 1997.

34 L'accord sujet-verbe

Les premiers rayons du soleil hivernal perçaient l'horizon brumeux.
Dans le ciel pâle moutonnaient quelques nuages épars.
Les derniers jours d'été, qui avaient été ensoleillés, laissaient
maintenant place à l'automne.

a. À quelle classe grammaticale appartiennent les mots en bleu ?
b. Avec quels mots ou groupes de mots sont-ils accordés dans la phrase ? Récrivez les deux premières phrases en remplaçant ces groupes par le pronom personnel correspondant.
c. Récrivez la dernière phrase en mettant le groupe nominal en rose au singulier.

LEÇON   *Je retiens...*

1 La règle

Le verbe s'accorde avec son sujet.

Ex. Les rayons du soleil annoncent une belle journée.

> Qui est-ce qui « annoncent » ?
> → *les rayons du soleil (= ils)*

2 Les difficultés liées à la place du sujet

● **Le sujet est inversé** : dans le cas de **certaines subordonnées** (➜ CHAPITRE 14),
quand un **complément circonstanciel** (➜ CHAPITRE 18) est placé en début de phrase,
dans une **phrase interrogative** (➜ CHAPITRE 13) ou dans une **proposition incise**
(➜ CHAPITRE 4), le sujet peut se trouver après le verbe.

Ex. De l'horizon, soudain, surgissent   des nuages menaçants .

● **Le sujet est éloigné** : une **expansion du nom** ou un **complément** peut séparer le sujet
du verbe. Il faut alors repérer le **nom-noyau** (➜ CHAPITRE 21) du groupe nominal sujet.

Ex. Les rayons du pâle soleil hivernal , en ce matin brumeux, commençaient à percer.
(= ils)

3 Les sujets particuliers

Le sujet est le pronom relatif *qui*. (➜ CHAPITRE 11)	L'accord du verbe se fait avec l'**antécédent** du pronom relatif. *Ex.* Ce sont *les nuages* **qui** obscurcissent le ciel.
Le sujet est un **nom collectif** : *un groupe de, une troupe de, une foule de…*	On peut accorder le verbe au **singulier** ou au **pluriel**. *Ex.* Un *cortège de nuages sombres* obscurcissait / obscurcissaient le ciel.
Le sujet contient les termes indéfinis *aucun, chacun, nul, personne, rien, tout, chaque* (suivi d'un nom)…	Le verbe est au **singulier**. *Ex.* **Nul** ne savait quand éclaterait l'orage.
Le sujet contient les termes indéfinis *beaucoup, la plupart, peu, plusieurs, quelques, tous…*	Le verbe est au **pluriel**. *Ex.* Quelques nuages menaçaient.

À vos marques !

1 **Vérifiez** que vous savez :
– repérer les **verbes conjugués** ;
– identifier leur **sujet** pour justifier l'accord.

Il était relativement facile d'envoûter et d'enlever les enfants des taudis ; malgré tout, les gens finirent par s'en apercevoir, et la police fut contrainte d'agir, mais à contrecœur. Les dispa-
5 ritions mystérieuses cessèrent. Mais la rumeur était née, et peu à peu, elle s'amplifia, se répandit, se modifia, et lorsque, au bout de quelque temps, plusieurs autres enfants disparurent à Norwich, à Sheffield ensuite, puis à Manchester, les habitants
10 de ces endroits, qui avaient entendu parler des disparitions survenues ailleurs, ajoutèrent celles-ci à la rumeur, lui redonnant de l'ampleur.

Philip Pullman, *Les Royaumes du Nord*,
« À la croisées des mondes », trad. J. Esch,
© Gallimard jeunesse, 1998.

2 **Repérez** le **nom noyau** du groupe nominal sujet pour accorder le **verbe** dans le texte suivant.

Des nourrices, deux par deux, se promenai.... d'un air grave, laissant traîner derrière elles les longs rubans éclatants de leurs bonnets, et portant dans leurs bras quelque chose de blanc enve-
5 loppé de dentelles, tandis que de petites filles, en robe courte et jambes nues, avai.... des entretiens sérieux entre deux courses au cerceau, et que le gardien du square, en tunique verte, errai.... au milieu de ce peuple de mioches, fai-
10 sai.... sans cesse des détours pour ne point démolir des ouvrages de terre, pour ne point écraser des mains, pour ne point déranger le travail de fourmi de ces mignonnes larves humaines.
Le soleil allai.... disparaître derrière les toits de
15 la rue Saint-Lazare et jetai.... ses grands rayons obliques sur cette foule gamine et parée. Les marronniers s'éclairai.... de lueurs jaunes, et les trois cascades, devant le haut portail de l'église, semblai.... en argent liquide.

D'après Guy de Maupassant, *Monsieur Parent*, 1885.

Aide Le **nom noyau** est le nom qui gouverne le groupe nominal (➔ CHAPITRE 21).

3 **Accordez** les verbes dans les phrases suivantes. **Conjuguez**-les au **présent de l'indicatif**. (Attention au sujet inversé !)

a. Devant les portes de fer du hall d'exposition (*se presser*) des centaines de visiteurs.
b. Les toilettes colorées des dames (*faire*) des tâches de couleur dans la masse sombre que (*constituer*) les bourgeois en costumes gris.
c. Pour quel événement (*se regrouper*)-ils ?
d. Quand enfin (*s'ouvrir*) les portes, la foule qui (*trépigner*) (*s'engouffrer*) dans la salle.
e. « Enfin, nous pouvons entrer ! » (*s'écrier*) deux jeunes hommes aux allures d'étudiants.
f. Beaucoup (*venir*) admirer les nombreuses toiles qu'(*exposer*) Monet, Pissaro, Sisley et les autres.
g. Au fond de la salle (*trôner*) un buffet sur lequel (*s'entasser*) les petits fours.

4 **Choisissez** l'accord pour les phrases suivantes et **justifiez** votre choix. (Parfois, deux solutions sont acceptables.)

a. Chacun (*savait / savaient*) ce qu'il avait à faire.
b. Un groupe d'hommes forts (*montait / montaient*) une estrade qui deviendrait la scène.
c. La plupart des acteurs (*travaillait / travaillaient*) à monter le décor, à installer les gradins.
d. Personne ne (*semblait / semblaient*) oisif. Chaque membre de la petite compagnie (*était/ étaient*) occupé.
e. Tout (*devaient / devait*) être fin prêt pour la représentation du soir.
f. S'il restait du temps, la troupe (*répéterait / répéteraient*) quelques scènes avant le lever de rideau.

Édouard Vuillard (1868-1940), *Jardins publics : les nourrices, la conversation, l'ombrelle rouge*, 1894 (Musée d'Orsay, Paris).

5 **1. Repérez** l'antécédent du **pronom relatif**, puis **conjuguez** le verbe au temps demandé.

2. Récrivez les phrases au **pluriel**. Faites toutes les modifications nécessaires.

a. Au milieu des bois le promeneur se trouvait nez à nez avec une petite cabane qui (*trôner*, imparfait) au milieu d'une clairière.

b. La famille qui (*vivre*, imparfait) là ne devait pas rouler sur l'or.

c. Un groupe d'enfants qui (*vêtir*, imparfait passif) de haillons se tenait sur le seuil.

d. La fillette et le garçonnet se chamaillaient : « C'est toi qui (*avoir*, présent) tort et c'est moi qui (*avoir*, présent) raison. »

e. Une jeune femme qui (*devoir*, imparfait) être leur mère passait la tête à la fenêtre et leur criait : « Si ça continue, c'est moi qui (*aller*, présent) me mettre en colère et gare à vous ! »

Aide • L'**antécédent du pronom relatif** est le mot ou le groupe de mots qu'il reprend (→ CHAPITRE 23).
• Pour la **conjugaison du passif**, on utilise l'auxiliaire *être* au temps demandé auquel on ajoute le **participe passé**.

---

6 **Conjuguez** au temps indiqué les **verbes** du texte suivant.

Il s'agit de la suite du texte de l'exercice 1.

Ainsi (*naître*, passé simple) la légende d'un mystérieux groupe d'envoûteurs qui (*faire*, imparfait) disparaître les enfants. Certaines personnes (*affirmer*, imparfait) que leur chef (*être*, imparfait) une très jolie femme, d'autres (*parler*, imparfait) d'un homme de grande taille aux yeux rouges, tandis qu'une troisième version (*évoquer*, imparfait) un jeune garçon qui (*charmer*, imparfait) ses victimes avec son rire et ses chansons, pour qu'elles le (*suivre*, présent du subjonctif) comme des moutons.

Quant à savoir où l'on (*conduire*, imparfait) ces enfants, il n'y (*avoir*, imparfait) pas deux histoires qui (*concorder*, imparfait). En Enfer, (*affirmer*, imparfait) certaines personnes, sous terre, au Royaume des fées. Pour d'autres, les enfants (*retenir*, imparfait passif) prisonniers dans une ferme où on les (*engraisser*, imparfait) pour les manger. D'autres encore (*prétendre*, imparfait) qu'on les (*vendre*, imparfait) comme esclaves à de riches Tartares… Et ainsi de suite.

D'après Philip Pullman, *Les Royaumes du Nord*, « À la croisée des mondes », trad. J. Esch, © Gallimard jeunesse, 1998.

---

7 **Complétez** si besoin la **terminaison** des verbes dans le poème suivant.

Oh ! Je voudrai…. tant que tu te souvienne….
des jours heureux où nous étions amis
En ce temps-là la vie étai…. plus belle
et le soleil plus brûlant qu'aujourd'hui
Les feuilles mortes se ramasse…. à la pelle…
Tu voi…. je n'ai pas oublié
Les feuilles mortes se ramasse…. à la pelle
les souvenirs et les regrets aussi
et le vent du nord les emporte….
dans la nuit froide de l'oubli
Tu vois je n'ai pas oublié
la chanson que tu me chantai….

C'est une chanson qui nous ressemble….
Toi tu m'aimai….
et je t'aimai….
Et nous vivions tous deux ensemble
toi qui m'aimai….
et que j'aimai….
Mais la vie sépare…. ceux qui s'aime….
tout doucement
sans faire de bruit
et la mer efface…. sur le sable
les pas des amants désunis

Les feuilles mortes se ramasse…. à la pelle
les souvenirs et les regrets aussi
Mais mon amour silencieux et fidèle
souri…. toujours et remerci…. la vie
Je t'aimai…. tant tu étais si jolie
Comment veu….-tu que je t'oublie
En ce temps-là la vie étai…. plus belle
et le soleil plus brûlant qu'aujourd'hui
Tu étai…. ma plus douce amie…

D'après Jacques Prévert et Joseph Kosma, *Les Feuilles mortes*, © MCMXLVII by Enoch & Cie.

---

8 **Conjuguez** et **accordez** les **verbes** proposés après avoir repéré leur sujet.

L'ombre des arbres dans la rivière embrumée
(*Mourir*, présent) comme de la fumée
Tandis qu'en l'air, parmi les ramures réelles,
(*Se plaindre*, présent) les tourterelles.

Combien, ô voyageur, ce paysage blême
Te (*mirer*, passé simple) blême toi-même,
Et que tristes (*pleurer*, imparfait) dans les hautes feuillées
Tes espérances noyées !

Paul Verlaine, « Ariettes oubliées », IX, *Romances sans paroles*, 1872.

10 **Récrivez** le texte en mettant *poisson* au **pluriel**. Faites toutes les modifications nécessaires.

Un soir, au coucher du soleil, un énorme poisson très effrayant s'est approché du bateau. J'ai su plus tard que c'était un orque. Il a frôlé la coque de si près que l'eau qu'il soufflait retom-
5 bait sur le pont. J'ai pensé qu'il était le maître des mers. Mais les hommes blancs ne lui ont fait aucune offrande.

D'après Olaudah Equiano, *Le Prince esclave*,
adapt. A. Cameron, trad. A. Bataille,
© Ann Cameron 1995, © Rageot 2002.

> **Aide** Le présentatif *c'est* (*c'était*) se met généralement au pluriel quand le groupe qui le suit est au pluriel.
> *Ex. C'est* (*c'était*) <u>un enfant</u> charmant.
> → *Ce sont* (*c'étaient*) <u>des enfants</u> charmants.

11 **Récrivez** le texte en remplaçant *Claude* par *Claude et moi*, puis par *Claude et toi*.

Claude, dès l'âge de raison, s'était tenu ce raisonnement : « Le plan de mon existence est tout tracé. Je n'ai qu'à accepter aveuglément les bienfaits de mon âge. Pour marcher avec le progrès
5 et vivre parfaitement heureux, il me suffira de lire les journaux et les affiches, matin et soir, et de faire exactement ce que ces souverains guides me conseilleront. Là est la véritable sagesse, la seule félicité possible. »

Émile Zola, *La Fête à Coqueville et autres nouvelles*,
« Une victime de la réclame », © Gallimard jeunesse, 2004.

---

9 Aidez Coralie à **relire** sa dictée : il reste **7 fautes** d'accord sujet-verbe.

C'était une vaste place, irrégulière et mal pavée, comme toutes les places de Paris alors. Des feux autour desquels fourmillait des groupes étranges, y brillait çà et là. Tout cela allait, venait, criait.

On entendaient des rires aigus, des vagissements d'enfants[1], des voix de femmes. Les mains, les têtes de cette foule, noire sur le fond lumineux, y découpait mille gestes bizarres.

Par moments, sur le sol, où tremblaient la clarté des feux, mêlée à de grandes ombres indéfinies, on pouvait voir passer un chien qui ressemblais à un homme, un homme qui ressemblais à un chien.

D'après Victor Hugo, *Notre-Dame de Paris*, 1831.

1. *vagissements* : pleurs de nouveau-né.

Dictée préparée

12 **1. Repérez** le **sujet** des verbes en gras pour **justifier** leur **accord**.
2. Observez et **expliquez** les autres difficultés de la dictée.

Accords	*visages enfarinés et peinturlurés ou couverts par des masques – les docteurs pédants – les vieillards avares – les capitaines vantards et poltrons – les épouses frivoles – leurs lourdauds de maris grognons – Malins et légers […] valets et servantes – aux vieux grigous*
Mots à retenir	*avare – vantard – lourdaud – hoqueter.*

Enfant, Jean-Baptiste Poquelin, qui prendra le nom de Molière, se rendait au théâtre avec son grand-père.

En l'espace de quelques années **défilèrent** devant les yeux de Jean-Baptiste, tournoyant comme sur un manège, visages enfarinés et peinturlurés ou couverts par des masques, les docteurs pédants, les vieillards
5 avares, les capitaines vantards et poltrons. Devant un public hoquetant de rire, les épouses frivoles **bafouaient** leurs lourdauds de maris grognons […]. Malins et légers comme des plumes, valets et servantes **menaient** par le bout du nez les vieillards Gorgibus, **donnaient** du bâton
10 aux vieux grigous et les fourraient dans des sacs.

Mikhaïl Boulgakov, *Le Roman de monsieur de Molière*,
© Éditions Gérard Lebovici, 1972.

**Frêle et gracieux, le petit chaton
de Pénélope est noir comme sa mère.**

a. À quelle classe grammaticale appartiennent les mots
en bleu et en rose ?

b. Récrivez la phrase en remplaçant *chaton* par *chatons*.
Qu'observez-vous ?

LEÇON *Je retiens...*

1 L'accord de l'adjectif

● L'**adjectif** s'accorde en genre et en nombre avec le **nom** auquel il se rapporte, quelle
que soit sa fonction : **épithète, attribut** (→ CHAPITRE 17) ou **apposé** (→ CHAPITRE 21).

Adjectif épithète	Adjectif attribut	Adjectif apposé
Les jolis chatons ronronnent. *Les chatons noirs ronronnent.*	*Les chatons sont malicieux.*	*Fatigués, les chatons se reposent.*

● L'adjectif n'est pas toujours placé **immédiatement avant** ou **après** le nom
auquel il se rapporte.

Ex. des tours de magie exceptionnels – un nombre de places illimité

RAPPEL Sont considérés comme adjectifs :
– les adjectifs qualificatifs : *petit, rouge, léger...*
– les participes passés employés comme adjectifs : *étonné, fatigué...*
– les adjectifs verbaux : *étonnant, fatigant...*

2 Cas particulier

Certains **adjectifs de couleur** sont **invariables** :

Les adjectifs de couleur directement **dérivés d'un nom**	*des blousons **marron** (→ un marron) – des tuniques **orange** (→ une orange) – une robe **café** (→ un café) – des rideaux **prune** (→ une prune)...*
Exceptions : *rose, fauve, mauve, pourpre, écarlate...* s'accordent	*des joues **roses** – des teintes **fauves** ou **mauves** – des rideaux **pourpres** – des visages **écarlates**...*
Les adjectifs de couleur **composés**	*des yeux **bleu clair** – des bols **blanc cassé**...*

À vos marques !

1 **Vérifiez** que vous savez:
– repérer un **adjectif qualificatif**;
– repérer un **participe passé** employé comme **adjectif**;
– définir quel **nom** ou quel **pronom** est **complété** par l'adjectif.

a. Arsène et Zoé sont ennuyés, ils vont à un grand mariage et ne savent quels vêtements choisir.

b. La jeune femme hésite: longue robe bleue ou petite robe noire?

c. Son mari se demande s'il sera assez élégant en costume gris. Doit-il porter un gilet assorti?

d. Finalement, ils emportent les différentes tenues et feront un choix une fois arrivés dans la chambre d'hôtel réservée à leur intention.

e. Fatigués par la route, ils s'installent et veulent se préparer, mais leurs affaires, costume et gilet coordonnés, belles robes, sont restées chez eux, oubliées.

2 **Relevez** les **adjectifs qualificatifs** qui complètent les noms soulignés dans le texte suivant.

On peut se figurer facilement ces deux femmes qui avaient toutes deux passé soixante ans: <u>madame Magloire</u>, petite, grasse, vive; <u>mademoiselle Baptistine</u>, douce, mince, frêle, un peu
5 plus grande que son frère, vêtue d'une robe de <u>soie</u> puce, couleur à la mode en 1806, qu'elle avait achetée alors à Paris et qui lui durait encore […]. Madame Magloire avait un <u>bonnet</u> blanc à tuyaux, au cou une jeannette[1] d'or, le seul <u>bijou</u>
10 de femme qu'il y eût dans la maison, un fichu très blanc sortant de la robe de bure[2] noire à <u>manches</u> larges et courtes, un tablier de toile de coton à <u>carreaux</u> rouges et verts, noué à la ceinture d'un <u>ruban</u> vert, avec <u>pièce d'estomac</u>[3]
15 pareille rattachée par deux épingles aux deux coins d'en haut, aux pieds de gros <u>souliers</u> et des <u>bas</u> jaunes comme les femmes de Marseille.

Victor Hugo, *Les Misérables*, 1862.

1. *jeannette*: croix suspendue à une chaîne.
2. *bure*: tissu grossier.
3. *pièce d'estomac*: partie haute du tablier, couvrant le ventre.

3 **Précisez** avec quel mot s'accorde chaque **adjectif** souligné.

Des plasticiens au jardin

De l'Orangerie du Sénat au parc du jardin du Luxembourg, *Artsénat 2006* présente une trentaine d'artistes d'aujourd'hui autour de la thématique «taille humaine». <u>Issus</u> de <u>différents</u>
5 courants et de différentes disciplines – photo, peinture, sculpture, vidéo, installation –, ces plasticiens français et <u>étrangers</u>, dont certains encore à découvrir, exposent leurs créations <u>regroupées</u> selon trois directions: mesures de tous les arts,
10 mesures de l'histoire de l'art et mesures des biotechnologies. Il faut donc s'attendre à des œuvres extrêmement <u>diverses</u>, dont un certain nombre <u>réalisées</u> pour la circonstance. La manifestation annuelle offre aussi l'occasion de découvrir le
15 <u>magnifique</u> espace de l'Orangerie, qui n'est <u>accessible</u> que de juin à septembre. Des ateliers <u>destinés</u> aux enfants, <u>encadrés</u> par certains des artistes <u>exposés</u>, proposeront une initiation à différentes techniques autour de la représentation humaine.

Maïa Bouteillet, « Paris mômes », supplément jeune public, *Libération*, 31 mai 2006.

4 **Relevez**, dans ce poème, les **adjectifs** et le mot qui gouverne leur accord.

Ophélie

Sur l'onde calme et noire où dorment les étoiles
La blanche Ophélia flotte comme un grand lys,
Flotte très lentement, couchée en ses longs voiles…
– On entend dans les bois lointains des hallalis[1].

5 Voici plus de mille ans que la triste Ophélie
Passe, fantôme blanc, sur le long fleuve noir;
Voici plus de mille ans que sa douce folie
Murmure sa romance à la brise du soir.

Le vent baise ses seins et déploie en corolle
10 Ses grands voiles bercés mollement par les eaux;
Les saules frissonnants pleurent sur son épaule,
Sur son grand front rêveur s'inclinent les roseaux.

Les nénuphars froissés soupirent autour d'elle;
Elle éveille parfois, dans un aune[2] qui dort,
15 Quelque nid, d'où s'échappe un petit frisson d'aile:
– Un chant mystérieux tombe des astres d'or.

Arthur Rimbaud, *Poésies*, 1895.

1. *hallalis*: cris ou sons de cor qui annoncent que la bête chassée est sur le point de mourir. 2. *aune*: arbre.

5 **Accordez** les **adjectifs** entre parenthèses.

Le narrateur décrit un paysage associé à des souvenirs heureux.

Un pont (*tremblant*) (*composé*) de poutrelles (*pourri*), dont les piles sont couvertes de fleurs, dont les garde-fous (*planté*) d'herbes (*vivace*) et de mousses (*velouté*) se penchent sur la rivière et
5 ne tombent point [...]. Imaginez au-delà du pont deux ou trois fermes, un colombier, des tourterelles, une trentaine de masures (*séparé*) par des jardins, par des haies de chèvrefeuilles, de jasmins et de clématites ; puis du fumier (*fleuri*)
10 devant toutes les portes, des poules et des coqs par les chemins ? voilà le village de Pont-de-Ruan, (*joli*) village (*surmonté*) d'une (*vieux*) église pleine de caractère, une église du temps des croisades, et comme les peintres en cherchent pour leurs
15 tableaux. Encadrez le tout de noyers (*antique*), de (*jeune*) peupliers aux feuilles d'or (*pâle*), mettez de (*gracieux*) fabriques[1] au milieu des (*long*) prairies où l'œil se perd sous un ciel (*chaud*) et (*vaporeux*), vous aurez une idée d'un des mille
20 points de vue de ce (*beau*) pays.

D'après Honoré de Balzac, *Le Lys dans la vallée*, 1836.

1. *fabriques* : constructions décoratives.

6 **Replacez** les **adjectifs** dans le texte en vous aidant du sens et des accords.

Liste : *blanc – épaisse – premières – rapiécés – extrême – durs – serrés – raccommodé – passionnée – violente – petite – liquide – méfiants – légère – anxieuse – rusés.*

Elle commença à farder minutieusement son visage ; d'abord, une couche ❶ .... de crème qu'elle malaxait des deux mains, puis le rouge ❷ .... sur les joues, le noir sur les cils, la ❸ ....
5 ligne ❹ .... qui allongeait les paupières vers les tempes, la poudre… Elle se maquillait avec une ❺ .... lenteur, et, de temps en temps, elle s'arrêtait, elle prenait le miroir et elle dévorait des yeux son image avec une attention ❻ ...., ❼ ...., et des
10 regards à la fois ❽ ...., ❾ .... et ❿ .... . Brusquement, elle saisit de ses doigts ⓫ .... un cheveu ⓬ .... sur la tempe ; elle l'arracha avec une grimace ⓭ .... . Ah ! la vie était mal faite !… Son visage de vingt ans… ses joues en fleur… et des bas ⓮ ....,
15 du linge ⓯ .... … À présent, les bijoux, les robes, les ⓰ .... rides… tout cela va ensemble…

D'après Irène Némirovsky, *Le Bal*,
© Éditions Grasset & Fasquelle, 1930.

7 **Accordez** les **adjectifs de couleur.**

Amélie adorait les vêtements (*rose*). Elle portait des robes et des pantalons (*rose fuchsia*) et des chemisiers (*rose pâle*). Elle tolérait les tee-shirts (*mauve*) et les bijoux (*violet*).
5 Parfois, elle cédait au mouvement de la mode. Ainsi s'était-elle acheté des chaussures (*orange*) mais elle l'avait regretté car cela jurait avec sa garde-robe.

Cependant, le jour où elle tomba amoureuse
10 d'un garçon qui détestait sa couleur fétiche, elle décida de faire des concessions et elle investit dans des mocassins (*marron*) et des pulls (*bleu marine*). La tenue fut complétée par une veste (*gris souris*).
15 Mais elle était d'humeur morose et son fiancé se lassa de ses idées (*noir*). Ils se séparèrent après une dispute qui les laissa (*vert*) de rage. Elle put de nouveau voir la vie en rose.

8 **Accordez** correctement les **adjectifs** avec le nom auquel ils se rapportent.

Le patron du magasin « Au Bonheur des dames » a fait installer un salon oriental composé de tapis à l'entrée du magasin.

À terre, les tapis recommençaient, une jonchée de toisons (*grasse*) : il y avait, au centre, un tapis d'Agra, une pièce (*extraordinaire*) à fond (*blanc*) et à (*large*) bordure (*bleu tendre*), où couraient des
5 ornements (*violâtre*) d'une imagination (*exquis*) ; partout, ensuite, s'étalaient des merveilles, les tapis de La Mecque aux reflets de velours, les tapis de prière du Daghestan à la pointe (*symbolique*), les tapis du Kurdistan, (*semé*) de fleurs
10 (*épanoui*) ; enfin, dans un coin, un écroulement à bon marché, des tapis de Gheurdès, de Coula et de Kircheer, en tas, depuis quinze francs. Cette tente de pacha (*somptueux*) était meublée de fauteuils et de divans, (*fait*) avec des sacs de cha-
15 meaux, les uns (*coupé*) de losanges (*bariolé*), les autres (*planté*) de roses (*naïve*). La Turquie, l'Arabie, la Perse, les Indes étaient là. On avait vidé les palais, dévalisé les mosquées et les bazars. L'or (*fauve*) dominait, dans l'effacement des tapis
20 (*ancien*), dont les teintes (*fané*) gardaient une chaleur (*sombre*), un fondu de fournaise (*éteint*), d'une (*beau*) couleur (*cuit*) de (*vieux*) maître.

D'après Émile Zola, *Au Bonheur des dames*, 1883.

9 **Récrivez** le texte suivant en remplaçant *paysan* par *paysanne*. Faites toutes les transformations nécessaires.

C'était un grand paysan du pays de Caux, haut en couleur, gros de poitrine et de ventre, et perché sur de longues jambes qui semblaient trop maigres pour l'ampleur du corps.

5 Veuf, il vivait seul avec sa bonne et ses deux valets dans sa ferme qu'il dirigeait […], soigneux de ses intérêts, entendu dans les affaires et dans l'élevage du bétail, et dans la culture de ses terres. […]

Guy de Maupassant, *Contes de la Bécasse*, « Saint-Antoine », 1883.

10 **Récrivez** le texte suivant en remplaçant *il* par *ils* et *Elis* par *les mineurs*.

Elis, un mineur, est bouleversé lorsqu'il rencontre une jeune fille qu'il a déjà vue en rêve…

Mais, planté sur le seuil de cette porte, étranger auquel nul ne prenait garde, il se sentit aussitôt misérable, désolé, abandonné, et souhaita être mort avant d'avoir vu Ulla Dahlsjö, puisqu'il 5 lui faudrait désormais périr d'amour et de nostalgie. Il fut incapable de détourner les yeux de la douce jeune fille […]. Ulla se retourna et aperçut le pauvre Elis qui, le visage rouge et empourpré, le regard baissé, se tenait là, pétrifié, sans 10 pouvoir proférer un seul mot.

Ernst Hoffmann, *Les Mines de Falun*, 1821.

11 **Récrivez** le texte suivant en remplaçant *Barnabé* par *Julie et Marie*.

Barnabé était souvent distrait. Il semblait rêveur et tous se moquaient de cette attitude qui lui causait des problèmes. Un jour, il s'était rendu à l'école hôtelière à demi-vêtu de son pyjama. Une 5 autre fois, perdu dans ses pensées, il avait heurté une porte vitrée. Régulièrement, il entrait en cuisine nu-tête, ce qui lui valait d'être réprimandé par le chef. Anxieux, il se demandait sans cesse ce qui allait encore lui arriver. Il se montrait souvent 10 vent naïf et ses camarades en profitaient parfois pour lui jouer des tours. Mais cela n'allait jamais trop loin car, au fond, ils avaient de l'affection pour ce gentil garçon.

> **Aide** *demi* et *nu* s'accordent quand ils sont placés après le mot qu'ils complètent.
> Ex. *une demi-heure / une heure et demie.*

Dictée préparée

12 **1. Relevez** les **adjectifs qualificatifs** et **expliquez** leur accord. Faites attention aux groupes soulignés.
2. Observez et **expliquez** les autres **difficultés** de la dictée.

Homophones *(ces / ses)*	*Ses bouquets*
Accords des participes passés	*elle avait **acquis** – elle était **attendrie***
Mots à retenir	*acquis – flammes – effarées – canevas – œillets – glaïeuls*

Cadine est fleuriste dans les Halles.

En quelques semaines, elle avait acquis de l'habileté et une grâce originale. Ses bouquets ne plaisaient pas à tout le monde ; ils faisaient sourire, et ils inquiétaient, par un côté de naïveté <u>cruelle</u>. Les rouges y dominaient, coupés de tons violents, de 5 bleus, de jaunes, de violets, d'un charme barbare. […] D'autres matins, quand elle était attendrie par quelque peine ou par quelque joie, elle trouvait des bouquets d'un gris d'argent, très doux, voilés, d'une odeur <u>discrète</u>. Puis, c'était des roses, saignantes comme des cœurs ouverts, dans des lacs d'œillets blancs ; des 10 glaïeuls <u>fauves</u>, montant en panaches de flammes parmi des verdures effarées ; des tapisseries de Smyrne, aux dessins compliqués, faites fleur à fleur, ainsi que sur un canevas […].

Émile Zola, *Le Ventre de Paris*, 1873.

Affamés, nous avons ramassé les prunes encore vertes.

Nous les avons dévorées avidement et sommes vite rentrés à la maison.

a. Les participes passés en couleur sont-ils employés seuls ou avec l'auxiliaire *être* ou *avoir*?

b. Avec quel mot le participe passé employé avec l'auxiliaire *être* s'accorde-t-il? Quelle est la fonction de ce mot?

c. Avec quel mot le participe passé *dévorées* semble-t-il s'accorder? Quelle est la fonction de ce mot?

LEÇON ▸ Je retiens...

❶ Les règles d'accord du participe passé

Le participe passé s'accorde différemment selon qu'il est **employé seul**, avec l'auxiliaire *avoir*, ou avec l'auxiliaire *être*.

sans auxiliaire	avec l'auxiliaire *être*	avec l'auxiliaire *avoir*	
accord comme un **adjectif qualificatif** (→ CHAPITRE 35) avec le nom ou le pronom auquel il se rapporte	**accord** avec le **sujet**	**pas d'accord** si le verbe conjugué n'a **pas de COD** ou si le COD est **placé après** ce verbe	**accord avec le COD** du verbe conjugué, si ce COD est **placé avant** le verbe
Ex. **Affamés**, <u>nous</u> voulions aussi ramasser les <u>prunes</u> **tombées** par terre.	*Ex. <u>Nous</u> sommes vite **rentrés** à la maison.*	*Ex. Nous* avons **dévoré** <u>les plus belles prunes</u>. COD	*Ex. Les autres, nous <u>les</u>* COD avons **laissées** *aux oiseaux.*

❷ La place du pronom COD

RAPPEL Le **COD** (→ CHAPITRE 16) se trouve **avant le verbe** dans les cas suivants:

– un **pronom personnel**: *me, te, le, la, l', nous, vous, les...* (*en* est un pronom neutre: pas d'accord)	*Ex. Les prunes, nous <u>les</u> avons **ramassées**.* COD *Ex. Des prunes, nous <u>en</u> avons tous **mangé**.* COD (pas d'accord)
– le **pronom relatif** *que* (→ CHAPITRE 23)	*Ex. Les prunes <u>que</u> nous avons **cueillies** sont mûres.* COD
– un **pronom interrogatif** ou un **GN** dans une **phrase interrogative**	*Ex. <u>Quels fruits</u> avez-vous **récoltés**?* COD

À vos marques !

1 **Vérifiez** que vous savez repérer le **participe passé**:
– employé **sans auxiliaire**;
– employé **avec** l'auxiliaire *être* ou l'auxiliaire *avoir*. **Justifiez** son accord.

a. Mes cousines sont allées au musée découvrir une nouvelle exposition de tableaux.

b. Elles ont été guidées par un conférencier qui leur a beaucoup appris sur les peintres exposés.

c. Elles ont beaucoup apprécié certaines toiles qu'elles ont longuement contemplées.

d. Elles en ont critiqué d'autres qu'elles ont jugées trop abstraites.

e. Mais elles sont reparties émerveillées.

2 **Donnez** le **participe passé** des verbes suivants.

améliorer – agir – surprendre – conquérir – refaire – rendre – flétrir – démettre – faillir – coudre – haïr – répandre – résoudre – bouillir – clore – taire – vivre – conclure – mouvoir – échoir – naître – apparaître – grandir – mourir.

> **Aide** Pour connaître la **forme du participe passé** et savoir s'il possède au masculin singulier une **consonne finale muette**, il suffit de le mettre au féminin.
> *Ex. pris → prise – fait → faite.*
> Mais: *fini → finie – voulu → voulue.*

3 **Accordez** les **participes passés** suivants en faisant attention au **genre** des noms. (Aidez-vous au besoin du dictionnaire.)

a. *des activités fini.... .*

b. *des pétales jauni.... .*

c. *des antidotes acheté.... .*

d. *des détenues condamné.... .*

e. *des planisphères accroché.... .*

f. *des personnalités connu.... .*

g. *des icônes adulé.... .*

h. *des agrumes apprécié.... .*

i. *Des chrysanthèmes coloré.... .*

j. *Des amours passé.... .*

k. *Des pleurs angoissé.... .*

l. *Des écritoires ciré.... .*

m. *Des après-midi ensoleillé.... .*

n. *des auxiliaires bien conjugué.... .*

4 **Relevez** les **participes passés** et **justifiez** leur accord.

Le narrateur découvre, en compagnie de son hôte M. de Peyrehorade, une statue de Vénus.

[...] Elle avait le haut du corps nu, comme les anciens représentaient d'ordinaire les grandes divinités; la main droite, levée à la hauteur
5 du sein, était tournée, la paume en dedans, le pouce et les deux premiers doigts étendus, les deux autres légèrement ployés. L'autre main, rapprochée de la hanche,
10 soutenait la draperie qui couvrait la partie inférieure du corps. [...]

La chevelure, relevée sur le front, paraissait avoir été dorée autrefois. La tête, petite comme celle de presque toutes les statues grecques, était
15 légèrement inclinée en avant. [...] j'observais avec surprise l'intention marquée de l'artiste de rendre la malice arrivant jusqu'à la méchanceté. Tous les traits étaient contractés légèrement: les yeux un peu obliques, la bouche relevée des
20 coins, les narines quelque peu gonflées.

Prosper Mérimée, *La Vénus d'Ille*, 1837.

> **Aide** Le **passif** se conjugue toujours avec l'auxiliaire *être*.
>
> | | Actif | Passif |
> |---|---|---|
> | Infinitif **présent** | *manger* | *être mangé(e)* |
> | Infinitif **passé** | *avoir mangé* | *avoir été mangé(e)* |

5 **Accordez** comme il convient les **participes passés** des verbes entre parenthèses.

a. Hier soir, Virginie a (*retrouver*) ses amies pour un dîner.

b. À leur arrivée, elle leur a (*servir*) des petits fours.

c. En entrée, elle avait (*préparer*) une magnifique salade (*composer*) de laitue, de pamplemousse et de crevettes qu'elles ont toutes (*apprécier*).

d. Le plat principal a (*ravir*) leurs papilles : une délicieuse paëlla royale les a (*émerveiller*).

e. En dessert, une glace au nougat a (*couronner*) le repas avec son coulis de framboise.

f. Pour finir, certaines ont (*prendre*) un café noir, d'autres une infusion qu'elle avait (*parfumer*) au gingembre.

6 **Récrivez** les phrases suivantes en remplaçant le **COD** par un **pronom personnel** et **accordez** comme il convient le **participe passé**.

Ex. Elle a lu ces livres. → *Elle les a lus.*

a. Ophélie a remporté au tir à l'arc la coupe des benjamines.
b. Elle a reçu son trophée des mains du maire.
c. Elle a combattu ses adversaires à la loyale.
d. Elle n'a emporté la victoire qu'à un point !
e. Mais elle a largement battu certaines filles.

7 **Repérez** le **COD** dans les phrases suivantes et **accordez** le **participe passé**.

a. Quelles idées nouvelles les philosophes ont développ.... !
b. Quelle liberté n'ont-ils pas revendiqu.... ?
c. Quelle autorité n'ont-ils pas attaqu.... ?
d. Combien de salons ont-ils cré.... ?
e. Quelle influence ont-ils eu.... sur les révolutionnaires ?
f. Combien de livres ils ont écrit.... !
g. Que de lumières ils nous ont apport.... !

> **Aide** Lorsqu'un **adverbe de quantité** (*tant, combien, que...*) est suivi d'un complément, le participe passé s'accorde avec ce complément.
> *Ex. Combien de personnes avez-vous rencontrées ?*

8 **Justifiez** l'accord des **participes passés** soulignés dans le texte suivant.

La narratrice, Allis, mène l'enquête : un virus efface les mots des livres à mesure qu'ils sont lus.

J'étais moins fatiguée que je ne l'avais prétendu. Au contraire, j'étais très excitée par cette soirée exceptionnelle. Je connaissais une bonne solution pour m'apaiser : lire ! Je m'approchai des
5 ouvrages rangés sur les étagères. C'étaient pour la plupart des classiques que j'avais déjà lus.

Pourquoi pas ? C'était si reposant de se replonger dans un texte familier ! Je sortis *La Peste* et je l'ouvris.
10 Toutes ses pages étaient blanches. Je fus d'abord déconcertée. Puis je compris que ce livre avait été lu par celui qui m'avait précédée ici. Quelle déception ! Le souvenir des émotions que l'ouvrage avait suscitées en moi m'effleura. Alors,
15 un vertige me saisit et je me retrouvai soudain dans un lieu inondé de soleil, noyé de bruits étrangers.

Christian Grenier, *Virus LIV 3 ou la Mort des livres*,
© Hachette Livre, 1998, 2001.

FRANÇAIS → SVT

9 **Conjuguez** au passé composé les verbes entre parenthèses.

a. Au début de l'année 1991, le Pinatubo (*sortir*) de son sommeil.
b. Des émissions de gaz, accompagnées d'un dépôt de soufre, (*être observé*) à son sommet.
c. Le 2 avril, une explosion (*projeter*) dans les airs les premières cendres qui (*recouvrir*) la forêt.
d. Des villages (*être évacué*) alors par mesure de sécurité.
e. Les flancs du volcan (*gonfler*) et la terre (*trembler*).
f. Dans la nuit du 14 au 15 juin, un panache de cendres, de vapeur d'eau, de gaz sulfureux (*être projeté*) à 31 km de haut.
g. Des nuées ardentes (*dévaler*) les pentes du volcan à plus de 500 km/h.
h. Une partie du cratère (*être arraché*).
i. Cette région des Philippines, qu'(*recouvrir*) un énorme tapis de cendres, (*être dévasté*) totalement.

> **Aide** Pour le **passé composé passif** (→ CHAPITRE 40).
> *Ex. Elles ont été surprises par la pluie.*
> (aux. *être* au passé composé + part. passé)

10 **Accordez** comme il convient les **participes passés** suivants et **justifiez** leur accord.

a. Cette année, les vergers ont regorgé.... de pommes : j'en ai vu.... tomber sans cesse.
b. Les branches étaient si chargées qu'on a vu.... certaines se briser sous le poids des fruits.
c. Les agriculteurs les ont alors ramassé.... pour les vendre au marché.
d. Je les ai vu.... entasser les fruits dans des cageots qu'ils ont rangé.... dans des camions.
e. Je les ai entendu.... chantonner.
f. J'en ai aperçu.... d'autres croquer des fruits.
g. Puis je les ai vu.... se diriger vers l'entrepôt où les pommes seront lavé.... et trié.... pour être vendu.... sur le marché.

> **Aide** Lorsque le participe passé est suivi d'un verbe à l'infinitif, il faut se demander si le **COD**, placé avant, est le **sujet** de l'infinitif.
> *Ex. Ces musiciens, je les ai entendus jouer.*
> (*les* = COD d'*entendre* et sujet de *jouer*, donc le participe passé *entendus* s'accorde avec *les* au masculin pluriel)
> *Ex. Quelle pièce de théâtre aurais-tu souhaité voir ?*
> (*quelle pièce* = COD de *voir*, donc le participe passé *souhaité* ne s'accorde pas)

11 **Transposez** ce texte au **passé composé** en faisant de *je* une jeune fille.

J'arrache mes lunettes, je les tiens loin de moi, je me penche vers cet incalculable vide. L'air vif crochète mes paupières, me tire des larmes de froid, suivies d'autres, que je n'essaie même pas
5 d'arrêter. Une main se serre à ma gorge, une autre froisse nerveusement mon estomac, me chiffonne comme un brouillon. Je ne sais pas pourquoi. C'est, depuis quelque temps, comme ça : une mélancolie qui me noie.

M.-S. Roger, *Attention fragiles*, © Éditions du Seuil, 2000.

12 **Aidez Marine à corriger** son brouillon : elle a mal accordé certains **participes passés**. (*Attention* : ils ne sont pas tous faux !)

Il reste 6 erreurs sur les participes passés.

Les nouvelles que le professeur nous avait conseillé ont été lu par tous les élèves. Nous avons appréciés l'intrigue bien agencée de ces courtes histoires. Certaines avaient été fort bien travaillé par l'auteur. Nous avons surtout été étonnés par leur chute déroutante. Aucun d'entre nous ne les avait réellement prévu. Ces récits brefs nous ont faits réfléchir.

13 **Récrivez** le poème suivant en remplaçant le pronom *je* par *nous* (féminin pluriel) **et** en conjuguant les verbes au **passé composé**. (*Attention* : deux verbes seront au passé du subjonctif → CHAPITRE 44.)

Ex. *Les mots <u>nous</u> ont parlé…*

Les mots me parlent

Les mots me parlent et m'écrivent,
Les mots me hantent et me vivent.
Au fil des mots, lente, dérive
La pensée qu'ils tiennent captive.

5 Car je me contente d'écrire
Ce que les mots veulent bien dire,
Ce qu'ils m'imposent et m'inspirent,
Joies ou malheurs, larmes ou rires.

Et les mots parfois me surprennent.
10 Sans que toujours je les comprenne.
Je redis les mots comme ils viennent,
Leur voix cachée devient la mienne.

Mots mystérieux, obscurs prophètes,
Mots attristés ou mots en fête,
15 Leur réussite est ma défaite,
Mais que leur volonté soit faite !

Jacques Charpentreau, *Ce que les mots veulent dire*,
© Jacques Charpentreau, 1986.

Dictée préparée

14 1. Qui désigne le pronom *je* ? Qui désigne le pronom *tu* ?
2. **Relevez** les **participes passés** et **justifiez** leur **accord**.
3. **Observez** et **expliquez** les autres **difficultés** de la dictée.

Accords	cette femme un cheval **nu** il était **fier** tu auras (perdu, aimé) une **vieille** femme
Homophones (*c'est / s'est / sais* *quand / quant à* *tant / temps*)	tu ne **sais** pas **c'est** mon troisième toutes **ces** années **quand** j'y suis venu **tant** d'années
Mots à retenir	*debout* *des coups* *admiration* *émerveillement* *spectacle*

Chère Janey,

[…] Eh bien, je t'ai **vue**, ce soir, et tu m'as **vue** toi aussi, mais tu ne sais pas que cette femme, que tu regardais et qui se tenait debout sur un cheval nu en tirant des coups de feu, était ta
5 mère. J'ai **vu** dans tes yeux de l'admiration et de l'émerveillement : je suis **passée** aussi près de toi et de Jim que je l'ai **osé**. Et après le spectacle, il m'a **dit** combien il était fier de toi. […] C'est mon troisième voyage ici, à Richmond. Quand j'y suis
10 **venue**, il y a tant d'années, tu n'étais qu'une petite fille. Ô Janey, les années m'ont **dépouillée** trop vite – oui, les années t'ont **volée** à moi. Toutes ces années, je ne voulais rien d'autre que toi. Peut-être un jour, après que tu auras **perdu**
15 tout ce que tu auras jamais **aimé**, et quand tu seras toi-même une vieille femme, alors peut-être sauras-tu ce que je ressens.

Calamity Jane, *Lettres à sa fille*, trad. M. Sully,
© Tierce,1979, © Éditions Payot & Rivages, 1997.

1. La bouteille s'est brisée. 2. Elle s'est coupé le doigt.

3. Elle s'est coupée en voulant ramasser les morceaux de verre.

4. Sa sœur s'est blessée également. 5. Elles se sont donc consolées.

a. Donnez l'infinitif des verbes en couleur : que remarquez-vous ?

b. Dans la phrase 1, le sujet de *s'est brisée* fait-il l'action exprimée par le verbe ?

c. Quelle différence orthographique observez-vous entre les verbes des phrases 2 et 3 ?
Quelle est la fonction grammaticale du GN *le doigt* dans la phrase 2 ?
Observez la place de ce groupe : pourquoi le participe passé ne s'accorde-t-il pas ici ?
Quel mot semble remplir la même fonction dans les phrases 3 et 4 ? Où est-il placé ?

d. D'après cette observation, justifiez l'accord du participe passé dans la phrase 5.

LEÇON   *Je retiens...*

❶ Définition

Les verbes pronominaux s'emploient avec un **pronom réfléchi** (*me, te, se, nous, vous*)
et se conjuguent avec l'auxiliaire *être* aux temps composés.
Ex. Nous nous <u>sommes coupé</u> le doigt.

❷ Les verbes pronominaux et les accords des participes passés

Le participe passé s'accorde en fonction du **type de verbe pronominal** :

Les **verbes essentiellement pronominaux**	Les **verbes pronominaux de sens passif**	Les **verbes pronominaux de sens réfléchi**	Les **verbes pronominaux de sens réciproque**
Ils n'existent que sous cette forme.	On peut leur substituer la forme passive (➜ CHAPITRE 13).	Le pronom désigne la même personne que le sujet. On peut ajouter *soi-même, elle-même, eux-mêmes...*	Le sujet est au pluriel ou au singulier collectif (➜ CHAPITRE 34). On peut ajouter *l'un l'autre, les uns avec/contre les autres...*
Ex. se réfugier (→ **réfugier*)	*Ex. se casser* (= elle a été cassée)	*Ex. se couper* (= couper « soi-même »)	*Ex. se réconcilier* (les uns avec les autres)

Accord du participe passé avec le sujet	Accord du participe passé avec le COD seulement lorsqu'il est placé avant l'auxiliaire
Ex. Elle s'est <u>réfugiée</u> chez ses voisins. (sujet : *elle* → accord au féminin singulier) *Ils <u>se sont enfuis</u> dans la forêt.* (sujet : Ils → accord au masculin pluriel) *La bouteille <u>s'est cassée</u>.* (= La bouteille a été cassée ; sujet : *La bouteille* → accord au féminin singulier)	*Ex. Elle s'est coupée.* → *s'* = *elle-même* = COD. Le COD est placé avant le verbe : accord. *Ex. Elle s'est coupé les doigts.* → *les doigts* = COD ; *s'* = « *à elle* » = COI. Le COD (*les doigts*) est placé après le verbe : pas d'accord. *Ex. Elle a soigné les doigts qu'elle s'est coupés.* → *qu'* = COD (reprend *les doigts*). Le COD est placé avant le verbe : accord. *Ex. Elles se sont réconciliées.* (*se* = *elles-mêmes* = COD → accord au féminin pluriel)

Il faut donc observer la **construction du verbe** et repérer la **place du COD**
(→ CHAPITRES 16 et 23) pour accorder correctement le participe passé.

À vos marques !

1 **Vérifiez** que vous savez :
– repérer les **verbes pronominaux** ;
– identifier le **type du verbe pronominal**.

a. Adélie s'est levée tôt ce matin.

b. Elle a pris son petit déjeuner, puis elle est allée dans la salle de bains.

c. Elle s'est débarbouillé le visage, elle s'est lavé les dents et arrangé les cheveux.

d. Elle a heureusement retrouvé son devoir qui s'était perdu dans le désordre de son bureau et s'est rendue au collège.

e. Sur son passage les pigeons de la place de l'église se sont envolés.

f. Elle a accéléré le pas pour arriver avant la sonnerie.

g. Au collège, les heures se sont rapidement écoulées et les cours se sont succédé sans relâche jusqu'au soir.

2 **Précisez** si les verbes dans les phrases suivantes sont **pronominaux** ou non.

a. Tu te plains de ton manque de chance.

b. Elle te plaint d'avoir tant de malchance.

c. Elle lui a lavé son anorak.

d. Je me suis lavé le visage.

e. Nous nous plaisons dans cette classe.

f. Nos professeurs nous plaisent énormément.

g. Elle sait que son amie est déjà arrivée car elle l'a aperçue dans le couloir.

h. Elle s'est aperçue dans la glace.

3 Dans cette liste de verbes, **relevez** ceux qui sont **essentiellement pronominaux**.

s'absenter – s'abstenir – s'accuser – s'alimenter – s'autoriser – s'écrier – s'évader – se désister – se souvenir – s'ingénier – se vêtir – se raser – se récuser – se défendre – s'emparer – se succéder – se rebeller – se tapir – s'endormir.

FRANÇAIS → SVT

4 **1.** **Classez** les verbes pronominaux des phrases suivantes en quatre colonnes, selon qu'ils sont **essentiellement pronominaux**, de **sens passif**, de **sens réfléchi** ou bien de **sens réciproque**.
2. **Justifiez** l'accord des **participes passés**.

a. Depuis le réveil de la Soufrière de Monserrat, en 1995, les volcanologues se sont mis en alerte.

b. Des événements éruptifs se sont succédé.

c. Des explosions se sont produites, des nuées ardentes se sont répandues.

d. Une importante fusion de lave s'est accumulée et a formé un véritable dôme.

e. Sur les conseils des géologues, la capitale s'est vue évacuée en avril 1996.

f. Mais la panique ne s'est pas emparée des habitants qui ne se sont pas enfuis.

g. Finalement, le 26 juin 1997, les lumières de la ville se sont éteintes.

h. Une nuée ardente s'est abattue et a fait 10 morts dans une zone normalement évacuée.

> **Aide** Pour analyser l'accord du participe passé, il faut **repérer** la **construction du verbe** et la **place du COD**.
> *Ex. Ils se sont succédé.*
> → construction du verbe : « succéder à », verbe transitif indirect, *se* = COI, donc pas d'accord.
> *Ils se sont écrié qu'ils souhaitaient se balader en forêt.*
> <u>COD</u>
> → *se* n'est pas COD ; c'est la proposition subordonnée conjonctive qui est COD (placée après le verbe, donc pas d'accord).

5 **Mettez** ces verbes essentiellement pronominaux au **passé composé** et **accordez** les **participes passés** comme il convient.

a. Marc et Julie (*s'absenter*) hier et ne pas (*se rendre*) à la réunion.

b. Ils (*s'en repentir*) bien plus tard.

c. Ils (*se rendre compte*) de leur erreur.

d. Ils (*s'abstenir*) de voter.

e. Au début, ils (*se plaindre*), mais après, ils (*se taire*).

f. Elle, elle (*se désister*), et lui, il (*s'enfuir*).

g. Julie et Sarah (*se souvenir*) du temps où elles étaient au collège.

> **Aide** Pour la conjugaison du **passé composé**
> (→ CHAPITRE 40).

6 **Transformez** ces phrases de sorte que le verbe soit à la **forme pronominale** de **sens passif**.

Ex. *On a bien vendu cette maison.*
→ *Cette maison s'est bien vendue.*

a. On a joué la représentation à guichets fermés.

b. On a construit cette villa en quelques mois.

c. On a rapidement loué les pavillons situés en bord de mer.

d. On a mangé cette tarte en un rien de temps.

e. On a vendu ces disques à mille exemplaires.

f. On a très vite réalisé ces travaux.

7 **Donnez** la fonction de chacun des pronoms personnels réfléchis des verbes pronominaux, puis **accordez** le **participe passé** comme il convient.

a. Lorsqu'elles se sont rencontré...., Joséphine et Élise ne se sont pas reconnu.... tout de suite.

b. Elles se sont d'abord observé.... .

c. Mais après quelques instants, elles se sont raconté.... leurs secrets, comme avant.

d. Elles se sont promi.... de rester en contact.

e. Elles se sont souvent écri.... .

f. Elles se sont envoyé.... de nombreuses lettres.

g. Elles se sont demandé.... quel film elles iraient voir.

h. Elles se sont alors décidé.... à aller au cinéma puis se sont juré.... de renouveler l'expérience.

8 **Remplacez** les groupes nominaux soulignés par un **pronom personnel** et **accordez**, comme il convient, le **participe passé**.

Ex. *Ils se sont lavé les cheveux.* → *Ils se les sont lavés.*

a. Elles se sont envoyé des lettres.

b. Mes amies se sont offert des cadeaux.

c. Ils se sont aperçus de leur erreur.

d. Elles se sont accordé dix minutes de repos.

e. Elles s'étaient préparées à cette éventualité.

f. Ils se sont acheté une belle voiture.

9 **Accordez** comme il convient les **participes passés** dans les phrases suivantes.

Après s'être égaré.... dans la forêt, les randonneuses se sont cru.... perdues et se sont imaginé.... oubliées de tous. Mais les sauveteurs se sont démené.... pour les retrouver. Ils se sont senti....
5 investis d'une grande mission. Ils se sont accroché.... à cet espoir et ont fini par les retrouver. Elles ne s'étaient pas blessé.... . Mais par sécurité, elles se sont empressé.... d'aller à l'hôpital.

10 **Choisissez** la bonne orthographe et **justifiez** l'accord du participe passé.

a. Elle s'est (*lavé/lavée*) la tête.

b. Elle s'est (*lavé/lavée*) pendant deux heures.

c. Elle s'est (*frotté/frottée*) avec un gant.

d. Elle s'est (*frotté/frottée*) les yeux.

e. Ils se sont (*rappelé/rappelés*) au téléphone.

f. Ils se sont (*rappelé/rappelés*) leur enfance.

Aide Il ne faut pas confondre :
• Le **complément circonstanciel**, généralement déplaçable ou supprimable qui possède une valeur (lieu, temps…) (→ CHAPITRE 18).
• Le **complément d'objet** qui est essentiel et dépend d'un verbe transitif (→ CHAPITRE 16).
Ex. Il s'est essuyé à l'aide d'un mouchoir. (CC de moyen)
Il s'est essuyé la bouche. (COD de *s'est essuyé*)

11 **Récrivez** les phrases suivantes en mettant le mot ou groupe de mots souligné au **pluriel**. Faites toutes les modifications nécessaires.

a. Le jeune homme s'est prosterné devant elle.

b. Elle s'est éprise de ce comédien devant lequel elle s'est extasiée.

c. Elle s'est blessée et s'en est mal remise.

d. Le menuisier s'est fabriqué un meuble.

e. L'invité s'est plaint de l'accueil.

f. Ce lycéen ne s'est pas ennuyé à cette fête.

12 **Aidez Clémentine** à corriger son brouillon en **vérifiant** qu'elle a accordé correctement ses **participes passés**. (*Attention*: ils ne sont pas tous faux! Il y a 10 erreurs.)

Ce soir-là, je suis rentrée chez moi vers 10 heures du soir, seule. Je m'étais senti très fatiguée toute la journée. J'ai rangé mes affaires et me suis rapidement mise au lit. Vers minuit, j'ai été réveillé par une sonnerie qui a retentie dans toute la maison. J'ai allumé la lumière et me suis évertué à rester calme. J'ai attendu, attendu, je me suis inquiété: je me suis demandé ce qui se passait. La sonnerie s'est tu pendant quelques instants, puis a repris de plus belle. Je me suis alors précipité à l'extérieur de la maison, je me suis écrié « Au secours ! ». J'ai couru chez la voisine qui s'est décidé à me suivre. De retour à la maison, une vision horrible s'est offert à nos yeux…

Aide Pour les accords simples du **participe passé** (→ CHAPITRE 36).

13 **Transposez** le texte suivant au **passé composé**.

Cosette se leva, fit lentement le tour du jardin [...].

[...] l'idée que cette pierre n'était point venue sur ce banc toute seule, que quelqu'un l'avait mise
5 là, qu'un bras avait passé à travers cette grille, cette idée lui apparut et lui fit peur. Elle s'enfuit sans oser regarder derrière elle, se réfugia dans la maison, et ferma tout de suite au volet, à la barre et au verrou la porte-fenêtre du perron[1].
10 Au soleil levant, Cosette, en s'éveillant, vit son effroi comme un cauchemar et se dit : « À quoi ai-je été songer ? Est-ce que je vais devenir poltronne à présent ? »

Elle s'habilla, descendit au jardin, courut au
15 banc et se sentit une sueur froide.

Victor Hugo, *Les Misérables*, 1862.

1. *perron* : petit escalier extérieur.

14 **Récrivez** le texte suivant en remplaçant le pronom *il* par *elle* et en conjuguant les verbes au **passé composé**. Faites les modifications nécessaires.

Il se dressa et se tordit et s'enracina avec une sorte de furie sur ce point d'appui. Cela lui fit l'effet de la première marche d'un escalier remontant à la vie. [Il] remonta ce plan incliné et arriva
5 de l'autre côté de la fondrière.

En sortant de l'eau, il se heurta à une pierre et tomba sur les genoux. Il trouva que c'était juste, et y resta quelque temps, l'âme abîmée dans on ne sait quelle parole à Dieu.
10 Il se redressa, frissonnant, glacé, infect, courbé sous ce mourant qu'il traînait, tout ruisselant de fange, l'âme pleine d'une étrange clarté.

Il leva les yeux [...].

Là, il s'arrêta.

Victor Hugo, *Les Misérables*, 1862.

Dictée préparée

15 **1. Relevez** les **verbes pronominaux** et **déterminez** à quelle catégorie ils appartiennent (essentiellement pronominal, de sens passif, de sens réfléchi ou réciproque).
2. Justifiez l'**accord** des **participes passés**.
3. Observez et **expliquez** les autres **difficultés** de la dictée.

Accords	*aux nuits – sadisme intellectuel*
Confusions verbales (*-é/-er*)	*le temps a passé – réussi à maîtriser – de penser*
Homophones (*ce/se; on/ont; son/sont; a/à; quand/quant à; don/dont*)	*se sont succédé – ont pris la suite... – se sont ajoutés – a passé – à maîtriser – à en multiplier – quand... ils ne s'étaient pas ingéniés – dont il nous arrivait de penser*
Mots à retenir	*les nuits – interloqués – rendement – maximum – jugeote – biffées – embrouiller – exception*

Les années se sont succédé, les mois se sont relayés, les jours se sont ajoutés aux nuits, et les nuits ont pris la suite des jours, le temps a passé, et nous continuions d'être interloqués, agacés,
5 et même exaspérés, par les règles des participes passés que nous n'avions jamais réussi à maîtriser et dont il nous arrivait de penser qu'elles étaient inutilement compliquées, peu adaptées à notre époque de vitesse, de simplification et de
10 rendement poussé au maximum, et qu'elles resteraient à tout jamais éloignées de notre entendement, interdites à notre jugeote, biffées de notre savoir.

Nous étions particulièrement déroutés par les
15 participes passés des verbes pronominaux, dont il nous semblait que les grammairiens s'étaient plu à embrouiller les règles, quand, inspirés par le diable, stimulés par une sorte de sadisme intellectuel, ils ne s'étaient pas ingéniés à en multi-
20 plier les exceptions.

Bernard Pivot, *Accordez vos participes !*,
Préface de Micheline Sommant, © Dicos d'or, 2004.

38 Les confusions verbales (1)

« J'aimerais aller au cinéma quand j'aurai fini mon travail », pensai-je.
Je leur répétais tous les soirs : « Vous irez vous reposer quand vous
aurez terminé vos devoirs. »

a. Quels sont les modes et les temps des verbes dont les terminaisons sont en orange ?
b. Par quel verbe peut-on remplacer *aller* et *reposer* pour vérifier que ce sont des infinitifs ?
Remplacez *terminé* par ce verbe : que constatez-vous ?
c. À quelle personne peut-on conjuguer *pensai* pour vérifier que le verbe est au passé simple ?

LEÇON ▶ *Je retiens...*

 La confusion *-er / -é(es) / -ez*

À la fin d'un verbe, le son [e] peut s'écrire de différentes façons :

-er	**Infinitif** d'un verbe du **1er groupe** (+ *aller*). On le trouve après une préposition ou un verbe conjugué.	**Ex.** *J'aimerais aller* (→ *j'aimerais* **prendre**). *Vous irez vous reposer* (→ *vous irez* **prendre**). *Je rêvais d'aller* (→ *je rêvais* **de prendre**).
-é, -és, -ée, -ées	**Participe passé** d'un verbe du **1er groupe** (+ *aller*) (→ CHAPITRE 36).	**Ex.** *vous aurez terminé* (→ *vous aurez* **pris**) / *une fois l'activité terminée*. (→ *une fois l'activité* **prise**)
-ez	Forme conjuguée à la **2e pers (pluriel)**, associée au sujet *vous* (sauf à l'impératif).	**Ex.** **Vous** *irez vous reposer*. *Allez vous reposer*.

ASTUCE Pour différencier ces formes, il suffit de remplacer le verbe du **1er groupe** par un verbe du **2e** ou du **3e groupe**.

 La confusion *-ai / -ais, -ait, -aient* et *-rai / -rais, -rait, -raient*

Il existe de nombreuses formes verbales en [ɛ] :
● **L'imparfait** et le **passé simple**

-ai	**Passé simple** d'un verbe du **1er groupe** (+ *aller*) à la 1re pers. (sing.).	**Ex.** *Je pensai* (→ *il pensa*).
-ais, -ait, -aient	Forme conjuguée à l'**imparfait** à la 1re pers. (sing.) et à la 3e pers. (sing. et pluriel).	**Ex.** *Je pensais* (→ *il pensait*). *Elle disait / elles disaient*.

● Le **futur simple** et le **présent du conditionnel**

-rai	Forme conjuguée au **futur simple** à la 1re pers. (sing.).	**Ex.** *J'aurai fini mon travail* (→ *il aura fini son travail*).
-rais, -rait, -raient	Forme conjuguée au **conditionnel présent** à la 1re pers. (sing.) et à la 3e pers. (sing. et pluriel).	**Ex.** *J'aimerais aller au cinéma*. (→ *elle aimerait* ≠ *elle aimera* = futur) – *Il dirait / elles diraient*.

ASTUCE Ces formes verbales sont homophones à la 1re personne du singulier.
Pour les différencier, il suffit de remplacer la **1re personne** par la **3e personne**.

À vos marques !

1 **Vérifiez** que vous savez repérer :
– les **formes verbales en** [e] et les **nommer** (infinitif, participe passé, verbe conjugué à la 2e personne du pluriel) ;
– les **formes verbales en** [ε] et les **identifier** (imparfait, conditionnel).

Florent, ami des garçons, gâté par son frère, accepté par Lisa, finit par s'ennuyer terriblement. Il avait cherché des leçons sans pouvoir en trouver. Il évitait, d'ailleurs, d'aller dans le quartier
5 des Écoles, où il craignait d'être reconnu. Lisa, doucement, lui disait qu'il ferait bien de s'adresser aux maisons de commerce ; il pouvait faire la correspondance, tenir les écritures. Elle revenait toujours à cette idée, et finit par s'offrir pour
10 lui trouver une place. Elle s'irritait peu à peu de le rencontrer sans cesse dans ses jambes, oisif, ne sachant que faire de son corps. […] Elle lui disait :
– Moi, je ne pourrais pas vivre à rêvasser toute la journée. Vous ne devez pas avoir faim le soir…
15 Il faut vous fatiguer, voyez-vous.

Émile Zola, *Le Ventre de Paris*, 1873.

> **Aide** Aux temps composés, les verbes conjugués sont composés de deux éléments : l'**auxiliaire** et le **participe passé** (→ CHAPITRES 40 à 45).

2 **Donnez** et **justifiez** le temps et le mode des verbes soulignés.

Le narrateur, issu d'une famille noble mais désargentée, raconte sa jeunesse passée au pensionnat.

Je <u>demeurai</u> là huit ans, sans voir personne, et menant une vie de paria[1]. Voici comment et pourquoi. Je n'<u>avais</u> que trois francs par mois pour mes menus plaisirs, somme qui <u>suffisait</u> à
5 peine aux plumes, canifs, règles, encre et papier dont il <u>fallait</u> nous pourvoir. Ainsi, ne pouvant acheter ni les échasses, ni les cordes, ni aucune des choses nécessaires aux amusements du collège, j'<u>étais</u> banni des jeux ; pour y être admis,
10 j'<u>aurais</u> dû flagorner[2] les riches ou flatter les forts de ma division. La moindre de ces lâchetés, que se permettent si facilement les enfants, me <u>faisait</u> bondir le cœur. Je <u>séjournais</u> sous un arbre, perdu dans de plaintives rêveries, je <u>lisais</u> là les
15 livres que nous <u>distribuait</u> mensuellement le bibliothécaire.

Honoré de Balzac, *Le Lys dans la vallée*, 1836.

1. *paria* : personne mise à l'écart.
2. *flagorner* : flatter.

3 **Justifiez** les terminaisons des **formes verbales** soulignées dans l'extrait suivant.

Un homme préhistorique explique l'intérêt de chasser certains animaux.

Il avait donc fallu <u>commencer</u> tout en bas de l'échelle, et s'<u>escrimer</u> dur pour <u>grimper</u>. […] Pas de difficulté ensuite, une fois <u>tué</u>, pour <u>découper</u> ce petit gibier avec un biface de silex. Et, bien
5 que les meilleurs morceaux ne soient pas faciles à <u>déchirer</u> ni à <u>manger</u> quand on n'a qu'une dentition d'herbivore, on peut auparavant les <u>dépecer</u> et les <u>émietter</u> avec des pierres, et finir de les <u>mastiquer</u> tant bien que mal avec ces
10 molaires qui n'étaient <u>destinées</u> à l'origine qu'à <u>écraser</u> des fruits. Les morceaux de choix de tous ces animaux, c'étaient les parties molles : non qu'elles fussent très ragoûtantes[1]. Mais quand vous <u>avez</u> <u>passé</u> la journée à courir <u>affamé</u> sur
15 vos pattes de derrière, et si vous <u>voulez</u> nourrir votre cerveau, vous ne faites pas le délicat.

Roy Lewis, *Pourquoi j'ai mangé mon père*, 1960,
trad. Vercors et R. Barisse,
© Acte Sud, 1990.

1. *ragoûtantes* : alléchantes.

4 **Distinguez** les verbes conjugués au **futur simple de l'indicatif** des verbes conjugués au **présent du conditionnel**.

Septimus, un savant qui écrit des chansons populaires mais qui ne veut pas que cela se sache, discute avec Clovis.

« Vous voyez ce que ce <u>serait</u>, dit-il, à peine les gens <u>sauraient</u>-ils que je suis l'auteur de ces affreuses rengaines sentimentales qu'ils <u>perdraient</u> tout respect pour les travaux sérieux auxquels je me
5 livre. Je me flatte d'en connaître plus sur les ex-voto[1] sur cuivre que n'importe qui au monde, en fait j'espère un jour publier une monographie[2] sur ce sujet, mais on me <u>montrerait</u> partout du doigt comme l'auteur de ces chansons idiotes
10 que l'on chante dans tous les casinos de la côte. [...]

– [...] Si vous faites les couplets, je vous <u>trousserai</u>[3] un refrain, ce qui, paraît-il, est le principal. Je <u>partagerai</u> les droits d'auteur avec vous, et je
15 <u>garderai</u> le silence sur votre honteux secret. [...] »

Saki, *La Fenêtre ouverte*,
« Le péché secret de Septimus Brope », 1930,
trad. J. Rosenthal, © Robert Laffont, 1960.

1. *ex-voto*: plaque portant un remerciement que l'on place dans une église.
2. *monographie*: étude portant sur un sujet précis et restreint.
3. *trousserai*: ferai vite et bien.

> **Aide** Pour distinguer les deux modes, on remplace la 1re personne par la 3e personne.
> *Ex. Si je veux, je viendrai.*
> → *il viendra (futur de l'indicatif).*
> *Si je voulais, je viendrais.*
> → *il viendrait (présent du conditionnel).*

5 **Complétez** les verbes des phrases suivantes par les terminaisons du **futur simple de l'indicatif** ou du **présent du conditionnel**.

a. Je partir.... en Bretagne quand je ser.... prête.
b. Si j'étais sûre du temps qu'il va faire, je saur.... quoi mettre dans mes bagages. J'emporter.... seulement un gilet.
c. Je préférer.... voyager léger mais je prendr.... un coupe-vent et j'ajouter.... un gros pull.
d. Jeanne m'a dit que je fer.... mieux de prendre un bonnet et des moufles ! Elle m'a affirmé que la douceur du climat me surprendr.... .
e. De toute façon, j'apprécier.... ce séjour, j'ai besoin de vacances et je profiter.... de mes amis.
f. Si tout va bien, je prendr.... demain le train pour Brest. Ma tante devr.... venir me chercher.

6 **Complétez** ce poème par les terminaisons qui conviennent: *-er* / *-é* / *-ée* / *-és* / *-ez*.

Trois ans après

Il est temps que je me repose ;
Je suis terrass.... par le sort.
Ne me parl.... pas d'autre chose
Que des ténèbres où l'on dort !
5 [...]
Pourquoi m'appel....-vous encore ?
J'ai fait ma tâche et mon devoir.
Qui travaillait avant l'aurore,
Peut s'en all.... avant le soir.
10 À vingt ans, deuil et solitude !
Mes yeux, baiss.... vers le gazon,
Perdirent la douce habitude
De voir ma mère à la maison.
[...]
15 Mon œuvre n'est pas termin....,
Dites-vous. Comme Adam banni[1],
Je regarde ma destinée,
Et je vois bien que j'ai fini.

L'humble enfant que Dieu m'a ravie[2]
20 Rien qu'en m'aimant savait m'aid.... ;
C'était le bonheur de ma vie
De voir ses yeux me regard.... .
[...]
Vous voul.... que, dans la mêlée,
25 Je rentre ardent parmi les forts,
Les yeux à la voûte étoil.... ...
Oh ! l'herbe épaisse où sont les morts !

D'après Victor Hugo, *Les Contemplations*, 1846
(v. 1 à 4, 9 à 16, 25 à 32 et 125 à 128).

1. *Adam banni*: Adam chassé du Paradis. 2. Hugo a perdu sa fille.

7 **Complétez** le texte suivant avec les terminaisons qui conviennent ([e] ou [ɛ]).

Usbek écrit à Mirza, resté en Perse.

Je ne saur.... assez te parl.... de la vertu des Troglodytes. Un d'eux dis.... un jour : « Mon père doit demain labour.... son champ ; je me lèver.... deux heures avant lui, et, quand il ira à son
5 champ, il le trouvera tout labour.... . »
[...]
On vint dire à un Troglodyte que des étrangers av.... pill.... sa maison et av.... tout emport.... .
« S'il n'ét.... pas injustes, répondit-il, je souhai-
10 ter.... que les dieux leur en donnassent un plus long usage que moi. »

Montesquieu, *Lettres persanes*, XIII, 1721.

8 **Complétez** les formes verbales par les terminaisons qui conviennent : *-ai / -ais / -ait* ou *-ée / -ez / -er*.

La cousine du narrateur a été hypnotisée devant lui. Il constate que cela fonctionne lorsqu'elle vient lui demander de l'argent.

J'ét.... tellement stupéfait, que je balbuti....[1] mes réponses. Je me demand.... si vraiment elle ne s'ét.... pas moqu.... de moi avec le docteur Parent, si ce n'ét.... pas là une simple farce pré-
5 par.... d'avance et fort bien jou.... .

Mais, en la regardant avec attention, tous mes doutes se dissipèrent. Elle trembl.... d'angoisse, tant cette démarche lui ét.... douloureuse, et je compris qu'elle av.... la gorge pleine de sanglots.
10 Je la sav.... fort riche et je repris :

« Comment ! votre mari n'a pas cinq mille francs à sa disposition ! Voyons réfléchiss..... [...] »

Elle hésita encore, réfléchissant. Je devin.... le travail torturant de sa pensée. Elle ne sav.... pas.
15 Elle sav.... seulement qu'elle dev.... emprunter cinq mille francs pour son mari.

Elle s'exhalt...., joign.... les mains comme si elle m'eût prié ! J'entend.... sa voix chang.... de ton ; elle pleur.... et bégay...., harcel...., domin....
20 par l'ordre irrésistible qu'elle av.... reçu.

D'après Guy de Maupassant, *Le Horla*, 1887.

1. *balbutier* : bredouiller.

> **Aide** Pour l'emploi de l'**imparfait** et du **passé simple**
> (➔ CHAPITRES **2** et **4**).

R É É C R I T U R E

9 **Transposez** le texte au **système des temps passé**.

Le Dr Jekyll raconte ce qui lui arrive lorsqu'il expérimente sa potion.

Je ne m'attarde qu'une minute devant la glace : j'ai encore à tenter la seconde expérience, qui sera décisive ; il me reste à voir si j'ai perdu mon individualité sans rémission et s'il me faudra
5 avant le jour fuir d'une maison qui n'est désormais plus la mienne. Regagnant en hâte mon cabinet, je prépare de nouveau et absorbe le breuvage, souffre une fois de plus les tourments de l'agonie, et reviens à moi une fois de plus avec
10 la mentalité et les traits de Henry Jekyll.

D'après R. L. Stevenson, *Le Cas étrange du Dr Jekyll et de Mr. Hyde*, 1886, trad. T. Varlet, © Flammarion.

> **Aide** On utilise le conditionnel pour exprimer un événement situé dans le futur par rapport à un fait au passé
> (➔ CHAPITRES **3** et **45**).
> *Ex. Je pense qu'il viendra. / Je pensais qu'il viendrait.*
> Pour les temps du système passé (➔ CHAPITRE **2**).

Dictée préparée

10 1. a. **Relevez** les verbes conjugués en *-ai* et **expliquez** leur terminaison.
b. **Repérez** les verbes du 1er groupe à l'**infinitif** et au **participe passé**.
2. **Observez** et **expliquez** les autres **difficultés** de la dictée.

Accords
*Voici les faits **tout** simples* –   *Ses cheveux étai**ent** **tout** blancs*   (*tout* est ici un adverbe et ne s'accorde pas)
Mot à retenir
*instin**ct***

Mais non, je n'ai pas été fou, et je vous en donnerai la preuve. Imaginez ce que vous voudrez. Voici les faits <u>tout</u> simples.

C'était en 1827, au mois de juillet. Je me trouvais à Rouen en garnison.
5 Un jour, comme je me promenais sur le quai, je rencontrai un homme que je crus reconnaître sans me rappeler au juste qui c'était. Je fis, par instinct, un mouvement pour m'arrêter. [...]

C'était un ami de jeunesse que j'avais beaucoup aimé.
10 Depuis que je ne l'avais vu, il semblait vieilli d'un demi-siècle. Ses cheveux étaient <u>tout</u> blancs ; et il marchait courbé, comme épuisé. Il comprit ma surprise et me conta sa vie. Un malheur terrible l'avait brisé.

Guy de Maupassant, *Clair de Lune*, « Apparition », 1883.

Il **est** nécessaire que tu **aies** ce diplôme. J'**ai** la conviction que tu **es** capable de réussir. Mais pour cela, il faut que tu *révises* tes leçons.

a. Quelles remarques pouvez-vous faire sur les formes en bleu ? Donnez leur infinitif.
b. Remplacez, quand c'est possible, le sujet par « nous ». Que constatez-vous ?
c. À quel temps et à quel mode est conjugué le verbe en vert ?
d. Remplacez-le par le verbe *savoir*. Que constatez-vous ?

LEÇON ▸ *Je retiens...*

① *Être* et *avoir*

Les verbes *avoir* et *être* ont des formes homophones au **présent de l'indicatif** (➔ CHAPITRE 40) et au **présent du subjonctif** (➔ CHAPITRE 44).

PRÉSENT DE L'INDICATIF	PRÉSENT DU SUBJONCTIF
j'**ai** (avoir)	Il faut que j'**aie** (avoir)
tu **es** (être)	Il faut que tu **aies** (avoir)
il **est** (être)	Il faut qu'il **ait** (avoir)

ATTENTION Ce risque de confusion concerne aussi le passé composé de l'indicatif et le passé du subjonctif puisque l'auxiliaire y est conjugué au présent.

Ex. *J'ai fini.* (passé composé de l'indicatif) / *Il faut que j'aie fini.* (passé du subjonctif)

② Autres verbes

● Les verbes du **1er groupe** sont **homographes** (même orthographe) ou **homophones** au présent de l'indicatif et au présent du subjonctif.

PRÉSENT DE L'INDICATIF	PRÉSENT DU SUBJONCTIF
je travaill**e**	Il faut que je travaill**e**
tu travaill**es**	Il faut que tu travaill**es**
il travaill**e**	Il faut qu'il travaill**e**
nous travaill**ons**	Il faut que nous travaill**ions**
vous travaill**ez**	Il faut que vous travaill**iez**
ils travaill**ent**	Il faut qu'ils travaill**ent**

● Certains verbes du **3e groupe** sont aussi **homophones**.

PRÉSENT DE L'INDICATIF	PRÉSENT DU SUBJONCTIF
je **vois**	Il faut que je **voie**
tu **vois**	Il faut que tu **voies**
il **voit**	Il faut qu'il **voie**
nous **voyons**	Il faut que nous **voyions**
vous **voyez**	Il faut que vous **voyiez**
ils **voient**	Il faut qu'ils **voient**

ASTUCE Pour différencier ces modes, il suffit de remplacer le verbe par un verbe irrégulier comme *savoir*.

Ex. *Il **voit**.*
(= *il sait* → indicatif)
*Il faut qu'il **voie**.*
(= *il faut qu'il sache* → subjonctif)

À vos marques !

1 **Vérifiez** que vous savez repérer :
– les verbes conjugués à l'**indicatif**,
– les verbes conjugués au **subjonctif**.

a. J'ai l'impression que tu regrettes presque qu'il ait réussi son examen.

b. Tu es convaincue qu'il a triché, bien qu'il ait affirmé le contraire.

c. Peut-être ai-je eu tort de me réjouir que, toi, tu aies obtenu ce diplôme ?

d. Il est nécessaire que nous nous soutenions et que j'aie davantage confiance en toi.

2 **Classez** ces verbes en deux colonnes, selon qu'ils sont à l'**indicatif** ou au **subjonctif**, et **précisez** leur **temps**. (*Attention* : une forme peut apparaître dans les deux colonnes.)

il soit – je lie – nous cueillons – j'ai permis – vous pliiez – tu lies – j'ai – tu aies – vous copiiez – nous essayons – elles aient – elle joue – j'aie bu – on ait attendu – il peigne – elle est suivie.

3 **Mettez** les verbes suivants à la 2ᵉ et à la 3ᵉ **personne du singulier** du **présent** de l'**indicatif**, puis du **subjonctif**.

croire – voir – courir – avoir – rire – fuir – exclure.

4 **Indiquez** si les verbes soulignés sont au **présent de l'indicatif** ou au **présent du subjonctif**.

J'ai bien l'impression que les jours qui <u>viennent</u> <u>vont</u> être les plus dangereux de ma vie. C'est pourquoi j'ai décidé de t'écrire cette lettre qui sera une sorte de journal de bord. Si je <u>suis</u> tué
5 ou quoi que ce <u>soit</u>, ces pages seront peut-être retrouvées, quoique je ne <u>voie</u> pas très bien à quoi elles pourraient servir, à moins que je ne <u>découvre</u> le LION BLANC. Ce n'<u>est</u> pas que j'<u>aie</u> l'intention de me faire trucider.

Mervyn Peake, *Lettres d'un oncle perdu*,
trad. Fr. et P. Reumaux, © Casterman, 1980 et 1997.

> **Aide** Les **conjonctions de subordination** exprimant l'**opposition** (*quoique, bien que…*) et la **condition** (*à condition que, à moins que…*) sont toujours suivies du **subjonctif**.
>
> Ex. <u>Bien que j'**aie**</u> seize ans, je ne sors pas le soir.

5 **Relevez** dans ce texte :
– les verbes au **présent du subjonctif** ;
– les verbes au **présent de l'indicatif** ;
– les verbes au **passé composé de l'indicatif** ;
– le verbe au **passé du subjonctif**.

Gorgibus est le père de Magdelon et l'oncle de Cathos, deux jeunes précieuses.

GORGIBUS. – [...] Cathos, et vous, Magdelon...

MAGDELON. – Eh ! de grâce, mon père, défaites-vous de ces noms étranges, et nous appelez autrement.

5 GORGIBUS. – Comment, ces noms étranges ! Ne sont-ce pas vos noms de baptême ?

MAGDELON. – Mon Dieu ! que vous êtes vulgaire ! Pour moi, un des mes étonnements, c'est que vous puissiez faire une fille si spirituelle que
10 moi. [...]

CATHOS. – Il est vrai, mon oncle, qu'une oreille un peu délicate pâtit furieusement à entendre prononcer ces mots-là ; et le nom de Polixène que ma cousine a choisi, et celui
15 d'Aminte que je me suis donné, ont une grâce dont il faut que vous demeuriez d'accord.

GORGIBUS. – Écoutez, il n'y a qu'un mot qui serve : je n'entends point que vous ayez d'autres noms que ceux qui vous ont été donnés par vos par-
20 rains et marraines ; et pour ces Messieurs dont il est question, je connais leurs familles et leurs biens, et je veux résolument que vous vous dis-posiez à les recevoir pour maris. [...]

MAGDELON. – Souffrez que nous ayons pris un peu
25 haleine parmi le beau monde de Paris, où nous ne faisons que d'arriver. [...]

GORGIBUS, *à part.* – Il n'en faut point douter, elles sont achevées. *(Haut.)*
30 Encore un coup, je n'en-tends rien à toutes ces balivernes ; je veux être maître absolu ; et, pour trancher toutes sortes de
35 discours, ou vous serez mariées toutes deux avant qu'il soit peu, ou, ma foi ! vous serez religieuses, j'en fais un bon serment.

Molière, *Les Précieuses ridicules*, scène 4, 1659.

6 **Conjuguez** au **présent du subjonctif** les verbes suivants qui sont au présent de l'indicatif. **Classez**-les ensuite dans le tableau.

je semble – il sourit – je résous – tu prévois – il sait – elle crie – tu prends – j'accours – on vit – tu couds – je finis – il s'assoit – elle conclut.

Forme identique à l'oral et à l'écrit	Forme identique à l'oral mais différente à l'écrit	Forme différente à l'écrit et à l'oral

7 **Mettez** les verbes entre parenthèses au **temps** et au **mode** qui conviennent.

ARGAN. – Quoi! Il faudra encore que je n'(*avoir*) pas le plaisir de la quereller?

[...]

TOINETTE. – Si vous avez le plaisir de quereller, il
5 faut bien que de mon côté j'(*avoir*) le plaisir de pleurer: chacun le sien, ce n'est pas trop. Ah!

ARGAN. – Allons, il faut en passer par là. Ôte-moi ceci, coquine, ôte-moi ceci. (*Argan se lève de sa chaise.*) Mon lavement d'aujourd'hui a-t-il bien
10 opéré?

TOINETTE. – Votre lavement?

ARGAN. – Oui. (*avoir*)-je bien fait de la bile?

TOINETTE. – Ma foi, je ne me mêle point de ces affaires-là: c'(*être*) à Monsieur Fleurant à y
15 mettre le nez, puisqu'il en a le profit.

ARGAN. – Qu'on (*avoir*) soin de me tenir un bouillon prêt pour l'autre que je dois tantôt prendre.

D'après Molière, *Le Malade imaginaire*,
acte I, scène 2, 1673.

FRANÇAIS → ÉDUCATION CIVIQUE

8 **Choisissez** la **forme** qui convient parmi celles proposées entre parenthèses.

a. Jeudi, j'(*es/ai/aie*) assisté avec la classe à un procès au tribunal de Paris.

b. Avant qu'il y (*est/ait/ai*) trop de monde, le professeur nous a installés aux premiers rangs.

c. J'y (*aie/es/ai*) découvert que chaque magistrat a un rôle précis et qu'il (*est/ait/ai*) vêtu d'une robe pour qu'on le distingue mieux.

d. Bien que je n'(*ai/est/aie/aies*) pas pu suivre le procès jusqu'au bout, j'(*ai/aie*) entendu certaines dépositions des témoins.

e. Alors qu'il (*ait/est*) censé prendre la parole et défendre son client, l'avocat de la partie civile (*es/ait/est*) resté silencieux.

f. J'(*ai/aie/es*) alors compris à quel point il (*es/est/ait*) important qu'un avocat (*est/ait/aie*) une bonne prestance oratoire.

FRANÇAIS → HISTOIRE

9 **Mettez** les verbes entre parenthèses au **présent de l'indicatif**, au **présent du subjonctif**. **Précisez** le mode que vous avez employé.

a. La croissance des villes (*être*) l'un des grands changements du XIXe siècle.

b. Après qu'(*avoir*) lieu la Révolution industrielle de 1848, il (*sembler*) nécessaire que la population (*avoir*) un logement en ville près de son travail.

c. Il (*falloir*) alors transformer Paris avant que l'entassement des gens (*être*) insupportable.

d. Haussmann, préfet de la Seine de 1853 à 1870, (*être*) le grand architecte des travaux à Paris.

e. Il (*créer*) des jardins et de grandes avenues aux tracés rectilignes afin que la ville (*devenir*) plus belle et la circulation plus facile.

f. Il (*faire*) construire des égouts et des réservoirs pour que la ville (*être*) assainie et approvisionnée en eau.

g. Ces travaux (*contribuer*) à rehausser le prestige du régime impérial.

h. Il (*faire*) alors en sorte que les vieux quartiers parisiens, les principaux foyers révolutionnaires, (*être*) démolis et que la population ouvrière (*partir*) émigrer vers les banlieues.

i. Après que Jules Ferry (*avoir*) publié les *Comptes fantastiques d'Haussmann*, il (*être*) renvoyé par le ministre E. Ollivier.

j. Le roman de Zola *La Curée* (*évoque*) ces grands travaux qui (*métamorphoser*) le centre de Paris.

k. (*pouvoir*)-on imaginer que demain un nouvel urbaniste (*reconstruire*) entièrement le centre de la capitale?

> **Aide** On emploie le **subjonctif** dans les **subordonnées de but** (*pour que, afin que, de peur que...*) et dans certaines subordonnées **de temps** (*avant que, jusqu'à ce que, en attendant que...*).
> Mais après les conjonctions de subordination *au moment où, pendant que, après que...*, on emploie l'**indicatif**.
> *Ex.* Après qu'il **est sorti**, la pluie s'est mise à tomber. (indicatif) / Avant qu'il **soit sorti**, la pluie s'est mise à tomber. (subjonctif)

a. C'est la première fois que je voi.... un film aussi drôle. Il faut absolument que tu le voi.... !

b. Mon petit frère croi.... encore au Père Noël. Je souhaite qu'il y croi.... encore longtemps.

c. Je meur.... d'envie d'acheter cette magnifique orchidée, mais faute de savoir la cultiver, je crains qu'elle ne meur.... .

d. Nous travaill.... depuis un mois sur ce projet, mais comme nous avons pris du retard, je veux que nous y travaill.... encore une semaine.

e. Vous bouill.... d'impatience de le rencontrer et j'ai peur que vous bouill.... de rage quand vous apprendrez qu'il ne viendra pas !

f. Je l'ai puni : il distrai.... déjà son voisin et je ne souhaite pas qu'il distrai.... toute la classe par ses pitreries !

g. Il est nécessaire que tu conclu.... ton devoir : tu finis le développement et tu conclu.... en donnant ton opinion personnelle.

h. J'aimerais tant qu'elle ri.... davantage, mais en ce moment elle ne ri.... pas très souvent.

i. Avant que vous n'envoy.... la balle, prenez garde à sa trajectoire : vous l'envoy.... trop souvent hors du terrain.

11 **Complétez** ces phrases avec *ai, aie, aies, ait, es, est*.

a. J'.... la certitude que tu .... un élève sérieux.

b. Il faut donc que tu .... le courage de travailler plusieurs heures de suite.

c. Il .... clair qu'à ce rythme tu progresseras vite avant qu'il y .... les relevés de notes.

d. .... confiance en moi.

e. ....-il vrai que je t'.... déjà menti à ce sujet ?

f. Bien que j'.... parfois commis des erreurs, j'.... toujours reconnu mes torts.

12 **Composez** une phrase pour intégrer chacune des **formes verbales** proposées. Attention au **mode**, à la **personne** et à l'**accord** du participe passé.

a. *est appréciée, ait apprécié, ai appréciées, aient appréciés, aies apprécié.*

b. *apprécions, appréciions* (2 possibilités), *apprécies* (2 possibilités), *apprécie* (4 possibilités).

> **Aide** Pour l'accord du **participe passé** (→ CHAPITRE 36).

Dictée préparée

13 **1. Précisez** si les verbes en gras sont à l'**indicatif** ou au **subjonctif**.
2. Donnez l'infinitif, le **temps** et le **mode** des verbes soulignés.
3. Observez et **expliquez** les autres **difficultés** de la dictée.

Monsieur Jourdain. – C'**est** une chose que j'**ai** résolue.
Madame Jourdain. – C'**est** une chose, moi, où je ne <u>consentirai</u> point. Les alliances avec plus grand que soi **sont** sujettes toujours à de fâcheux inconvénients. Je ne **veux**
5 point qu'un gendre **puisse** à ma fille reprocher ses parents, et qu'elle **ait** des enfants qui **aient** honte de m'appeler leur grand-maman. [...] je veux un homme, en un mot, qui m'**ait** obligation[1] de ma fille, et à qui je **puisse** dire : « <u>Mettez</u>-vous là, mon gendre, et <u>dînez</u> avec
10 moi. »

Molière, *Le Bourgeois gentilhomme*, acte III, scène 12, 1670.

1. *qui m'ait obligation* : qui me soit reconnaissant.

Accords	*une chose que j'ai résolue – les alliances... sont sujettes – de fâcheux inconvénients*
Confusions verbales (*-er / -ez*)	*de m'appeler – reprocher – Mettez – dînez*
Homophones (*soi / soit ; la / là*)	*plus grand que soi – Mettez-vous là*
Mots à retenir	*sujettes – alliances – inconvénients*

Le présent et le passé composé

Dans le salon du 21 Baker Street, Sherlock Holmes jette un œil aux journaux tandis que le Docteur Watson a sorti le cahier dans lequel il prévoit de consigner leurs aventures.

a. À quel temps sont conjugués les verbes en rose ?
Mettez-les à l'infinitif. À quel groupe appartiennent-ils ?
b. *le Docteur Watson a sorti le cahier* : à quel temps est conjugué le verbe ?
Remplacez-le par le verbe *prendre*. Observez la terminaison du participe passé.
Comment pouvez-vous vérifier qu'elle est correcte ?

LEÇON ▶ *Je retiens...*

1 **Le présent** est un **temps simple** de l'indicatif.
La conjugaison du présent varie selon les groupes verbaux.

Désinences 1er gr. 2e, 3e gr.	1er groupe *chanter*	2e groupe *obéir*	3e groupe *partir*	3e groupe *prendre*	3e groupe *tenir*
-e -s/-ds	je chant**e**	j' obé**is**	je par**s**	je prend**s**	je tien**s**
-es -s/-ds	tu chant**es**	tu obé**is**	tu par**s**	tu prend**s**	tu tien**s**
-e -t/-d	il chant**e**	il obé**it**	il par**t**	il pren**d**	il tien**t**
-ons -ons	nous chant**ons**	nous obé**issons**	nous part**ons**	nous pren**ons**	nous ten**ons**
-ez -ez	vous chant**ez**	vous obé**issez**	vous part**ez**	vous pren**ez**	vous ten**ez**
-ent -ent	ils chant**ent**	ils obé**issent**	ils part**ent**	ils prenn**ent**	ils tienn**ent**

ATTENTION

- Certains verbes du **1er** groupe présentent des particularités orthographiques :
nous plaçons ; nous nageons ; j'appelle ; tu jettes ; il achète ; je nettoie ; tu essuies...
- Les verbes *vouloir, pouvoir* et *valoir* se terminent par *-x, -x, -t* au singulier.
- Les verbes en *-indre* et *-soudre* perdent leur *-d* et se terminent par *-s, -s, -t* au singulier.
- *Dire* et *faire* font *vous dites* et *vous faites* à la 2e personne du pluriel.

2 **Le passé composé** est un **temps composé** de l'indicatif.
Il est formé de l'**auxiliaire *être*** ou *avoir*, conjugué au **présent**, et du **participe passé** du verbe.

Auxiliaires au présent		+ participe passé du verbe
être	*avoir*	
je **suis**	j' **ai**	
tu **es**	tu **as**	
il **est**	il **a**	
nous **sommes**	nous **avons**	
vous **êtes**	vous **avez**	
ils **sont**	ils **ont**	

Ex. *ils ont chanté / vous êtes venu(e)s...*

ATTENTION Il faut accorder correctement le participe passé (→ CHAPITRES **36** et **37**).

À vos marques !

1 **Vérifiez** que vous êtes capable de :
– relever les verbes conjugués au **présent** et au **passé composé** ;
– préciser leur **infinitif** et leur **groupe** ;
– déterminer leur **sujet**.

Tous les points de repère (épouse, amis…) disparaissent.

Dimanche

Je ne sais pas quoi faire. J'ai passé la journée assis à la fenêtre à observer la rue. Je guettais le moindre visage connu. Mais il n'y avait rien que
5 des étrangers.

Je n'ose pas quitter la maison. Elle est tout ce qui me reste. Avec nos meubles et nos vêtements. Je veux dire *mes* vêtements. Son placard à elle est vide. Je l'ai ouvert ce matin à mon réveil et il n'y
10 avait pas un mouchoir. C'est comme un tour de prestidigitation, un escamotage – comme…

J'ai simplement ri. Je dois être…

J'ai appelé le magasin de meubles. Il est ouvert le dimanche après-midi. On m'a dit qu'il n'y
15 avait aucune commande de lit à notre nom. Je pouvais venir vérifier si je voulais.

Je suis revenu à la fenêtre.

Richard Matheson, « Escamotage », 1953,
© Don Congdon Associates, Inc., trad.
© A. Dorémieux, 1981.

---

2 **Distinguez** les verbes au **présent** des verbes au **passé simple** en repérant le groupe auquel chaque verbe appartient.

Comme il se promenait dans une fête foraine, un homme désireux de connaître son avenir se dit qu'il devrait consulter une voyante. Il hésita puis finit par entrer dans la roulotte de la diseuse
5 de bonne aventure et s'assit. La mystérieuse femme est dans l'ombre, elle lui saisit la main, polit sa boule de cristal avec son foulard et lui annonce d'heureux événements. Il allait avoir une promotion, rencontrer la femme de sa vie.
10 Mais elle ajouta qu'il resterait sans enfant. Elle lui prédit cela puis lui demanda une somme faramineuse. Il pâlit puis paya. Il était le chef d'une entreprise florissante, était marié et père de trois enfants !

3 **Conjuguez** les verbes entre parenthèses au **présent de l'indicatif**.

Le narrateur est persuadé d'être sous l'emprise d'un être étrange.

Je ne (*être*) plus rien en moi, rien qu'un spectateur esclave et terrifié de toutes les choses que j'(*accomplir*). Je (*désirer*) sortir. Je ne (*pouvoir*) pas. Il ne (*vouloir*) pas ; et je (*rester*), éperdu, tremblant,
5 dans le fauteuil où il me (*tenir*) assis. […]

Puis, tout d'un coup, il (*falloir*), il (*falloir*), il (*falloir*) que j'aille au fond de mon jardin cueillir des fraises et les manger. Et j'y (*aller*). Je (*cueillir*) des fraises et je les (*manger*) ! Oh ! mon Dieu !
10 Mon Dieu ! (*être*)-il un Dieu !

D'après Guy de Maupassant, *Le Horla*, 1887.

4 **Mêmes consignes** que dans l'EXERCICE 3 avec le texte suivant.

« Les chevaliers (*assaillir*) le château. Ils (*vouloir*) délivrer la princesse qui (*tressaillir*) quand elle les (*apercevoir*) du haut du donjon où le seigneur félon[1] la (*maintenir*) prisonnière et où elle
5 (*souffrir*) depuis des semaines. Lorsqu'ils (*réussir*) enfin à passer le pont-levis, ils (*atteindre*) sans difficulté l'escalier qui (*mener*) à sa cellule. Ils (*soulever*) la jeune fille qui (*défaillir*) sous le coup de l'émotion et… »
10 « Et vous (*dire*) que c'est une histoire originale ! (*s'exclamer*) Fred. Elle ne (*valoir*) rien !

– Nous (*croire*) que tu seras surpris si tu (*faire*) preuve d'un peu de patience, le (*prévenir*) ses parents.
15 – D'accord, je (*vouloir*) bien vous croire, (*répondre*) l'enfant.

– Nous (*ranger*) le livre dans la table de chevet. Bonne nuit ! »

1. *félon* : traître.

Aide La fonction sujet peut être remplie par le pronom relatif *qui* (→ CHAPITRE 15).

5 Choisissez le bon **auxiliaire** dans les phrases suivantes et **conjuguez**-les au **présent**.

a. Il .... rentré chez lui ravi. Il pleuvait, il .... rentré sans tarder le paquet déposé par le facteur.

b. Il .... monté rapidement dans sa chambre où il .... monté sa maquette pendant des heures.

c. Il y .... demeuré longtemps.

d. Pendant des années, il .... demeuré à Paris.

e. Il .... souvent sorti très tard le soir car il pouvait rentrer en bus. Désormais, il vit à la campagne. Il .... sorti ses dernières affaires des cartons depuis peu.

6 Conjuguez à la 3ᵉ personne du pluriel les expressions suivantes au **passé composé**. **Faites** les modifications nécessaires pour les déterminants possessifs.

a. *ouvrir la porte.*

b. *pendre son manteau.*

c. *se laver les mains.*

d. *mettre le couvert.*

e. *s'asseoir à sa place.*

f. *prendre son repas.*

g. *faire la sieste.*

7 **1. Repérez** l'auxiliaire des verbes au **passé composé**. **Accordez** les **participes passés** si nécessaire et **précisez** avec quel mot se fait l'accord.

2. Récrivez le texte en modifiant la situation : **Martine parle à Géronte de sa fille.**

Scapin tente de soutirer de l'argent à Géronte en prétendant que son fils a été enlevé.

Je l'ai trouvé.... tantôt tout triste, de je ne sais quoi que vous lui avez dit...., où vous m'avez mêlé.... assez mal à propos ; et, cherchant à divertir cette tristesse, nous nous sommes allé.... pro-
5 mener sur le port. Là, entre autres plusieurs choses, nous avons arrêté.... nos yeux sur une galère turque assez bien équipée. Un jeune Turc nous a invité.... d'y entrer, et nous a présenté.... la main. Nous y avons passé.... ; il nous a fait mille
10 civilités¹, nous a donné.... la collation², où nous avons mangé.... des fruits les plus excellents qui se puissent voir, et bu du vin que nous avons trouvé.... le meilleur du monde.

D'après Molière, *Les Fourberies de Scapin*, II, 7, 1671.

1. *civilités* : politesses.
2. *collation* : repas léger.

Aide Pour l'accord du **participe passé** (→ CHAPITRE 36).

8 **Récrivez** les textes suivants en prenant le **présent** comme temps de base.

Texte 1

Raphaël a acquis un objet qui réalise ses vœux.

Un domestique en grande livrée vint ouvrir les portes d'une vaste salle à manger où chacun alla, sans cérémonie, reconnaître sa place autour d'une table immense.
5 Avant de quitter les salons, Raphaël y jeta un dernier coup d'œil. Son souhait était, certes, bien complètement réalisé. La soie et l'or tapissaient les appartements. De riches candélabres supportant d'innombrables bougies faisaient briller les
10 moindres frises dorées, les ciselures délicates des bronzes, et les somptueuses couleurs de l'ameublement.

Honoré de Balzac, *La Peau de chagrin*, 1831.

Texte 2

La princesse Formosante possède un oiseau qui parle.

Tantôt elle demandait à l'oiseau si Amazan avait eu d'autres maîtresses. Il répondait que non, et elle était au comble de la joie. Tantôt elle voulait savoir à quoi il passait sa vie ; et elle apprenait avec transport qu'il l'employait à faire du bien, à cultiver les arts, à pénétrer les secrets de la nature, à perfectionner son être. Tantôt elle voulait savoir si l'âme de son oiseau était de la même nature que celle de son amant ; pourquoi
10 il avait vécu plus de vingt-huit mille ans, tandis que son amant n'en avait que dix-huit ou dix-neuf. Elle faisait cent questions pareilles, auxquelles l'oiseau répondait avec une discrétion qui irritait sa curiosité.

Voltaire, *La Princesse de Babylone*, 1768.

9 **Mettez** le texte suivant au **passé composé**.

C'est la nuit dans un hôpital.

Le feu, avivé, rayonne plus rouge. Dans leur godet de verre allongé, pendu à deux branches de fer arrondies, les veilleuses s'éteignent et se raniment. Leur lumignon[1] se lève et s'abaisse,
5 comme un souffle, sur l'huile lumineuse et transparente. Le fumivore[2] qui se balance à leur flamme mobile, projette sur les poutrelles du plafond une ombre énorme dont le cercle s'agite et remue sans cesse. Au-dessous, à droite et à gau-
10 che, la lumière coule mollement, du verre suspendu, sur le pied des lits [...]. Les formes, les lignes s'ébauchent en tremblant dans le demi-jour incertain qui les baigne, tandis qu'entre les lits, les fenêtres hautes, mal voilées par les
15 rideaux, laissent passer la clarté bleuâtre d'une belle nuit d'hiver sereine et glacée.

De veilleuse en veilleuse, la perspective s'éloigne, les images s'effacent et se confondent.

Edmond et Jules de Goncourt, *Sœur Philomène*, 1861.

1. *lumignon*: bout de la mèche d'une lampe ou d'une bougie.
2. *fumivore*: appareil qui absorbe la fumée.

Aide Pour l'accord du participe passé des **verbes pronominaux** (→ CHAPITRE 37).

10 **Récrivez** le texte en remplaçant la **1re personne du singulier** par la **1re du pluriel** et la **2e du pluriel** par la **2e du singulier**.

Madame de Sévigné écrit à son cousin à propos de Picard, un valet qu'elle a renvoyé.

Vous croyez que j'extravague? [La duchesse de Chaulnes] attend donc son mari avec tous les États[1]; et en attendant, elle est à Vitré toute seule, mourant d'ennui. Vous ne comprenez pas que
5 cela puisse jamais revenir à Picard? [...] Comme je suis donc sa seule consolation, après l'avoir été voir, elle viendra ici, et je veux qu'elle trouve mon parterre net et mes allées nettes, ces grandes allées que vous aimez. Vous ne comprenez
10 pas encore où cela peut aller? Voici une autre petite proposition incidente: vous savez qu'on fait les foins. Je n'avais pas d'ouvriers; j'envoie dans cette prairie, que les poètes ont célébrée, prendre tous ceux qui travaillaient pour venir
15 nettoyer ici. Vous n'y voyez encore goutte? Et, en leur place, j'envoie tous mes gens faner[2].

Madame de Sévigné, *Correspondance*, 1671.

1. *les États*: assemblées de nobles de province. 2. *faner*: faire les foins.

Aide La modification des pronoms personnels entraîne une modification des déterminants possessifs.
Ex. Je veux prendre mes affaires. → **Nous** voulons prendre **nos** affaires.

Dictée préparée

11 **1. Repérez** les verbes au **présent** et au **passé composé**. (Attention à la forme en gras.)
2. Expliquez les accords: sujet / verbe (attention, repérez un verbe à l'impératif, donc sans sujet exprimé), **participe passé**.
3. Observez les autres **difficultés de la dictée**.

Accents	*galères – galérien – bûche – là*
Confusions verbales (-er / -é / -ez)	*Recueillez – voulez – changé – sauvé – trouverez – volée – ajouter*
Mots à retenir	*Recueillez – intelligent*

M. Madeleine se dénonce pour sauver un innocent: il est Jean Valjean, un forçat évadé.

Enfin, il y a bien des choses que je ne **puis** pas dire, je ne vais pas vous raconter ma vie, un jour on saura. [...] Les galères font le galérien. Recueillez cela, si vous voulez. Avant le bagne, j'étais un pauvre paysan très peu intel-
5 ligent, une espèce d'idiot; le bagne m'a changé. J'étais stupide, je suis devenu méchant; j'étais bûche, je suis devenu tison. Plus tard l'indulgence et la bonté m'ont sauvé comme la sévérité m'avait perdu. Mais, pardon, vous ne pouvez pas comprendre ce que je dis là. Vous trouverez
10 chez moi, dans les cendres de la cheminée, la pièce de quarante sous que j'ai volée il y a sept ans à Petit-Gervais. Je n'ai plus rien à ajouter.

Victor Hugo, *Les Misérables*, 1862.

41 L'imparfait et le plus-que-parfait

Lorsqu'il avait fini ses devoirs, il allait souvent se promener dans le parc.

a. Relevez les verbes conjugués et donnez leur infinitif.

b. Analysez la terminaison de l'imparfait et la formation du plus-que-parfait.

c. Quelle action a été réalisée la première ?

LEÇON — *Je retiens...*

 L'imparfait est un **temps simple** de l'indicatif.

Ses terminaisons sont régulières pour tous les groupes.

Désinences	1er groupe		2e groupe	3e groupe	
	chanter	*crier*	*grandir*	*sentir*	*faire*
-ais	je chant**ais**	je cri**ais**	je grand**issais**	je sent**ais**	je fais**ais**
-ais	tu chant**ais**	tu cri**ais**	tu grand**issais**	tu sent**ais**	tu fais**ais**
-ait	il chant**ait**	il cri**ait**	il grand**issait**	il sent**ait**	il fais**ait**
-ions	nous chant**ions**	nous cri**ions**	nous grand**issions**	nous sent**ions**	nous fais**ions**
-iez	vous chant**iez**	vous cri**iez**	vous grand**issiez**	vous sent**iez**	vous fais**iez**
-aient	ils chant**aient**	ils cri**aient**	ils grand**issaient**	ils sent**aient**	ils fais**aient**

ATTENTION Certains verbes du 1er groupe présentent des particularités.

- Les verbes en *-**c**er* prennent une cédille devant *-ais, -ait, -aient*. **Ex.** *J'avançais.*
- Les verbes en *-**gu**er* gardent le *u* devant *-ais, -ait, -aient*. **Ex.** *Je conjuguais.*
- Les verbes en *-**g**er* prennent un *e* devant *-ais, -ait, -aient*. **Ex.** *Je mangeais.*

2 **Le plus-que-parfait** est un **temps composé** de l'indicatif.

Il est formé de l'**auxiliaire** *être* ou *avoir*, conjugué à l'imparfait, et du **participe passé** du verbe.

Auxiliaires à l'imparfait		
être	**avoir**	**+** **participe passé du verbe**
j' **étais**	j' **avais**	
tu **étais**	tu **avais**	
il **était**	il **avait**	
nous **étions**	nous **avions**	
vous **étiez**	vous **aviez**	
ils **étaient**	ils **avaient**	

Ex. *ils **avaient** mangé – vous **étiez** venu(e)s...*

ATTENTION Il faut accorder correctement le participe passé (→ CHAPITRES **36** et **37**).

À vos marques !

1 **Vérifiez** que vous savez repérer les **verbes à l'imparfait** et au **plus-que-parfait**.

a. Dès que j'avais terminé mes devoirs, je partais explorer la forêt.

b. Je trouvais des endroits extraordinaires que personne n'avait encore découverts.

c. Ma mère préparait de délicieuses omelettes avec les champignons que j'avais ramassés.

d. Elle s'était bien sûr inquiétée, comme chaque fois que je rentrais tard.

2 **Repérez** puis **classez** les verbes conjugués à l'**imparfait** et au **plus-que-parfait**. (*Attention* : tous les verbes ne sont pas conjugués à ces deux temps.)

j'eus navigué – ils avaient rejoint – je peignais – nous étions partis – ils auraient rejoint – tu crierais – nous partions – il aurait navigué – vous avez essuyé – nous partons – nous peignons – vous essuyiez – tu criais – il avait navigué – vous essuyez – vous aviez essuyé – ils rejoignaient – je peignai – nous serions partis.

3 **Conjuguez** les verbes à l'**imparfait**.

a. Les artistes (*peindre*) des fresques sur les murs.

b. Lilian et moi (*se méfier*) toujours des chiens.

c. L'arbitre (*exclure*) les plus violents.

d. Tous (*s'enfuir*) au moindre bruit.

e. Les employés (*craindre*) leur patron.

f. Enfants, nous (*effeuiller*) les plantes du jardin.

g. Mon oncle et ma tante (*prévoir*) toujours, le dimanche, une visite au musée.

h. Les jeux de ballon nous (*distraire*).

i. Ibrahim et toi, vous (*tressaillir*) toujours de froid en sortant de l'eau.

4 **1. Donnez** les **participes passés** des verbes suivants et **classez-**les dans le tableau.
2. Conjuguez-les au **plus-que-parfait** à la 3ᵉ personne du singulier et du pluriel.

couvrir – scintiller – faire – dévaster – accueillir – voir – disparaître – émettre – conduire – inscrire – offrir – rejoindre – surprendre – engloutir.

-é	-i	-is	-it	-t	-u

5 **Conjuguez** les verbes des phrases suivantes au **plus-que-parfait**.

a. Les doutes (*s'immiscer*) dans son cœur.

b. Le discours des députés (*ravir*) toute l'assemblée.

c. Les soldats (*reconquérir*) le territoire.

d. Les enfants et moi (*se vêtir*) de vieux vêtements.

e. Après ton intervention, tu (*mourir*) de honte.

f. Tom et toi (*ouvrir*) le bal.

6 **Conjuguez** les verbes entre parenthèses à l'**imparfait**.

Son visage (*donner*) une impression de force, avec son nez fin mais aquilin[1], des narines particulièrement larges, un front haut et bombé, des cheveux qui (*se clairsemer*) aux tempes, mais, ailleurs, épais et abondants. Les sourcils, massifs (*se rejoindre*) presque à l'arête du nez et (*paraître*) boucler tant ils (*être*) denses. La bouche, pour autant que je pusse l'entrevoir, sous l'épaisse moustache, (*présenter*) quelque chose de cruel, sans doute en raison des dents éclatantes et particulièrement pointues. Elles (*avancer*) au-dessus des lèvres elles-mêmes dont le rouge vif (*souligner*) une vitalité étonnante chez un homme de cet âge.

D'après Bram Stocker, *Dracula*,1897, trad. J. Finné, © Flammarion, 2004.

1. *aquilin* : fin et recourbé en bec d'aigle.

7 **Conjuguez** les verbes entre parenthèses au **plus-que-parfait**.

Germain (*vivre*) toujours sagement comme vivent les paysans laborieux. Marié à vingt ans, il n'(*aimer*) qu'une femme dans sa vie, et, depuis son veuvage, quoiqu'il fût d'un caractère impétueux et enjoué, il n'(*rire* et *folâtrer*) avec aucune autre. Il (*porter*) fidèlement un véritable regret dans son cœur, et ce n'était pas sans crainte et sans tristesse qu'il cédait à son beau-père ; mais le beau-père (*gouverner*) toujours sagement la famille, [...] Germain ne comprenait pas qu'il eût pu se révolter contre de bonnes raisons, contre l'intérêt de tous.

D'après George Sand, *La Mare au diable*, 1846.

Aide Certains adverbes se placent entre l'auxiliaire et le participe passé du verbe au plus-que-parfait.
Ex. J'avais **toujours** su *que tu reviendrais.*
Je ne l'avais **plus jamais** revu.

8 **Conjuguez** les verbes à l'**imparfait** ou au **plus-que-parfait** selon l'ordre chronologique des actions.

a. Mon frère et moi (*revenir*) de la campagne où nous (*passer*) quelques jours.

b. Notre oncle nous (*dire*) que la diligence (*partir*) à dix heures.

c. Il nous (*tarder*) de rentrer car notre mère nous (*préparer*) une surprise.

d. Pendant le voyage, nous (*réciter*) tout ce que le maître nous (*apprendre*).

e. Nous (*penser*) à nos camarades qui n'(*pouvoir*) pas rentrer chez eux.

f. Le pensionnat n'(*offrir*) pas de distractions à ceux qui (*devoir*) y passer les congés.

g. Au mieux leur (*proposer*)-t-on une promenade quand ils (*finir*) de déjeuner.

h. Aussi (*s'ennuyer*)-ils terriblement quand ils (*épuiser*) les ressources de la maigre bibliothèque de l'établissement.

9 **Conjuguez** les verbes à l'**imparfait** ou au **plus-que-parfait** en fonction du sens du texte. Vous **utiliserez** l'imparfait comme temps de base et **conjuguerez** les actions antérieures au plus-que-parfait.

Avec un mérite aussi transcendant[1] Mateo Falcone (*s'attirer*) une grande réputation. On le (*dire*) aussi bon ami que dangereux ennemi : d'ailleurs serviable et faisant l'aumône, il (*vivre*) en
5 paix avec tout le monde dans le district de Porto-Vecchio. Mais on (*conter*) de lui qu'à Corte, où il (*prendre*) femme, il (*se débarrasser*) fort vigoureusement d'un rival qui (*passer*) pour aussi redoutable en guerre qu'en amour : du moins on (*attri-*
10 *buer*) à Mateo certain coup de fusil qui surprit ce rival comme il (*être*) à se raser devant un petit miroir pendu à sa fenêtre. L'affaire assoupie, Mateo se maria. Sa femme Giuseppa lui (*donner*) d'abord trois filles (dont il [*enrager*]), et enfin un
15 fils, qu'il nomma Fortunato : c'(*être*) l'espoir de sa famille, l'héritier du nom. Les filles (*être mariées*) bien : leur père (*pouvoir*) compter au besoin sur les poignards et les escopettes[2] de ses gendres. Le fils n'(*avoir*) que dix ans, mais il (*annoncer*) déjà
20 d'heureuses dispositions.

D'après Prosper Mérimée, *Mateo Falcone*, 1829.

1. *transcendant* : qui l'emporte sur tous les autres (Mateo est un fin tireur).
2. *escopettes* : fusils.

10 **Complétez** les verbes à l'**imparfait** et au **plus-que-parfait**.

La chambre étai.... dans le plus étrange désordre ; les meubles brisés et éparpillés dans tous les sens. Il n'y avai.... qu'un lit, les matelas en avai.... été arrach.... et jet.... au milieu du parquet. Sur
5 une chaise, on trouva un rasoir mouillé de sang ; dans l'âtre, trois longues et fortes boucles de cheveux gris, qui semblai.... avoir été violemment arrach.... avec leurs racines. Sur le parquet gisai.... quatre napoléons, une boucle d'oreille ornée
10 d'une topaze[1], trois grandes cuillers[2] d'argent, trois plus petites en métal d'Alger, et deux sacs contenant environ quatre mille francs en or. Dans un coin, les tiroirs d'une commode étai.... ouver.... et avai.... sans doute été mis au pillage,
15 bien qu'on y ait trouvé plusieurs articles intacts. Un petit coffret de fer fut trouvé sous la literie (non pas sous le bois de lit) ; il ét.... ouvert, avec la clef dans la serrure.

D'après E. A. Poe, *Histoires extraordinaires*, « Double assassinat dans la rue Morgue », 1839, trad. Ch. Baudelaire.

1. *topaze* : pierre semi-précieuse.
2. *cuillers* : orthographe rare ou ancienne de *cuillère*.

11 **Choisissez** la **forme verbale** qui convient parmi les propositions suivantes.

L'entrée de la grotte (*était bouché / était bouchée*) par un amoncellement de rochers. L'un d'eux (*formait / formaient*) comme un pic au-dessus du chaos et (*devait / devaient*) offrir un point
5 de vue extraordinaire sur l'île et la mer. Robinson (*regardais / regardait*) autour de lui et (*ramassais / ramassait*) machinalement les objets que la grotte (*avait vomis / avait vomie*) avant de se refermer. Il y (*avait / avaient*) un fusil au canon tordu,
10 des sacs troués, des paniers défoncés. Vendredi l'(*imitais / l'imitait*), mais au lieu d'aller déposer comme lui au pied du cèdre les objets qu'il (*avait trouvé / avait trouvés*) il (*achevait / achevais*) de les détruire. [...] Robinson (*réfléchissais / réfléchis-*
15 *sait*) en regardant la lune entre les branches noires du cèdre. Ainsi toute l'œuvre qu'il (*avait accompli / avait accomplie*) sur l'île, ses cultures, ses élevages, ses constructions, toutes les provisions qu'il (*avait accumulées / avait accumulés*)
20 dans la grotte, tout cela (*était perdu / étaient perdu*) par la faute de Vendredi.

D'après Michel Tournier, *Vendredi ou la Vie sauvage*, © Gallimard, 1971.

12 **Récrivez** ce texte au **passé** en utilisant l'**imparfait** et le **plus-que-parfait** pour retrouver le texte d'origine. Vous commencerez par : *Il avait senti en se levant…*

Il a senti, en se levant, ce matin-là, le matin de l'horrible jour, un peu d'étourdissement et de migraine qu'il attribue à la chaleur, de sorte qu'il est resté dans sa chambre jusqu'à l'appel du
5 déjeuner. Après le repas, il a fait la sieste ; puis il est sorti vers la fin de l'après-midi pour respirer la brise fraîche et calmante sous les arbres de sa futaie.

[…] Le soleil, encore haut dans le ciel, verse sur
10 la terre calcinée, sèche et assoiffée, des flots de lumière ardente. Aucun souffle de vent ne remue les feuilles. Toutes les bêtes, les oiseaux, les sauterelles elles-mêmes se taisent. […] Il lui semble qu'une main inconnue, invisible, lui serre le cou
15 et il ne songe presque à rien, ayant d'ordinaire peu d'idées dans la tête.

D'après Guy de Maupassant, *La Petite Roque*, 1885.

13 **Remplacez** *M. Bermutier, juge d'instruction* par *M. Bermutier et moi* et *Plusieurs femmes* par *Une femme* et faites toutes les modifications nécessaires.

On faisait cercle autour de <u>M. Bermutier, juge d'instruction</u>, qui donnait son avis sur l'affaire mystérieuse de Saint-Cloud. Depuis un mois, cet inexplicable crime affolait Paris. Personne n'y
5 comprenait rien.

M. Bermutier, debout, le dos à la cheminée, parlait, assemblait les preuves, discutait les diverses opinions, mais ne concluait pas.

<u>Plusieurs femmes</u> s'étaient levées pour s'appro-
10 cher et demeuraient debout, l'œil fixé sur la bouche rasée du magistrat d'où sortaient les paroles graves. Elles frissonnaient, vibraient, crispées par leur peur curieuse, par l'avide et insatiable besoin d'épouvante qui hante leur âme, les tor-
15 ture comme une faim.

Guy de Maupassant, *Contes du jour et de la nuit*, « La main », 1885.

Dictée préparée

14 **1. Donnez** l'**infinitif** puis le **sujet** des verbes à l'**imparfait**.
2. Justifiez la terminaison des **participes passés** des verbes au **plus-que-parfait**.
3. Observez et **expliquez** les autres **difficultés** de la dictée.

Accords	*Tous ces nobles cœurs*
Homophones grammaticaux (*c'était / s'était, ce / se, la / là*)	*C'était là / la chaleur* *Ce pauvre marquis*
Confusions verbales (*-er / -é…*)	*Je courais m'enfermer –* *pour tuer –* *avait chassés*
Mots à retenir	*Poêle – mansarde – punch – queues – intimité – infaillible*

Daniel, surveillant dans un collège, est surnommé « le petit Chose ». Il raconte ses moments difficiles.

Je ne **travaillais** plus. À l'étude, la chaleur malsaine du poêle me **faisait** dormir. Pendant les classes, trouvant ma mansarde trop froide, je **courais** m'enfermer au café Barbette et n'en **sortais** qu'au der-
5 nier moment. C'**était** là maintenant que Roger me **donnait** ses leçons ; la rigueur du temps nous **avait chassés** de la salle d'armes et nous nous **escrimions** au milieu du café avec les queues de billard, en buvant un punch. Les sous-officiers **jugeaient** les
10 coups ; tous ces nobles cœurs m'**avaient** décidément **admis** dans leur intimité et m'**enseignaient** chaque jour une nouvelle botte infaillible pour tuer ce pauvre marquis de Boucoyran[1].

Alphonse Daudet, *Le Petit Chose*, 1868.

1. Le marquis de Boucoyran, père d'un élève, a humilié Daniel.

Il salua l'assemblée aussitôt qu'il fut arrivé.

Lorsqu'il eut terminé son dîner, il sortit.

a. À quels temps sont conjugués les verbes de ces phrases ?
(→ TABLEAUX DE CONJUGAISON p. 276 à 281)

b. Quel est le lien de parenté entre ces deux temps ?

c. À quels groupes appartiennent ces verbes ?

LEÇON ▶ *Je retiens...*

 Le passé simple est un **temps simple** de l'indicatif.
Sa conjugaison varie selon les groupes verbaux : la voyelle caractéristique change.

Désinences	1er groupe	2e groupe	3e groupe		
1er gr 2e, 3e gr.	*mener* (en -a-)	*obéir* (en -i-)	*dire* (en -i-)	*croire* (en -u-)	*tenir* (en -in-)
-ai -s	je menai	j' obéis	je dis	je crus	je tins
-as -s	tu menas	tu obéis	tu dis	tu crus	tu tins
-a -t	il mena	il obéit	il dit	il crut	il tint
-^mes	nous menâmes	nous obéîmes	nous dîmes	nous crûmes	nous tînmes
-^tes	vous menâtes	vous obéîtes	vous dîtes	vous crûtes	vous tîntes
-rent	ils menèrent	ils obéirent	ils dirent	ils crurent	ils tinrent

ATTENTION Les verbes du 1er groupe et *aller* se conjuguent en **-ai** à la 1re personne du singulier.
Ils ne prennent **jamais de « -t »** à la 3e personne du singulier.

Ex. je chantai – j'essayai – je nageai – j'allai…   il chanta – il essaya – il nagea – il alla…

2 **Le passé antérieur** est **un temps composé** de l'indicatif.
Il est formé de l'**auxiliaire *être*** ou *avoir*, conjugué au **passé simple**, et du **participe passé** du verbe.

Auxiliaires au passé simple		+ participe passé du verbe
être (en -u-)	*avoir* (en -u-)	
je fus	j' eus	
tu fus	tu eus	
il fut	il eut	
nous fûmes	nous eûmes	
vous fûtes	vous eûtes	
ils furent	ils eurent	

*Ex. ils **eurent** mangé – vous **fûtes** venu(e)s…*

ATTENTION Il faut accorder correctement le participe passé (→ CHAPITRES 36 et 37).

À vos marques !

1 **Vérifiez** que vous savez repérer :
– les verbes conjugués au **passé simple** ;
– les verbes conjugués au **passé antérieur**.

Lorsqu'il eut repris ses esprits, il se dressa sur sa paillasse ; dans le noir, il tenta de distinguer les contours du lieu où il se trouvait. Quand ses yeux se furent habitués à l'obscurité, il observa
5 la petite pièce où on l'avait enfermé. C'était sans doute une cave. Il aperçut dans le coin opposé une table, une chaise et une cruche d'eau. Il se leva pour boire. Mais dès qu'il eut fait un pas, il se sentit projeté en arrière : on lui avait fixé une
10 chaîne au pied !

2 **Conjuguez** ces groupes verbaux au **passé simple à la 1re personne du singulier**.
Qui suis-je ?
a. *naître en 1802.*
b. *écrire* Les Misérables.
c. *connaître l'exil.*
d. *s'engager en politique.*
e. *dénoncer les injustices.*
f. *émouvoir ses lecteurs.*
g. *mourir en 1885.*

3 **Conjuguez** ces groupes verbaux au **passé simple à la 3e personne du singulier**.
Qui est-ce ?
a. *vivre au XVIIIe siècle.*
b. *faire partie des Lumières.*
c. *correspondre avec de nombreux savants.*
d. *composer des contes philosophiques.*
e. *se battre contre l'injustice.*
f. *choisir un pseudonyme.*

4 **Conjuguez** ces groupes verbaux au **passé simple à la 2e personne du singulier et du pluriel**.
a. *marcher à pas de velours.*
b. *apercevoir la mer.*
c. *rendre son tablier.*
d. *franchir la frontière.*
e. *convenir d'un rendez-vous.*
f. *savoir quoi faire.*
g. *vouloir progresser.*
h. *exclure cette solution.*

5 **Conjuguez** les verbes du texte suivant au **passé simple**.

Ayant soif un soir, je (*boire*) un demi-verre d'eau et je (*remarquer*) que ma carafe, posée sur la commode en face de mon lit, était pleine jusqu'au bouchon de cristal.
5 J'(*avoir*), pendant la nuit, un de ces réveils affreux dont je viens de vous parler. J'(*allumer*) ma bougie, en proie à une épouvantable angoisse, et, comme je (*vouloir*) boire de nouveau, je (*s'apercevoir*) avec stupeur que ma carafe était vide.
10 Je n'en pouvais croire mes yeux. Ou bien on était entré dans ma chambre, ou bien j'étais somnambule.
Le soir suivant, je (*vouloir*) faire la même épreuve. Je (*fermer*) donc ma porte à clef pour
15 être certain que personne ne pourrait pénétrer chez moi. Je (*s'endormir*) et je (*se réveiller*) comme chaque nuit. On avait bu toute l'eau que j'avais vue deux heures plus tôt.

D'après Guy de Maupassant, *Le Horla* (1re version), 1886.

6 **Conjuguez** les verbes du texte suivant en prenant le **passé simple** comme temps de base.
Catherine, Pauline et Guillaume circulent dans le Paris du XVIIe siècle…

Ils (*avancer*) à la queue leu leu sur un étroit chemin boueux qui (*serpenter*) entre l'eau et les maisons lépreuses, lorsqu'un hurlement les (*faire*) brusquement sursauter. Droit devant eux (*apparaître*)
5 une petite chose hirsute, à demi-nue, suivie de près par un homme. Au moment où l'homme (*aller*) la saisir, la petite (*tomber*) à l'eau.
Catherine et les enfants (*se mettre*) aussitôt à courir. À cinquante pas, ils (*voir*) l'homme se mettre
10 à plat ventre et tendre la main à l'enfant. Ils n'en (*être*) plus qu'à dix lorsqu'une branche la (*percuter*). Ils (*rejoindre*) l'homme en noir quand la petite (*couler*).
« Seigneur Dieu ! Il faut faire quelque chose ! »
15 (*s'écrier*) Catherine en regardant de tous côtés…

D'après Annie Jay, *Complot à Versailles*,
© Hachette Livre 1993, 2001.

> **Aide** L'imparfait exprime une action inscrite dans la **durée** ou une **action secondaire** (➜ CHAPITRE 2).

7 **Relevez**, parmi les formes verbales suivantes, celles qui sont conjuguées au **passé antérieur**.

elle aura voulu – il fut revenu – nous avions surpris – j'ai pris – elle eût voulu – ils firent savoir – j'eus raconté – vous avez ri – nous aurions souhaité – tu fus parti – elles eussent soupiré.

> **Aide** Les verbes qui peuvent être mis au passif (verbes transitifs) se conjuguent avec l'auxiliaire :
> – *avoir* à l'actif.
> *Ex. J'eus saisi l'arme.* (passé antérieur actif)
> – *être* au passif.
> *Ex. Je fus saisi par le spectacle.* (passé simple passif)
> L'auxiliaire permet ainsi de reconnaître la forme.

8 **Complétez** le tableau avec les formes verbales suivantes.

ils furent accusés – elle fut venue – je me fus réveillé – nous fûmes rejoints – elles furent arrivées – ils furent réunis – je fus appelé.

Passé simple passif	Passé antérieur actif

9 **1. Conjuguez** les groupes verbaux suivants au **passé antérieur** de l'indicatif à la **1ʳᵉ personne du singulier et du pluriel.**
2. Conjuguez-les à la **3ᵉ personne du singulier et du pluriel.**

a. *rentrer à la maison.*

b. *recevoir le télégramme.*

c. *apprendre la nouvelle.*

d. *se remettre de ses émotions.*

e. *rosir de bonheur.*

f. *rire de bon cœur.*

g. *se sentir ridicule.*

h. *plaisanter entre amis.*

i. *ne pouvoir se retenir de rire.*

j. *contenir un fou rire.*

10 **Conjuguez** les verbes de ces phrases au **passé antérieur**. (Attention à l'accord des participes passés.)

a. Lorsqu'on (*installer*) les derniers spectateurs, la lumière s'éteignit.

b. Dès que le rideau (*s'ouvrir*), le silence se fit.

c. Après que les derniers applaudissements (*retentir*), la diva se retira en coulisses.

d. Aussitôt qu'elle (*disparaître*) dans sa loge, une foule d'admirateurs se précipita.

e. Une fois que j'(*récupérer*) mon sac et mon manteau, je hélai un taxi.

f. Quand je (*rentrer*) chez moi, fourbue de fatigue, je me couchai sans attendre.

11 **Conjuguez** les verbes de ce texte au **passé simple** ou au **passé antérieur**.

Trémoulin a harponné une pieuvre…

Il (*lancer*) sa fouine [1], et, quand il la (*relever*), je (*voir*), enveloppant les dents de la fourchette, et collée au bois, une sorte de grande loque de chair rouge qui palpitait, remuait, enroulant et déroulant de longues et molles et fortes lanières couvertes de suçoirs autour du manche du trident. C'était une pieuvre.

Il (*approcher*) de moi cette proie, et je (*distinguer*) les deux gros yeux du monstre qui me regardaient, des yeux saillants, troubles et terribles, émergeant d'une sorte de poche qui ressemblait à une tumeur. Se croyant libre, la bête (*allonger*) lentement un de ses membres dont je (*voir*) les ventouses blanches ramper vers moi. La pointe en était fine comme un fil, et dès que cette jambe dévorante (*s'accrocher*) au banc, une autre (*se soulever*), (*se déployer*) pour la suivre. On sentait là-dedans, dans ce corps musculeux et mou, dans cette ventouse vivante, rougeâtre et flasque, une irrésistible force. Trémoulin avait ouvert son couteau, et d'un coup brusque, il le (*plonger*) entre les yeux.

D'après Guy de Maupassant, *La Main jaune,*
« Un soir », 1889.

1. *fouine* : instrument de pêche.

RÉÉCRITURE

12 **Récrivez** cet extrait **au passé simple** pour retrouver le texte original.

Daniel Defoe naît à Londres vers 1660.

Après avoir voyagé en Europe, il exerce plusieurs professions, dont celle d'armateur, où il fait banqueroute. Il se consacre dès lors au métier d'écrivain.

Il prend également une part active à la vie politique anglaise, ce qui lui vaut d'être incarcéré à la prison de Newgate, où il poursuit ses travaux littéraires […].

Libéré au bout de quelques années, il abandonne la politique pour se consacrer uniquement à sa carrière d'écrivain. Il meurt en 1731.

Robinson Crusoé, son chef-d'œuvre, paraît en 1719 et remporte un succès sans précédent.

D'après la biographie de Daniel Defoe
dans *Robinson Crusoé,* © Nathan, 2002.

13 1. **Récrivez** cet extrait à la 3ᵉ **personne du pluriel** en commençant par : *Lorsque Robinson et Vendredi…*

2. **Analysez** ensuite les **temps** des verbes employés. (*Attention* : un verbe est au passif.)

Robinson raconte sa rencontre avec Vendredi…

Lorsque nous eûmes, Vendredi et moi, fait plus intime connaissance, je lui racontai mes aventures : je l'initiai au mystère des armes à feu et je lui appris à tirer ; je lui donnai un coutelas auquel
5 je confectionnai une gaine de peau, et ce cadeau fut accueilli avec une joyeuse reconnaissance.

Daniel Defoe, *Robinson Crusoé*,
adapt. G. Vallerey, © Nathan, 2002.

14 **Récrivez** ce texte au **passé simple**. (*Attention* : certains verbes ne changent pas de temps et un verbe sera conjugué à l'imparfait.)

Le narrateur a fait tomber sa mère et s'est barricadé dans sa chambre pour échapper au fouet.

Je reconnais la voix suraiguë de Folcoche, le timbre grave de papa, les onomatopées de Fine. Tout ce monde vient buter du nez contre ma porte close comme les scalaires contre la paroi
5 d'un aquarium. Sommations.

« Retire ce crayon ! glapit, ou plutôt s'étrangle Folcoche.

– Enfin, voyons, sois sérieux, et ouvre cette porte, ajoute mon père […].

Hervé Bazin, *Vipère au poing*, 1948, © Bernard Grasset.

15 **Aidez** Gaëtan à corriger les **erreurs** dans sa dictée.

Un commissaire de police se présente chez la narratrice et demande à voir sa femme de chambre, Rose…

Je sonnai Rose qui paru aussitôt.
À peine fût-elle entrée que le commissaire fit un signe, et deux hommes que je n'avais pas vus, cachés derrière la porte, se jeterre sur elle, lui saisir les mains et les lierrent avec des cordes.
Je poussais un cri de fureur, et je voulus m'élancer pour la défendre. Le commissaire m'arrêtat :
« Cette fille, madame, est un homme qui s'appelle Jean-Nicolas Lecapet, condamné à mort en 1879 pour assassinat précédé de viol. Sa peine fus commuée en prison perpétuelle. Il s'échappa voici quatre mois. Nous le cherchons depuis lors. »

D'après Guy de Maupassant, *Rose*, 1889.

Dictée préparée

16 1. **Relevez** les verbes conjugués au **passé simple** et au **passé antérieur**. **Repérez** leur **sujet** (→ CHAPITRE 15).

2. **Observez** et **expliquez** les autres **difficultés** de la dictée.

Accords
Elle y resta… profondément absorbée
– L'heure lui sembla venue –
La nuit était toute noire

Mots à retenir
mare – barre – balustrade

Françoise décide de faire évader son fiancé, prisonnier des Prussiens…

Alors, quand elle eut ainsi inspecté les lieux avec soin, elle revint s'asseoir sur son lit. Elle y resta une heure, profondément absorbée. Puis elle écouta de nouveau : la maison n'avait plus un souffle. Elle retourna à la fenêtre, jeta un coup d'œil ; mais
5 sans doute une des cornes de la lune qui apparaissait encore derrière les arbres lui parut gênante, car elle se remit à attendre. Enfin, l'heure lui sembla venue. La nuit était toute noire, elle n'apercevait plus la sentinelle en face, la campagne s'étalait comme une mare d'encre. […]
10 Françoise, bravement, enjamba la balustrade de sa fenêtre, saisit une des barres de fer et se trouva dans le vide.

Émile Zola, *L'Attaque du moulin et autres nouvelles*,
« L'attaque du moulin », 1880.

Le futur simple et le futur antérieur

Je passerai te chercher dès que ton cours de gymnastique **sera fini**.

a. Placez les deux actions sur une ligne de temps. Quelle action se déroule avant l'autre ?
b. À quel temps le premier verbe est-il conjugué ? Comment la deuxième forme verbale est-elle construite ?
c. *Je viendrai te chercher dès que ton professeur (achever) la leçon.* Conjuguez le verbe entre parenthèses au temps qui convient.

LEÇON *Je retiens...*

❶ Le futur simple est un **temps simple** de l'indicatif.

C'est un temps du **système présent** (→ CHAPITRES **1** et **3**).

Désinences	1er groupe		2e groupe	3e groupe
	chanter	*jouer*	*finir*	*sentir*
-**rai**	je chante**rai**	je joue**rai**	je fini**rai**	je senti**rai**
-**ras**	tu chante**ras**	tu joue**ras**	tu fini**ras**	tu senti**ras**
-**ra**	il chante**ra**	il joue**ra**	il fini**ra**	il senti**ra**
-**rons**	nous chante**rons**	nous joue**rons**	nous fini**rons**	nous senti**rons**
-**rez**	vous chante**rez**	vous joue**rez**	vous fini**rez**	vous senti**rez**
-**ront**	ils chante**ront**	ils joue**ront**	ils fini**ront**	ils senti**ront**

ATTENTION Certains **verbes** sont irréguliers.

Ex. *acquérir*: j'acqu**er**rai *aller*: j'**ir**ai *courir*: je cou**rr**ai *cueillir*: je cueille**r**ai
envoyer: j'enve**rr**ai *faire*: je fe**r**ai *falloir*: il fau**dr**a *mourir*: je mou**rr**ai
pouvoir: je pou**rr**ai *recevoir*: je rece**vr**ai *savoir*: je sau**r**ai *tenir*: je tien**dr**ai
valoir: je vau**dr**ai *venir*: je vien**dr**ai *voir*: je ve**rr**ai *vouloir*: je vou**dr**ai

❷ Le futur antérieur est un **temps composé** de l'indicatif.

Il est formé de l'**auxiliaire** *être* ou *avoir*, conjugué au futur **simple**, et du **participe passé** du verbe.

Auxiliaires au futur simple		+ participe passé du verbe
être	*avoir*	
je **serai**	j' **aurai**	
tu **seras**	tu **auras**	
il **sera**	il **aura**	
nous **serons**	nous **aurons**	
vous **serez**	vous **aurez**	
ils **seront**	ils **auront**	

Ex. *ils **auront** mangé – vous **serez** venu(e)s...*

ATTENTION Il faut accorder correctement le participe passé (→ CHAPITRES **36** et **37**).

À vos marques !

1 **Vérifiez** que vous savez :
– repérer le **futur simple** et le **futur anté-rieur** ;
a. Quand vous aurez fini de peindre le tableau, nous l'exposerons.
– employer le **futur simple** et le **futur antérieur** ;
b. Dès que la tempête (*cessera / aura cessé*), nous (*ramasserons / aurons ramassé*) les feuilles.
– conjuguer le **futur simple** et le **futur antérieur**.
c. Dans deux ou trois ans, quand tu (*terminer*) tes études, tu (*partir*) à l'étranger.

2 **Distinguez**, parmi tous les verbes, ceux qui sont conjugués au **futur simple**.

je réparerais la voiture – je promettrai d'être sage – j'ignorais la vérité – tu fuyais la guerre – je dirai la vérité – tu défilas fièrement – tu défendras tes couleurs – il erra deux nuits – il aura de la chance – il exigea d'être reçu – nous ferons le nécessaire – nous faisons la vaisselle – nous flânons dans le parc – vous effrayez tout le monde – vous enfreindrez la loi – vous essayiez de le faire – vous jetterez vos ordures – ils courront le marathon – nous courons très vite – je m'ennuierai sûrement – je serai là – je m'ennuyais déjà – il rougira de plaisir – je serrai la main – je saurai ma leçon – vous cueillerez des fleurs.

3 **Distinguez**, parmi tous les verbes conjugués à un temps composé, les verbes conjugués au **futur antérieur**.

j'aurai imaginé une autre histoire – j'avais renversé mon verre – je serai reparti tout de suite – tu avais réparti les vivres – tu auras repeint la chambre – tu as compris rapidement – tu seras revenu – il aurait vu le groupe – il aura su la nouvelle – nous avons eu de la chance – nous aurons été heureux – vous auriez préféré le rose – vous avez réussi – vous aurez lu le récit – ils seront sortis – ils ont signé.

4 **Complétez** la terminaison des verbes au **futur simple** et **précisez** l'infinitif de ces verbes.

Ils mour....	*Nous cour....*	*Ils balbuti....*
Vous cri....	*Je jou....*	*Je croi....*
On rougi....	*Je conclu....*	*Tu réagi....*
Nous adouci....	*Vous éternu....*	*Vous dilu....*
Elle confi....	*Elles faibli....*	*Nous mett....*
J'appel....	*Tu essui....*	*Je repeind....*

5 **Conjuguez** les verbes suivants au **futur simple**.

a. Demain, j'(*acheter*) le nouveau jeu vidéo dont tout le monde parle.
b. C'est certain : tous mes frères (*se jeter*) dessus dès le retour de l'école.
c. Avec mes amis, nous (*s'appeler*) sûrement pour échanger nos impressions.
d. Je (*jouer*) tant que la journée (*passer*) trop vite.
e. Dorénavant plus jamais je ne (*s'ennuyer*).
f. Peut-être que mes parents (*s'effrayer*) d'une telle passion.
g. Je (*se restreindre*) et je n'(*exagérer*) pas !
h. Mais j'(*essayer*) toutefois de ne pas négliger mes autres activités.
i. Je (*savoir*) encore m'amuser avec toi.

6 **Mettez** les verbes proposés au **futur simple**.

a. C'est fini, je ne (*être*) plus surpris par les contrôles !
b. La prochaine fois, Ahmed et moi, nous (*prévoir*) le contrôle du lendemain.
c. Nous (*réviser*) la leçon sur laquelle le professeur nous (*interroger*).
d. Tu (*voir*), nous vous (*surprendre*) et vous (*s'étonner*) de nos résultats.
e. Mon ami et moi (*avoir*) une bonne note.
f. Le professeur nous (*féliciter*).
g. Je (*pouvoir*) me consacrer à autre chose.
h. Ces efforts nous (*valoir*) l'admiration de nos camarades !

7 Andréa s'est trompée dans son contrôle. **Aidez**-la à corriger ses **fautes**.

Conjuguez les verbes suivants au futur simple.
nous (aller) : nous irions   (5 fautes)
nous (s'asseoir) : nous nous assiérons ou nous nous assoirons
tu (recueillir) : tu recueilliras
il (mourir) : il mourira
nous (recevoir) : nous recevrons
vous (devoir) : vous devrez
elles (vouloir) : elles voudront
je (faire) : je ferais
nous (tenir) : nous tiendrons
ils (envoyer) : ils envoieront

8 Reconstituez ce poème en écrivant les verbes au **futur simple**.

Il (*venir*) des pluies douces et l'odeur de la Terre
Et des cercles stridents de vives hirondelles
Des grenouilles aux mares qui (*chanter*) la nuit
Et des pruniers sauvages palpitant de blancheur :
5 Les rouges-gorges enflant leur plumage de feu
(*Siffler*) à loisir perchés sur les clôtures.
Et nul ne (*savoir*) rien de la guerre qui fait rage
Nul ne (*s'inquiéter*) quand en (*venir*) la fin,
Nul ne (*se soucier*) qu'il soit arbre ou oiseau
10 De voir exterminé jusqu'au dernier des hommes
Et le printemps lui-même en s'éveillant à l'aube
Ne (*soupçonner*) pas notre éternelle absence.

D'après Ray Bradbury, *Chroniques martiennes*,
© éd. Denoël et Agence Bradley, 1955.

9 Conjuguez les verbes entre parenthèses au **futur antérieur**.

a. Lorsque Rodrigue (*apprendre*) l'affront de son père, il sera furieux.
b. Une fois qu'il (*assassiner*) le Comte, il ne pourra plus épouser Chimène.
c. Dès que ses esprits (*s'éclaircir*), le Cid pourra réfléchir.
d. Quand il (*concilier*) l'amour et l'honneur, il pourra être heureux.
e. Sinon pour lui tout (*s'écrouler*) en une journée.
f. Les deux héros se réconcilieront quand Chimène (*faire*) part de ses sentiments.

10 Classez dans le tableau les verbes qui se conjuguent au **futur antérieur** avec l'auxiliaire *être* ou *avoir* et **conjuguez**-les à la 1re **personne du singulier** et **du pluriel**.

revenir – sourire – s'installer – se servir – promettre – arriver – installer – écrire – aller – se lever.

Futur antérieur utilisé avec l'auxiliaire *être*		Futur antérieur utilisé avec l'auxiliaire *avoir*	
je	nous	je	nous

11 1. Donnez et **classez** les **participes passés** des verbes dans le tableau suivant.
2. Conjuguez les verbes au **futur antérieur** à la 1re **personne du singulier**.

comprendre – résoudre – vivre – ouvrir – sentir – écrire – exaucer – mourir – prendre – fuir – cesser – décrire.

-é	-i	-is	-it	-u	-t

12 Complétez la recette en conjugant les verbes au **futur antérieur**.

Parfait au chocolat poudré au cacao

Liste des ingrédients :
 – 150 g de chocolat
 – 4 jaunes d'œufs
 – 125 g de sucre
 – 125 mL de lait
 – 200 g de crème
 – 100 g de cacao

a. Quand vous (*battre*) les œufs avec la moitié du sucre, vous ferez bouillir le lait.
b. Au préalable vous (*faire*) fondre le chocolat au bain marie.
c. Dès que vous (*verser*) le lait et le reste de sucre sur le mélange œuf / sucre, vous chaufferez le tout.
d. Une fois que vous (*ôter*) la casserole du feu et (*remuer*) doucement avec la crème, vous ajouterez le chocolat.
e. Lorsque vous (*mettre*) le gâteau au congélateur 4 heures, vous pourrez le saupoudrer de cacao.

13 Distinguez parmi les verbes en gras, ceux conjugués au **futur simple passif** ou au **futur antérieur** (avec l'auxiliaire *être*).

Ex. *Les joueurs **seront sélectionnés*** (futur simple passif) *par les entraîneurs.*
*Les joueurs **seront partis*** (futur antérieur) *avant la nuit.*

a. Dès que l'hiver **se sera installé**, nous allumerons la cheminée.
b. Dès demain, la nouvelle machine **sera installée** par le technicien.
c. Quand nous **serons arrivés**, nous pourrons nous reposer.
d. Je relâcherai la mère et ses petits lorsque ces derniers **seront nés**.
e. Tous les gâteaux **seront préparés** par les élèves de notre collège.
f. Lorsque vous **vous serez servis**, vous passerez le plat.

Aide Les verbes qui peuvent être mis au passif (verbes transitifs) se conjuguent avec l'auxiliaire :
– *avoir* à l'actif ;
Ex. *J'**aurai** saisi l'arme.* (futur antérieur actif)
– *être* au passif.
Ex. *Je **serai** saisi par le spectacle.* (futur simple passif)
L'auxiliaire permet ainsi de reconnaître la forme.

14 **Conjuguez** les verbes entre parenthèses au **futur antérieur** ou au **futur simple** en tenant compte de l'ordre des actions.

a. (*pouvoir, décoller*) Dès qu'on ...., on .... voir un film sur un grand écran.

b. (*pleuvoir, cueillir*) Lorsqu'il ...., nous .... des champignons en forêt.

c. (*partir, faire*) Dès que Naïma et toi m'.... signe, je .... à sa rencontre.

d. (*s'endormir, cesser*) Quand le vent .... de souffler, je .... calmement.

e. (*mémoriser, rentrer*) Le jour où nous .... le chemin, nous .... seules.

f. (*souffler, ouvrir*) Quand tu .... les bougies, tu .... tes cadeaux.

15 **Complétez** la conversation en mettant les verbes au **futur simple** ou au **futur antérieur**.

a. Papa, c'est décidé, je ne (*continuer*) pas mes études en fin d'année.

b. Dès que j'(*finir*) l'année scolaire, je (*partir*) en apprentissage.

c. Je (*suivre*) un baccalauréat professionnel qui me (*conduire*) vers le métier que j'(*choisir*) auparavant.

d. Je suis sûr que nous (*obtenir*) l'accord de Maman quand nous lui (*parler*).

e. Tes certitudes sur ce sujet la (*convaincre*).

f. Dès que vous (*voir*) la conseillère d'orientation, vous (*comprendre*) mieux ce que je veux.

16 **Complétez** le planning en utilisant le **futur simple** ou le **futur antérieur**.

a. Le cross du collège (*se dérouler*) le mardi 24 octobre.

b. Dès que les cours de la matinée (*terminer*), les élèves (*pouvoir*) partir déjeuner.

c. À 14 heures, quand tous les élèves (*réunir*) dans la cour, ils (*partir*) pour le stade.

d. Les dossards (*distribuer*) par les professeurs.

e. Les élèves qui n'(*avoir*) pas leur dossard, ne (*pouvoir*) prétendre à un classement.

f. Une fois que la course (*terminer*), chaque classe (*revenir*) avec son professeur.

Antoine de Saint-Exupéry, illustration pour *Le Petit Prince*, 1946, © Éditions Gallimard.

Dictée préparée

17 **1. Donnez** le temps, la personne et l'infinitif des verbes soulignés.

2. Donnez le temps, le sujet et l'infinitif des verbes *m'ennuie, apprivoises, regarde, rappellent*.

3. Observez et **expliquez** les autres **difficultés** de la dictée.

Accords	*ma vie [...] ensoleillée – tous les autres – les autres [...] font*
Homophones (*or / hors; sa / ça; c'est / s'est; ce / se*)	*hors – ça* *c'est* *ce sera merveilleux*
Mots à retenir	*différent – terrier – champs – bruit*

Je m'**ennuie** donc un peu. Mais si tu m'**apprivoises**, ma vie <u>sera</u> comme **ensoleillée**. Je <u>connaîtrai</u> un **bruit** de pas qui <u>sera</u> **différent** de **tous les autres**. Les **autres** pas me font rentrer sous
5   terre. Le tien m'<u>appellera</u> **hors** du **terrier**, comme une musique. Et puis **regarde** ! Tu vois là-bas, les **champs** de blé ? Je ne mange pas de pain. Le blé pour moi est inutile. Les champs de blé ne me **rappellent** rien. Et ça c'est triste ! Mais tu as des
10 cheveux couleur d'or. Alors ce <u>sera</u> merveilleux quand tu m'<u>auras apprivoisé</u> ! Le blé, qui est doré, me <u>fera</u> souvenir de toi. Et j'<u>aimerai</u> le bruit du vent dans le blé...

Antoine de Saint-Exupéry, *Le Petit Prince*, © Gallimard Jeunesse, 1943.

44 Le subjonctif présent et le subjonctif passé

Je reviens à cinq heures, et je termine mes devoirs.

a. Récrivez la phrase entière en commençant par : *Ma mère veut que je…*
puis *Notre mère veut que nous…* Quelles modifications apparaissent ?
b. Dans la phrase suivante, conjuguez le verbe entre parenthèses au temps et au mode
qui conviennent : *Ma mère craignait que je n'(finir) pas mes devoirs avant l'arrivée des invités.*
Comment se forme le temps auquel vous avez conjugué le verbe *finir* ?

LEÇON ⟩ *Je retiens…*

1 **Le présent du subjonctif** est un **temps simple** du mode subjonctif.
Les terminaisons du subjonctif présent sont régulières pour tous les verbes.

Désinences	1er groupe	2e groupe	3e groupe	
	chanter	*obéir*	*partir*	*croire*
-e	que je chant**e**	que j' obéi**sse**	que je part**e**	que je croi**e**
-es	que tu chant**es**	que tu obéi**sses**	que tu part**es**	que tu croi**es**
-e	qu'il chant**e**	qu'il obéi**sse**	qu'il part**e**	qu'il croi**e**
-ions	que nous chant**ions**	que nous obéi**ssions**	que nous part**ions**	que nous croy**ions**
-iez	que vous chant**iez**	que vous obéi**ssiez**	que vous part**iez**	que vous croy**iez**
-ent	qu'ils chant**ent**	qu'ils obéi**ssent**	qu'ils part**ent**	qu'ils croi**ent**

ATTENTION • Certains verbes du 3e groupe changent leur radical au présent du subjonctif.
(**ASTUCE** Pour trouver le radical, commencez la phrase par « Il faut que… ».)
*Ex. Il faut que j'**aille** (aller), que je **vienne** (venir), **sache** (savoir), **fasse** (faire),
veuille (vouloir), **puisse** (pouvoir), **prenne** (prendre), **joigne** (joindre)…*
• Les terminaisons des 1re et 2e personnes du pluriel (*-ions*, *-iez*) sont ajoutées
systématiquement au radical.
Ex. Il faut que nous travaillions, que nous criions, que nous riions, que nous essayions…

2 **Le passé du subjonctif** est un **temps composé** du subjonctif.
Il est formé de l'**auxiliaire** *être* ou *avoir*, conjugué au **présent du subjonctif** et du **participe passé** du verbe. (Notez que les verbes *être* et *avoir* sont très irréguliers au subjonctif !)
*Ex. Il faut qu'ils **aient** mangé, il faut qu'ils **soient** venus…*

Auxiliaires au subjonctif présent		
être	*avoir*	**+** **participe passé du verbe**
que je **sois**	que j' **aie**	
que tu **sois**	que tu **aies**	
qu'il **soit**	qu'il **ait**	**ATTENTION**
que nous **soyons**	que nous **ayons**	• Il faut accorder correctement le participe passé (→ CHAPITRES 36 et 37).
que vous **soyez**	que vous **ayez**	• Certaines formes du subjonctif et de l'indicatif
qu'ils **soient**	qu'ils **aient**	sont homophones (→ CHAPITRE 39).

À vos marques !

1 **Vérifiez** que vous savez repérer :
– les verbes au **subjonctif présent** ;
– les verbes au **subjonctif passé**.

a. Il faut que je sois à la piscine à dix heures.

b. Qu'il pleuve ou non, j'irai tout de même.

c. Pourvu que Léa ait pensé à prendre les palmes.

d. Il est impératif que nous soyons sortis avant la nuit.

2 **Conjuguez** les verbes entre parenthèses au **subjonctif présent**.

a. Je suis ravie que tu me (*rejoindre*) au concert !

b. Il est temps que tu (*connaître*) ce groupe.

c. Si chère que (*être*) la place, je ne le raterai pour rien au monde.

d. Il fallait que je (*voir*) cette prestation !

e. Je serai contente que les musiciens (*faire*) un rappel à la fin du concert.

f. Pourvu que nous (*pouvoir*) les rencontrer.

g. Il est impensable que nous (*rentrer*) sans autographe !

h. Applaudissons-les bien fort pour qu'ils (*savoir*) que nous admirons leur talent !

3 **Conjuguez** les verbes entre parenthèses au **subjonctif passé**.

Ma chère petite fille,

Tu dois être étonnée que je n'(*écrire*) pas plus tôt. Il faut que ma lettre arrive avant que tu (*repartir*) pour l'étranger. Tu sais, bien qu'il (*faire*) très froid ici, je ne suis pas tombé malade. Je suis ravi que tes parents (*accepter*) que tu partes faire tes études à l'étranger. J'attends avec impatience que tu (*finir*) ton semestre pour venir. Pourvu que les sentiers (*être déneigés*) pour que nous puissions nous y promener.

Ton grand-père.

4 **1. Récrivez** les phrases suivantes en **conjuguant** les verbes en gras avec le sujet proposé entre parenthèses.
2. Précisez s'ils sont conjugués au **subjonctif présent** ou au **subjonctif passé**.

a. Il faut que **tu dises** la vérité. (*ton frère et toi*).

b. C'est nécessaire pour qu'**il ait** dorénavant confiance en vous. (*tous*)

c. Il est regrettable que **tu veuilles** nous cacher la vérité. (*vous et vos camarades*)

d. Je ne suis pas la seule personne qui vous **aie vu** faire cette bêtise. (*les surveillants*)

e. Comment voulez-vous que **je** vous **croie** si vous mentez ? (*l'on*)

f. Je suis contente que **tu regrettes** d'avoir fait cette bêtise. (*vous*)

g. C'est heureux que **vous ayez compris** la leçon. (*tu*)

5 **Récrivez** les phrases en **changeant** les **sujets** et en **respectant** les **temps**. Vous ferez les modifications nécessaires.

a. Ils sont partis avant que nous ayons reçu la lettre.

Vous .... avant que votre amie .... .

Je .... avant que tu .... .

Nous .... avant que j'.... .

Ta sœur .... avant que ses amies .... .

b. Nous avons gagné bien que vous ayez été les plus forts.

J'.... bien que tu .... .

Tes frères et toi .... bien que nous .... .

Malika et lui .... bien que leurs adversaires .... .

Tu .... bien que je .... .

6 **Récrivez** les phrases avec le **verbe proposé** et faites les modifications nécessaires.

a. La chaîne de télévision précise que les journalistes ont vérifié leurs informations. *La chaîne de télévision exige* ....

b. Les spectateurs admettent que nous disons la vérité. *Les spectateurs souhaitent* ....

c. Il est vrai que certaines nouvelles font peur. *Il est possible* ....

d. J'espère que le public saura reconnaître la part de spectacle. *J'aimerais* ....

e. Il est évident que tu crois encore à ces histoires ! *Il est impensable* ....

7 **Récrivez** les phrases en commençant par la proposition donnée.

a. Vous vérifiez le matériel avant de grimper. *Je veux que ....*

b. Vous avez serré correctement votre baudrier. *Il est nécessaire que ....*

c. Nous refaisons souvent les mêmes gestes. *Il est utile que ....*

d. Chacun prévoit un partenaire de même poids. *Il est préférable que ....*

e. On s'affaiblit au bout d'un moment. *Il est normal que ....*

f. Tous les élèves vont en compétition l'année prochaine. *Il se peut que ....*

8 Hugo devait conjuguer tous les verbes au **subjonctif présent** et **passé**. Aidez-le à **corriger** son exercice.

Tu confonds l'indicatif et le subjonctif !

a. Il faut que je (finir) mon travail :
que je finisse ; que j'ai fini mon travail

b. Il est normal que tu (comprendre) :
que tu comprennes ; que tu es compris

c. Il faut qu'on (offrir) un cadeau à ma tante pour Noël :
qu'on offre ; qu'on est offert

d. Il est nécessaire qu'ils (prévoir) un bon repas :
qu'ils prévoient ; qu'ils ont prévu

e. Bien que vous (sourire), la photo est ratée :
que vous souriez ; que vous avez souri

Aide Attention aux formes homophones des verbes *être* et *avoir* à l'indicatif et au subjonctif (➔ CHAPITRE 39) :

Présent de l'indicatif	Présent du subjonctif
avoir ➔ (j')ai	*avoir* ➔ (j')aie
être ➔ (tu) es – (il) est	*avoir* ➔ (tu) aies – (il) ait

9 **Choisissez** la **forme verbale** correcte parmi celles qui sont proposées.

a. Cette année, il faut que je (*réussisse/aie réussi/réussis*) en mathématiques.

b. Même si toutes mes amies veulent que nous (*sortions/sortons*), je dirai non.

c. Que Sonia (*aille, ailles*) chez Magalie sans moi, je m'en moque !

d. Je ne regarderai plus la télé avant que je (*n'ai récité/aie récité*) mes leçons par cœur.

e. Il est hors de question que je (*déçois/aie déçu / déçoive*) le professeur de mathématiques.

10 **Classez** les **formes verbales** proposées dans le tableau suivant. (*Attention* : une même forme peut correspondre à deux possibilités.)

nous fuyions – tu chantes – elle meure – je vois – je voies – vous criiez – vous criez – nous fassions – il aperçoive – on accoure – je distingue – tu dises – ils se précipitent.

Présent de l'indicatif	Présent du subjonctif	Imparfait de l'indicatif

11 **Choisissez** la **forme** correctement conjuguée parmi celles qui sont proposées.

a. Imagine qu'on (*ai/aie/aies/ait/aient*) un jour la possibilité de transformer le monde.

b. J'aimerais que tout ce qui m'entoure (*sois / soit/soient*) naturel.

c. Qu'il n'y (*ai/aie/aies/ait/aient*) plus de pollution, ni de déchets !

d. Pourvu qu'on (*sois/soit/soient*) heureux !

e. Quoique je n'(*ai/aie/aies/ait/aient*) pas beaucoup de temps, j'essaierai de t'aider.

f. Il faudrait que chacun (*ai/aie/aies/ait/aient*) à manger en quantité suffisante.

g. Voici le souhait que j'(*ai/aie/aies/ait/aient*) souvent fait.

h. Je me débrouillerai pour que rien ne (*sois/soit/soient*) impossible.

12 **Complétez** les extraits suivants avec le temps qui convient : **subjonctif présent** ou **subjonctif passé** (deux verbes).

a. Que veux-tu que (*devenir*) une femme qui t'aime […].

b. Ne pense pas que ton absence m'(*faire*) négliger une beauté qui t'est chère.

c. Quoique je ne (*devoir*) être vue de personne, et que les ornements dont je me pare (*être*) inutiles à ton bonheur, je cherche cependant à m'entretenir dans l'habitude de plaire.

d. Qu'une femme est malheureuse d'avoir des désirs si violents, lorsqu'elle est privée de celui qui peut seul les satisfaire : que, livrée à elle-même, n'ayant rien qui (*pouvoir*) la distraire, il faut qu'elle (*vivre*) dans l'habitude des soupirs et dans la fureur d'une passion irritée […].

e. Vous êtes bien cruels, vous autres hommes ! Vous êtes charmés que nous (*avoir*) des passions que nous ne (*pouvoir*) satisfaire […].

D'après Montesquieu, *Lettres persanes*, VII, 1721.

13 **Conjuguez** les verbes entre parenthèses avec le temps qui convient : **subjonctif présent** ou **subjonctif passé**.

À Madame de Grignan.

À Paris, vendredi au soir, 15ᵉ janvier [1672].

Je vous ai écrit ce matin, ma bonne[1], par le courrier qui vous porte toutes les douceurs et tous les
5 agréments du monde pour vos affaires de Provence ; mais je veux encore écrire ce soir, afin qu'il ne (*être dit*) pas qu'une poste (*arriver*) sans vous apporter de mes lettres. […] Je vous trouve si parfaite et dans une si grande réputation, que
10 je ne sais que vous dire, sinon de vous admirer et de vous prier de soutenir toujours votre raison par votre courage, et votre courage par votre raison, et prendre du chocolat afin que les plus méchantes compagnies vous (*paraître*) bonnes.
15 La comédie de Racine m'a paru belle, nous y avons été. Ma belle-fille[2] m'a paru la plus merveilleuse comédienne que j'(*voir*) jamais […]. Elle est laide de près, et je ne m'étonne pas que mon fils (*être suffoqué*) par sa présence ; mais quand
20 elle dit des vers, elle est adorable.

D'après Madame de Sévigné, *Lettres*, 47, 1672.

1. *ma bonne* : ma fille.
2. *Ma belle-fille* : Mme de Sévigné ironise, il ne s'agit pas de sa belle-fille.

14 **Récrivez** ce texte au présent et **soulignez** les quatre verbes au **subjonctif présent**.

Les prétendants au trône du royaume de Babylone doivent combattre et résoudre des énigmes.

S'il n'expliquait point les énigmes, il n'était point roi, et il fallait recommencer à courir des lances jusqu'à ce qu'on trouvât un homme qui fût vainqueur dans ces deux combats ; car on
5 voulait absolument pour roi le plus vaillant et le plus sage. La reine, pendant tout ce temps, devait être étroitement gardée : on lui permettait seulement d'assister aux jeux, couverte d'un voile ; mais on ne souffrait pas qu'elle parlât à aucun
10 des prétendants, afin qu'il n'y eût ni faveur ni injustice.

Voltaire, *Zadig ou la Destinée*, chap. XVII, 1775.

Dictée préparée

15 **1. Donnez** l'infinitif et le temps des deux verbes en gras.
2. Observez et **expliquez** les autres difficultés de la dictée.

Confusions verbales (-er, -é)	il la faut observ**er** – il n'est occup**é** – qu'à faire parl**er** – j'ai étudi**é** – j'y ai trouv**é**
Homophones (*quoiqu' / quoi que, qui l' / qu'il, ce / ceux*)	*quoiqu'*il fuie – on dit **qu'il** possède – **ceux** qui disent
Mots à retenir	*longtemps – dix-huit – quatre-vingts – rigueur*

Lettre XXXVII

Usbek à Ibben, à Smyrne

Le roi de France est vieux. Nous n'avons point d'exemple dans nos histoires d'un monarque qui **ait** si longtemps **régné**. On dit qu'il possède à un très haut
5 degré le talent de se faire obéir : il gouverne avec le même génie sa famille, sa cour, son État. […] J'ai étudié son caractère et j'y ai trouvé des contradictions qu'il m'est impossible de résoudre. Par exemple : il a un ministre qui n'a que dix-huit ans, et une maîtresse qui
10 en a quatre-vingts ; il aime sa religion, et il ne peut souffrir ceux qui disent qu'il la faut observer à la rigueur ; quoiqu'il **fuie** le tumulte des villes, et qu'il se communique peu, il n'est occupé, depuis le matin jusques au soir[1], qu'à faire parler de lui […].

Montesquieu, *Lettres persanes*, VII, 1721.

1. *jusques au soir* : forme vieillie de « jusqu'au soir ».

45 | Le conditionnel présent et le conditionnel passé

Le commissaire pensait que je viendrais
le rejoindre dès que j'aurais appris la nouvelle.

a. Dites si les verbes en couleur ont une forme simple ou une forme composée.

b. Déterminez la terminaison de *viendrais*. Quel est son infinitif ?
De quel autre temps cette forme verbale est-elle l'homophone ?

c. Quel est l'infinitif de *aurais appris* ? Comment la forme verbale est-elle construite ?
Chronologiquement, entre *viendrais* et *aurais appris*, quelle action se déroule avant l'autre ?

LEÇON   *Je retiens...*

1 **Le présent du conditionnel** est un **temps simple**.
On le forme en ajoutant les terminaisons de l'imparfait au radical du futur.

Désinences	1er groupe		2e groupe	3e groupe
	chanter	*jouer*	*finir*	*sentir*
-(r)ais	je chanterais	je jouerais	je finirais	je sentirais
-(r)ais	tu chanterais	tu jouerais	tu finirais	tu sentirais
-(r)ait	il chanterait	il jouerait	il finirait	il sentirait
-(r)ions	nous chanterions	nous jouerions	nous finirions	nous sentirions
-(r)iez	vous chanteriez	vous joueriez	vous finiriez	vous sentiriez
-(r)aient	ils chanteraient	ils joueraient	ils finiraient	ils sentiraient

ATTENTION Comme pour le futur, certains **radicaux** sont irréguliers.

Ex. *acquérir :* j'**acquerr**ais *aller :* j'**ir**ais   *courir :* je **courr**ais *cueillir :* je **cueiller**ais
envoyer : j'**enverr**ais *faire :* je **fer**ais *falloir :* il **faud**rait *mourir :* je **mourr**ais
pouvoir : je **pourr**ais *recevoir :* je **recevr**ais *savoir :* je **saur**ais *tenir :* je **tiend**rais
valoir : je **vaud**rais *venir :* je **viend**rais *voir :* je **verr**ais *vouloir :* je **voud**rais

2 **Le passé du conditionnel** est un **temps composé**.
Il est formé de l'**auxiliaire** *être* ou *avoir*, conjugué au **présent du conditionnel**,
et du **participe passé** du verbe.

Ex. *ils **auraient** mangé / vous **seriez** venu(e)s…*

Auxiliaires au conditionnel présent		
être	*avoir*	**+ participe passé du verbe**
je **serais**	j' **aurais**	
tu **serais**	tu **aurais**	
il **serait**	il **aurait**	
nous **serions**	nous **aurions**	
vous **seriez**	vous **auriez**	
ils **seraient**	ils **auraient**	

ATTENTION Il ne faut pas confondre futur simple et présent du conditionnel, qui sont homophones à la 1re personne du singulier (→ CHAPITRE 38).

Ex. *Demain, **j'irai** (= il ira) à la piscine.* (futur simple)
*S'il faisait beau, **j'irais** (= il irait) à la piscine.*
(présent du conditionnel)

À vos marques !

1 **Vérifiez** que vous savez repérer :
– les verbes conjugués au **conditionnel présent** et **passé** ;
– leur **radical** et leur **terminaison**.

Maladroitement, le narrateur, Antoine, vient de remettre à sa bien-aimée une déclaration d'amour.

Si j'avais pu le faire, je t'aurais écrit des poèmes pour te dire toutes ces choses. Des chansons et des musiques pour aller avec. Peut-être que je saurais le faire en parlant directement avec toi,
5 mais j'avais le trac alors j'ai décidé de t'écrire cette lettre. […] Pour toi, Virginie, je deviendrai meilleur et plus fort. Pour toi et pour nous, si tu veux.

J'aimerais que tu m'aimes avec autant de tendresse que je t'aime. Tu me rends fort, peux-tu
10 le comprendre ? […]

Quoi que tu dises, je veux que tu saches que je t'aime et que je t'aimerai toujours.

Hubert Ben Kemoun, *Le Jour du meurtre*,
© Nathan, 1996.

2 **Relevez** uniquement les verbes conjugués au **présent du conditionnel**.

enverrions – chantiez – aimerai – partirait – trierai – appellerons – couperiez – courrais – aboieraient – serions – viendrez – opérai – peignait – couraient – craindront – mourrais.

3 **Conjuguez** chaque verbe proposé au **présent du conditionnel** à la **1re personne du singulier** et **du pluriel**.

a. *cueillir une rose.*
b. *tenir tête.*
c. *acquérir de l'expérience.*
d. *mourir de peur.*
e. *voir le jour.*
f. *savoir sa leçon.*
g. *peindre une toile.*
h. *boire un verre.*
i. *appuyer une candidature.*
j. *épeler un mot.*
k. *lire un roman.*
l. *vouloir partir.*
m. *jeter son dévolu.*
n. *secourir ses amis.*

4 **Conjuguez** chaque verbe proposé au **présent du conditionnel** à la **2e personne du singulier** et **du pluriel**.

a. *essorer la salade.*
b. *nettoyer la vaisselle.*
c. *oublier ses affaires.*
d. *regretter ses erreurs.*
e. *revoir sa leçon.*
f. *travailler dur.*
g. *aller au cinéma.*
h. *peigner ses cheveux.*
i. *écrire une lettre.*
j. *pouvoir chanter.*

Aide Certains verbes, au **futur** comme au **conditionnel**, présentent des **particularités orthographiques**.

• Les verbes en -*yer* changent leur -*y* en -*i*.
Ex. payer → je paierais.

• Les verbes en -*eler* et -*eter* doublent la consonne (*l* ou *t*) ou prennent un **accent grave** sur le *e* devant une syllabe muette.
Ex. jeter → je jetterais ; acheter → j'achèterais.

• Certains doublent le -*r*.
Ex. acquérir → j'acquerrais.

• D'autres ont un **radical irrégulier**.
Ex. faire → je ferais ; envoyer → j'enverrais.

5 **Conjuguez** les verbes entre parenthèses au **passé du conditionnel**.

a. Si j'avais pu, cet été, je (*partir*) en vacances à Marrakech.

b. Si j'avais su qu'il y avait autant de demandes, j'(*réserver*) plus tôt mon séjour.

c. J'(*séjourner*) alors dans un riad, maison traditionnelle, au cœur de la médina.

d. J'y (*découvrir*) les délices des nombreux souks.

e. Mes parents et moi (*pouvoir*) contempler le minaret de la Koutoubia.

f. Nous (*gravir*) même le mont Atlas pour contempler la ville depuis ces hauteurs.

g. Pour finir, un hammam nous (*permettre*) de détendre nos muscles après une longue journée de marche.

6 **Écrivez** les verbes suivants au **présent du conditionnel** en conservant la personne.

nous levons – tu envoies – il ressent – vous tordez – je lie – je parcourais – ils déçoivent – je rachetai – tu croyais – nous contribuons – il faut – vous vous asseyez – tu sais – vous faites.

7 **Choisissez** la forme qui correspond au **présent du conditionnel.**

La vie idéale

Une salle avec du feu, des bougies,
Des soupers toujours servis, des guitares,
Des fleurets, des fleurs, tous les tabacs rares,
Où l'on (*causait / causerait*) pourtant sans orgies[1]

5 Au printemps lilas, roses et muguets,
En été jasmins, œillets et tilleuls
(*Remplirait / Remplissaient / Rempliraient*) la nuit du
[grand parc où, seuls
Parfois, les rêveurs (*fuyaient / fuiraient*) les bruits gais.

Les hommes (*seraient / sauraient*) tous de bonne race[2]
10 Dompteurs familiers des Muses hautaines,
Et les femmes, sans cancans et sans haines,
(*Illuminerait / Illumineraient*) les soirs de leur grâce.

Et l'on (*songerai / songerait*), parmi ces parfums
De bras, d'éventails, de fleurs, de peignoirs,
15 De fins cheveux blonds, de lourds cheveux noirs,
Aux pays lointains, aux siècles défunts.

D'après Charles Cros, *Le Coffret de santal*, 1873.

1. *sans orgies*: sans excès.
2. *de bonne race*: il n'y a ici aucune connotation péjorative.

8 **1. Conjuguez** les verbes entre parenthèses au **présent du conditionnel.**
2. À votre tour, rédigez cinq phrases qui commenceront par *Si j'étais président de la République* en variant à chaque fois le sujet de la principale (*je, tu, on, il, nous…*).

Si j'étais président de la République
J'(*écrire*) mes discours en vers et en musique
Et les jours de conseil on (*aller*) en pique-nique
On (*faire*) des trucs marrants si j'étais Président
5 Je (*recevoir*) la nuit le corps diplomatique
Dans une super disco à l'ambiance atomique
On (*se faire*) la guerre à grands coups de rythmique
Rien ne (*être*) comme avant, si j'étais Président
Au bord des fontaines (*couler*) de l'orangeade
10 Coluche notre ministre de la rigolade
(*Imposer*) des manèges sur toutes les esplanades
On (*s'éclater*) vraiment, si j'étais Président!

D'après Pierre Delanoé et Gérard Lenorman,
Si j'étais Président, © Caroline Melody, 1980.

9 **Rédigez** un paragraphe d'une dizaine de lignes en commençant par: *Je rêve d'un monde où…* Vous **utiliserez** de nombreux verbes au conditionnel présent que vous soulignerez.

10 **Complétez** les phrases en conjuguant les verbes entre parenthèses au **futur de l'indicatif** ou au **présent du conditionnel.**

a. Je savais que tu (*prendre*) soin de répondre à ma lettre dès qu'il te (*être*) possible.
b. J'(*aimer*) vraiment que tu y répondes assez rapidement pour organiser notre week-end.
c. Je sais que le moment venu je (*pouvoir*) compter sur toi et que tu (*être*) au rendez-vous.
d. Dès que je (*savoir*) que tu viens, je (*prévenir*) mes parents de ton arrivée.
e. Nous (*préparer*) ta chambre et (*faire*) des provisions de gâteaux et de bonbons!
f. À la fin de la semaine, si je n'ai pas de tes nouvelles, je t'(*appeler*).
g. Je te (*donner*) toutes les indications pour venir.
h. Au cas où tu ne (*vouloir*) pas venir, je (*être*) très déçu, à moins que tu n'aies une bonne excuse!

Aide Pour distinguer le conditionnel présent du futur de l'indicatif à la 1re personne du singulier, il suffit de changer de personne (*je→ il*) (**→ CHAPITRE 38**).

*Ex. Si tu étais là, je **serais** heureux.*
*→ Si tu étais là, il **serait** heureux.* (= conditionnel présent)
*Quand tu seras là, je **serai** heureux.*
*→ Quand tu seras là, il **sera** heureux.* (= futur de l'indicatif)

11 **Conjuguez** les verbes entre parenthèses au **temps demandé**.

Certes, je me (*croire*, conditionnel présent) fou, absolument fou, si je n'(*être*, indicatif imparfait) conscient, si je ne (*connaître*, indicatif imparfait) parfaitement mon état, si je ne le (*sonder*, indicatif
5 imparfait) en l'analysant avec une complète lucidité. Je ne (*être*, conditionnel présent) donc, en somme, qu'un halluciné raisonnant. Un trouble inconnu (*se produire*, conditionnel passé) dans mon cerveau, un de ces troubles qu'(*essayer*, indicatif
10 présent) de noter et de préciser aujourd'hui les physiologistes[1]; et ce trouble (*déterminer*, conditionnel passé) dans mon esprit, dans l'ordre et la logique de mes idées, une crevasse profonde.

D'après Guy de Maupassant, *Le Horla*, 1887.

1. *physiologistes*: savants faisant des recherches sur les organes et leur fonctionnement.

> **Aide** Pour la conjugaison de l'**imparfait** (→ CHAPITRE 41).

12 **Complétez** ces propositions subordonnées par une **principale** au **passé du conditionnel**.

a. Si nous avions pu, nous ....
b. Si elle avait pris en note son cours, elle ....
c. Si j'avais suivi les conseils de mon père, je ....
d. Si tu étais arrivée à l'heure, tu ....
e. Si les élèves avaient été plus attentifs, ils ....

ORTHOGRAPHE

13 **Récrivez** le texte suivant en remplaçant le pronom *je* par *elle*. Faites toutes les transformations nécessaires.

De même, si j'étais riche, j'aurais fait tout ce qu'il faut pour le devenir; je serais donc insolent et bas, sensible et délicat pour moi seul, impitoyable et dur pour tout le monde, spectateur
5 dédaigneux des misères de la canaille, car je ne donnerais plus d'autre nom aux indigents, pour faire oublier qu'autrefois je fus de leur classe. Enfin je ferais de ma fortune l'instrument de mes plaisirs, dont je serais uniquement occupé; et
10 jusque-là je serais comme tous les autres.

Mais en quoi je crois que j'en différerais beaucoup, c'est que je serais sensuel et voluptueux[1] plutôt qu'orgueilleux et vain, et que je me livrerais au luxe de mollesse bien plus qu'au luxe d'os-
15 tentation[2]. J'aurais même quelque honte d'étaler trop ma richesse, et je croirais toujours voir l'envieux que j'écraserais de mon faste[3] dire à ses voisins à l'oreille: Voilà un fripon qui a grand'peur de n'être pas connu pour tel.

Jean-Jacques Rousseau, *Émile ou De l'éducation*, 1762.

1. *voluptueux*: qui aime, recherche les plaisirs raffinés.
2. *ostentation*: mise en valeur excessive, étalage d'un avantage.
3. *faste*: splendeur, luxe.

Dictée préparée

15 **1. Donnez** l'infinitif, le temps et le mode des verbes en gras.
2. Observez et **expliquez** les autres **difficultés** de la dictée.

Accords	*Toutes sortes d'idées confuses se bousculaient...* *nous allions être précipités –* *les écoutilles étaient clouées*
Confusions verbales (-é/-er/-ez)	*pour jeter l'ancre – la meilleure façon de nous tirer de cette situation – le bateau a heurté – j'ai tenté – a ordonné le capitaine – Clouez les écoutilles*
Homophones (*tout*)	*tout l'équipage – toutes sortes d'idées*
Mots à retenir	*ancre – écoutille – épouvantable*

Nous avons appelé tout l'équipage pour jeter l'ancre, en espérant qu'elle nous **retiendrait**. Le vacarme de la mer était épouvantable. Au moment où nous lancions l'ancre, le bateau a
5 heurté le récif. [...]

D'une seconde à l'autre, nous allions être précipités à la mer. J'ai décidé que si je m'en sortais vivant, je ne **jurerais** plus jamais. Puis j'ai tenté de réfléchir à la meilleure façon de nous
10 tirer de cette situation. Toutes sortes d'idées confuses se bousculaient dans mon esprit.

– Clouez les écoutilles! a ordonné le capitaine.

Il y avait vingt esclaves dans la cale. Si les écoutilles étaient clouées, ils **mourraient** jusqu'au
15 dernier.

Olaudah Equiano, *Le Prince esclave*, adapt. A. Cameron, trad. A. Bataille, © Ann Cameron, 1995, © Rageot, 2002.

1ᵉ groupe :
chanter

INDICATIF		SUBJONCTIF	
Présent	**Passé composé**	**Présent**	**Passé**
je chant e	j' ai chanté	que je chant e	que j' aie chanté
tu chant es	tu as chanté	que tu chant es	que tu aies chanté
il chant e	il a chanté	qu'il chant e	qu'il ait chanté
nous chant ons	nous avons chanté	que nous chant ions	que nous ayons chanté
vous chant ez	vous avez chanté	que vous chant iez	que vous ayez chanté
ils chant ent	ils ont chanté	qu'ils chant ent	qu'ils aient chanté

		CONDITIONNEL *	
Futur simple	**Futur antérieur**	**Présent**	**Passé**
je chanter ai	j' aurai chanté	je chanter ais	j' aurais chanté
tu chanter as	tu auras chanté	tu chanter ais	tu aurais chanté
il chanter a	il aura chanté	il chanter ait	il aurait chanté
nous chanter ons	nous aurons chanté	nous chanter ions	nous aurions chanté
vous chanter ez	vous aurez chanté	vous chanter iez	vous auriez chanté
ils chanter ont	ils auront chanté	ils chanter aient	ils auraient chanté

Imparfait	**Plus-que-parfait**	IMPÉRATIF
je chant ais	j' avais chanté	**Présent**
tu chant ais	tu avais chanté	chant e
il chant ait	il avait chanté	chant ons
nous chant ions	nous avions chanté	chant ez
vous chant iez	vous aviez chanté	
ils chant aient	ils avaient chanté	PARTICIPE

Passé simple	**Passé antérieur**	**Présent**	**Passé**
je chant ai	j' eus chanté	chant ant	chant é
tu chant as	tu eus chanté		
il chant a	il eut chanté	INFINITIF	
nous chant âmes	nous eûmes chanté	**Présent**	**Passé**
vous chant âtes	vous eûtes chanté	chant er	avoir chant é
ils chant èrent	ils eurent chanté		

* Le conditionnel est parfois considéré comme un mode et parfois comme un temps.

2ᵉ groupe :
finir

INDICATIF		SUBJONCTIF	
Présent	**Passé composé**	**Présent**	**Passé**
je fini s	j' ai fini	que je finiss e	que j' aie fini
tu fini s	tu as fini	que tu finiss es	que tu aies fini
il fini t	il a fini	qu'il finiss e	qu'il ait fini
nous finiss ons	nous avons fini	que nous finiss ions	que nous ayons fini
vous finiss ez	vous avez fini	que vous finiss iez	que vous ayez fini
ils finiss ent	ils ont fini	qu'ils finiss ent	qu'ils aient fini

		CONDITIONNEL *	
Futur simple	**Futur antérieur**	**Présent**	**Passé**
je finir ai	j' aurai fini	je finir ais	j' aurais fini
tu finir as	tu auras fini	tu finir ais	tu aurais fini
il finir a	il aura fini	il finir ait	il aurait fini
nous finir ons	nous aurons fini	nous finir ions	nous aurions fini
vous finir ez	vous aurez fini	vous finir iez	vous auriez fini
ils finir ont	ils auront fini	ils finir aient	ils auraient fini

Imparfait	**Plus-que-parfait**	IMPÉRATIF
je finiss ais	j' avais fini	**Présent**
tu finiss ais	tu avais fini	fini s
il finiss ait	il avait fini	finiss ons
nous finiss ions	nous avions fini	finiss ez
vous finiss iez	vous aviez fini	
ils finiss aient	ils avaient fini	PARTICIPE

Passé simple	**Passé antérieur**	**Présent**	**Passé**
je fini s	j' eus fini	finiss ant	fin i
tu fini s	tu eus fini		
il fini t	il eut fini	INFINITIF	
nous fin îmes	nous eûmes fini	**Présent**	**Passé**
vous fin îtes	vous eûtes fini	fin ir	avoir fin i
ils fin irent	ils eurent fini		

* Le conditionnel est parfois considéré comme un mode et parfois comme un temps.

être

INDICATIF		SUBJONCTIF	
Présent	**Passé composé**	**Présent**	**Passé**
je suis	j' ai été	que je sois	que j' aie été
tu es	tu as été	que tu sois	que tu aies été
il est	il a été	qu'il soit	qu'il ait été
nous sommes	nous avons été	que nous soyons	que nous ayons été
vous êtes	vous avez été	que vous soyez	que vous ayez été
ils sont	ils ont été	qu'ils soient	qu'ils aient été
		CONDITIONNEL *	
Futur simple	**Futur antérieur**	**Présent**	**Passé**
je serai	j' aurai été	je serais	j' aurais été
tu seras	tu auras été	tu serais	tu aurais été
il sera	il aura été	il serait	il aurait été
nous serons	nous aurons été	nous serions	nous aurions été
vous serez	vous aurez été	vous seriez	vous auriez été
ils seront	ils auront été	ils seraient	ils auraient été
Imparfait	**Plus-que-parfait**	**IMPÉRATIF**	
j'étais	j' avais été	**Présent**	
tu étais	tu avais été	sois	
il était	il avait été	soyons	
nous étions	nous avions été	soyez	
vous étiez	vous aviez été		
ils étaient	ils avaient été	**PARTICIPE**	
Passé simple	**Passé antérieur**	**Présent** / **Passé**	
je fus	j' eus été	étant / été	
tu fus	tu eus été		
il fut	il eut été	**INFINITIF**	
nous fûmes	nous eûmes été	**Présent** / **Passé**	
vous fûtes	vous eûtes été	être / avoir été	
ils furent	ils eurent été		

* Le conditionnel est parfois considéré comme un mode et parfois comme un temps.

avoir

INDICATIF		SUBJONCTIF	
Présent	**Passé composé**	**Présent**	**Passé**
j' ai	j' ai eu	que j'aie	que j' aie eu
tu as	tu as eu	que tu aies	que tu aies eu
il a	il a eu	qu'il ait	qu'il ait eu
nous avons	nous avons eu	que nous ayons	que nous ayons eu
vous avez	vous avez eu	que vous ayez	que vous ayez eu
ils ont	ils ont eu	qu'ils aient	qu'ils aient eu
		CONDITIONNEL *	
Futur simple	**Futur antérieur**	**Présent**	**Passé**
j'aurai	j' aurai eu	j'aurais	j' aurais eu
tu auras	tu auras eu	tu aurais	tu aurais eu
il aura	il aura eu	il aurait	il aurait eu
nous aurons	nous aurons eu	nous aurions	nous aurions eu
vous aurez	vous aurez eu	vous auriez	vous auriez eu
ils auront	ils auront eu	ils auraient	ils auraient eu
Imparfait	**Plus-que-parfait**	**IMPÉRATIF**	
j'avais	j' avais eu	**Présent**	
tu avais	tu avais eu	aie	
il avait	il avait eu	ayons	
nous avions	nous avions eu	ayez	
vous aviez	vous aviez eu		
ils avaient	ils avaient eu	**PARTICIPE**	
Passé simple	**Passé antérieur**	**Présent** / **Passé**	
j'eus	j' eus eu	ayant / eu	
tu eus	tu eus eu		
il eut	il eut eu	**INFINITIF**	
nous eûmes	nous eûmes eu	**Présent** / **Passé**	
vous eûtes	vous eûtes eu	avoir / avoir eu	
ils eurent	ils eurent eu		

* Le conditionnel est parfois considéré comme un mode et parfois comme un temps.

3e groupe :
devoir

INDICATIF		SUBJONCTIF	
Présent	**Passé composé**	**Présent**	**Passé**
je doi s	j' ai dû	que je doiv e	que j' aie dû
tu doi s	tu as dû	que tu doiv es	que tu aies dû
il doi t	il a dû	qu'il doiv e	qu'il ait dû
nous dev ons	nous avons dû	que nous dev ions	que nous ayons dû
vous dev ez	vous avez dû	que vous dev iez	que vous ayez dû
ils doiv ent	ils ont dû	qu'ils doiv ent	qu'ils aient dû

		CONDITIONNEL *	
Futur simple	**Futur antérieur**	**Présent**	**Passé**
je devr ai	j' aurai dû	je devr ais	j' aurais dû
tu devr as	tu auras dû	tu devr ais	tu aurais dû
il devr a	il aura dû	il devr ait	il aurait dû
nous devr ons	nous aurons dû	nous devr ions	nous aurions dû
vous devr ez	vous aurez dû	vous devr iez	vous auriez dû
ils devr ont	ils auront dû	ils devr aient	ils auraient dû

Imparfait	**Plus-que-parfait**	IMPÉRATIF
je dev ais	j' avais dû	**Présent**
tu dev ais	tu avais dû	doi s
il dev ait	il avait dû	dev ons
nous dev ions	nous avions dû	dev ez
vous dev iez	vous aviez dû	
ils dev aient	ils avaient dû	

Passé simple	**Passé antérieur**	PARTICIPE
je du s	j' eus dû	**Présent**　**Passé**
tu du s	tu eus dû	de vant　　dû
il du t	il eut dû	
nous dû mes	nous eûmes dû	INFINITIF
vous dû tes	vous eûtes dû	**Présent**　**Passé**
ils du rent	ils eurent dû	devoir　avoir dû

* Le conditionnel est parfois considéré comme un mode et parfois comme un temps.

3e groupe :
dire

INDICATIF		SUBJONCTIF	
Présent	**Passé composé**	**Présent**	**Passé**
je di s	j' ai dit	que je dis e	que j' aie dit
tu di s	tu as dit	que tu dis es	que tu aies dit
il di t	il a dit	qu'il dis e	qu'il ait dit
nous dis ons	nous avons dit	que nous dis ions	que nous ayons dit
vous di tes	vous avez dit	que vous dis iez	que vous ayez dit
ils dis ent	ils ont dit	qu'ils dis ent	qu'ils aient dit

		CONDITIONNEL *	
Futur simple	**Futur antérieur**	**Présent**	**Passé**
je dir ai	j' aurai dit	je dir ais	j' aurais dit
tu dir as	tu auras dit	tu dir ais	tu aurais dit
il dir a	il aura dit	il dir ait	il aurait dit
nous dir ons	nous aurons dit	nous dir ions	nous aurions dit
vous dir ez	vous aurez dit	vous dir iez	vous auriez dit
ils dir ont	ils auront dit	ils dir aient	ils auraient dit

Imparfait	**Plus-que-parfait**	IMPÉRATIF
je dis ais	j' avais dit	**Présent**
tu dis ais	tu avais dit	di s
il dis ait	il avait dit	dis ons
nous dis ions	nous avions dit	di tes
vous dis iez	vous aviez dit	
ils dis aient	ils avaient dit	

Passé simple	**Passé antérieur**	PARTICIPE
je dis	j' eus dit	**Présent**　**Passé**
tu dis	tu eus dit	dis ant　　dit
il dit	il eut dit	
nous dîmes	nous eûmes dit	INFINITIF
vous dîtes	vous eûtes dit	**Présent**　**Passé**
ils dirent	ils eurent dit	dire　avoir dit

* Le conditionnel est parfois considéré comme un mode et parfois comme un temps.

3e groupe : *faire*

INDICATIF		SUBJONCTIF	
Présent	**Passé composé**	**Présent**	**Passé**
je fai s	j' ai fait	que je fass e	que j' aie fait
tu fai s	tu as fait	que tu fass es	que tu aies fait
il fai t	il a fait	qu'il fass e	qu'il ait fait
nous fais ons	nous avons fait	que nous fass ions	que nous ayons fait
vous fai tes	vous avez fait	que vous fass iez	que vous ayez fait
ils fon t	ils ont fait	qu'ils fass ent	qu'ils aient fait

		CONDITIONNEL *	
Futur simple	**Futur antérieur**	**Présent**	**Passé**
je fer ai	j' aurai fait	je fer ais	j' aurais fait
tu fer as	tu auras fait	tu fer ais	tu aurais fait
il fer a	il aura fait	il fer ait	il aurait fait
nous fer ons	nous aurons fait	nous fer ions	nous aurions fait
vous fer ez	vous aurez fait	vous fer iez	vous auriez fait
ils fer ont	ils auront fait	ils fer aient	ils auraient fait

Imparfait	**Plus-que-parfait**	IMPÉRATIF
je fais ais	j' avais fait	**Présent**
tu fais ais	tu avais fait	fai s
il fais ait	il avait fait	fais ons
nous fais ions	nous avions fait	fai tes
vous fais iez	vous aviez fait	
ils fais aient	ils avaient fait	

* Le conditionnel est parfois considéré comme un mode et parfois comme un temps.

Passé simple	**Passé antérieur**	PARTICIPE	
je fis	j' eus fait	**Présent**	**Passé**
tu fis	tu eus fait	faisant	fait
il fit	il eut fait		
nous fîmes	nous eûmes fait	INFINITIF	
vous fîtes	vous eûtes fait	**Présent**	**Passé**
ils firent	ils eurent fait	faire	avoir fait

3e groupe : *prendre*

INDICATIF		SUBJONCTIF	
Présent	**Passé composé**	**Présent**	**Passé**
je pren ds	j' ai pris	que je prenn e	que j' aie pris
tu pren ds	tu as pris	que tu prenn es	que tu aies pris
il pren d	il a pris	qu'il prenn e	qu'il ait pris
nous pren ons	nous avons pris	que nous pren ions	que nous ayons pris
vous pren ez	vous avez pris	que vous pren iez	que vous ayez pris
ils prenn ent	ils ont pris	qu'ils prenn ent	qu'ils aient pris

		CONDITIONNEL *	
Futur simple	**Futur antérieur**	**Présent**	**Passé**
je prendr ai	j' aurai pris	je prendr ais	j' aurais pris
tu prendr as	tu auras pris	tu prendr ais	tu aurais pris
il prendr a	il aura pris	il prendr ait	il aurait pris
nous prendr ons	nous aurons pris	nous prendr ions	nous aurions pris
vous prendr ez	vous aurez pris	vous prendr iez	vous auriez pris
ils prendr ont	ils auront pris	ils prendr aient	ils auraient pris

Imparfait	**Plus-que-parfait**	IMPÉRATIF
je pren ais	j' avais pris	**Présent**
tu pren ais	tu avais pris	pren ds
il pren ait	il avait pris	pren ons
nous pren ions	nous avions pris	pren ez
vous pren iez	vous aviez pris	
ils pren aient	ils avaient pris	

* Le conditionnel est parfois considéré comme un mode et parfois comme un temps.

Passé simple	**Passé antérieur**	PARTICIPE	
je pris	j' eus pris	**Présent**	**Passé**
tu pris	tu eus pris	prenant	pris
il prit	il eut pris		
nous prîmes	nous eûmes pris	INFINITIF	
vous prîtes	vous eûtes pris	**Présent**	**Passé**
ils prirent	ils eurent pris	prendre	avoir pris

3e groupe : *vouloir*

INDICATIF		SUBJONCTIF	
Présent	**Passé composé**	**Présent**	**Passé**
je veux	j' ai voulu	que je veuille	que j' aie voulu
tu veux	tu as voulu	que tu veuilles	que tu aies voulu
il veut	il a voulu	qu'il veuille	qu'il ait voulu
nous voulons	nous avons voulu	que nous voulions	que nous ayons voulu
vous voulez	vous avez voulu	que vous vouliez	que vous ayez voulu
ils veulent	ils ont voulu	qu'ils veuillent	qu'ils aient voulu

		CONDITIONNEL *	
Futur simple	**Futur antérieur**	**Présent**	**Passé**
je voudrai	j' aurai voulu	je voudrais	j' aurais voulu
tu voudras	tu auras voulu	tu voudrais	tu aurais voulu
il voudra	il aura voulu	il voudrait	il aurait voulu
nous voudrons	nous aurons voulu	nous voudrions	nous aurions voulu
vous voudrez	vous aurez voulu	vous voudriez	vous auriez voulu
ils voudront	ils auront voulu	ils voudraient	ils auraient voulu

Imparfait	**Plus-que-parfait**	IMPÉRATIF
je voulais	j' avais voulu	**Présent**
tu voulais	tu avais voulu	veux (veuille)
il voulait	il avait voulu	voulons (veuillons)
nous voulions	nous avions voulu	voulez (veuillez)
vous vouliez	vous aviez voulu	
ils voulaient	ils avaient voulu	

* Le conditionnel est parfois considéré comme un mode et parfois comme un temps.

Passé simple	**Passé antérieur**	PARTICIPE
je voulus	j' eus voulu	**Présent** **Passé**
tu voulus	tu eus voulu	voulant voulu
il voulut	il eut voulu	INFINITIF
nous voulûmes	nous eûmes voulu	**Présent** **Passé**
vous voulûtes	vous eûtes voulu	vouloir avoir voulu
ils voulurent	ils eurent voulu	

3e groupe : *aller*

INDICATIF		SUBJONCTIF	
Présent	**Passé composé**	**Présent**	**Passé**
je vais	je suis allé(e)	que j'aille	que je sois allé(e)
tu vas	tu es allé(e)	que tu ailles	que tu sois allé(e)
il va	il / elle est allé(e)	qu'il aille	qu'il / elle soit allé(e)
nous allons	nous sommes allé(e)s	que nous allions	que nous soyons allé(e)s
vous allez	vous êtes allé(e)s	que vous alliez	que vous soyez allé(e)s
ils vont	ils / elles sont allé(e)s	qu'ils aillent	qu'ils / elles soient allé(e)s

		CONDITIONNEL *	
Futur simple	**Futur antérieur**	**Présent**	**Passé**
j'irai	je serai allé(e)	j'irais	je serais allé(e)
tu iras	tu seras allé(e)	tu irais	tu serais allé(e)
il ira	il / elle sera allé(e)	il irait	il / elle serait allé(e)
nous irons	nous serons allé(e)s	nous irions	nous serions allé(e)s
vous irez	vous serez allé(e)s	vous iriez	vous seriez allé(e)s
ils iront	ils / elles seront allé(e)s	ils iraient	ils / elles seraient allé(e)s

Imparfait	**Plus-que-parfait**	IMPÉRATIF
j'allais	j'étais allé(e)	**Présent**
tu allais	tu étais allé(e)	va
il allait	il / elle était allé(e)	allons
nous allions	nous étions allé(e)s	allez
vous alliez	vous étiez allé(e)s	
ils allaient	ils / elles étaient allé(e)s	

* Le conditionnel est parfois considéré comme un mode et parfois comme un temps.

Passé simple	**Passé antérieur**	PARTICIPE
j'allai	je fus allé(e)	**Présent** **Passé**
tu allas	tu fus allé(e)	allant allé
il alla	il / elle fut allé(e)	INFINITIF
nous allâmes	nous fûmes allé(e)s	**Présent** **Passé**
vous allâtes	vous fûtes allé(e)s	aller être allé
ils allèrent	ils / elles furent allé(e)s	

INDICATIF		SUBJONCTIF	
Présent	**Passé composé**	**Présent**	**Passé**
je vien s	je suis ven u(e)	que je vienn e	que je sois ven u(e)
tu vien s	tu es ven u(e)	que tu vienn es	que tu sois ven u(e)
il vien t	il/elle est ven u(e)	qu'il vienn e	qu'il/elle soit ven u(e)
nous ven ons	nous sommes ven u(e)s	que nous ven ions	que nous soyons ven u(e)s
vous ven ez	vous êtes ven u(e)s	que vous ven iez	que vous soyez ven u(e)s
ils vienn ent	ils/elles sont ven u(e)s	qu'ils vienn ent	qu'ils/elles soient ven u(e)s

		CONDITIONNEL *	
Futur simple	**Futur antérieur**	**Présent**	**Passé**
je viendr ai	je serai ven u(e)	je viendr ais	je serais ven u(e)
tu viendr as	tu seras ven u(e)	tu viendr ais	tu serais ven u(e)
il viendr a	il/elle sera ven u(e)	il viendr ait	il/elle serait ven u(e)
nous viendr ons	nous serons ven u(e)s	nous viendr ions	nous serions ven u(e)s
vous viendr ez	vous serez ven u(e)s	vous viendr iez	vous seriez ven u(e)s
ils viendr ont	ils/elles seront ven u(e)s	ils viendr aient	ils/elles seraient ven u(e)s

Imparfait	**Plus-que-parfait**	IMPÉRATIF
je ven ais	j'étais ven u(e)	**Présent**
tu ven ais	tu étais ven u(e)	vien s
il ven ait	il/elle était ven u(e)	ven ons
nous ven ions	nous étions ven u(e)s	ven ez
vous ven iez	vous étiez ven u(e)s	
ils ven aient	ils/elles étaient ven u(e)s	

* Le conditionnel est parfois considéré comme un mode et parfois comme un temps.

Passé simple	**Passé antérieur**	PARTICIPE	
je vins	je fus ven u(e)	**Présent**	**Passé**
tu vins	tu fus ven u(e)	venant	venu
il vint	il/elle fut ven u(e)	INFINITIF	
nous vînmes	nous fûmes ven u(e)s	**Présent**	**Passé**
vous vîntes	vous fûtes ven u(e)s	venir	être venu
ils vinrent	ils/elles furent ven u(e)s		

INDICATIF		SUBJONCTIF	
Présent	**Passé composé**	**Présent**	**Passé**
je voi s	j' ai vu	que je voi e	que j' aie vu
tu voi s	tu as vu	que tu voi es	que tu aies vu
il voi t	il a vu	qu'il voi e	qu'il ait vu
nous voy ons	nous avons vu	que nous voy ions	que nous ayons vu
vous voy ez	vous avez vu	que vous voy iez	que vous ayez vu
ils voi ent	ils ont vu	qu'ils voi ent	qu'ils aient vu

		CONDITIONNEL *	
Futur simple	**Futur antérieur**	**Présent**	**Passé**
je verr ai	j' aurai vu	je verr ais	j' aurais vu
tu verr as	tu auras vu	tu verr ais	tu aurais vu
il verr a	il aura vu	il verr ait	il aurait vu
nous verr ons	nous aurons vu	nous verr ions	nous aurions vu
vous verr ez	vous aurez vu	vous verr iez	vous auriez vu
ils verr ont	ils auront vu	ils verr aient	ils auraient vu

Imparfait	**Plus-que-parfait**	IMPÉRATIF
je voy ais	j' avais vu	**Présent**
tu voy ais	tu avais vu	voi s
il voy ait	il avait vu	voy ons
nous voy ions	nous avions vu	voy ez
vous voy iez	vous aviez vu	
ils voy aient	ils avaient vu	

* Le conditionnel est parfois considéré comme un mode et parfois comme un temps.

Passé simple	**Passé antérieur**	PARTICIPE	
je vis	j' eus vu	**Présent**	**Passé**
tu vis	tu eus vu	voyant	vu
il vit	il eut vu	INFINITIF	
nous vîmes	nous eûmes vu	**Présent**	**Passé**
vous vîtes	vous eûtes vu	voir	avoir vu
ils virent	ils eurent vu		

Vous trouverez, dans ce glossaire, toutes les notions de grammaire, de lexique, d'orthographe et de conjugaison :
■ : le carré rouge signale les termes désignant des **classes grammaticales** ;
■ : le carré vert signale les termes désignant des fonctions.
Les mots **en gras** sont expliqués dans ce glossaire, ainsi que dans les leçons aux pages indiquées (➜ p. ...).

■ **Adjectif qualificatif** [*classe grammaticale*] : mot qui sert à qualifier **un nom** (*Ex. petit, rouge...*). L'adjectif est variable en genre et en nombre et s'accorde avec le nom auquel il se rapporte (➜ p. **232**). Il peut remplir les fonctions d'**épithète**, d'**attribut** du sujet ou d'**apposition** (➜ p. 59, 135, 163, 232). On peut exprimer le **degré de l'adjectif** en utilisant le **comparatif** (*Ex. Léa est plus petite que Paul.*) ou le **superlatif** (*Ex. Paul est très grand.*) (➜ p. **169**).

■ **Adjectif verbal** [*classe grammaticale*] : adjectif formé à partir d'un verbe et du **suffixe** *-ant* (➜ p. 163). Il s'accorde en genre et en nombre avec le mot auquel il se rapporte.

■ **Adverbe** [*classe grammaticale*] : mot servant à modifier le sens d'un **verbe**, d'un **adjectif** ou d'un autre **adverbe** (*Ex. très, bien, vite, rapidement, hier...*) (➜ p. 59, 73, 115, 149, 220). Les adverbes sont des **mots invariables** (➜ p. **220**).

Alinéa : retrait laissé au début de la première ligne d'un **paragraphe** pour le distinguer des autres (➜ p. 53).

Antécédent : mot ou groupe de mots que remplace un **pronom** (➜ p. 93, 115).

Antériorité : caractéristique d'une action qui a lieu avant un autre fait (➜ p. 33, 39).

Antithèse : **figure de style** qui oppose deux mots ou groupes de mots de sens contraire (➜ **189**).

Antonymes : sont « antonymes » des mots de sens contraire (*Ex. grand / petit...*) (➜ p. **185**).

■ **Apposition** [*fonction*] : mot ou groupe de mots dépendant d'un nom, mais détaché de lui par une virgule (➜ p. 59, **163**).

■ **Article défini, indéfini, partitif** [*classe grammaticale*] : [*voir* **déterminants**] (➜ p. **99**).

■ **Attribut du sujet** [*fonction*] : constituant essentiel de la phrase, il exprime une caractéristique du sujet par l'intermédiaire d'un **verbe attributif** (➜ p. 135). Il s'accorde en genre et en nombre avec le sujet (➜ p. **135**).

■ **Attribut du COD** [*fonction*] : constituant essentiel de la phrase, il exprime une caractéristique du **COD** (➜ p. **135**).

Auxiliaire : terme désignant les verbes *être* et *avoir* quand ils permettent de former un **temps composé** (➜ p. 252, 256, 260, 264, 268, 272). De l'auxiliaire dépend l'accord du **participe passé** (➜ p. **236**).

Cadre spatio-temporel : indications qui permettent de situer l'action du texte dans l'espace et le temps (➜ p. 59, 149).

Champ lexical : ensemble de mots qui se rapportent à un même thème (➜ p. **193**).

Champ sémantique : ensemble des significations d'un même mot (➜ p. 193, **207**).

■ **CLASSE GRAMMATICALE** [*ou* NATURE] : elle indique l'identité du mot (**nom, adjectif, verbe**...) (➜ p. 93, 99, 123, 129, 135, 143, 149, 163, 185).

Comparaison : **image** qui rapproche deux éléments (le comparé et le comparant) à l'aide d'un outil de comparaison (*comme, tel... que, pareil à...*) pour en souligner la ressemblance (➜ p. 189, 199).

Comparatif : [*voir* **adjectif** : degrés] (➜ p. 169).

■ **Complément circonstanciel** [*fonction*] : mot ou groupe de mots qui indique une circonstance de l'action (➜ p. 115, 143, **149**, 155). Il peut être de temps (« quand ?... »), de lieu (« où ?... »), de cause (« pourquoi ? »), de but (« dans quel but ? »), de manière (« comment ? »), de moyen (« au moyen de quoi »), d'accompagnement (« avec qui ? »), de comparaison (« comme quoi ? »), de condition (« à quelle condition ? »), de conséquence (« de sorte que quoi ? »), d'opposition (« malgré quoi ? »), (➜ TABLEAU p. **110**).

■ **Complément d'agent** [*fonction*] : complément du verbe passif. Il indique qui fait l'action exprimée par le verbe et est introduit par une **préposition** (*par* ou *de*) (➜ p. 123, 129).

■ **Complément d'objet** [*fonction*] : complément essentiel d'un **verbe transitif**. Il ne peut être ni supprimé ni déplacé (➜ p. **129**).

– **Complément d'objet direct** (**COD**) : il se construit directement (sans préposition) (➜ p. 135, 236).

– **Complément d'objet indirect** (**COI**) : il se construit indirectement (avec les **prépositions** *à* ou *de*).

■ **Complément du comparatif** [*fonction*] : complément de l'adjectif au comparatif (*Ex. Léa est plus petite que Paul.*) (➜ p. **169**).

■ **Complément du nom** [*fonction*] : mot ou groupe de mots qui apporte des précisions sur un **nom**. C'est une **expansion du nom** (➜ p. 163).

Concordance des temps (➜ p. 39).

Conditionnel présent [*voir* **présent du conditionnel**] :
– [*conjugaison*] : temps simple du conditionnel (➜ p. 244, 272).
– [*valeur*] : dans le **récit au passé**, il exprime une action qui a eu lieu après un autre fait exprimé à un temps du passé (futur dans le passé) (➜ p. 33). Il exprime aussi un fait douteux ou soumis à une condition (➜ p. 79).

Conditionnel passé [*conjugaison*] : **temps composé** du conditionnel (➜ p. 272).

■ **Conjonction** [*classe grammaticale*]
– **Conjonction de coordination** : **mot invariable** servant à relier deux mots ou groupes de mots (*Ex. mais, ou, et, donc, or, ni, car*) (➜ p. 59, 73, **115**).
– **Conjonction de subordination** : **mot invariable** introduisant une **proposition subordonnée** (*Ex. que, lorsque, si, comme...*) (➜ p. 59, 73, **115**).

Connecteurs : termes qui organisent un texte [*voir* **indicateurs**].
– **Connecteurs spatiaux** : ils situent les éléments du récit (objets, personnages...) dans l'espace (➜ p. 59).
– **Connecteurs temporels** : ils situent les actions dans le temps (➜ p. 59, 149).
– **Connecteurs logiques** : ils relient les idées d'un texte et marquent les étapes d'un raisonnement (➜ p. 67, 73).

Connotation : idée, sens particulier qu'évoque un mot en plus de son sens littéral (➜ p. 79, 193, **203**).
– **Connotation méliorative** : le mot contient un jugement favorable, valorisant (positif).

– **Connotation péjorative** : le mot contient un jugement défavorable, dévalorisant (négatif).

Construction impersonnelle : construction verbale utilisant comme sujet un pronom (*il, ce*) qui n'a pas de référent (*Ex. Il pleut.*) (➜ p. 79, **123**) [*voir* **sujet particulier**].

Coordination : [*voir* **conjonction de coordination, propositions coordonnées**].

Dénotation : sens courant et premier d'un mot, par opposition à la **connotation** (➜ p. 223).

Désinences : terminaisons des **verbes** conjugués (➜ TABLEAUX p. 246-251).

Destinataire : celui à qui est adressé l'**énoncé** [*voir* **situation d'énonciation**] (➜ p. 27).

Détachement : procédé qui consiste à placer un mot ou un groupe de mots en tête de phrase pour le mettre en relief (*Ex. Ce livre, je l'adore*) (➜ p. 109).

■ ■ **Déterminants** [*classe grammaticale et fonction*] : **mots variables** qui déterminent le **nom** et indiquent son genre et son nombre (➜ p. 27, **99**, 220).
– **Articles définis** (*Ex. le, la, les…*), **indéfinis** (*Ex. un, une, des…*), **partitifs** (*Ex. du, de la, des…*) ;
– **Déterminants possessifs** (*Ex. mon, ma, mes…*), **démonstratifs** (*Ex. ce, cet, cette, ces…*), **numéraux** (*Ex. deux, trois, cent, mille…*), **indéfinis** (*Ex. chaque, tout…*), **exclamatifs**, **interrogatifs** (*Ex. quel, quelle…*).

Dialogue : ensemble de répliques qu'échangent des personnages. Dans un récit, le dialogue est présenté avec des tirets ou des guillemets. Dans une pièce de théâtre, le nom des personnages précède chaque réplique (➜ p. 45).

Discours narratif, descriptif, explicatif et **argumentatif** : [*voir* **formes de discours**] (➜ p. 53, 67).

Énoncé : message écrit ou oral [*voir* **situation d'énonciation**] (➜ p. 27).

Énonciateur [*ou* **émetteur**] : celui qui parle [*voir* **situation d'énonciation**] (➜ p. 27).

■ **Épithète** [*fonction*] : **adjectif** ou **participe passé** placé à côté du **nom** qu'il qualifie. C'est une **expansion du nom** (➜ p. 87, 163). L'adjectif épithète s'accorde avec le nom auquel il se rapporte (➜ p. 59).

Étymologie : science qui étudie l'origine des mots (➜ p. 212).

Expansion du nom : élément du **groupe nominal** qui apporte des précisions sur le **nom** noyau (➜ p. 87, **163**, 175).

Famille de mots : ensemble des mots formés sur le même **radical** (➜ p. 193).

Figure de style : procédé expressif (comparaison, métaphore…) (➜ p. 79, **189**, 212).

■ **FONCTION** : c'est le rôle que joue le mot dans la phrase (**sujet, attribut du sujet, COD, COI, CC…**) (➜ p. 123, 129, 135, 143, 163, 175).

Formes de discours

On distingue quatre formes de discours (➜ p. **53**, **67**) :
– le **discours narratif** raconte des événements ;
– le **discours descriptif** décrit un lieu, un objet, un être pour qu'on se le représente ;
– le **discours explicatif** répond à une question ou donne une information ;
– le **discours argumentatif** exprime l'idée de l'auteur, sa thèse, pour convaincre le lecteur.

Formes de phrases (➜ p. **109**)

On distingue :
– la **phrase affirmative** exprime un fait (*Ex. J'adore ce livre.*) ;
– la **phrase négative** nie un fait (*Ex. Je n'aime pas ce livre.*) ;

– la **phrase neutre** ne met aucun mot en relief (*Ex. J'adore ce livre.*) ;
– la **phrase emphatique** met en relief un mot ou un groupe de mots (*Ex. Ce livre, je l'adore.*).
– la phrase **passive** met en relief le sujet qui subit l'action (*Ex. Les animaux sont abandonnés par leurs maîtres.*) (➜ p. 123, 129).

Futur antérieur [*conjugaison*] : **temps composé** de l'indicatif (➜ p. 264).

Futur simple de l'indicatif [*conjugaison*] : temps simple de l'indicatif qui exprime un fait à venir (➜ p. **244**, 264). [*valeur*] il exprime un fait à venir (➜ p. 39).

■ **Gérondif** [*classe grammaticale*] : forme verbale composée de la préposition *en* et du participe présent (*Ex. en allant*) (➜ p. 149).

■ **Groupe infinitif** [*classe grammaticale*] : groupe de mots dont le noyau est un **verbe** à l'infinitif (➜ p. 123).

■ **Groupe nominal** [*classe grammaticale*] : groupe de mots dont le noyau est un **nom** (➜ p. 162).

Homonymes : sont « homonymes » des mots qui ont la même prononciation, mais qui n'ont pas le même sens (*Ex. cour / court / cours…*) (➜ p. 185).

Homophones : sont « homophones » des mots qui se prononcent de la même manière, mais qui s'écrivent différemment (*Ex. a / à, ce / se, et / est…*) (➜ p. **216**, **220**, **224**).

Image : procédé de style qui établit une correspondance entre les mots (**comparaison, métaphore, personnification, métonymie**) (➜ p. 189).

Imparfait de l'indicatif
– [*conjugaison*] : temps simple de l'indicatif (➜ p. 244, 256) ;
– [*valeurs*] : il exprime l'arrière-plan, le cadre du **récit au passé** (➜ p. 33, 39).

Impératif [*conjugaison*] : mode du verbe qui ne comporte que trois personnes, où le verbe s'emploie sans sujet exprimé (➜ p. 244). Il permet d'exprimer un ordre ou un conseil [*voir* **phrase injonctive**] (➜ p. 109).

Incise : [*voir* **proposition incise**].

Indicateurs [*voir* **connecteurs** et **compléments circonstanciels**] :
– **Indicateurs de temps** : mots ou groupes de mots qui permettent d'organiser la narration, la progression du récit (➜ p. 27, 53, 59, 67).
– **Indicateurs de lieu** : mots ou groupes de mots qui permettent d'organiser la description (➜ p. 27, 53, 59).

■ **Interjection** [*classe grammaticale*] : **mot invariable** qui reproduit un cri, une exclamation (➜ p. 79).

Juxtaposition : [*voir* **propositions juxtaposées**].

Mélioratif : [*voir* **connotation méliorative**].

Métaphore : **image** qui rapproche deux éléments (le comparé et le comparant) sans outil de comparaison pour en souligner la ressemblance ou les qualités communes (➜ p. 189, 199).

Métonymie : **image** qui consiste à remplacer un mot par un autre mot qui lui est lié par un rapport logique (la partie pour le tout, le contenant pour le contenu, l'objet pour la matière) (➜ p. **189**).

Modalisation : ensemble des procédés utilisés par l'**énonciateur** pour exprimer son jugement, ses sentiments dans le texte (➜ p. 67, 79).

Mot
– **Mot exclamatif** : mot qui permet de construire une **phrase exclamative** (*Ex. quel, comme…*) (➜ p. 109).

- **Mot interrogatif** : mot qui permet de construire une **phrase interrogative** (*Ex. qui, que, quoi…*) (→ p. 109).
- **Mots-outils** : mots servant à construire une phrase (**préposition, conjonction**) (→ p. 224).
- **Mots variables** : mots qui varient en genre, en nombre ou en personne (**nom, verbe, adjectif, déterminant, pronom**) (→ GARDES).
- **Mots invariables** : mots qui ne varient pas (**adverbe, préposition, conjonction, interjection**) (→ GARDES).
- **Mot subordonnant** : mot introduisant une **proposition subordonnée** (*Ex. que, quand…*) (→ p. 115, 149).

■ **NATURE** : [*voir* CLASSE GRAMMATICALE].

Niveaux de langage [*ou* **registres de langue**]

On distingue trois niveaux de langage qui se distinguent par le vocabulaire, la construction des phrases et la prononciation :
- le **niveau courant** (ou **neutre**) ;
- le **niveau familier** ;
- le **niveau soutenu**.

Le niveau de langage doit être adapté au **destinataire** (→ p. 27, 31, 45).

■ **Nom** [*classe grammaticale*] : terme désignant un être, une chose, une idée, un sentiment, une action (*Ex. fille, école…*) (→ p. 163). Les noms sont des **mots variables** en genre et en nombre.

Objectif : qui ne fait pas intervenir un jugement ou une opinion personnelle (antonyme : *subjectif*) (→ p. 55).

Paragraphe : partie du texte qui présente une unité. Il peut commencer par un **alinéa** (retrait) et est délimité par un retour à la ligne (→ p. 53).

Paroles rapportées : [*voir* **style direct et indirect**] (→ p. 45).

Paronymes : sont « paronymes » des mots qui se prononcent presque de la même façon mais qui ont un sens différent (→ p. 185).

■ **Participe présent** [*classe grammaticale*] : forme verbale non conjuguée terminée par *-ant* (*Ex. allant, marchant…*) (→ p. 149, 163).

■ **Participe passé** [*classe grammaticale*] : forme verbale qui permet de former les **temps composés** (→ p. 252, 256, 260, 264, 268, 272) ou qui est utilisée comme **adjectif** (→ p. 163). Il s'accorde selon son emploi : seul, avec l'**auxiliaire** *être* ou *avoir* (→ p. 236, 240, 244).

Passé antérieur [*conjugaison*] : **temps composé** de l'indicatif (→ p. 260). [*valeur*] (→ p. 33).

Passé composé [*conjugaison*] : **temps composé** de l'indicatif (→ p. 252). Il exprime un fait passé dont les conséquences durent encore. [*valeur*] (→ p. 39).

Passé du conditionnel [*conjugaison*] : **temps composé** du conditionnel (→ p. 272).

Passé simple
- [*conjugaison*] : temps simple de l'indicatif (→ p. 244, 260) ;
- [*valeur*] : il exprime une action principale dans le **récit au passé** (→ p. 33).

Passé du subjonctif [*conjugaison*] : **temps composé** du subjonctif (→ p. 268).

Péjoratif : [*voir* **connotation péjorative**].

Périphrase : groupe de mots expressifs servant de **substitut du nom** (*Ex. la planète bleue, l'auteur de Notre-Dame de Paris…*) (→ p. 87).

Personnification : **image** qui attribue des comportements humains à des idées, des animaux ou des objets (→ p. 189).

Phrase : suite de mots organisés selon des règles grammaticales pour former un **énoncé** qui a un sens.
- **Phrase verbale** : phrase qui contient un ou plusieurs **verbes** conjugués (→ p. 109).
- **Phrase non verbale** : phrase qui ne contient pas de **verbe** conjugué (→ p. 109).
- **Phrase simple** : phrase qui contient une seule **proposition** (→ p. 115).
- **Phrase complexe** : phrase qui contient plusieurs propositions (→ p. 115).
- **Phrase affirmative / négative / neutre / emphatique** : [*voir* **formes de phrases**].
- **Phrase déclarative / injonctive / interrogative / exclamative** : [*voir* **types de phrases**].
- **Phrase passive** : phrase dans laquelle **le sujet** subit l'action exprimée par le verbe (→ p. 123).

Plus-que-parfait
- [*conjugaison*] : **temps composé** de l'indicatif (→ p. 256).
- [*valeur*] : il exprime une action antérieure dans le **récit au passé** (→ p. 33).

Ponctuation : ensemble des signes qui permettent à l'écrit de segmenter le texte ou la **phrase** (→ p. 115).

Postériorité : caractéristique d'une action qui a lieu après un autre fait (→ p. 33, 39).

Préfixe : dans la formation d'un mot, élément qui se place avant le **radical** (*Ex. pré-, re-…*) (→ p. 212).

■ **Préposition** [*classe grammaticale*] : **mot invariable** servant à introduire des mots ou groupes de mots compléments (*Ex. à, dans, par, pour, en, vers, avec, de, sans, sous…*) (→ p. 59, 73, 79).

Présent de l'indicatif
- [*conjugaison*] : temps simple de l'indicatif (→ p. 248, 252) ;
- [*valeurs*] : (→ p. 39).
- **Présent d'énonciation** : présent qui renvoie au moment où l'on parle.
- **Présent de vérité générale** : présent qui exprime des faits établis comme toujours vrais.
- **Présent d'habitude** : présent qui exprime des faits répétés, habituels.
- **Présent de narration** (ou **historique**) : présent qui apparaît alors que le texte est au passé pour donner de la vivacité à l'action (→ p. 77).
- **Présent de description** : il s'utilise dans la description d'un lieu, d'un être ou d'une chose.
- **Présent à valeur de passé ou de futur proche** : présent qui exprime un fait récent dans le passé ou proche dans le futur.

Présent de l'impératif [*valeur*] : il exprime un ordre ou un conseil (→ p. 109).

Présent du conditionnel [*voir* **conditionnel présent**] :
- [*conjugaison*] : temps simple du conditionnel (→ p. 272).
- [*valeur*] : dans le **récit au passé**, il exprime une action qui a eu lieu après un autre fait exprimé à un temps du passé (futur dans le passé) (→ p. 33).

Présent du subjonctif [*conjugaison*] : temps simple du subjonctif (→ p. 248, 268).

■ **Pronom** [*classe grammaticale*] : mot qui remplace un élément du texte (l'**antécédent**) ou qui désigne un élément de la **situation d'énonciation** (le référent). Les pronoms sont des **mots variables** (→ p. 27, 93, 123, 220).
- **Pronom personnel** (*Ex. je, tu, il…*) : pronom qui remplace une personne, un être, une chose abstraite (→ p. 87, 93).

– **Pronom personnel adverbial** : *en* et *y*, qui remplacent souvent des **noms** inanimés (➔ p. **93**).

– **Pronom possessif** (*Ex. le mien...*) (➔ p. 87, **93**).

– **Pronom démonstratif** (*Ex. celui-ci...*) (➔ p. 87, **93**).

– **Pronom indéfini** (*Ex. chacun(e), personne...*) (➔ p. 87, **93**).

– **Pronom relatif** (*Ex. qui, que, dont...*) (➔ p. 87, **93**, 115, 175).

– **Pronom numéral** (*Ex. un, le tiers, cent...*) : (➔ p. **93**).

– **Pronom interrogatif** (*Ex. qui, quel...*) (➔ p. **93**, 236).

– **Pronom réfléchi** (*Ex. me, te, se...*) (➔ p. **240**).

■ **Proposition** [*classe grammaticale*] : groupe de mots organisé autour d'un **verbe conjugué**.

– **Propositions coordonnées** : propositions indépendantes reliées par une **conjonction de coordination** ou par un **adverbe** de liaison (➔ p. **115**, 155).

– **Propositions juxtaposées** : propositions indépendantes séparées par un signe de **ponctuation** (➔ p. 45, **115**).

– **Proposition principale** : proposition qui ne peut pas être supprimée et dont dépend une ou plusieurs propositions subordonnées (➔ p. **115**).

– **Proposition subordonnée** : proposition introduite par un **mot subordonnant** (*Ex. qui, que, comme, si, quand...*) et qui dépend d'une proposition principale (➔ p. 45, **115**, 123, 149, 155).

– **Proposition subordonnée relative** : proposition qui complète un **nom**. C'est une **expansion du nom** (➔ p. **115**, 175).

– **Proposition subordonnée infinitive** : proposition subordonnée qui s'organise autour d'un verbe à l'infinitif et qui possède un sujet propre (➔ p. **115**).

– **Proposition subordonnée conjonctive** : proposition subordonnée introduite par une **conjonction de subordination** (➔ p. **115**, 129).

– **Proposition subordonnée interrogative indirecte** : proposition subordonnée exprimant une interrogation indirecte (➔ p. **115**).

– **Proposition subordonnée circonstancielle** : proposition subordonnée exprimant une circonstance de l'action de la principale (➔ p. 115, 149, 155).

– **Proposition incise** : proposition intégrée dans des paroles rapportées au **style direct** et qui contient le **verbe de parole** (➔ p. 47).

Récit au passé : il situe les actions de l'histoire dans le passé (➔ p. 33).
Dans le récit au passé, on utilise le **système des temps du passé** : le **passé simple** est le temps de référence, il alterne avec l'**imparfait de l'indicatif**. On y trouve aussi le **plus-que-parfait**, le **présent du conditionnel** ou le **présent de narration**.

Récit au présent : il situe les actions de l'histoire dans le présent (➔ p. 39).
Dans le récit au présent, on utilise le **système des temps du présent** : le **présent** est le temps de référence ; l'**imparfait**, le **passé composé** et le **futur** se situent par rapport à ce moment présent.

Registres de langue : [*voir niveaux de langage*].

Situation d'énonciation : la situation d'énonciation définit qui parle (**énonciateur** ou **émetteur**), à qui (**destinataire**), quand (moment de l'énonciation), où (lieu de l'énonciation) et dans quel but (**visée**) (➔ p. 27).

Style direct : manière de rapporter les paroles ou les pensées d'un personnage sans les modifier (➔ p. 45).

Style indirect : manière de transformer et d'intégrer les paroles des personnages dans le récit (➔ p. 45).

Subjectif : qui fait intervenir une opinion ou une vision personnelle du sujet (antonyme : *objectif*) (➔ p. 55, 79).

Subjonctif [*conjugaison*] : mode du verbe souvent utilisé dans des **propositions** introduites par que (➔ p. **268**). [*valeur*] Il peut exprimer un doute sur la réalisation de l'action. (➔ p. 79) [*voir **présent du subjonctif** et **passé du subjonctif***].

Subordination : [*voir **proposition subordonnée, conjonction de subordination***].

Substituts du nom : mots qui remplacent un **nom** dans un texte (➔ p. 87).

– **Substituts lexicaux** (synonyme, groupe nominal, périphrase).

– **Substituts pronominaux** (pronom).

Suffixe : dans la formation d'un mot, élément qui se place après le **radical** (*Ex. -able, -isme...*) (➔ p. 203, **212**).

■ **Sujet** [*fonction*] : élément essentiel de la phrase, il commande l'accord du **verbe** en personne et en nombre (➔ p. 123, 228).

– **Sujet inversé** : sujet placé après le **verbe** (➔ p. 228).

– **Sujet particulier** (➔ p. **123**).

Superlatif [*voir **degré de l'adjectif***] (➔ p. 169).

Synonymes : sont « synonymes » des mots de sens très proches (*Ex. grand / long...*) (➔ p. 87, 185).

Système du passé : [*voir **récit au passé***].

Système du présent : [*voir **récit au présent***].

Temps composé : temps verbal composé d'un **auxiliaire** et d'un **participe passé** (➔ p. 252, 256, 260, 264, 268, 272).

Temps de référence : temps qui sert de référence au système de temps du texte. Ce peut être le **présent**, le **passé simple** ou le **passé composé** (➔ p. 33, 39).

Types de phrases

On distingue quatre types de **phrases** (➔ p. 79, **109**) :

– la **phrase déclarative** exprime un fait ou une opinion ;

– la **phrase injonctive** donne un ordre, une défense ou un conseil ;

– la **phrase interrogative** (**totale** ou **partielle**) pose une question ;

– la **phrase exclamative** traduit un sentiment de l'**énonciateur**.

Typographie : mise en page et caractères choisis pour présenter un texte (➔ p. 79).

Valeur des temps (➔ p. 33, 39).

■ **Verbe** [*classe grammaticale*] : élément essentiel de la **phrase verbale**, il exprime une action ou un état. Le verbe est un mot variable en personne, en nombre, en temps et en mode.

– **Verbe attributif** : verbe indiquant une caractéristique du **sujet** et suivi d'un **attribut du sujet** (*Ex. être, devenir...*) (➔ p. 135).

– **Verbe intransitif** : verbe sans complément d'objet (*Ex. arriver...*).

– **Verbe transitif** : verbe construit avec un **complément d'objet** (COD ou COI) (➔ p. 129).

– **Verbe transitif direct** : verbe construit avec un **COD** (*Ex. manger qqch...*) (➔ p. 129).

– **Verbe transitif indirect** : verbe construit avec un **COI** (*Ex. raffoler de qqch...*) (➔ p. 129).

– **Verbe de parole** : verbe qui désigne la manière dont l'**énonciateur** prend la parole (*Ex. dire, demander, crier...*) (➔ p. 45).

Verbes pronominaux : verbes précédés d'un pronom réfléchi (*Ex. s'enfuir, se moquer...*) (➔ p. 240).

Table des illustrations

Avec l'aimable autorisation de Play Bac Presse pour les extraits de *Mon Quotidien* et de L'Actu reprosuits aux pages 62, 118, 165.

Mon Quotidien, le quotidien d'actualité dès 10 ans
L'Actu, le quotidien d'actualité dès 14 ans
www.playbacpresse.fr

Achevé d'imprimer en Italie par Deaprinting
Dépôt légal : 87509 Avril 2007

Guide pour la relecture orthographique

Points à vérifier	Règles	Astuces	Exemples

ÉNONCIATION

Points à vérifier	Règles	Astuces	Exemples
Qui désigne je ? tu ?...	La personne désignée par *je* ou *tu*, *nous* ou *vous* commande l'accord.	Chercher qui est l'**énonciateur** (*je, nous*) ou le **destinataire** de l'énoncé (*tu, vous*).	*Amélie s'exclame :* « *Que je suis fatiguée aujourd'hui !* »

ACCORDS

Points à vérifier	Règles	Astuces	Exemples
Sujet - Verbe	Le **sujet** commande l'accord du verbe.	Chercher le sujet « **Qui est-ce qui [verbe] ?** »	*Les chatons jouent avec une pelote de laine.*
Participe passé	Le participe passé s'accorde : – soit avec le **sujet** (auxiliaire *être*), – soit avec le **COD** s'il est placé **avant** l'auxiliaire (auxiliaire *avoir*).	1. Repérer l'auxiliaire. 2. – Avec *être* : identifier le **sujet**. – Avec *avoir* : identifier le **COD**, repérer s'il est placé avant ou après.	*Julie* est *enfin arrivée.* *Julie* a *apporté des biscuits.* (COD après) *Les biscuits que Julie* a *apportés sont délicieux.* (COD avant : *que* = *les biscuits*)
Nom - Adjectif	L'**adjectif** s'accorde en genre et en nombre avec le **nom** auquel il se rapporte.	Repérer le nom dont dépend l'adjectif en se demandant : « **Qu'est-ce qui est [adjectif] ?** »	*Durian porte des lunettes rondes.* (= ce sont les lunettes qui sont rondes.)

CONFUSIONS VERBALES

Points à vérifier	Règles	Astuces	Exemples
-er / -é(e)(s)	Pour les verbes du 1er groupe, l'infinitif *-er* et le participe passé *-é(e)(s)* sont homophones.	Remplacer par un verbe du **3e groupe** comme *vendre* ou *prendre* pour entendre la différence.	*Je vais acheter des cerises.* (= *vendre*) *J'ai acheté des cerises.* (= *vendu*)
-ai / -ais	Pour les verbes du 1er groupe à la 1re personne du singulier, le passé simple *-ai* et l'imparfait *-ais* sont homophones.	Remplacer par la 1re personne du pluriel (*nous*) pour entendre la différence.	*D'habitude, j'arrivais toujours en retard.* (= *nous arrivions*) *Cette fois-là, j'arrivai en avance.* (= *nous arrivâmes*)
-rai / -rais	Pour tous les verbes, à la 1re personne du singulier, le futur de l'indicatif *-rai* et le présent du conditionnel *-rais* sont homophones.	Remplacer par la 1re personne du pluriel (*nous*) pour entendre la différence.	*C'est promis, j'arriverai en avance.* (= *nous arriverons*) *Si je partais plus tôt, j'arriverais en avance.* (= *nous arriverions*)

HOMOPHONES GRAMMATICAUX

Points à vérifier	Règles	Astuces	Exemples
a(s) / à	Le verbe *avoir* au présent (*tu as, il a*) et la préposition *à* sont homophones.	Mettre le verbe *avoir* à l'**imparfait** (*avais / avait*) : cela ne fonctionne pas avec la préposition.	*Colin a deux vélos.* (= *avait*) *Colin prête un vélo à Théo.*
ou / où	La conjonction *ou* et le mot *où* (mot interrogatif ou pronom relatif) sont homophones.	Remplacer la conjonction par *ou bien* : cela ne fonctionne pas avec le mot *où*.	*Où vas-tu ?* *À la mer ou à la montagne ?* (= *ou bien*)